KEN
FOLLETT
Dreifach

Spionage-Thriller

Man muß sich im klaren sein,
daß die einzige Schwierigkeit bei der Herstellung
einer gleichwie gearteten Atombombe
darin besteht,
eine bestimmte Menge Spaltmaterials
von angemessener Reinheit herzustellen;
die Konstruktion der Bombe selbst
ist relativ einfach ...

Encyclopedia Americana

Für Al Zuckerman

Lizenzausgabe 1990 für
Manfred Pawlak Verlagsgesellschaft mbH,
Herrsching

© 1980 für die deutsche Ausgabe
Gustav Lübbe Verlag GmbH, Bergisch Gladbach
Aus dem Englischen übertragen
von Bernd Rullkötter

Als mein erster Roman in England erschien, hatte ich große Erwartungen. Zahlreiche Buchrezensionen, Schaufenster-Displays in den Buchhandlungen, heiße Diskussionen auf Partys und das herrliche Gefühl, jeden Morgen im Zug Leser beobachten und sagen zu können: »Das habe ich geschrieben« – so stellte ich mir den Siegeszug meines Buches im Markt vor.

Ich wurde enttäuscht. Die meisten Buchrezensenten ignorierten meinen Roman, die potentiellen Käufer taten es auch. Mein Traum von Ruhm und Reichtum zerrann. Mit den Tantiemen konnte ich mir gerade eine bescheidene Familienreise nach Tunesien leisten. Im Morgenzug entdeckte ich keinen einzigen Leser. Und ich fragte mich, ob es sich überhaupt lohnte, mit einer neuen Geschichte zu beginnen.

Just zu diesem Zeitpunkt wurde das Buch an einen deutschen Verleger verkauft. Es brachte nicht viel Geld ein, aber ich befand mich in Hochstimmung. Mein Buch würde übersetzt werden! Aus den Tausenden von englischen Neuerscheinungen hatte man es mit wenigen anderen ausgewählt, in einer anderen Sprache zu erscheinen. Etwas Besonderes mußte also daran sein, und ich hatte vielleicht doch Talent zum Schreiben. Ich beschloß, einen neuen Versuch zu wagen.

In den nächsten Jahren gab es noch einige Enttäuschungen. Aber jedes neue Buch war besser als das vorige und verkaufte sich auch etwas mehr. Mit der Zeit lernte ich, auf kleine Details zu achten, große dramatische Szenen möglichst effektvoll anzulegen und die Geschichte so aufzubauen, daß der Leser am Ende zufrieden war. Schließlich schrieb ich »Eye of the Needle« (Die Nadel), es wurde mein erster großer Erfolg. Das Buch wurde im Fernsehen beworben, in allen Zeitungen erschienen Besprechungen, in jeder Buchhandlung lag es stapelweise aus. Meine Träume wurden wahr.

Die meisten Leute haben mein erstes Buch vergessen. Aber ich bin meinen deutschen Lesern immer noch dankbar dafür, daß sie mich damals ermutigt haben weiterzumachen. Ohne sie hätte ich vielleicht aufgegeben.
Ihnen allen sei Dank!

Thank you !

— KenFollet.

Prolog

Nur ein einziges Mal waren sie alle zusammengewesen, vor vielen Jahren, in ihrer Jugend, bevor all *dies* geschah. Aber diese Begegnung warf Schatten weit über die Jahrzehnte hinweg.

Es war der erste Sonntag im November des Jahres 1947, um genau zu sein. Jeder von ihnen lernte all die anderen kennen – ein paar Minuten lang waren sie sogar alle in einem Zimmer. Manche vergaßen sofort die Gesichter, die sie sahen, und die Namen, die bei der förmlichen Vorstellung genannt wurden. Manche vergaßen sogar jenen Tag, und als er 21 Jahre später so wichtig wurde, mußten sie so tun, als erinnerten sie sich. Sie mußten verschwommene Fotografien anstarren und wissend »Ach ja, natürlich« murmeln.

Diese frühe Begegnung ist ein Zufall, aber kein sehr verblüffender. Fast alle waren sie jung und begabt; waren dazu bestimmt, Macht zu besitzen, Entscheidungen zu fällen und Veränderungen zu bewirken – jeder auf seine Art, in seinem Land. Solche Menschen treffen sich in ihrer Jugend eben an Orten wie der Universität Oxford. Davon abgesehen, wurden all jene, die anfangs nicht betroffen waren, in all *diese* Geschehnisse hineingezogen, einfach *weil* sie die anderen in Oxford kennengelernt hatten.

Allerdings ließ damals nichts an eine historische Begegnung denken. Es war nur eine von vielen Sherrypartys an einem Ort, an dem es zu viele Sherrypartys gab (und, wie die Studenten immer hinzufügten, nicht genug Sherry). Sie war kein Ereignis im besonderen, diese Party – jedenfalls fast.

*

Al Cortone klopfte an und wartete im Flur darauf, daß ein Toter ihm die Tür öffnete.

Der Verdacht, daß sein Freund tot sei, hatte sich in den letzten drei Jahren zu einer Überzeugung verfestigt. Zuerst hatte Cortone gehört, daß Nat Dickstein in Gefangenschaft geraten war. Gegen Ende des Krieges verbreiteten sich Geschichten über das, was mit Juden in den Nazilagern angestellt wurde. Dann, ganz am Ende, wurde die bittere Wahrheit bekannt.

An der anderen Seite der Tür scharrte ein Geist mit einem Stuhl über den Fußboden und tappte durch das Zimmer.

Cortone wurde plötzlich nervös. Und wenn Dickstein verkrüppelt war, entstellt? Oder vielleicht verrückt geworden? Cortone hatte nie mit Krüppeln oder Geistesgestörten umzugehen verstanden. Er und Dickstein hatten enge Freundschaft geschlossen – für ein paar Tage, damals 1943 –, aber was war inzwischen aus Dickstein geworden?

Die Tür öffnete sich, und Cortone sagte: »Hallo, Nat.«

Dickstein starrte ihn an, dann verzog sich sein Gesicht zu einem breiten Grinsen, und er brachte eine seiner komischen Cockney-Phrasen hervor: »Mensch, ich kipp' ins Kraut!«

Cortone grinste erleichtert zurück. Sie schüttelten einander die Hand, klopften sich auf den Rücken und ließen aus reiner Freude ein paar Soldatenflüche los. Dann gingen sie hinein.

Dickstein besaß ein Zimmer mit hoher Decke in einem alten Haus, das in einem vernachlässigten Teil der Stadt lag. Ein Einzelbett, säuberlich nach Armeeart gemacht; daneben ein schwerer, alter Kleiderschrank aus dunklem Holz mit einem entsprechenden Frisiertisch; ein mit Büchern überhäufter Tisch vor einem kleinen Fenster. Auf Cortone wirkte der Raum kahl. Wenn er hier wohnen müßte, würde er einige Habseligkeiten verteilen, damit das Zimmer eine persönliche Note bekäme: Fotografien seiner Familie, Souvenirs von den Niagara-Fällen und von Miami Beach, seinen Football-Pokal aus der Schulzeit.

»Ich möchte gern wissen, wie du mich gefunden hast«, sagte Dickstein.

»Das war keine Kleinigkeit.« Cortone zog seine Uniformjacke aus und legte sie auf das schmale Bett. »Es hat mich fast den ganzen gestrigen Tag gekostet.« Er musterte den einzigen Lehnsessel des Zimmers. Beide Armlehnen neigten sich in merkwürdigem Winkel zur Seite, eine Feder stach durch die verwaschenen Chrysanthemen des Stoffes, und ein Bein war durch ein Exemplar von Platos *Theaitetos* ersetzt worden. »Können Menschen darauf sitzen?«

»Nur, wer es nicht weiter als bis zum Sergeant gebracht hat, aber . . .«

»Die anderen sind sowieso keine Menschen.«

Beide lachten: Es war ein alter Witz. Dickstein zog einen Thonet-Stuhl vom Tisch heran und setzte sich rittlings darauf. Er betrachtete seinen Freund einen Moment lang von oben bis unten und sagte: »Du wirst dick.«

Cortone tätschelte die leichte Wölbung seines Bauches. »Wir leben gut in Frankfurt. Durch deine Entlassung hast du wirklich etwas verpaßt.« Er beugte sich vor und senkte die Stimme, als habe er etwas Vertrauliches mitzuteilen. »Ich habe ein Vermögen gemacht. Juwelen, Porzellan, Antiquitäten – alles für Zigaretten und Seife gekauft. Die Deutschen sind am Verhungern. Und was das beste ist, die Mädchen lassen sich für ein Paar Nylons auf alles ein.« Er lehnte sich zurück und wartete auf ein Lachen, doch Dickstein verzog keine Miene. Aus der Fassung gebracht, wechselte Cortone das Thema. »Du bist jedenfalls nicht dick.«

Er war zunächst so erleichtert darüber gewesen, daß Dickstein unversehrt war und immer noch so grinste wie früher, daß er ihn nicht genauer betrachtet hatte. Nun merkte er, daß sein Freund nicht nur schlank, sondern geradezu ausgemergelt war. Nat Dickstein war immer klein und schmal gewesen, aber jetzt schien er nur noch Haut und Knochen zu sein. Die totenbleiche Haut und die großen braunen Augen hinter den von Kunststoff eingefaßten Brillengläsern verstärkten den Eindruck. Zwischen seiner Socke und dem Umschlag seiner Hose zeigten sich ein paar Zentimeter seines blassen, spanartigen Schienbeins. Vier Jahre vorher war Dickstein braun und sehnig gewesen und so hart wie die Ledersohlen seiner britischen Armeestiefel. Wenn Cortone von seinem englischen Kumpel erzählte, was er oft tat, sagte er immer: »Der zäheste, gerissenste Kämpfer, der mir je mein verdammtes Leben gerettet hat – ohne Flachs.«

»Dick? Nein«, entgegnete Dickstein. »Dieses Land ist immer noch auf eiserne Rationen gesetzt, Alter. Aber wir schaffen's schon.«

»Du hast schon Schlimmeres erlebt.«

Dickstein lächelte. »Und Schlimmeres gegessen.«

»Du bist gefangengenommen worden.«

»Bei La Molina.«

»Wie, zum Teufel, konnten sie dich bloß schnappen?«

»Kein Problem.« Dickstein zuckte die Achseln. »Eine Kugel brach mir das Bein, und ich wurde bewußtlos. Als ich zu mir kam, lag ich auf einem deutschen Lastwagen.«

Cortone musterte Dicksteins Beine. »Es ist wieder gut zusammengeheilt?«

»Ich hatte Glück. Auf meinem Gefangenenzug war ein Arzt – er richtete den Knochen ein.«

Cortone nickte. »Und dann das Lager . . .« Vielleicht hätte er nicht fragen sollen, aber er wollte mehr wissen.

Dickstein wandte den Blick ab. »Nichts Besonderes, bis sie herausfanden, daß ich Jude bin. Möchtest du eine Tasse Tee? Whisky kann ich mir nicht leisten.«

»Nein.« Cortone wollte, er hätte den Mund gehalten. »Morgens trinke ich sowieso keinen Whisky mehr. Das Leben kommt mir nicht mehr so kurz vor wie früher.«

Dicksteins Augen schwenkten zu Cortone zurück. »Sie beschlossen zu prüfen, wie oft man ein Bein an derselben Stelle brechen und es wieder heilen lassen kann.«

»Jesus.« Cortones Stimme hatte sich zu einem Flüstern gesenkt.

»Das war noch das Beste«, sagte Dickstein tonlos. Er blickte wieder zur Seite.

»Die Schufte.« Cortone fiel nichts anderes ein. Dicksteins Gesicht zeigte einen seltsamen Ausdruck, den Cortone noch nie an ihm gesehen hatte – etwas, das, wie er gleich darauf erkannte, an Furcht erinnerte. Merkwürdig. Schließlich war doch jetzt alles vorbei. »Tja, wenigstens haben wir gewonnen, oder?« Er knuffte Dicksteins Schulter.

Sein Freund grinste. »Stimmt. Aber was treibst du hier in England? Und wie hast du mich gefunden?«

»Ich bin auf der Rückreise nach Buffalo, konnte in London Zwischenstation machen. War beim War Office . . .« Cortone zögerte. Er war zum War Office gegangen, um sich zu erkundigen, wie und wann Dickstein gestorben war. »Man gab mir eine Adresse in Stepney«, fuhr er fort. »Als ich dort ankam, stand nur noch ein einziges Haus in der ganzen Straße. Darin fand ich – unter ein paar Zentimetern Staub – einen alten Mann.«

»Tommy Coster.«

»Richtig. Nachdem ich neunzehn Tassen schwachen Tee getrunken und mir seine Lebensgeschichte angehört hatte, schickte er mich zu einem anderen Haus um die Ecke. Dort traf ich deine Mutter, trank noch mehr schwachen Tee und hörte mir ihre Lebensgeschichte an. Als ich endlich deine Adresse hatte, war es für den letzten Zug nach Oxford zu spät. Deshalb wartete ich bis heute morgen, und da bin ich. Ich habe nur ein paar Stunden Zeit – mein Schiff legt morgen ab.«

»Bist du schon entlassen?«

»In drei Wochen, zwei Tagen und vierundneunzig Minuten.«

»Was willst du machen, wenn du zu Hause bist?«

»Mich um das Familiengeschäft kümmern. Ich habe in den letzten ein, zwei Jahren gemerkt, daß ich ein erstklassiger Geschäftsmann bin.«

»Womit befaßt sich deine Familie? Du hast mir nie davon erzählt.«

»Mit Transporten«, sagte Cortone kurz angebunden. »Und du? Was, um Himmels willen, willst du denn an der Universität Oxford? Was studierst du?«

»Hebräische Literatur.«

»Du machst Witze.«

»Ich konnte schon hebräisch schreiben, bevor ich zur Schule ging. Habe ich das nie erwähnt? Mein Großvater war der reinste Gelehrte. Er wohnte in einem muffigen Zimmer über einem Pastetenladen in der Mile End Road. Ich besuchte ihn jeden Samstag und Sonntag, seit ich mich erinnern kann. Aber zur Klage hatte ich keinen Anlaß – es machte mir Spaß. Außerdem, was sollte ich denn sonst studieren?«

Cortone hob die Schultern. »Keine Ahnung, vielleicht Atomphysik oder Betriebswirtschaft. Warum willst du überhaupt studieren?«

»Um glücklich, klug und reich zu werden.«

Cortone schüttelte den Kopf. »Verrückt wie immer. Gibt's hier viele Mädchen?«

»Sehr wenige. Außerdem habe ich zu tun.« Dickstein schien zu erröten.

»Lügner. Du bist verliebt, du Dummkopf. Mir machst du nichts vor. Wer ist es?«

»Nun, um ehrlich zu sein . . .« Dickstein war verlegen. »Sie ist unerreichbar. Die Frau eines Professors. Exotisch, intelligent, die schönste Frau, die ich je gesehen habe.«

Cortone verzog zweifelnd das Gesicht. »Das klingt nicht aussichtsreich, Nat.«

»Ich weiß, aber trotzdem . . .« Dickstein stand auf. »Du wirst sehen, was ich meine.«

»Ich werde sie kennenlernen?«

»Professor Ashford gibt eine Sherryparty. Ich bin eingeladen. Als du ankamst, wollte ich gerade los.« Dickstein zog seine Jacke an.

»Eine Sherryparty in Oxford«, sagte Cortone. »Mann, wenn das die in Buffalo hören!«

*

Es war ein kalter, heller Morgen. Bleicher Sonnenschein ergoß sich über den cremefarbenen Stein der alten Gebäude. Sie schritten in behaglichem Schweigen durch die Stadt, die Hände in den Taschen, die Schultern gegen den beißenden Novemberwind hochgezogen, der durch die Straßen pfiff. Cortone murmelte immer wieder: »Träumende Türme. Mist.«

Nur wenige Menschen waren unterwegs, aber nachdem sie ungefähr eine Meile zurückgelegt hatten, deutete Dickstein über die Straße hinweg auf einen hochgewachsenen Mann, der sich einen College-Schal um den Hals gelegt hatte. »Da ist der Russe.« Er rief: »He, Rostow!«

Der Russe blickte auf, winkte und kam auf ihre Straßenseite. Er hatte einen Armeehaarschnitt und war zu groß und schlank für seinen Anzug von der Stange. Cortone begann zu glauben, daß jeder in diesem Land zu schlank war.

Dickstein stellte vor: »Rostow studiert in Balliol, demselben College wie ich. David Rostow, Alan Cortone. Al und ich waren eine Zeitlang zusammen in Italien. Gehen Sie auch zu Ashford, Rostow?«

Der Russe nickte würdevoll. »Für einen Drink bin ich zu allem bereit.«

»Interessieren Sie sich auch für hebräische Literatur?« fragte Cortone.

»Nein, ich bin hier, um die bourgeoise Wirtschaftslehre zu studieren.«

Dickstein lachte laut. Er erläuterte, da Cortone die Pointe nicht verstand: »Rostow stammt aus Smolensk. Er ist Mitglied der KPdSU.«

12

Cortone begriff die Pointe immer noch nicht. »Ich dachte, daß niemand Rußland verlassen darf«, sagte er.

Rostow gab eine lange und komplizierte Erklärung ab, die darauf hinauslief, daß sein Vater bei Kriegsausbruch als Diplomat in Japan gewesen sei. Er hatte einen ernsten Gesichtsausdruck, der gelegentlich von einem listigen Lächeln verdrängt wurde. Obwohl sein Englisch mangelhaft war, brachte er es fertig, auf Cortone herablassend zu wirken. Cortone schob den Gedanken an Rostow beiseite und begann darüber nachzudenken, wie man einen Mann lieben konnte, als wäre er der eigene Bruder, nachdem man Seite an Seite mit ihm gekämpft hatte. Dann aber verschwand dieser Mann plötzlich, um Hebräische Literatur zu studieren, und man begriff, daß man ihn eigentlich nie richtig gekannt hatte.

Schließlich wandte Rostow sich an Dickstein. »Haben Sie sich schon entschieden, ob Sie nach Palästina wollen?«

»Palästina? Wozu?« erkundigte sich Cortone.

Dickstein schien besorgt. »Ich habe mich noch nicht entschieden.«

»Sie sollten hinfahren«, sagte Rostow. »Eine nationale Heimstätte der Juden wird dazu beitragen, die letzten Reste des Britischen Imperiums im Nahen Osten zu zerstören.«

»Ist das die Parteilinie?« fragte Dickstein mit einem schwachen Lächeln.

»Ja«, antwortete Rostow unbeeindruckt. »Sie sind Sozialist . . .«

»In Grenzen.«

». . . und der neue jüdische Staat muß unbedingt sozialistisch sein.«

Cortone konnte es nicht fassen. »Die Araber bringen eure Leute dort um. Mensch, Nat, du bist doch gerade erst den Deutschen entwischt!«

»Ich habe mich noch nicht entschieden«, wiederholte Dickstein. Er schüttelte gereizt den Kopf. »Ich weiß nicht, was ich tun soll.« Offenbar wollte er nicht darüber sprechen.

Ihre Gangart war flott. Cortones Gesicht fror, aber er schwitzte unter seiner Winteruniform. Die beiden anderen begannen über einen Vorfall zu diskutieren: Ein Mann namens Mosley – der Name sagte Cortone nichts – war überredet worden, in einem Lastwagen nach Oxford zu fahren und am Märtyrer-Ehrenmal eine Rede zu halten. Mosley war ein Faschist, schloß er einen Moment später. Rostow argumentierte, der Vorfall beweise, daß die Sozialdemokratie dem Faschismus näher sei als dem Kommunismus. Dagegen behauptete Dickstein, daß die Studenten, die die Sache organisiert hatten, sich nur »schockierend« hatten aufführen wollen.

Cortone hörte zu und beobachtete die beiden Männer. Es war ein seltsames Paar: der hochgewachsene, mit langen Schritten dahinstürmende Rostow mit dem Schal, der wie eine gestreifte Bandage wirkte, und den wie Fahnen flatternden, zu kurzen Hosenbeinen; und der winzige Dickstein mit seinen großen Augen und runden Brillengläsern, der einen Demobilisierungsanzug trug und aussah wie ein dahineilendes Skelett. Cortone war kein Akademiker, aber er war sich sicher, daß ihm Redequatsch in keiner Form entgehen würde. Er wußte, daß die Worte keines der beiden ehrlich waren: Rostow plapperte irgendein offizielles Dogma nach, und Dicksteins spröde Gleichgültigkeit verdeckte eine andere, tiefergehende Einstellung. Wenn Dickstein über Mosley lachte, hörte es sich an, wie wenn ein Kind nach einem Alptraum lachte. Beide debattierten geschickt, aber ohne Emotion – es war wie ein Gefecht mit stumpfen Säbeln.

Schließlich schien Dickstein zu merken, daß Cortone nicht in die Diskussion einbezogen war, und fing an, über ihren Gastgeber zu sprechen. »Stephen Ashford ist ein bißchen exzentrisch, aber ein bemerkenswerter Mann«, sagte er. »Er hat den größten Teil seines Lebens im Nahen Osten verbracht. Er machte ein kleines Vermögen und verlor es wieder, wie man hört. Er tat immer wieder verrückte Dinge, zum Beispiel durchquerte er die Arabische Wüste auf einem Kamel.«

»Das ist vielleicht die am wenigsten verrückte Methode, sie zu durchqueren«, entgegnete Cortone.

»Ashford hat eine libanesische Frau«, warf Rostow ein.

Cortone schaute Dickstein an. »Sie ist . . .«

»Sie ist jünger als er«, unterbrach Dickstein hastig. »Er brachte sie kurz vor dem Krieg mit nach England und wurde hier Professor für Semitische Literatur. Wenn er einem Marsala statt Sherry anbietet, weiß man, daß es Zeit ist, sich zu verabschieden.«

»Kennt denn jeder den Unterschied?« fragte Cortone.

»Das hier ist sein Haus.«

Cortone hatte fast mit einer Villa im maurischen Stil gerechnet, aber das Haus der Ashfords war im imitierten Tudorstil gebaut, weiß bemalt mit grünem Holzwerk. Der Vorgarten bestand aus einem Sträucherdschungel. Die Haustür war offen; sie betraten einen kleinen, quadratischen Flur. Irgendwo im Haus lachten mehrere Menschen: die Party hatte begonnen. Eine Doppeltür schwang auf, und die schönste Frau der Welt kam heraus.

Cortone war wie gebannt. Er stand da und starrte sie an, während sie über den Teppich schritt, um die Männer zu begrüßen. Er hörte Dickstein sagen: »Das ist mein Freund Alan Cortone«, und plötzlich berührte er ihre lange, braune Hand, warm und trocken und feingliedrig. Am liebsten hätte er sie nie wieder losgelassen.

Sie wandte sich um und geleitete ihre Gäste zum Salon. Dickstein tippte Cortones Arm an und grinste. Ihm war nicht entgangen, was in seinem Freund vorging.

Cortone faßte sich so weit, daß er hervorbrachte: »Eine Wucht!« Kleine Sherrygläser waren mit militärischer Präzision auf einem kleinen Tisch aufgereiht. Sie reichte Cortone eines, lächelte und sagte: »Übrigens, ich bin Eila Ashford.«

Cortone musterte sie eingehend, während sie die Drinks verteilte. Sie trug keinen Schmuck, ihr bezauberndes Gesicht war ohne Make-up, ihr schwarzes Haar war glatt, sie hatte ein weißes Kleid und Sandalen an – doch die Wirkung war so, als wäre sie nackt. Die sinnlichen Gedanken, die Cortone durch den Kopf schossen, während er sie betrachtete, ließen ihn verlegen werden.

Er zwang sich dazu, sich abzuwenden und seine Umgebung in Augenschein zu nehmen. Das Zimmer hatte die unvollkommene Eleganz von Räumen, in denen Leute wohnen, die etwas über ihre Verhältnisse leben. Der dicke Perserteppich wurde von einem Streifen brüchigen grauen Linoleums begrenzt; jemand hatte am Radio herumrepariert, und die Einzelteile lagen über einen Nierentisch verstreut; dort, wo man Bilder abgenommen hatte, zeigten sich ein paar helle Rechtecke auf der Tapete, und einige der Sherrygläser paßten nicht ganz zu den übrigen. Ungefähr ein Dutzend Menschen hielt sich im Zimmer auf.

Ein Araber, der einen teuren perlgrauen Anzug trug, stand am Kamin und betrachtete eine Holzschnitzerei auf dem Sims. Eila Ashford rief ihn zu sich. »Ich möchte Sie mit Yasif Hassan bekannt machen, einem Freund meiner Familie von zu Hause. Er ist am Worcester College.«

»Ich kenne Dickstein«, sagte Hassan. Er schüttelte allen die Hand. Cortone stufte ihn als recht gutaussehend – für einen »Nigger« – und arrogant ein, so, wie sie eben waren, wenn sie etwas Geld verdient hatten und in die Häuser von Weißen eingeladen wurden.

»Sie sind aus dem Libanon?« fragte Rostow.

»Palästina.«

»Ah!« Rostow wurde lebhaft. »Und was halten Sie vom Teilungsplan der Vereinten Nationen?«

»Irrelevant«, antwortete der Araber träge. »Die Briten müssen verschwinden, und mein Land wird eine demokratische Regierung haben.«

»Aber dann werden die Juden in der Minderheit sein«, meinte Rostow.

»Sie sind auch in England in der Minderheit. Sollte man ihnen deshalb Surrey als nationale Heimstätte geben?«

»Surrey hat ihnen nie gehört, Palästina dagegen schon.«

Hassan zuckte mit lässiger Eleganz die Achseln. »Stimmt – als den Walisern England, den Engländern Deutschland gehörte und die normannischen Franzosen in Skandinavien lebten.« Er wandte sich an Dickstein. »Sie haben Sinn für Gerechtigkeit – was denken Sie darüber?«

Dickstein nahm seine Brille ab. »Hier spielt Gerechtigkeit keine Rolle. Ich möchte etwas haben, was ich meine Heimat nennen kann.«

»Sogar wenn Sie meine stehlen müssen?«

»Sie können den Rest des Nahen Ostens haben.«

»Den will ich nicht.«

»Diese Diskussion beweist, daß eine Teilung notwendig ist«, sagte Rostow.

Eila Ashford reichte eine Schachtel Zigaretten herum. Cortone nahm eine und gab ihr Feuer. Während die anderen über Palästina debattierten, fragte Eila: »Kennen Sie Dickstein schon lange?«

»Wir sind uns 1943 begegnet«, antwortete Cortone. Er beobachtete, wie sich ihre braunen Lippen um die Zigarette schlossen. Sogar beim Rauchen war sie vollendet schön. Mit graziöser Bewegung streifte sie ein Stück Tabak von ihrer Zungenspitze.

»Ich bin schrecklich neugierig, was ihn betrifft«, erklärte sie.

»Wieso?«

»Alle sind es. Er ist noch ein Junge, und trotzdem scheint er so *alt*.

Außerdem merkt man, daß er ein Cockney ist, aber all diese Engländer der Oberklasse schüchtern ihn nicht im geringsten ein. Doch er redet um keinen Preis über sich selbst.«

Cortone nickte. »Mir wird klar, daß ich ihn eigentlich auch nicht kenne.«

»Mein Mann sagt, er ist ein brillanter Student.«

»Er hat mir das Leben gerettet.«

»Mein Gott.« Sie schaute ihn eindringlicher an, so als frage sie sich, ob er bloß sentimental sei. Dann schien sie sich zu seinen Gunsten zu entscheiden. »Ich würde gern mehr darüber hören.«

Ein Mann mittleren Alters in ausgebeulten Kordhosen berührte ihre Schulter und sagte: »Alles in Ordnung, meine Liebe?«

»Es könnte nicht besser sein. Mr. Cortone, darf ich Ihnen meinen Mann, Professor Ashford, vorstellen?«

»Freut mich«, sagte Cortone. Ashford war ein kahl werdender Mann in schlechtsitzender Kleidung. Cortone hatte Lawrence von Arabien erwartet. Er dachte: Vielleicht hat Nat doch noch eine Chance.

»Mr. Cortone wollte mir gerade erzählen, wie Nat Dickstein ihm das Leben rettete«, erläuterte Eila.

»Tatsächlich!« sagte Ashford.

»Es ist keine lange Geschichte«, begann Cortone. Er warf einen Blick zu Dickstein hinüber, der nun in das Gespräch mit Hassan und Rostow vertieft war. Ihm fiel auf, daß die drei Männer ihre Einstellung durch die Art, wie sie dastanden, preisgaben: Rostow hatte die Beine gespreizt und wackelte, überzeugt von seinem Dogma, lehrerhaft mit dem Finger; Hassan war an einen Bücherschrank gelehnt, hatte eine Hand in die Tasche gesteckt, rauchte und gab vor, daß die internationale Diskussion über die Zukunft seines Landes von rein theoretischem Interesse sei; Dickstein hatte die Arme fest verschränkt, die Schultern hochgezogen und beugte konzentriert den Kopf, so daß seine Stellung die Leidenschaftslosigkeit seiner Bemerkungen Lügen strafte. Cortone hörte den Ausspruch: *Die Briten haben den Juden Palästina versprochen*, und die Antwort: *Man hüte sich vor den Geschenken eines Diebes*. Er drehte sich wieder den Ashfords zu und sprach weiter.

»Es war in Sizilien, in der Nähe von Ragusa, einem Bergstädtchen. Ich war mit einem Erkundungstrupp um die Außenbezirke gefahren. Nördlich der Stadt trafen wir auf einen deutschen Panzer in einer

17

kleinen Mulde, am Rand einer Baumgruppe. Der Panzer sah verlassen aus, aber ich warf eine Granate hinein, um sicherzugehen. Als wir vorbeifuhren, knallte ein Schuß – nur einer –, und ein Deutscher mit einem Maschinengewehr fiel aus einem Baum. Er hatte sich dort oben versteckt, um uns in Ruhe abzuknallen. Nat Dickstein hatte ihn erschossen.«

Eila schien aufgeregt – ihre Augen glänzten –, aber ihr Mann war bleich geworden. Offenbar hatte der Professor keinen Geschmack an Geschichten von Leben und Tod. Cortone dachte: Wenn dich das schon nervös macht, alter Knabe, hoffe ich, daß dir Dickstein nie eine von *seinen* Geschichten erzählt.

»Die Briten hatten die Stadt von der anderen Seite umgangen«, fuhr Cortone fort. »Nat hatte wie ich den Panzer gesehen und eine Falle gerochen. Er hatte den Scharfschützen entdeckt und hielt nach weiteren Ausschau, als wir auftauchten. Wenn er nicht so verdammt clever gewesen wäre, wäre ich jetzt tot.«

Die beiden anderen schwiegen einen Moment lang, dann faßte Ashford sich. »Es ist noch gar nicht lange her, aber man vergißt so schnell.«

Eila erinnerte sich an ihre Gäste. »Ich möchte mich noch etwas mit Ihnen unterhalten, bevor Sie gehen«, sagte sie zu Cortone. Danach durchquerte sie das Zimmer und näherte sich Hassan, der versuchte, eine Flügeltür zu öffnen, die zum Garten hinausführte. Ashford strich sich nervös über den Haarflaum hinter den Ohren. »Die Öffentlichkeit hört von den großen Schlachten, aber ich nehme an, daß sich der Soldat an diese kleinen persönlichen Vorfälle erinnert.«

Cortone nickte. Ashford hatte offensichtlich keine Vorstellung vom Krieg. War die Jugend des Professors wirklich so abenteuerlich gewesen, wie Dickstein behauptet hatte? »Später nahm ich ihn mit, als ich meine Cousins besuchte – meine Familie kommt aus Sizilien. Wir aßen Pasta, tranken Wein, und sie feierten Nat als Helden. Wir waren nur ein paar Tage zusammen, aber wir fühlten uns wie Brüder.«

»Wirklich?«

»Als ich hörte, daß er gefangengenommen worden war, glaubte ich, daß ich ihn nie wiedersehen würde.«

»Wissen Sie, was mit ihm passierte?« fragte Ashford. »Er spricht nicht viel . . .«

Cortone zog die Schultern hoch. »Er hat die Lager überlebt.«

»Er hat Glück gehabt.«

»Meinen Sie?«

Ashford blickte Cortone einen Augenblick lang verwirrt an, wandte sich ab und sah sich im Zimmer um. Dann sagte er: »Dies ist keine sehr typische Party für Oxford, wissen Sie. Dickstein, Rostow und Hassan sind etwas ungewöhnliche Studenten. Sie sollten Toby kennenlernen – er ist das Urbild unserer Schüler.« Er machte einen rotgesichtigen Jungen mit Tweedanzug und einer sehr breiten, getupften Krawatte auf sich aufmerksam. »Toby, darf ich Sie mit Dicksteins Waffengefährten bekanntmachen – Mr. Cortone.«

Toby schüttelte ihm die Hand und fragte abrupt: »Haben Sie einen Tip aus erster Hand? Wird Dickstein gewinnen?«

»Was gewinnen?«

»Dickstein und Rostow werden eine Partie Schach spielen. Beide sollen schrecklich gut sein«, erklärte Ashford. »Toby glaubt, daß Sie Geheiminformationen haben könnten. Wahrscheinlich will er eine Wette abschließen.«

»Ich habe immer geglaubt, daß Schach ein Spiel für alte Männer ist«, gab Cortone zurück.

»Ah!« machte Toby ziemlich laut und leerte sein Glas. Er und Ashford schienen verblüfft über Cortones Bemerkung.

Ein kleines Mädchen von vier oder fünf Jahren kam aus dem Garten; es trug einen alten grauen Kater. Ashford stellte es mit dem scheuen Stolz eines Mannes vor, der im mittleren Alter Vater geworden ist.

»Das ist Suza.«

»Und das ist Hezekiah«, sagte das Mädchen.

Suza hatte die Haut und das Haar ihrer Mutter; auch sie würde schön werden. Cortone fragte sich, ob sie wirklich Ashfords Tochter war. Nichts an ihrem Äußeren erinnerte an ihn. Sie streckte die Pfote des Katers vor, Cortone schüttelte sie pflichtgemäß und sagte: »Sehr erfreut, Hezekiah.«

Das Mädchen ging zu Dickstein hinüber. »Guten Morgen, Nat. Möchtest du Hezekiah streicheln?«

»Ein süßes Kind«, sagte Cortone zu Ashford. »Ich muß mit Nat reden. Würden Sie mich entschuldigen?« Er näherte sich Dickstein, der sich niedergekniet hatte und den Kater streichelte.

Nat und Suza schienen gut miteinander auszukommen. »Das ist mein Freund Alan«, erklärte er.

»Wir kennen uns schon«, erwiderte sie und ließ die Wimpern flattern. Cortone dachte: Das hat sie von ihrer Mutter gelernt.

»Wir waren zusammen im Krieg«, fuhr Dickstein fort.

Suza blickte Cortone ins Gesicht. »Hast du Menschen getötet?«

Er zögerte. »Ja, natürlich.«

»Tut es dir leid?«

»Nicht allzu leid. Es waren böse Menschen.«

»Nat tut es leid. Deshalb möchte er nicht gern davon sprechen.«

Das Kind hatte mehr aus Dickstein herausgeholt als alle Erwachsenen zusammengenommen.

Der Kater sprang mit überraschender Gewandtheit aus Suzas Armen. Das Mädchen lief ihm nach, und Dickstein stand auf.

»Ich würde nicht sagen, daß Mrs. Ashford unerreichbar ist«, begann Cortone ruhig.

»So?«

»Sie kann nicht mehr als fünfundzwanzig sein. Er ist mindestens zwanzig Jahre älter, und ich wette, daß er sein Pulver längst verschossen hat. Wenn sie vor dem Krieg geheiratet haben, ist sie damals ungefähr siebzehn gewesen. Und sie scheinen nicht gerade zärtlich miteinander umzugehen.«

»Wenn ich dir nur glauben könnte«, sagte Dickstein. Er war nicht so interessiert, wie er hätte sein sollen. »Komm und sieh dir den Garten an.«

Sie gingen durch die Fenstertür hinaus. Die Sonne war kräftiger geworden und die Luft nicht mehr so von bitterer Kälte erfüllt. Der Garten dehnte sich als grüne und braune Wildnis bis hinab zum Flußrand. Sie ließen das Haus hinter sich.

»Du hältst nicht viel von diesen Leuten«, sagte Dickstein.

»Der Krieg ist vorbei«, antwortete Cortone. »Du und ich, wir leben jetzt in verschiedenen Welten. All das – Professoren, Schachpartien, Sherrypartys . . . ich könnte genausogut auf dem Mars sein. Für mich geht es darum, Geschäfte zu machen, Konkurrenten auszutricksen, ein paar Dollars zu verdienen. Ich wollte dir einen Job bei mir anbieten, aber ich nehme an, daß ich meine Zeit verschwenden würde.«

»Alan . . .«

»Ach, zum Teufel. Unser Kontakt wird jetzt wahrscheinlich abreißen – ich bin kein großer Briefschreiber. Aber ich werde nicht vergessen, daß ich dir mein Leben verdanke. Wenn ich einmal meine Schuld begleichen kann, weißt du, wo du mich finden kannst.«

Dickstein öffnete den Mund, um etwas zu erwidern, dann hörten sie die Stimmen.

»Oh . . . nein, nicht hier, nicht jetzt . . .« Es war eine Frau.

»Doch!« Ein Mann.

Dickstein und Cortone standen neben einer dichten, kastenförmigen Hecke, die einen Winkel des Gartens abschnitt: Jemand hatte angefangen, ein Labyrinth zu pflanzen, und die Arbeit nicht beendet. Ein paar Schritte von ihnen entfernt öffnete sich eine Lücke, dann knickte die Hecke im rechten Winkel ab und führte am Flußufer entlang. Die Stimmen waren deutlich von der anderen Seite des Laubwerks zu hören.

Die Frau sprach wieder, leise und mit heiserer Stimme. »Hör auf, verdammt, oder ich schreie.«

Dickstein und Cortone traten durch die Lücke.

Cortone würde nie vergessen, was er sah. Er starrte die beiden Menschen an und warf Dickstein neben sich einen entsetzten Blick zu. Dicksteins Gesicht war grau vor Schreck, er wirkte krank; sein Mund öffnete sich, während er voll Abscheu und Verzweiflung zusah. Cortone richtete den Blick wieder auf das Paar.

Die Frau war Eila Ashford. Ihr Kleid war bis zur Taille hochgeschoben, ihr Gesicht war vor Lust gerötet, und sie küßte Yasif Hassan.

1

Die Lautsprecheranlage im Flughafen von Kairo machte ein Geräusch wie eine Türklingel, dann wurde die Ankunft des Alitalia-Fluges aus Mailand auf arabisch, italienisch, französisch und englisch angekündigt. Tofik el-Masiri verließ seinen Tisch am Büfett und bahnte sich einen Weg zur Aussichtsterrasse. Er setzte seine Sonnenbrille auf, um über die glänzende Betonbrüstung zu blicken. Die Caravelle war schon gelandet und rollte heran.

Tofik war eines Telegramms wegen gekommen. Es war am Morgen von seinem »Onkel« in Rom eingetroffen und verschlüsselt gewesen. Jedes Unternehmen konnte für internationale Telegramme einen Code benutzen, vorausgesetzt, daß es den Schlüssel beim Postamt hinterlegte. Solche Codes wurden immer öfter benutzt, mehr um Geld zu sparen – indem einfache Sätze auf ein Wort reduziert wurden –, als um Geheimnisse zu bewahren. Das Telegramm von Tofiks Onkel, das nach dem registrierten Code verschlüsselt war, teilte Einzelheiten über das Testament seiner verstorbenen Tante mit. Tofik hatte jedoch einen anderen Schlüssel, und danach lautete die Botschaft:

PROFESSOR FRIEDRICH SCHULZ BEOBACHTEN UND BESCHATTEN EINTRIFFT KAIRO AUS MAILAND MITTWOCH 28. FEBRUAR 1968 FÜR MEHRERE TAGE. ALTER 51 GRÖSSE 180 CM GEWICHT 150 PFUND HAAR WEISS AUGEN BLAU NATIONALITÄT ÖSTERREICHISCH BEGLEITET NUR VON EHEFRAU.

Die Passagiere kamen der Reihe nach aus der Maschine, und Tofik entdeckte seinen Mann fast sofort. Nur ein einziger hochgewachsener, schlanker, weißhaariger Mann war mitgeflogen. Er trug einen hellblauen Anzug, ein weißes Hemd und eine Krawatte; bei sich hatte

22

er eine Plastikeinkaufstasche aus einem Duty-Free-Laden und eine Kamera. Seine Frau war viel kleiner; sie trug einen modernen Minirock und eine blonde Perücke. Während sie die Rollbahn überquerten, schauten sie sich um und schnupperten die warme, trockene Wüstenluft wie die meisten Leute, die zum erstenmal in Nordafrika landen.

Die Passagiere verschwanden im Ankunftsgebäude. Tofik wartete auf der Aussichtsterrasse, bis das Gepäck aus dem Flugzeug geladen wurde. Dann ging er hinein und mischte sich unter die kleine Gruppe von Menschen, die jenseits der Zollschranke warteten.

Er mußte oft warten. Das war etwas, was einem nicht beigebracht wurde. Man lernte, mit Waffen umzugehen, sich Karten einzuprägen, Safes aufzubrechen und Menschen mit bloßen Händen zu töten – alles in den ersten sechs Trainingsmonaten; aber es gab keine Vorlesungen über Geduld, keine Übungen für schmerzende Füße, keine Seminare über Langeweile. Und das *Irgend-etwas-stimmt-nicht*-Gefühl meldete sich. In der Menge war noch ein Agent.

Tofiks Unterbewußtsein hatte Alarm geschlagen, während er über Geduld nachdachte. Die Menschen in der Gruppe, die auf Verwandte, Freunde und Geschäftspartner aus dem Flug von Mailand warteten, waren ungeduldig. Sie rauchten, verlagerten ihr Gewicht von einem Fuß auf den anderen, reckten die Hälse und zappelten nervös. Zu ihnen gehörten eine Mittelstandsfamilie mit vier Kindern, zwei Männer in den traditionellen gestreiften Galabiya-Gewändern aus Baumwolle, ein Geschäftsmann in einem dunklen Anzug, eine junge weiße Frau, ein Chauffeur mit einem Schild, das die Aufschrift FORD MOTOR COMPANY trug, und –

und ein geduldiger Mann.

Wie Tofik hatte er dunkle Haut und kurzes Haar und trug einen europäisch geschnittenen Anzug. Auf den ersten Blick schien er die Mittelstandsfamilie zu begleiten, genauso wie Tofik für einen flüchtigen Betrachter den Geschäftsmann im dunklen Anzug zu begleiten schien. Der andere Agent stand lässig da, mit den Händen auf dem Rücken; er hatte das Gesicht dem Ausgang der Gepäckhalle zugewandt und sah unauffällig aus. Neben seiner Nase zog sich ein Streifen hellerer Haut – wie eine alte Narbe – entlang. Er berührte ihn einmal mit einer vielleicht nervösen Geste und legte die Hand dann wieder auf den Rücken.

Die Frage war, ob er Tofik im Visier hatte.

Tofik sprach den Geschäftsmann neben sich an: »Ich begreife nie, warum es so lange dauern muß.« Er lächelte und sprach leise, so daß sich der Geschäftsmann näher zú ihm neigte, bevor er das Lächeln erwiderte. Die beiden wirkten wie Bekannte, die sich oberflächlich unterhielten.

Der Geschäftsmann sagte: »Die Formalitäten dauern länger als der Flug.«

Tofik schaute verstohlen zu dem anderen Agenten hinüber. Der Mann hatte seine Position nicht verändert und beobachtete den Ausgang. Er hatte nicht versucht, sich zu tarnen. Bedeutete das, daß Tofik unbemerkt geblieben war? Oder hatte er Tofik durchschaut und beschlossen, daß ein Tarnungsversuch seinerseits ihn verraten würde?

Die Passagiere begannen aufzutauchen, und Tofik wurde klar, daß er in keinem Fall etwas unternehmen durfte. Er hoffte, daß die Leute, die der Agent abholen wollte, vor Professor Schulz herauskommen würden.

Es sollte nicht sein. Schulz und seine Frau waren unter dem ersten kleinen Pulk von Passagieren, die erschienen.

Der andere Agent trat auf sie zu und schüttelte ihnen die Hand. Natürlich, natürlich.

Der Agent war hier, um Schulz zu empfangen.

Tofik sah zu, wie der Agent Träger herbeiwinkte und die beiden fortführte; dann ging er durch einen anderen Ausgang zu seinem Wagen. Bevor er einstieg, zog er sein Jackett aus, löste seine Krawatte und setzte eine Sonnenbrille und eine weiße Baumwollmütze auf. Nun würde er nicht mehr leicht als der Mann zu erkennen sein, der am Treffpunkt gewartet hatte.

Er nahm an, daß der Agent seinen Wagen im Parkverbot direkt vor dem Haupteingang abgestellt habe, und fuhr dorthin. Es stimmte. Er sah, wie die Träger das Gepäck von Schulz und seiner Frau in den Kofferraum eines fünf Jahre alten grauen Mercedes luden, und rollte weiter.

Tofik steuerte seinen schmutzigen Renault zu der Hauptverkehrsstraße, die von Heliopolis, wo der Flugplatz liegt, nach Kairo führt. Er fuhr sechzig Kilometer pro Stunde und blieb auf der rechten Spur. Der graue Mercedes überholte ihn zwei oder drei Minuten später, und er gab Gas, um ihn nicht aus dem Blickfeld zu verlieren. Da es immer nützlich ist, die Autos des Gegners zu kennen, prägte er sich die Nummer ein.

Der Himmel begann sich zu bewölken. Während er über die gerade, von Palmen umsäumte Straße raste, faßte Tofik das zusammen, was er bisher herausgefunden hatte. Das Telegramm hatte ihm, abgesehen von dem Äußeren des Mannes und der Tatsache, daß er ein österreichischer Professor war, nichts über Schulz verraten. Der Empfang am Flughafen hatte jedoch eine Menge zu bedeuten. Es war eine Art heimlicher VIP-Behandlung gewesen. Tofik hielt den Agenten für einen Einheimischen: Darauf wies alles hin – seine Kleidung, sein Auto, die Art und Weise, wie er gewartet hatte. Schulz war also vermutlich auf Einladung der Regierung hier, aber entweder er oder die Leute, die er besuchte, wollten sein Eintreffen nicht bekanntwerden lassen.

Es war wenig genug. In welchem *Fach* war Schulz Professor? Er konnte ein Bankier, ein Waffenproduzent, ein Raketenexperte oder ein Baumwollaufkäufer sein. Er konnte sogar zur Al Fatah gehören. Was aber Tofik schwerfiel sich vorzustellen, war, daß der Mann ein wiedererweckter Nazi war. Doch alles war möglich.

Jedenfalls stufte Tel Aviv Schulz nicht als wichtig ein. Hätte man es getan, wäre nicht Tofik, der jung und unerfahren war, zu seiner Überwachung eingesetzt worden. Es war sogar durchaus nicht undenkbar, daß die ganze Sache nichts als ein weiterer Teil seines Trainings war.

Sie fuhren auf der Shari Ramses nach Kairo ein. Tofik schloß die Lücke zwischen seinem Wagen und dem Mercedes, bis nur noch ein Fahrzeug sie trennte. Das graue Auto bog an der Corniche-al-Nil nach rechts ab, überquerte dann den Fluß an der Brücke des 26. Juli und rollte in den Samalek-Bezirk der Insel al-Gasira.

In dem reichen, langweiligen Vorort herrschte weniger Verkehr, und Tofik wurde nervös, weil er fürchtete, von dem Agenten am Steuer des Mercedes entdeckt zu werden. Zwei Minuten später bog der andere Wagen jedoch in eine Wohnstraße in der Nähe des Offiziersklubs ein und hielt vor einem Apartmentgebäude mit einem Jakarandabaum im Garten. Tofik kurvte sofort nach rechts in eine Seitenstraße und war außer Sicht, bevor die Türen des anderen Autos sich öffnen konnten. Er parkte, sprang hinaus und eilte zur Ecke zurück. Von dort aus sah er gerade noch, wie der Agent, Schulz und seine Frau, gefolgt von einem Hausverwalter in der *Galabiya*, der sich mit ihrem Gepäck abmühte, im Haus verschwanden.

Tofik erfaßte die Straße mit einem Blick. Es gab keine Stelle, an der sich ein Mann, ohne aufzufallen, herumdrücken konnte. Er kehrte zu seinem Wagen zurück, setzte ihn rückwärts um die Ecke und parkte zwischen zwei anderen Autos auf derselben Straßenseite wie der Mercedes.

Eine halbe Stunde später kam der Agent allein heraus, stieg in seinen Wagen und fuhr davon.

Tofik machte es sich bequem und wartete.

*

Es dauerte zwei Tage, bis etwas Ungewöhnliches geschah.

Bis dahin verhielten Schulz und seine Frau sich wie Touristen und schienen Spaß daran zu haben. Am ersten Abend aßen sie in einem Nachtklub und sahen einer Truppe von Bauchtänzerinnen zu. Am nächsten Tag besichtigten sie die Pyramiden und die Sphinx, nahmen ihr Mittagessen bei Groppi und ihr Abendessen im Nile Hilton ein. Am Morgen des dritten Tages standen sie früh auf und fuhren mit einem Taxi zur Ibn-Tulun-Moschee.

Tofik ließ sein Auto am Gayer-Anderson-Museum zurück und folgte ihnen. Sie sahen sich flüchtig in der Moschee um und wandten sich danach auf der Shari-al-Salibah nach Osten. Sie bummelten, betrachteten Brunnen und Gebäude, spähten in winzige, dunkle Läden, beobachteten *Baladi*-Frauen, die Zwiebeln, Paprika und Kamelfüße an Ständen kauften.

Die beiden machten an einer Kreuzung halt und betraten ein Teegeschäft. Tofik überquerte die Straße zum *Sebil*, einem gewölbten Brunnen hinter Fenstern aus Eisengeflecht, und studierte das barocke Relief an seinen Wänden. Er bewegte sich weiter die Straße hinauf, ohne das Teegeschäft aus den Augen zu verlieren, und verbrachte einige Zeit damit, an einem Stand vier unförmige Riesentomaten von einem barfüßigen Verkäufer mit weißer Mütze zu erwerben.

Schulz und seine Frau kamen aus dem Teegeschäft und schlenderten nach Norden – hinter Tofik her – zum Straßenmarkt. Hier fiel es Tofik leichter, bald vor ihnen, bald hinter ihnen zu spazieren. Frau Schulz kaufte Pantoffeln und einen goldenen Armreif und zahlte einem halbnackten Kind zuviel für einen Minzezweig. Tofik war so weit vor ihnen, daß er sich leisten konnte, eine kleine Tasse starken, ungesüßten türkischen Mokkas unter der Markise des Café Nasif zu trinken.

Sie ließen den Straßenmarkt hinter sich und betraten einen überdachten *Suk*, der sich auf Sattlerei spezialisierte. Schulz warf einen Blick auf seine Armbanduhr und sprach mit seiner Frau, was Tofik zum erstenmal leichte Besorgnis verursachte. Dann gingen sie ein wenig schneller, bis sie bei Bab Suwela herauskamen, dem Tor zu der ursprünglichen, von Mauern umgebenen Stadt.

Ein paar Sekunden lang wurde Tofik die Sicht durch einen Esel verstellt, der einen Karren mit Ali-Baba-Gläsern – ihre Öffnungen waren mit zerknülltem Papier verstopft – hinter sich herzog. Als der Karren vorbeigefahren war, sah Tofik, daß Schulz sich von seiner Frau verabschiedete und in einen alten grauen Mercedes stieg.

Tofik fluchte verhalten.

Die Tür schlug zu, und das Auto setzte sich in Bewegung. Frau Schulz winkte. Tofik las das Nummernschild – es war der Wagen, dem er von Heliopolis gefolgt war – und beobachtete, wie er nach Westen fuhr und bald in die Shari Port Said einbog.

Ohne auf Frau Schulz zu achten, wirbelte er herum und lief hastig davon.

Sie waren ungefähr eine Stunde unterwegs gewesen, hatten aber nur eine Meile zurückgelegt. Tofik rannte durch den *Suk* mit den Sattlereien und durch den Straßenmarkt, wich den Ständen aus und prallte gegen Männer in langen Gewändern und Frauen in Schwarz, ließ seine Tüte Tomaten bei einem Zusammenstoß mit einem nubischen Straßenkehrer fallen und erreichte endlich das Museum und sein Auto.

Er zwängte sich auf den Fahrersitz, schwer atmend, und verzog das Gesicht über den Schmerz an seiner Seite. Dann ließ er den Motor an und fuhr auf kürzestem Weg zur Shari Port Said.

Der Verkehr war spärlich, deshalb vermutete er, hinter dem Mercedes zu sein, als er auf die Hauptstraße kam. Er fuhr weiter nach Südwesten, über die Insel Roda und die Gisa-Brücke zur Gisa-Straße.

Schulz hatte nicht bewußt versucht, einen Verfolger abzuschütteln. Wenn der Professor vom Fach gewesen wäre, hätte er Tofik entschlossen und endgültig hinter sich gelassen. Nein, er hatte einfach einen Morgenspaziergang über den Markt gemacht, bevor er jemanden an einem Orientierungspunkt traf. Aber Tofik war sicher, daß der Agent den Treffpunkt und den Spaziergang vorgeschlagen hatte.

Sie hätten jede beliebige Richtung einschlagen können, aber wahrscheinlich verließen sie die Stadt – denn sonst hätte Schulz einfach ein Taxi am Bab-Suwela-Tor nehmen können, und dies war die Hauptverkehrsstraße nach Westen. Tofik fuhr sehr schnell. Bald lag außer der pfeilgeraden, grauen Straße nichts vor ihm, und zu beiden Seiten war nichts als gelber Sand und blauer Himmel.

Er erreichte die Pyramiden, ohne den Mercedes eingeholt zu haben. Hier gabelte sich die Straße; sie führte nördlich nach Alexandria oder südlich nach Fayum. Von der Stelle, an welcher der Mercedes Schulz abgeholt hatte, wäre es eine unwahrscheinliche, umständliche Route nach Alexandria gewesen. Deshalb entschied Tofik sich für Fayum.

Als er den anderen Wagen endlich ausmachte, näherte sich dieser ihm sehr rasch von hinten. Bevor der Mercedes ihn jedoch erreicht hatte, bog er nach rechts von der Hauptstraße ab. Tofik bremste schlagartig und setzte den Renault zu der Abzweigung zurück. Das andere Auto war schon eine Meile vor ihm auf der Seitenstraße. Er verfolgte es.

Jetzt wurde es gefährlich. Die Straße führte wahrscheinlich tief in die westliche Wüste, vielleicht sogar bis zum Ölfeld von Kattara. Sie schien selten benutzt zu werden, und jeder starke Wind konnte sie unter einer Sandschicht verschwinden lassen. Der Agent im Mercedes würde mit Sicherheit merken, daß er verfolgt wurde. Wenn er ausgekocht war, konnte der Anblick des Renaults sogar Erinnerungen an die Fahrt von Heliopolis auslösen.

Hier wurde jedes Training überflüssig. Alle sorgfältigen Tarnungen und einschlägigen Tricks wurden sinnlos; es galt, sich einfach jemandem an die Fersen heften und sich nicht abschütteln lassen, ob man gesehen wurde oder nicht, denn vor allem mußte herausgefunden werden, welches Ziel der andere hatte. Wenn man das nicht fertigbrachte, taugte man nichts.

Er schlug also jede Vorsicht in den Wind und folgte den anderen. Trotzdem verlor er den Anschluß.

Der Mercedes war schneller und besser für die schmale, holprige Straße gebaut. Nach einigen Minuten war er außer Sicht. Tofik fuhr weiter. Er hoffte, sie einzuholen, falls sie anhielten, oder wenigstens auf etwas zu stoßen, das ihr Ziel sein konnte.

Nach sechzig Kilometern, tief in der Wüste und etwas beunruhigt über seinen Benzinvorrat, erreichte er ein winziges Oasendorf an einem Straßenkreuz. Ein paar knochige Tiere grasten in der spärlichen Vegetation um einen schlammigen Teich. Ein Glas Fava-Bohnen und drei Fanta-Dosen auf einem behelfsmäßigen Tisch vor einer Hütte zeigten das örtliche Café an. Tofik stieg aus dem Wagen und wandte sich an einen alten Mann, der einen mageren Büffel tränkte.

»Haben Sie einen grauen Mercedes gesehen?«

Der Bauer starrte ihn verständnislos an, als redete er in einer Fremdsprache.

»Haben Sie einen grauen Wagen gesehen?«

Der alte Mann streifte sich eine große schwarze Fliege von der Stirn und nickte einmal.

»Wann?«

»Heute.«

Mit einer genaueren Antwort konnte Tofik wahrscheinlich nicht rechnen. »Wohin ist er gefahren?«

Der alte Mann deutete nach Westen, in die Wüste.

»Wo kann ich Benzin bekommen?«

Der Mann deutete nach Osten, in Richtung Kairo.

Tofik gab ihm eine Münze und kehrte zu seinem Auto zurück. Er ließ den Motor an und betrachtete die Treibstoffanzeige. Sein Benzin reichte gerade aus, um zurück nach Kairo zu kommen; wenn er weiter nach Westen fuhr, würde er die Rückfahrt nicht mehr schaffen.

Er hatte getan, was er konnte. Erschöpft wendete er den Renault und hielt wieder auf die Stadt zu.

*

Tofik liebte seine Arbeit nicht. Wenn sie eintönig war, langweilte er sich, wenn sie aufregend war, hatte er Angst. Aber man hatte ihm gesagt, daß wichtige, gefährliche Aufgaben in Kairo zu erfüllen seien und daß er die nötigen Eigenschaften für einen guten Spion habe. Es gebe nicht genug ägyptische Juden in Israel, so daß man nicht einfach einen anderen mit den erforderlichen Qualitäten finden könnte, wenn Tofik sich weigerte. Daraufhin hatte er natürlich zugestimmt. Es war nicht Idealismus, der ihn bewog, sein Leben für sein Land aufs Spiel zu setzen. Er hatte eher sein eigenes Interesse im Auge: Die Vernichtung Israels würde seine eigene Vernichtung sein; wenn er für Israel kämpfte, kämpfte er für sich selbst; er riskierte sein Leben, um sein Leben zu retten. Es war nur logisch. Trotzdem freute er sich auf die Zeit – in fünf Jahren? zehn? zwanzig? –, wenn er zu alt sein würde für den Außeneinsatz. Dann würde man ihn nach Hause zurückholen und ihn an einen Schreibtisch setzen. Er würde ein nettes jüdisches Mädchen finden, es heiraten und seßhaft werden können, um sich an dem Land zu erfreuen, für das er gekämpft hatte.

Inzwischen aber folgte er Frau Schulz, da er den Professor aus den Augen verloren hatte.

Sie besuchte weiterhin Sehenswürdigkeiten, begleitet von einem jungen Araber, den die Ägypter vermutlich bereitgestellt hatten, damit er sich in Abwesenheit ihres Mannes um sie kümmere. Am Abend führte der Araber sie zum Essen in ein ägyptisches Restaurant, brachte sie nach Hause und küßte sie unter dem Jakarandabaum im Garten auf die Wange.

Am nächsten Morgen ging Tofik zum Hauptpostamt und schickte ein verschlüsseltes Telegramm an seinen Onkel in Rom:

SCHULZ AM FLUGHAFEN VON MUTMASSLICH EINHEIMISCHEM AGENTEN ABGEHOLT. ZWEI TAGE SEHENSWÜRDIGKEITEN BESICHTIGT. VON ERWÄHNTEM AGENTEN RICHTUNG KATTARA GEFAHREN. ÜBERWACHUNG FEHLGESCHLAGEN. BEOBACHTE NUN SEINE FRAU.

Um 9 Uhr war er wieder in Samalek. Um 11.30 Uhr sah er Frau Schulz auf einem Balkon Kaffee trinken und konnte folgern, in welchem Apartment sie wohnte.

Bis zum Mittag war das Innere des Renaults sehr heiß geworden. Tofik aß einen Apfel und trank lauwarmes Bier aus einer Flasche.

Professor Schulz traf spät nachmittags in demselben grauen Mercedes ein. Er sah müde und ein wenig zerknittert aus, wie ein Mann mittleren Alters, der zu weit gereist ist. Schulz verließ den Wagen und ging ins Gebäude, ohne sich umzusehen. Danach fuhr der Agent an dem Renault vorbei und musterte Tofik für einen Moment. Tofik konnte es nicht ändern.

Wo war Schulz gewesen? Er hatte den Großteil eines Tages benötigt, um an sein Ziel zu kommen, spekulierte Tofik; dort hatte er eine Nacht, einen vollen Tag und eine zweite Nacht zugebracht; und er hatte für die Rückfahrt fast den ganzen heutigen Tag gebraucht. Kattara war nur eine von mehreren Möglichkeiten. Die Wüstenstraße hatte Matruh an der Mittelmeerküste zum Ziel; eine Abzweigung führte nach Karkur Tohl im fernen Süden; wenn sie das Auto gewechselt und einen Wüstenführer getroffen hatten, wäre sogar ein Rendezvous an der libyschen Grenze möglich gewesen.

Um 21 Uhr kamen Schulz und seine Frau wieder heraus. Der Professor wirkte erfrischt. Sie waren zum Abendessen angezogen. Nach einem kurzen Spaziergang stoppten sie ein Taxi.

Tofik entschloß sich, ihnen nicht zu folgen.

Er stieg aus dem Auto und betrat den Garten des Gebäudes. Auf dem staubigen Rasen fand er hinter einem Busch einen Aussichtspunkt, von dem aus er durch die offene Vordertür in den Flur blicken konnte. Der nubische Hausverwalter saß auf einer niedrigen Holzbank und bohrte in der Nase.

Tofik wartete.

Zwanzig Minuten später verließ der Mann seine Bank und verschwand im hinteren Teil des Hauses.

Tofik eilte durch den Flur und lief mit leisen Schritten die Treppe hinauf.

Er hatte drei Dietriche für Yale-Schlösser, aber keiner von ihnen paßte für Apartment drei. Schließlich gelang es ihm, die Tür mit einem biegsamen Plastikstück zu öffnen, das er von einem Zeichendreieck abgebrochen hatte.

Tofik betrat das Apartment und schloß die Tür hinter sich.

Nun war es draußen recht dunkel. Das schwache Licht einer Straßenlaterne drang durch die nicht zugezogenen Fenster. Tofik holte eine kleine Taschenlampe hervor, knipste sie aber noch nicht an.

Das Apartment war groß und luftig, mit weiß getünchten Wänden und Möbeln im englischen Kolonialstil. Es hatte das karge, frostige Aussehen einer Wohnung, in der niemand lebt. Es umfaßte einen großen Salon, ein Eßzimmer, drei Schlafzimmer und eine Küche. Nach einer raschen allgemeinen Prüfung begann Tofik, ernsthaft herumzuschnüffeln.

Die beiden kleineren Schlafzimmer waren leer. In dem größeren durchsuchte Tofik hastig alle Schubladen und Schränke. Ein Kleiderschrank enthielt die recht geschmacklose Garderobe einer Frau, die ihre Blüte hinter sich hatte: helle Baumwollröcke, mit Flitter besetzte

Kleider, türkis-, orangefarben und rosa. Die Etiketten waren amerikanisch. Das Telegramm hatte Schulz als österreichischen Staatsbürger bezeichnet, aber vielleicht lebte er in den USA. Tofik hatte ihn nie sprechen hören.

Auf dem Nachttisch lagen ein englischer Reiseführer für Kairo, ein Exemplar von *Vogue* und der Korrekturabzug einer Vorlesung über Isotope.

Schulz war also Wissenschaftler.

Tofik blätterte die Vorlesung durch. Das meiste überstieg seinen Horizont. Schulz mußte ein prominenter Chemiker oder Physiker sein. Wenn er hier war, um im Waffenfach zu arbeiten, mußte Tel Aviv unterrichtet werden.

Persönliche Papiere waren nicht zu finden – Schulz hatte seinen Paß und seine Brieftasche offenbar eingesteckt. Die Aufkleber der Fluggesellschaft waren von der Garnitur brauner Koffer entfernt worden.

Zwei leere Gläser auf einem niedrigen Tisch im Salon rochen nach Gin. Die beiden hatten einen Cocktail getrunken, bevor sie ausgegangen waren.

Im Badezimmer fand Tofik die Kleidung, die Schulz bei seiner Fahrt in die Wüste getragen hatte. In den Schuhen hatte sich viel Sand gesammelt, und auf den Hosenumschlägen entdeckte er kleine, staubige graue Flecke, die von Zement herrühren konnten. In der Brusttasche der zerknüllten Jacke war ein blauer Plastikbehälter, etwa vier Zentimeter im Quadrat und sehr schmal. Er enthielt einen vor Licht schützenden Umschlag, wie sie für fotografische Filme benutzt wurden.

Tofik steckte das Plastikkästchen in die Tasche.

Die Gepäckaufkleber lagen in einem Papierkorb auf dem kleinen Flur. Der Wohnort von Schulz und seiner Frau war Boston, Massachusetts, was wahrscheinlich bedeutete, daß der Professor in Harvard, am MIT oder an einer der weniger bedeutenden Universitäten der Gegend lehrte. Tofik stellte ein paar rasche Berechnungen an. Schulz mußte während des Zweiten Weltkriegs zwischen zwanzig und dreißig gewesen sein; er konnte leicht zu den deutschen Raketenexperten gehören, die nach dem Krieg in die USA gegangen waren.

Oder auch nicht. Man brauchte kein Nazi zu sein, um für die Araber zu arbeiten.

Nazi oder nicht, Schulz war ein Geizhals: Seine Seife, Zahnpasta,

Schaumbad und sein Rasierwasser stammten alle aus Flugzeugen und Hotels.

Auf dem Boden neben einem Rohrstuhl, nicht weit von dem Tisch mit den leeren Cocktailgläsern, lag ein liniierter Notizblock im Kanzleiformat, dessen obere Seite leer war. Auf dem Notizblock ruhte ein Bleistift. Vielleicht hatte Schulz Aufzeichnungen über seine Reise gemacht, während er seinen Gin schlürfte. Tofik durchsuchte das Apartment nach Seiten, die der Professor aus dem Block herausgerissen hatte. Er fand sie auf dem Balkon; sie waren in einem großen gläsernen Aschenbecher zu Asche verbrannt.

Die Nacht war kühl. Zu späterer Jahreszeit würde die Luft warm sein und nach den Blüten des Jakarandabaums im Garten duften. Der Stadtverkehr röhrte in der Ferne. Tofik wurde an die Wohnung seines Vaters in Jerusalem erinnert. Er fragte sich, wie lange es noch dauern würde, bis er Jerusalem wiedersah.

Er hatte getan, was er hier tun konnte. Aber er nahm sich vor, den Notizblock noch einmal zu prüfen, um zu sehen, ob Schulz' Bleistift einen Abdruck auf der nächsten Seite hinterlassen hatte. Er wandte sich von der Brüstung ab und ging über den Balkon zu der Fenstertür, die in den Salon führte.

Er hatte die Hand auf den Türgriff gelegt, als er die Stimmen hörte.

Tofik erstarrte.

»Tut mir leid, Liebling, ich konnte einfach kein zu stark gebratenes Steak mehr vertragen.«

»Aber wir hätten doch irgend etwas essen können, um Himmels willen.«

Schulz und seine Frau waren zurück.

Tofik überlegte eilig, wie er die Räume hinterlassen hatte: Schlafzimmer, Badezimmer, Salon, Küche . . . Alles, was er angefaßt hatte, war wieder an seinem Platz, außer dem kleinen Plastikkästchen. Das mußte er ohnehin behalten. Schulz würde hoffentlich annehmen, daß er es verloren hatte.

Wenn Tofik nun ungesehen verschwinden konnte, würden sie von seinem Besuch vielleicht nie etwas ahnen.

Er schob sich über die Brüstung und hing in voller Länge nur an seinen Fingerspitzen. Es war so dunkel, daß er den Boden nicht erkennen konnte. Er ließ sich fallen, landete leichtfüßig und schlenderte davon.

Es war sein erster Einbruch gewesen, und er war mit sich zufrieden. Die Sache war so glatt abgelaufen wie eine Trainingsübung, obwohl der Bewohner zu früh zurückgekehrt war und der Spion sich plötzlich über eine vorher bedachte Notroute hatte empfehlen müssen. Er grinste. Vielleicht würde er doch noch lange genug leben, um zu seinem Schreibtischposten zu kommen.

Tofik stieg in seinen Wagen, startete den Motor und schaltete die Scheinwerfer an.

Zwei Männer tauchten aus den Schatten auf und standen jeweils an einer Seite des Renault.

Wer . . .?

Er nahm sich nicht die Zeit, den Dingen auf den Grund zu gehen, sondern rammte den Schalthebel in den ersten Gang und fuhr an. Die beiden Männer traten hastig zur Seite.

Sie machten keinen Versuch, ihn anzuhalten. Weshalb waren sie also da gewesen? Um sicherzugehen, daß er im Auto blieb . . .?

Er drückte das Bremspedal durch und blickte auf den Rücksitz. Dann erkannte er mit unendlicher Trauer, daß er Jerusalem nie wiedersehen würde.

Ein großer Araber in einem dunklen Anzug lächelte ihn über die Mündung einer kleinen Pistole an.

»Weiterfahren«, sagte der Mann auf arabisch, »aber nicht ganz so schnell, bitte.«

*

F: Wie heißt du?

A: Tofik el-Masiri.

F: Beschreibe dich selbst.

A: Alter sechsundzwanzig, einen Meter fünfundsiebzig, hundertachtzig Pfund, braune Augen, schwarzes Haar, semitische Züge, hellbraune Haut.

F: Für wen arbeitest du?

A: Ich bin Student.

F: Was für ein Tag ist heute?

A: Samstag.

F: Deine Nationalität?

A: Ägyptisch.

F: Wieviel sind zwanzig minus sieben?

A: Dreizehn.

Die oben aufgeführten Fragen dienen dazu, die Feineinstellung des Lügendetektors zu erleichtern.

F: Du arbeitest für die CIA.

A: Nein. (WAHR)

F: Für die Deutschen?

A: Nein. (WAHR)

F: Für Israel also.

A: Nein. (UNWAHR)

F: Du bist wirklich Student?

A: Ja. (UNWAHR)

F: Erzähl mir von deinem Studium.

A: Ich studiere Chemie an der Universität Kairo. (WAHR) Ich interessiere mich für Polymere. (WAHR) Ich möchte Petrochemieingenieur werden. (UNWAHR)

F: Was sind Polymere?

A: Komplexe organische Verbindungen aus langen Kettenmolekülen – das häufigste ist Polyäthylen. (WAHR)

F: Wie heißt du?

A: Das habe ich doch gesagt, Tofik el-Masiri. (UNWAHR)

F: Die Kontakte an deinem Kopf und deiner Brust messen Puls, Herzschlag, Atmung und Transpiration. Wenn du die Unwahrheit sagst, verrät dich dein Stoffwechsel – du atmest schneller, schwitzt stärker und so weiter. Diese Maschine, die wir von unseren russischen Freunden erhalten haben, zeigt mir an, wenn du lügst. Außerdem weiß ich zufällig, daß Tofik el-Masiri tot ist. Wer bist du?

A: (Schweigt)

F: Der Draht, der an die Spitze deines Penis geheftet ist, gehört zu einer anderen Maschine. Er ist mit diesem Knopf hier verbunden. Wenn ich auf den Knopf drücke . . .

A: (Schreit)

F: . . . fährt elektrischer Strom durch den Draht und versetzt dir einen Schock. Wir haben deine Füße in einen Eimer Wasser gestellt, um die Wirkung des Apparats zu erhöhen. Wie heißt du?

A: Avram Ambash.

Der elektrische Apparat stört die Funktionen des Lügendetektors.

F: Eine Zigarette.

A: Danke.

F: Ob du es glaubst oder nicht, ich hasse diese Arbeit. Das Problem ist, daß Leute, die Spaß daran haben, sie nie sehr gut beherrschen – man braucht Sensibilität, mußt du wissen. Ich bin ein sensibler Mensch . . . ich hasse es, andere leiden zu sehen. Du auch?

A: (Schweigt)

F: Du versuchst, dir etwas einfallen zu lassen, um mir Widerstand zu leisten. Bitte, mach dir nicht die Mühe. Es gibt keinen Schutz gegen moderne . . . Befragungsmethoden. Wie heißt du?

A: Avram Ambash. (WAHR)

F: Wer ist dein Führungsoffizier?

A: Ich weiß nicht, was Sie meinen. (UNWAHR)

F: Ist es Bosch?

A: Nein, Friedman. (ANZEIGE UNGENAU)

F: Es ist Bosch.

A: Ja. (UNWAHR)

F: Nein, es ist nicht Bosch, sondern Krantz.

A: Also gut, es ist Krantz – wie Sie wollen. (WAHR)

F: Wie nimmst du Kontakt auf?

A: Ich habe ein Funkgerät. (UNWAHR)

F: Du belügst mich.

A: (Schreit)

F: Wie nimmst du Kontakt auf?

A: Ein toter Briefkasten in einem Vorort.

F: Du glaubst, daß der Lügendetektor nicht richtig funktioniert, wenn du Schmerzen hast, und daß die Qual dir deshalb Sicherheit bietet. Du hast nur teilweise recht. Dies ist eine sehr raffinierte Maschine, und ich habe viele Monate darauf verwendet, ihre korrekte Benutzung zu erlernen. Wenn ich dir einen Schock verabreicht habe, dauert es nur ein paar Augenblicke, bis die Maschine auf deinen schnelleren Stoffwechsel eingestellt ist. Und dann kann ich wieder erkennen, ob du lügst.
Wie nimmst du Kontakt auf?

A: Ein toter – (Schreit)

F: Ali! Er hat seine Füße losgerissen – diese Krämpfe sind sehr stark. Binde ihn wieder fest, bevor er zu sich kommt. Nimm den Eimer und schütte mehr Wasser hinein.

(Pause)

In Ordnung, er wacht auf. Verschwinde. Kannst du mich hören, Tofik?

A: (Undeutlich)

F: Wie heißt du?

A: (Schweigt)

F: Ein kleiner Stich wird dir helfen –

A: (Schreit)

F: – nachzudenken.

A: Avram Ambash.

F: Welcher Tag ist heute?

A: Samstag.

F: Was haben wir dir zum Frühstück gegeben?

A: Fava-Bohnen.

F: Wieviel sind zwanzig minus sieben?

A: Dreizehn.

F: Was ist dein Beruf?

A: Ich bin Student. Nein, bitte nicht – und ein Spion. Ja, ich bin ein Spion. Den Knopf nicht berühren, bitte. O Gott, o Gott –

F: Wie nimmst du Kontakt auf?

A: Durch verschlüsselte Telegramme.

F: Eine Zigarette. Hier . . . oh, du scheinst sie nicht zwischen den Lippen halten zu können – warte, ich helfe dir . . . na also.

A: Vielen Dank.

F: Du mußt versuchen, ganz ruhig zu sein. Vergiß nicht, solange du die Wahrheit sagst, wirst du keine Schmerzen haben.

(Pause)

Fühlst du dich besser?

A: Ja.

F: Ich mich auch. Jetzt erzähl mir von Professor Schulz. Warum bist du ihm gefolgt?

A: Ich hatte den Befehl dazu. (WAHR)

F: Aus Tel Aviv?

A: Ja. (WAHR)

F: Von wem in Tel Aviv?

A: Das weiß ich nicht. (ANZEIGE UNKLAR)

F: Aber du kannst raten.

A: Von Bosch. (ANZEIGE UNKLAR)

F: Oder von Krantz?

A: Vielleicht. (WAHR)

F: Krantz ist ein guter Mann. Zuverlässig. Wie geht's seiner Frau?

A: Sehr gut, ich ... (Schreit)

F: Seine Frau starb 1958. Warum zwingst du mich, dir weh zu tun? Was hat Schulz unternommen?

A: Zwei Tage lang Sehenswürdigkeiten besichtigt, dann ist er in einem grauen Mercedes in der Wüste verschwunden.

F: Und du bist in sein Apartment eingebrochen.

A: Ja. (WAHR)

F: Was hast du erfahren?

A: Er ist Wissenschaftler. (WAHR)

F: Sonst noch etwas?

A: Amerikaner. (WAHR) Das ist alles. (WAHR)

F: Wer war dein Ausbilder?

A: Ertl. (ANZEIGE UNKLAR)

F: Aber das war nicht sein richtiger Name.

A: Ich weiß nicht. (UNWAHR) Nein! Nicht den Knopf. Lassen Sie mich nachdenken, es war einmal, nur ganz kurz, ich glaube, jemand sagte, daß sein richtiger Name Manner ist. (WAHR)

F: Oh, Manner. Eine Schande. Er gehört zu der altmodischen Sorte. Glaubt immer noch, man könne Agenten so ausbilden, daß ihr Widerstand bei einem Verhör nicht zu brechen ist. Es ist seine Schuld, daß du so leiden mußt. Und deine Kollegen? Wer wurde mit dir zusammen ausgebildet?

A: Ich kannte ihre wirklichen Namen nicht. (UNWAHR)

F: Nein?

A: (Schreit)

F: Die wirklichen Namen.

A: Nicht alle –

F: Nenne mir diejenigen, die du kanntest.

A: (Schweigt)

(Schreit)

Der Gefangene verliert das Bewußtsein.

(Pause)

F: Wie heißt du?

A: A ... Tofik. (Schreit)

F: Was hast du zum Frühstück gegessen?

A: Weiß ich nicht.

F: Wieviel sind zwanzig minus sieben?
A: Siebenundzwanzig.
F: Was hast du Krantz über Professor Schulz gemeldet?
A: Besichtigungen ... westliche Wüste ... Überwachung gescheitert ...
F: Mit wem zusammen wurdest du ausgebildet?
A: (Schweigt)
F: Mit wem wurdest du ausgebildet?
A: (Schreit)
F: Mit wem wurdest du ausgebildet?
A: Ja, wenn ich auch durch das Tal des Todesschattens wandele –
F: Mit wem wurdest du ausgebildet?
A: (Schreit)
Der Gefangene stirbt.

*

Wenn Kawash um ein Treffen bat, zögerte Pierre Borg nicht. Zeit und Ort wurden nicht diskutiert: Kawash sandte eine Botschaft, in welcher der Treffpunkt genannt wurde, und Borg verpaßte das Rendezvous nicht. Kawash war der beste Doppelagent, den Borg je gehabt hatte – alles andere war unwichtig.

Der Chef des Mossad stand an einem Ende des Bahnsteigs der Bakerloo-Linie – Richtung Norden – in der U-Bahnstation Oxford Circus, las ein Plakat, das für eine Vortragsreihe über Theosophie warb, und wartete auf Kawash. Er hatte keine Ahnung, weshalb der Araber London für dieses Treffen gewählt hatte; er wußte nicht, welche Gründe Kawash seinen Vorgesetzten für den Aufenthalt in der Stadt gegeben hatte; er wußte nicht einmal, weshalb Kawash ein Verräter war. Aber dieser Mann hatte den Israelis geholfen, zwei Kriege zu gewinnen und einen dritten zu vermeiden. Borg brauchte ihn.

Borg blickte den Bahnsteig entlang und hielt nach einem hochstirnigen, braunen Schädel mit großer, schmaler Nase Ausschau. Er glaubte zu ahnen, worüber Kawash sprechen wollte, und hoffte, daß sich seine Ahnung bestätigen würde.

Er machte sich große Sorgen über die Sache mit Schulz. Sie hatte als ganz normale Überwachung begonnen, genau der richtige Auftrag für seinen neuesten, unerfahrensten Agenten in Kairo: Ein hochqualifizierter amerikanischer Physiker, der in Europa Urlaub macht, beschließt, nach Ägypten zu reisen. Die erste Warnung war gekommen, als Tofik Schulz aus den Augen verloren hatte. In jenem Moment hatte Borg die Aktivitäten für dieses Projekt verstärkt. Ein freier Journalist in Mailand, der gelegentlich Erkundigungen für deutsche Geheimdienste einzog, hatte festgestellt, daß Schulz' Flugkarte nach Kairo von der Frau eines ägyptischen Diplomaten in Rom bezahlt worden war. Dann hatte die CIA routinemäßig einen Satz Satellitenfotos der Gegend um Kattara, die Zeichen von Bauarbeiten aufzuweisen schien, an den Mossad weitergereicht – und Borg war eingefallen, daß Schulz in Richtung Kattara gefahren war, als Tofik den Kontakt verloren hatte.

Irgend etwas ging vor. Aber er wußte nicht, was, und das beunruhigte ihn.

Er war immer beunruhigt. Wenn es nicht an den Ägyptern lag, dann an den Syrern; wenn nicht an den Syrern, dann an den Feddajin; wenn nicht an seinen Feinden, dann an seinen Freunden und an der Frage, wie lange sie noch seine Freunde sein würden. Er hatte eine beunruhigende Arbeit. Seine Mutter hatte einmal gesagt: »Arbeit? Unsinn – es ist dir angeboren wie deinem armen Vater. Wenn du Gärtner wärest, würdest du dir auch über deine Arbeit Sorgen machen.« Sie könnte recht gehabt haben, aber trotzdem: Paranoia war die einzig vernünftige Geisteshaltung für einen Spionagechef.

Jetzt war die Verbindung mit Tofik abgerissen, und das war das beunruhigendste Zeichen von allen.

Vielleicht hatte Kawash einige Erklärungen.

Ein Zug donnerte herein. Borg wartete nicht auf einen Zug; er begann, die Namen der Mitwirkenden auf einem Kinoplakat zu lesen. Die Hälfte der Namen war jüdisch. Vielleicht hätte ich Filmproduzent werden sollen, dachte er.

Der Zug setzte sich in Bewegung, und ein Schatten fiel über Borg. Er blickte auf und in das Gesicht von Kawash.

Der Araber sagte: »Vielen Dank, daß Sie gekommen sind.« Das tat er jedesmal.

Borg ignorierte seine Worte; er wußte nie, wie er auf Dankbezeigungen reagieren sollte. »Was gibt's Neues?«

»Ich mußte am Freitag einen Ihrer jungen Leute in Kairo aufgreifen.«

»Sie *mußten* es?«

»Der militärische Geheimdienst bewachte ein großes Tier. Sie merkten, daß der Junge sie beschattete. Das Militär hat kein Operationspersonal in der Stadt. Deshalb wurde meine Abteilung gebeten, ihn zu fassen. Es war ein offizielles Ersuchen.«

»Verflucht«, sagte Borg erbittert. »Was ist mit ihm geschehen?«

»Ich mußte mich an die Vorschriften halten«, antwortete Kawash. Er wirkte betrübt. »Der Junge wurde verhört und getötet. Sein Name war Avram Ambash, aber er arbeitete als Tofik el-Masiri.«

Borg runzelte die Stirn. »Er hat Ihnen seinen richtigen Namen verraten?«

»Er ist tot, Pierre.«

Borg schüttelte gereizt den Kopf. Kawash wollte sich immer mit persönlichen Einzelheiten aufhalten. »Warum hat er seinen Namen preisgegeben?«

»Wir benutzen die russische Ausrüstung – Elektroschock, kombiniert mit Lügendetektor. Ihr trainiert sie nicht so, daß sie damit fertig werden können.«

Borg lachte kurz. »Wenn wir davon sprächen, würden wir keinen gottverdammten Rekruten kriegen. Was hat er noch verraten?«

»Nichts, was wir nicht wußten. Er hätte es getan, aber ich brachte ihn vorher um.«

»*Sie* brachten ihn um?«

»Ich führte das Verhör, um sicherzugehen, daß er nichts Wichtiges sagte. All diese Vernehmungen werden jetzt auf Band aufgenommen, und die Abschrift kommt zu den Akten. Wir lernen von den Russen.« Der Kummer in seinen braunen Augen vertiefte sich. »Wieso – würden Sie es vorziehen, wenn ich Ihre Jungen von jemand anderem töten ließe?«

Borg starrte ihn an und wandte schließlich den Blick ab. Wieder mußte er das Gespräch von Sentimentalitäten fortsteuern. »Was hatte der Junge über Schulz herausgefunden?«

»Daß ein Agent den Professor in die westliche Wüste brachte.«

»Sicher, aber wozu?«

»Das weiß ich nicht.«

»Sie müssen es wissen, Sie gehören zum ägyptischen Geheimdienst!«

Borg unterdrückte seinen Ärger. Sollte der Mann sich doch Zeit lassen; letzten Endes würde er seine Informationen weitergeben.

»Ich weiß nicht, was sich dort draußen abspielt, weil sich eine Spezialtruppe damit befaßt«, erklärte Kawash. »Meine Abteilung wird nicht unterrichtet.«

»Irgendeine Ahnung, weshalb?«

Der Araber zuckte die Achseln. »Ich würde sagen, sie wollen nicht, daß die Russen davon Wind bekommen. Heutzutage erfährt Moskau alles, was über uns läuft.«

Borg verbarg seine Enttäuschung nicht. »Ist das alles, was Tofik geschafft hat?«

Plötzlich klang Zorn aus der sanften Stimme des Arabers. »Der Junge ist für Sie gestorben.«

»Ich werde ihm im Himmel danken. Ist er umsonst gestorben?«

»Er hat dies aus Schulz' Apartment geholt.« Kawash zog eine Hand aus der Manteltasche und zeigte Borg ein kleines, quadratisches Kästchen aus blauem Kunststoff.

Borg nahm das Kästchen. »Woher wissen Sie, wem es gehörte?«

»Es trägt Schulz' Fingerabdrücke. Und wir nahmen Tofik fest, nachdem er gerade in das Apartment eingebrochen hatte.«

Borg öffnete das Kästchen und betastete den vor Licht schützenden Umschlag. Er war unversiegelt. Der Israeli zog das Negativ hervor.

»Wir haben den Umschlag geöffnet und den Film entwickelt. Er ist leer«, erläuterte der Araber.

Mit einem Gefühl tiefer Befriedigung setzte Borg das Kästchen wieder zusammen und steckte es in die Tasche. Nun gab alles einen Sinn; nun wußte er, was zu tun war. Ein Zug fuhr ein. »Nehmen Sie diesen?« fragte er.

Kawash runzelte leicht die Stirn, nickte bestätigend und trat an den Rand des Bahnsteiges, während der Zug anhielt und die Türen sich öffneten. Er stieg ein und blieb an der Tür stehen. »Ich weiß wirklich nicht, was mit dem Kästchen sein könnte.«

Du magst mich nicht, aber ich halte dich für großartig, sinnierte Borg. Er bedachte den Araber mit einem dünnen Lächeln, während die Türen der U-Bahn zuglitten. »Ich weiß es«, sagte er.

Das amerikanische Mädchen war von Nat Dickstein sehr beeindruckt.

Sie jäteten und hackten Seite an Seite in einem staubigen Weingarten, während eine leichte Brise vom Galiläischen Meer herüberblies. Dickstein hatte sein Hemd ausgezogen und arbeitete in Shorts und Sandalen – mit jener Geringschätzung der Sonne, die nur in der Stadt Geborene besitzen können.

Er war ein schmächtiger Mann, feingliedrig, mit schmalen Schultern, einem flachen Brustkasten, knorrigen Ellbogen und Knien. Karen beobachtete ihn immer, wenn sie eine Pause machte, was oft geschah, während er sich nie auszuruhen schien. Zähe Muskeln bewegten sich wie knotige Taue unter seiner braunen, vernarbten Haut. Sie war eine sinnliche Frau, und am liebsten hätte sie die Narben mit den Fingern berührt und ihn gefragt, woher er sie hatte.

Manchmal blickte er auf und überraschte sie dabei, wie sie ihn anstarrte. Dann grinste er ohne Scheu und arbeitete weiter. Sein Gesicht war regelmäßig geschnitten und wies keine besonderen Merkmale auf. Er hatte dunkle Augen hinter billigen, runden Brillengläsern von der Art, die Karens Generation gefiel, weil John Lennon sie trug. Sein Haar war ebenfalls dunkel und kurz; Karen wünschte sich, daß er es wachsen ließe. Wenn er sein schiefes Grinsen aufsetzte, sah er jünger aus. Aber es war stets schwer zu raten, wie alt er sein mochte. Er hatte die Kraft und Energie eines jungen Mannes, doch sie hatte die Tätowierung des Konzentrationslagers unter seiner Armbanduhr gesehen. Er konnte also nicht viel jünger als vierzig sein.

Er war im Sommer 1967, kurz nach Karen, im Kibbuz eingetroffen. Sie war mit ihren Deodorants und ihren Antibabypillen gekommen – auf der Suche nach einem Ort, an dem sie ihre Hippie-Ideale ausleben konnte, ohne 24 Stunden am Tag unter Drogen zu stehen. Man hatte ihn in einem Krankenwagen gebracht. Sie nahm an, daß er im Sechstagekrieg verwundet worden war, und die anderen Kibbuzniks stimmten vage zu, daß es so etwas gewesen sei.

Seine Begrüßung hatte sich sehr von ihrer unterschieden. Karen war freundlich, aber vorsichtig empfangen worden: In ihrer Philosophie erkannten sie ihre eigene, mit gefährlichen Zusätzen. Nat Dickstein kehrte wie ein lange verlorener Sohn zurück. Sie scharten sich um ihn, fütterten ihn mit Suppe und hatten Tränen in den Augen, nachdem sie seine Wunden gesehen hatten.

Wenn Dickstein eine Art Sohn für diese Leute war, dann war Esther ihre Mutter. Sie war das älteste Mitglied des Kibbuz. Karen hatte einmal gesagt: »Sie sieht aus wie Golda Meirs Mutter«, und einer der anderen hatte geantwortet: »Ich glaube, sie ist Goldas *Vater*.« Und alle hatten liebevoll gelacht. Sie benutzte einen Spazierstock, stapfte durch das Dorf und gab ungebeten Ratschläge, von denen die meisten sehr weise waren. Sie hatte vor Dicksteins Krankenzimmer Wache gestanden und lärmende Kinder fortgescheucht, indem sie ihren Stock schwenkte und Prügel androhte, von denen selbst die Kinder wußten, daß sie nie ausgeteilt werden würden.

Dickstein hatte sich sehr schnell erholt. Schon nach einigen Tagen saß er draußen in der Sonne, putzte Gemüse für die Küche und erzählte den älteren Kindern grobe Witze. Zwei Wochen später arbeitete er auf den Feldern, und bald schaffte er mehr als alle außer den jüngsten Männern.

Seine Vergangenheit lag im Dunkel, aber Esther hatte Karen die Geschichte seiner Ankunft in Israel im Jahre 1948, während des Unabhängigkeitskrieges, erzählt.

1948 war für Esther jüngste Vergangenheit. Sie hatte als junge Frau in den ersten beiden Jahrzehnten des Jahrhunderts in London gelebt und war an einem halben Dutzend radikaler linker Bewegungen, vom Suffragettentum bis zum Pazifismus, aktiv beteiligt gewesen, bevor sie nach Palästina emigrierte; aber ihre Erinnerung reichte noch weiter zurück, zu Pogromen in Rußland, die vage in monströsen Alptraumbildern vor ihr standen.

Sie hatte in der Tageshitze unter einem Feigenbaum gesessen, einen Stuhl lackiert, den sie mit ihren eigenen knotigen Händen gemacht hatte, und von Dickstein erzählt wie von einem schlauen, aber boshaften Schuljungen.

»Sie waren acht oder neun Männer, einige von der Universität, andere Arbeiter aus dem East End. Wenn sie je Geld besessen hatten, war es ausgegeben, bevor sie Frankreich erreichten. Sie ließen sich von einem Lastwagen nach Paris mitnehmen und sprangen dann auf einen Güterzug nach Marseille. Von dort aus sind sie anscheinend den größten Teil der Strecke nach Italien zu Fuß gegangen. Danach stahlen sie ein riesiges Auto, einen Stabswagen des deutschen Heeres, einen Mercedes, und fuhren ganz bis zur Stiefelspitze von Italien.«

Esthers Gesicht war zu einem Lächeln zerknittert, und Karen dachte: Die Alte wäre damals gern bei ihnen gewesen.

»Dickstein war im Krieg in Sizilien gewesen und schien die Mafia dort zu kennen. Sie besaß alle Waffen, die noch vom Krieg übriggeblieben waren. Dickstein wollte Waffen für Israel, hatte aber kein Geld. Er überredete die Sizilianer, eine Schiffsladung Maschinenpistolen an einen Araber zu verkaufen und dann den Juden zu verraten, wo die Übergabe stattfinden würde. Sie wußten, was er vorhatte, und waren begeistert. Der Handel wurde abgeschlossen, die Sizilianer bekamen ihr Geld, und dann kaperten Dickstein und sein Freund das Schiff mit seiner Fracht und stachen nach Israel in See!«

Karen lachte laut auf unter dem Feigenbaum, und eine grasende Ziege schaute trübsinnig zu ihr hin.

»Warte«, sagte Esther, »du hast noch nicht alles gehört. Ein paar der Studenten hatten einmal Rudersport betrieben, und einer der anderen war ein Werftarbeiter, aber das war auch alles, was sie von der Seefahrt verstanden. Und nun sollten sie ganz allein ein Frachtschiff von 5000 Tonnen steuern. Sie improvisierten mit der Navigation, aber das Schiff hatte wenigstens Karten und einen Kompaß. Dickstein hatte in einem Buch nachgesehen, wie das Schiff zu starten war, aber in dem Buch stand nicht, wie man es stoppte. Sie dampften also nach Haifa, schrien und winkten und warfen ihre Hüte in die Luft, als wäre es ein Studentenstreich – und rammten das Dock.

Man verzieh ihnen natürlich sofort, denn die Waffen waren buchstäblich wertvoller als Gold. Und damals begann man, Dickstein den ›Piraten‹ zu nennen.«

Er erinnerte nicht sehr an einen Piraten, wie er da mit seinen ausgebeulten Shorts und seiner Brille im Weingarten arbeitete, dachte Karen. Trotzdem war er attraktiv. Sie wollte ihn verführen, wußte aber nicht, wie sie es anstellen sollte. Offenbar gefiel sie ihm, und sie hatte ihn sorgsam wissen lassen, daß sie frei war. Aber er machte keinen Annäherungsversuch. Vielleicht hielt er sie für zu jung und unschuldig, oder vielleicht interessierte er sich nicht für Frauen.

Seine Stimme unterbrach ihre Gedanken. »Wir sind fertig, glaube ich.«

Sie blickte zur tiefstehenden Sonne. Es war Zeit aufzuhören. »Du hast zweimal soviel geschafft wie ich.«

»Ich bin an die Arbeit gewöhnt. Schließlich bin ich, mit kleinen Pausen, seit zwanzig Jahren hier. Der Körper paßt sich an.«

Sie gingen zum Dorf zurück, während der Himmel sich purpurn und gelb färbte. »Was tust du sonst – wenn du nicht hier bist?« fragte Karen.

»Oh . . . ich vergifte Brunnen und entführe christliche Kinder.«

Karen lachte.

»Wie läßt sich das Leben hier mit dem in Kalifornien vergleichen?« erkundigte sich Dickstein.

»Hier ist es wunderbar, aber ich glaube, daß noch eine Menge getan werden muß, bevor die Frauen wirklich gleichberechtigt sind.«

»Das scheint im Moment das Hauptthema zu sein.«

»Du hast nie viel darüber zu sagen.«

»Hör zu, ich meine, daß du recht hast. Aber es ist besser, wenn sich Menschen ihre Freiheit nehmen, als wenn sie ihnen gegeben wird.«

»Das klingt wie eine gute Entschuldigung dafür, überhaupt nichts zu unternehmen.«

Jetzt lachte Dickstein.

Als sie das Dorf erreichten, kamen sie an einem jungen Mann auf einem Pony vorbei; er trug ein Gewehr und war unterwegs, um an den Grenzen der Siedlung zu patrouillieren. »Sei vorsichtig, Yisrael«, rief Dickstein. Die Beschießung von den Golanhöhen aus war natürlich vorbei, und die Kinder brauchten nicht mehr unter der Erdoberfläche zu schlafen, aber der Kibbuz führte weiter Patrouillen durch. Dickstein hatte zu denen gehört, die für fortdauernde Wachsamkeit plädierten.

»Ich werde Mottie vorlesen«, sagte Dickstein.

»Darf ich mitkommen?«

»Warum nicht?« Dickstein blickte auf seine Uhr. »Wir haben gerade noch Zeit, um uns zu waschen. Komm in fünf Minuten zu meinem Zimmer.«

Sie trennten sich, und Karen ging zu den Duschen. Wenn man eine Waise ist, gibt es keinen besseren Ort als einen Kibbuz, überlegte sie, während sie sich auszog. Motties Eltern waren tot – der Vater war bei einem Angriff auf die Golanhöhen im letzten Krieg von einer Granate getötet worden, die Mutter war ein Jahr vorher bei einem Schußwechsel mit den Feddajin umgekommen. Beide waren enge Freunde von Dickstein gewesen. Es war natürlich eine Tragödie für den Kleinen, aber er schlief immer noch im selben Bett, aß im selben Zimmer und hatte fast hundert andere Erwachsene, die ihn liebten und umsorgten. Mottie wurde nicht unwilligen Tanten oder alternden Großeltern aufgezwungen, oder, noch schlimmer, in ein Waisenhaus gesteckt. Und er hatte Dickstein.

Nachdem sie sich den Staub abgewaschen hatte, zog Karen saubere Kleidung an und näherte sich Dicksteins Zimmer. Mottie war schon da, saß auf Dicksteins Schoß, lutschte am Daumen und hörte sich *Die Schatzinsel* auf hebräisch an. Außer Dickstein kannte Karen niemanden, der hebräisch mit einem Cockney-Akzent sprach. Seine Aussprache war jetzt noch seltsamer, da er den Personen in der Geschichte verschiedene Stimmen verlieh: Jim hatte eine hohe Jungenstimme, Long John Silver knurrte tief, und der wahnsinnige Ben Gunn flüsterte fast. Karen saß da und betrachtete die beiden in dem gelben elektrischen Licht. Wie jungenhaft Dickstein wirkte, und wie erwachsen das Kind war!

Als das Kapitel zu Ende war, brachten sie Mottie in seinen Schlafsaal, gaben ihm einen Gutenachtkuß und betraten das Eßzimmer. Karen dachte: Wenn wir weiter so oft zusammen gesehen werden, werden alle glauben, daß wir schon ein Liebespaar sind.

Sie setzten sich zu Esther. Nach dem Essen erzählte sie ihnen eine Geschichte. In ihren Augen funkelte der Schalk wie bei einer Jungen. »Als ich zum erstenmal nach Jerusalem kam, hieß es allgemein, daß ein Haus kaufen könne, wer ein Federkissen besäße.«

Dickstein biß gern auf den Köder an. »Wieso?«

»Man konnte ein Federkissen für ein Pfund verkaufen. Mit diesem Pfund konnte man in einen Darlehensverein eintreten, was einem das Recht gab, zehn Pfund zu borgen. Dann suchte man sich ein Stück Land. Der Eigentümer des Landes nahm zehn Pfund als Anzahlung und den Rest in Schuldscheinen. Nun war man Landbesitzer. Man ging zu einem Bauherrn und sagte: ›Baue dir ein Haus auf diesem

Grundstück. Ich möchte nur eine kleine Wohnung für mich selbst und meine Familie.‹«

Sie alle lachten. Dickstein blickte zur Tür hinüber. Karen folgte seinem Blick und sah einen Fremden, einen stämmigen Mann über vierzig mit einem derben, fleischigen Gesicht. Dickstein stand auf und ging auf ihn zu.

Esther wandte sich an Karen: »Nimm es dir nicht zu sehr zu Herzen, Kind. Der taugt nicht zum Ehemann.«

Karen schaute erst Esther, dann wieder die Tür an. Dickstein war verschwunden. Ein paar Sekunden später hörte sie das Geräusch eines Autos, das angelassen wurde und fortfuhr.

Esther legte ihre alte auf Karens junge Hand und drückte fest zu. Karen sollte Dickstein nie wiedersehen.

*

Nat Dickstein und Pierre Borg saßen auf dem Rücksitz eines großen schwarzen Citroën. Borgs Leibwächter steuerte; seine Maschinenpistole lag auf dem Vordersitz neben ihm. Sie fuhren durch die Dunkelheit, und vor ihnen war nichts als der Lichtkegel der Scheinwerfer. Nat Dickstein hatte Angst.

Er schätzte sich nie so ein, wie andere es taten – als fachmännischen, sogar brillanten Agenten, der seine Fähigkeit, fast alles zu überleben, bewiesen hatte. Später, wenn die Mission begonnen hatte, er sich auf seinen Verstand verlassen mußte und spontan mit Strategie, Problemen und Persönlichkeiten fertig zu werden hatte, würde es für Angst keinen Platz geben. Aber jetzt, während Borg ihn instruieren wollte, konnte er keine Pläne schmieden, keine Voraussagen weiterentwikkeln, keine Charaktere einschätzen. Er wußte nur, daß er Frieden und schwere körperliche Arbeit, das Land, die Sonne und die Sorge um wachsende Pflanzen hinter sich lassen mußte; und daß vor ihm schreckliche Risiken und große Gefahr, Lügen und Schmerz, Blutvergießen und – vielleicht – sein eigener Tod lagen. Deshalb drückte er sich in die Ecke des Sitzes, hatte Arme und Beine fest gekreuzt und beobachtete Borgs schwach erleuchtetes Gesicht, während die Furcht vor dem Unbekannten seinen Magen verkrampfte und ihm Übelkeit verursachte.

In dem matten, wechselnden Licht sah Borg aus wie der Riese im Märchen. Er hatte massige Züge: dicke Lippen, breite Wangen und hervorstehende Augen, die von dichten Brauen überschattet waren. Als Kind hatte er immer wieder gehört, daß er häßlich sei, und so war er zu einem häßlichen Mann aufgewachsen. Wenn er sich unbehaglich fühlte – wie jetzt –, fuhren seine Hände ständig an sein Gesicht, bedeckten seinen Mund, rieben seine Nase, kratzten seine Stirn, um unterbewußt seine Unansehnlichkeit zu verbergen. Einmal, in einer ruhigen Minute, hatte Dickstein ihn gefragt: »Warum brüllst du jeden an?«, und er hatte geantwortet: »Weil sie alle so verdammt hübsch sind.«

Man wußte nie, in welcher Sprache man sich mit Dickstein unterhalten sollte. Borg war gebürtiger Frankokanadier und hatte Mühe mit dem Hebräischen. Dicksteins Hebräisch war gut, sein Französisch aber nur passabel. Gewöhnlich entschieden sie sich für Englisch.

Dickstein arbeitete seit zehn Jahren für Borg, aber der Mann gefiel ihm immer noch nicht. Er glaubte, Borgs unruhigen, unglücklichen Charakter zu verstehen, und er respektierte sein Fachwissen und seine besessene Hingabe an die Geheimdienstarbeit, aber für Dickstein reichte das nicht aus, um einen Menschen zu mögen. Wenn Borg ihn belog, gab es dafür immer gute, vernünftige Gründe, aber Dickstein nahm die Lüge trotzdem übel.

Er rächte sich, indem er Borgs Taktik gegen ihn anwandte. Gewöhnlich weigerte er sich zu sagen, was sein Ziel war, oder er brachte eine Lüge vor. Er meldete sich nie plangemäß, wenn er eine Operation durchführte: Er rief einfach an oder sandte Botschaften mit gebieterischen Forderungen. Manchmal enthielt er Borg seinen ganzen Plan oder einen Teil seines Planes vor. Das hinderte erstens Borg daran, sich mit eigenen Vorhaben einzumischen, und es war zweitens auch sicherer – denn Borg mochte verpflichtet sein, alles, was er wußte, Politikern mitzuteilen; und was diese wußten, konnte wiederum den Gegnern zu Ohren kommen. Dickstein kannte die Stärke seiner Position – er war verantwortlich für viele der Triumphe, die Borgs Karriere auszeichneten –, und er nutzte das bis zum äußersten aus.

Der Citroën brauste durch das arabische Städtchen Nazareth, das jetzt menschenleer war, da es wahrscheinlich unter Ausgangsverbot stand, und fuhr hinein in die Nacht in Richtung Tel Aviv. Borg steckte sich eine dünne Zigarre an und begann zu sprechen.

»Nach dem Sechstagekrieg hat einer der klugen Knaben im Verteidigungsministerium eine Abhandlung mit dem Titel ›Die unvermeidliche Vernichtung Israels‹ geschrieben. Er brachte folgendes Argument vor: Im Unabhängigkeitskrieg kauften wir Waffen von der Tschechoslowakei. Als sich der sowjetische Block auf die Seite der Araber schlug, wandten wir uns an Frankreich und später an Westdeutschland. Deutschland machte alle Vereinbarungen rückgängig, sobald die Araber davon Wind bekamen. Frankreich verhängte nach dem Sechstagekrieg ein Embargo. Sowohl Großbritannien wie die Vereinigten Staaten haben sich ständig geweigert, uns Waffen zu liefern. Wir verlieren unsere Quellen eine nach der anderen.

Angenommen, wir können diese Verluste ausgleichen, indem wir dauernd neue Lieferanten finden und unsere eigene Waffenindustrie aufbauen. Selbst dann bleibt die Tatsache bestehen, daß Israel den Rüstungswettlauf des Nahen Ostens verlieren muß. Die Ölländer werden in der vorhersehbaren Zukunft reicher sein als wir. Unser Verteidigungshaushalt ist schon jetzt eine schreckliche Last für die Wirtschaft, während unsere Feinde ihre Milliarden für nichts Besseres ausgeben können. Wenn sie zehntausend Panzer haben, werden wir sechstausend brauchen; wenn sie zwanzigtausend Panzer haben, werden wir zwölftausend brauchen und so weiter. Wenn sie ihre Waffenkäufe jedes Jahr einfach verdoppeln, können sie damit unsere Wirtschaft lahmlegen, ohne einen einzigen Schuß abzufeuern.

Schließlich zeigt die jüngste Geschichte des Nahen Ostens ein Muster beschränkter Kriege, die ungefähr einmal im Jahrzehnt stattfinden. Die Logik dieses Musters richtet sich gegen uns. Die Araber können sich erlauben, von Zeit zu Zeit einen Krieg zu verlieren. Wir nicht: Unsere erste Niederlage wird unser letzter Krieg sein.

Schlußfolgerung: Das Überleben Israels hängt davon ab, daß wir den Teufelskreis durchbrechen, den unsere Feinde uns auferlegt haben.«

Dickstein nickte. »Nicht gerade ein neuer Gedankengang. Es ist das gewöhnliche Argument für ›Frieden um jeden Preis‹. Ich nehme an, daß der kluge Knabe für diese Arbeit aus dem Verteidigungsministerium gefeuert wurde.«

»Zweimal falsch geraten. Sein Gedankengang geht weiter: ›Wir müssen der nächsten arabischen Armee, die unsere Grenzen überschreitet, permanenten und lähmenden Schaden zufügen oder jedenfalls die Macht dazu haben. Was wir brauchen, sind nukleare Waffen.‹«

Dickstein schwieg einen Moment lang, dann stieß er langsam pfeifend den Atem aus. Es war eine jener phantastischen Ideen, die völlig einleuchtend scheinen, sobald sie geäußert worden sind. Dadurch würde sich alles ändern. Er versuchte, die Schlußfolgerungen zu verdauen. Zahllose Fragen bestürmten ihn. War es technisch machbar? Würden die Amerikaner helfen? Würde das israelische Kabinett seine Zustimmung geben? Würden die Araber mit ihrer eigenen Bombe zurückschlagen? Schließlich sagte er: »Ein kluger Knabe im Verteidigungsministerium? Haha. Der Vorschlag stammte von Moshe Dayan.«

»Kein Kommentar.«

»War das Kabinett einverstanden?«

»Es gab eine lange Debatte. Gewisse achtbare Politiker argumentierten, daß sie nicht so weit hierhergekommen wären, um den Nahen Osten in einem atomaren Holocaust untergehen zu sehen. Aber die Opposition verließ sich vor allem auf das Argument, daß sich die Araber auch eine Bombe verschaffen würden, wenn wir eine besäßen, und daß wir damit wieder von vorne anfangen könnten. Wie sich herausstellte, war das ihr großer Fehler.« Borg griff in seine Tasche und zog ein kleines Plastikkästchen hervor. Er übergab es Dickstein.

Dickstein knipste die Innenbeleuchtung an und untersuchte das Kästchen. Es hatte einen Umfang von ungefähr vier Zentimetern im Quadrat, war schmal und blau. Als es sich öffnete, enthüllte es einen kleinen Umschlag, der aus schwerem, vor Licht schützendem Papier bestand. »Was ist das?«

»Ein Physiker namens Friedrich Schulz besuchte Kairo im Februar«, sagte Borg. »Er ist Österreicher, arbeitet aber in den Vereinigten Staaten. Anscheinend verbrachte er seinen Urlaub in Europa, aber seine Flugkarte nach Ägypten wurde von der ägyptischen Regierung bezahlt.

Ich ließ ihn beschatten, aber er entwischte unserem Mann und verschwand für 48 Stunden in der westlichen Wüste. Wir wissen von Satellitenfotos des CIA, daß in diesem Teil der Wüste ein großes Bauvorhaben durchgeführt wird. Als Schulz zurückkam, hatte er dies in der Tasche. Es ist ein Taschendosimeter. Der Umschlag, der lichtundurchlässig ist, enthält ein Stück eines gewöhnlichen fotografischen Films. Man trägt das Kästchen in der Tasche oder heftet es an den Aufschlag oder den Hosengürtel. Wenn man Strahlung ausgesetzt ist, trübt sich der Film nach der Entwicklung. Dosimeter werden routinemäßig von jedem getragen, der ein Atomkraftwerk besucht oder darin arbeitet.«

Dickstein knipste das Licht aus und gab Borg das Kästchen zurück.

»Du meinst also, daß die Araber schon Atombomben herstellen«, sagte er leise.

»Richtig.« Borg sprach unnötig laut.

»Deshalb hat das Kabinett Dayan ermächtigt, eine eigene Bombe zu produzieren.«

»Im Prinzip, ja.«

»Was soll das heißen?«

»Es gibt ein paar praktische Schwierigkeiten. Die Mechanik der Sache ist einfach – das eigentliche Uhrwerk der Bombe sozusagen. Jeder, der eine konventionelle Bombe anfertigen kann, kann eine Atombombe herstellen. Das Problem ist, sich das explosive Material, das heißt Plutonium, zu verschaffen. Man erhält Plutonium aus einem Atomreaktor. Es ist ein Nebenprodukt. Wir haben einen Reaktor, bei Dimona in der Negev-Wüste. Wußtest du das?«

»Ja.«

»Es ist unser am schlechtesten gehütetes Geheimnis. Wir haben jedoch nicht die Ausrüstung, um das Plutonium dem verbrauchten Brennstoff zu entziehen. Wir könnten eine Wiederaufbereitungsanlage bauen, aber das Problem ist, daß wir kein *eigenes* Uran besitzen, mit dem wir den Reaktor füttern könnten.«

»Einen Moment.« Dickstein legte die Stirn in Falten. »Wir müssen doch Uran haben, um den Reaktor normal zu betreiben.«

»Korrekt. Wir erhalten es aus Frankreich, und es wird unter der Bedingung geliefert, daß wir den verbrauchten Brennstoff zur Wiederaufbereitung zurückgeben, damit *sie* das Plutonium bekommen.«

»Andere Lieferanten?«

»Würden dieselbe Bedingung stellen – es ist Teil des Atomsperrvertrages.«

»Aber die Leute in Dimona könnten ein wenig von dem verbrauchten Brennstoff abzweigen, ohne daß jemand etwas merkt.«

»Nein. Aus der Menge des ursprünglich gelieferten Urans läßt sich präzise errechnen, wieviel Plutonium am anderen Ende herauskommt. Und sie wiegen es sorgfältig ab – es ist teures Zeug.«

»Das Problem ist also, sich Uran zu verschaffen.«

»Richtig.«

»Und die Lösung?«

»Die Lösung ist, daß du es stiehlst.«

Dickstein blickte aus dem Fenster. Der Mond kam hervor und enthüllte eine Herde von Schafen, die sich – bewacht von einem arabischen Hirten mit einem Stab – in einer Feldecke zusammengedrängt hatten: eine biblische Szene. Das war es also – gestohlenes Uran für das Land, in dem Milch und Honig fließen. Beim letztenmal war es die Ermordung eines Terroristenführers in Damaskus gewesen; davor die Erpressung eines reichen Arabers in Monte Carlo, der die Feddajin nicht mehr finanziell unterstützen sollte.

Dicksteins Gefühle waren in den Hintergrund gedrängt worden, während Borg über Politik, Schulz und Atomreaktoren gesprochen hatte. Nun wurde er daran erinnert, daß dies alles *ihn* betraf. Die Furcht kehrte zurück, und mit ihr die Erinnerung. Nach dem Tod seines Vaters war seine Familie unglaublich arm gewesen, und als die Gläubiger sich meldeten, war Nat zur Tür geschickt worden, um zu sagen, daß seine Mutter nicht da sei. Im Alter von dreizehn Jahren hatte er es als unerträglich erniedrigend empfunden, da die Gläubiger wußten, daß er log, und da er wußte, daß sie es wußten. Sie sahen ihn immer mit einer Mischung aus Verachtung und Mitleid an, die ihm bis ins Mark drang. Er würde dieses Gefühl nie vergessen – und es kam wie eine Erinnerung aus seinem Unterbewußtsein zurück, wenn jemand wie Borg etwas sagte wie: »Kleiner Nathaniel, geh und stiehl ein bißchen Uran für unsere Heimat.«

Seine Mutter hatte er immer gefragt: »Muß ich das wirklich?« Und jetzt sagte er zu Pierre Borg: »Wenn wir es sowieso stehlen wollen, weshalb kaufen wir es dann nicht und weigern uns einfach, es zur Wiederaufbereitung zurückzuschicken?«

»Weil dann jeder wüßte, was wir planen.«

»Na und?«

»Die Wiederaufbereitung braucht Zeit – viele Monate. In dieser Zeit könnten zwei Dinge passieren: Die Ägypter könnten ihr Programm beschleunigen, oder die Amerikaner würden uns zusetzen, die Bombe nicht zu bauen.«

»Oh!« Es war also noch schlimmer. »Du willst also, daß ich das Zeug stehle, ohne daß jemand merkt, wer es war.«

»Das reicht noch nicht.« Borgs Stimme war schroff und heiser. »Es darf noch nicht einmal jemand wissen, daß es gestohlen wurde. Es muß so aussehen, als wenn der Kram nur verloren wurde. Ich möchte, daß die Eigentümer und die internationalen Geheimdienste wegen des Verschwindens so sehr in Verlegenheit gesetzt werden, daß sie es vertuschen. Und wenn sie später entdecken, daß sie bestohlen worden sind, wird ihre eigene Tarnaktion sie kompromittieren.«

»Irgendwann wird es bestimmt herauskommen.«

»Nicht, bevor wir unsere Bombe haben.«

Sie hatten die Küstenstraße von Haifa nach Tel Aviv erreicht. Während der Wagen durch die Nacht raste, konnte Dickstein zur Rechten gelegentlich einen Blick auf das Mittelmeer erhaschen, das wie ein Juwel im Mondlicht glitzerte. Als er wieder sprach, war er über den Beiklang erschöpfter Resignation in seiner eigenen Stimme überrascht.

»Wieviel Uran brauchen wir?«

»Sie wollen zwölf Bomben haben. In Form von Yellow Cake – das ist das Uranerz – wären es etwa hundert Tonnen.«

»Ich kann es also nicht einfach in die Tasche stecken.« Dickstein runzelte die Stirn. »Was würde das alles kosten, wenn wir es kauften?«

»Ein bißchen mehr als eine Million Dollar.«

»Und du glaubst, daß die Verlierer die Sache vertuschen werden?«

»Wenn man es richtig anstellt.«

»Wie?«

»Das ist deine Sache, Pirat.«

»Ich bin mir nicht so sicher, daß es möglich ist.«

»Das muß es einfach sein. Ich habe dem Premierminister zugesagt, daß wir es schaffen können. Meine Karriere steht auf dem Spiel, Nat.«

»Hör mit deiner verdammten Karriere auf.«

Borg zündete sich eine weitere Zigarre an – eine nervöse Reaktion auf Dicksteins verächtliche Bemerkung. Dickstein öffnete das Fenster ein paar Zentimeter, um den Rauch hinauszulassen. Seine plötzliche Feindseligkeit hatte nichts mit Borgs ungeschicktem persönlichen Apell zu tun: Dieser war typisch für die Unfähigkeit des Mannes, zu fühlen, wie andere zu ihm standen. Was Dickstein so entnervte, war die plötzliche Vision pilzförmiger Wolken über Jerusalem und Kairo, von Baumwollfeldern am Nil und Weingärten am See Genezareth, die durch Fallout verpestet wurden – von einem durch Feuer ruinierten Nahen Osten, von Kindern, die Generationen lang deformiert waren.

Er sagte: »Ich meine immer noch, daß Frieden eine Alternative ist.«

Borg zuckte die Achseln. »Woher soll ich das wissen? Ich mische mich nicht in die Politik ein.«

»Dummes Zeug.«

Borg seufzte. »Hör zu, wenn die andern eine Bombe haben, brauchen wir doch auch eine, nicht wahr?«

»Wenn es nur darum ginge, brauchten wir nur eine Pressekonferenz abzuhalten, zu verkünden, daß die Ägypter eine Bombe herstellen, und sie von dem Rest der Welt zur Räson bringen zu lassen. Aber ich glaube, daß unsere Leute die Bombe sowieso wollen. Sie freuen sich, nun einen Vorwand zu haben.«

»Und vielleicht haben sie recht!« gab Borg zurück. »Wir können nicht alle paar Jahre einen Krieg führen – vielleicht verlieren wir nämlich mal.«

»Wir könnten Frieden schließen.«

»Du bist so verflucht naiv«, schnaubte Borg.

»Wenn wir in ein paar Punkten nachgäben – die besetzten Gebiete, das Rückkehrgesetz, gleiche Rechte für Araber in Israel –«

»Die Araber haben gleiche Rechte.«

Dickstein lächelte freudlos. »Du bist so verflucht naiv.«

»Hör mich an!« Borg kämpfte um Selbstbeherrschung. Dickstein begriff seinen Zorn, es war eine Reaktion, die Borg mit vielen Israelis teilte. Sie meinten, daß es der Anfang vom Ende wäre. Wenn diese liberalen Ideen jemals Fuß fassen sollten, würde eine Konzession der anderen folgen, bis man das Land den Arabern mit Kußhand zurückgab – und diese Aussicht brachte die Grundlage ihrer Identität ins Wanken. »Hör mich an«, wiederholte Borg. »Vielleicht sollten wir unser Geburtsrecht für ein Linsengericht verkaufen. Aber dies ist die reale Welt, und die Menschen dieses Landes werden nicht für ›Frieden um jeden Preis‹ wählen. Im tiefsten Inneren weißt du doch, daß auch die Araber sich nicht gerade hastig um einen Friedensschluß bemühen. In der realen Welt müssen wir also immer noch mit ihnen kämpfen; und wenn wir mit ihnen kämpfen, sollten wir besser gewinnen. Aber damit wir unseres Sieges sicher sein können, mußt du uns etwas Uran besorgen.«

»Am meisten mißfällt mir an dir, daß du gewöhnlich recht hast«, erwiderte Dickstein.

Borg kurbelte seine Fensterscheibe herunter und warf den Zigarrenstummel hinaus. Er hinterließ eine Funkenspur auf der Straße. Die Lichter von Tel Aviv wurden vor ihnen sichtbar. Sie waren fast da.

»Weißt du, mit den meisten meiner Leute muß ich nicht jedesmal über Politik diskutieren, wenn ich ihnen einen Auftrag gebe. Sie nehmen einfach ihre Befehle entgegen, wie es sich für Agenten gehört.«

»Ich glaube dir nicht«, sagte Dickstein. »Dies ist eine Nation von Idealisten. Sonst wäre sie nichts wert.«

»Vielleicht.«

»Ich kannte einmal einen Mann namens Wolfgang. Er behauptete dauernd: ›Ich führe nur Befehle aus.‹ Dann brach er mir immer wieder das Bein.«

»Ja, du hast mir davon erzählt.«

*

Wenn eine Firma einen Buchhalter einstellt, damit die Bücher geführt werden, dann verkündet er als erstes, er habe so viel für die allgemeine Finanzpolitik der Firma zu tun, daß er einen Hilfsbuchhalter einstellen müsse, damit die Bücher geführt werden. Ähnliches trifft auf Spionage zu. Ein Land richtet einen Geheimdienst ein, um herauszufinden, wie viele Panzer sein Nachbar besitzt und wo sie stationiert sind, und bevor man sich versieht, verkündet der Geheimdienst, er sei so sehr davon in Anspruch genommen, subversive Elemente im eigenen Land zu überwachen, daß man einen separaten Dienst brauche, der sich der Abwehr widmen müsse.

Genau das geschah in Ägypten im Jahre 1955. Der gerade flügge gewordene Geheimdienst des Landes wurde in zwei Direktorate geteilt. Der Militärische Geheimdienst hatte die Aufgabe, die israelischen Panzer zu zählen, und »Allgemeine Nachforschungen« heimsten den Ruhm ein.

Der Mann, der beide Direktorate leitete, trug den Titel Direktor des Allgemeinen Geheimdienstes, um alles noch komplizierter zu machen. Theoretisch hatte er dem Innenminister Bericht zu erstatten. Aber eine andere Tatsache, mit der Spionageabteilungen sich immer herumschlagen müssen, ist die, daß der Staatschef versucht, sie unter seine Kontrolle zu bekommen. Dafür gibt es zwei Gründe. Einer ist, daß die Spione ständig wahnsinnige Mord-, Erpressungs- und Invasionspläne ausbrüten, die schrecklich peinlich werden können, wenn sie in die Tat umgesetzt worden sind; deshalb behalten Präsidenten und Premierminister solche Abteilungen gern persönlich im Auge. Der andere Grund ist, daß Geheimdienste eine Quelle der Macht sind, besonders in wenig stabilen Ländern, und daß das Staatsoberhaupt sich der Einfachheit halber diese Macht sichern will.

Der Direktor des Allgemeinen Geheimdienstes in Kairo erstattete also in der Praxis entweder dem Präsidenten oder dem Staatsminister im Amt des Präsidenten Bericht.

Kawash, der hochgewachsene Araber, der Tofik verhört und getötet und Pierre Borg später das Taschendosimeter übergeben hatte, arbeitete im Direktorat für Allgemeine Nachforschungen, der glanzvolleren zivilen Hälfte des Geheimdienstes. Er war ein intelligenter und würdevoller Mann von großer Integrität, aber er war auch tief religiös – bis hin zum Mystizismus. Es war jene unerschütterliche, machtvolle Art von Mystizismus, welche zu den unwahrscheinlichsten – um nicht zu sagen: bizarrsten – Vorstellungen von der realen Welt führen kann. Er hing einer Richtung des Christentums an, die die Auffassung vertrat, daß die Rückkehr der Juden ins Gelobte Land in der Bibel verfügt und ein Omen des Weltendes sei. Deshalb war es eine Sünde, sich dieser Rückkehr entgegenzustellen, und eine heilige Aufgabe, auf sie hinzuwirken. Aus diesem Grund war Kawash Doppelagent.

Seine Arbeit war alles, was er besaß. Sein Glaube hatte ihn diesem Leben im Geheimen zugeführt, und dort hatte er sich allmählich von Freunden, Nachbarn und – mit wenigen Ausnahmen – seiner Familie gelöst. Er kannte keinen persönlichen Ehrgeiz außer dem, in den Himmel zu kommen. Da er asketisch lebte, bestand sein einziges irdisches Vergnügen darin, im Spionagespiel Punkte zu sammeln. Kawash ähnelte Borg sehr, mit dem Unterschied, daß er glücklich war. Im Moment machte er sich jedoch Sorgen. Bis jetzt verlor er Punkte in der Angelegenheit, die mit Professor Schulz begonnen hatte, und das bedrückte ihn. Sein Problem war, daß nicht die »Allgemeinen Nachforschungen« für das Kattara-Projekt verantwortlich waren, sondern die andere Hälfte der Spionageorganisation, der Militärische Geheimdienst. Kawash hatte jedoch gefastet und meditiert und in den langen Stunden der Nacht einen Plan entwickelt, um das Geheimprojekt zu durchlöchern.

Er hatte einen Cousin zweiten Grades, Assam, der im Amt des Direktors des Allgemeinen Geheimdienstes arbeitete – der Organisation, welche die Tätigkeit des Militärischen Geheimdienstes und der Allgemeinen Nachforschungen koordinierte. Assam hatte einen höheren Rang als Kawash, aber Kawash war klüger.

Die beiden Cousins saßen in der Mittagshitze im Hinterzimmer eines kleinen, schmutzigen Kaffeehauses an der Sherif Pasha, tranken lauwarmen Limonenlikör und bliesen Tabakrauch auf die Fliegen. In ihren leichten Anzügen und mit ihren Nasser-Schnurrbärten sahen sie wie Zwillinge aus. Kawash wollte von Assam etwas über Kattara erfahren. Er hatte sich eine plausible Methode ausgedacht, auf die Assam wahrscheinlich ansprechen würde, aber er wußte, daß er sehr behutsam vorgehen mußte, um Assams Unterstützung zu gewinnen. Trotz der Besorgnis, die er in sich spürte, wirkte er unerschütterlich wie immer.

Er begann mit einer scheinbar direkten Frage. »Mein Cousin, weißt du, was bei Kattara geschieht?«

Assams gutgeschnittenes Gesicht wurde recht verschlossen. »Wenn du es nicht weißt, kann ich dir nichts darüber sagen.«

Kawash schüttelte den Kopf, als ob Assam ihn mißverstanden habe. »Ich will nicht, daß du Geheimnisse enthüllst. Außerdem kann ich erraten, was für ein Projekt es ist.« Das war eine Lüge. »Was mich beunruhigt, ist, daß es in Marajis Hand ist.«

»Wieso?«

»Deinetwegen. Ich denke an deine Karriere.«

»Ich bin zuversichtlich . . .«

»Dazu besteht kein Anlaß. Maraji will deinen Posten, das mußt du doch wissen.«

Der Cafébesitzer brachte einen Teller mit Oliven und zwei flache Laibe Pitabrot. Kawash schwieg, bis der Mann hinausgegangen war. Er beobachtete Assam, während dessen naturgegebene Unsicherheit sich an der Lüge über Maraji nährte.

Kawash fuhr fort: »Maraji macht dem Ministerium direkt Meldung, wie ich höre.«

»Aber ich sehe alle Dokumente«, verteidigte sich Assam.

»Du kannst nicht wissen, was er dem Minister unter vier Augen mitteilt. Er hat eine sehr starke Position.«

Assam zog die Brauen zusammen. »Wie hast du eigentlich von dem Projekt erfahren?«

Kawash lehnte sich gegen die kühle Betonmauer. »Einer von Marajis Männern arbeitete als Leibwächter in Kairo und merkte, daß er verfolgt wurde. Der Verfolger war ein israelischer Agent namens Tofik. Maraji hat keine Außendienstagenten in der Stadt, deshalb wurde die Bitte des Leibwächters um Aktion an mich weitergereicht. Ich schnappte Tofik.«

Assam grunzte entrüstet. »Schlimm genug, sich beschatten zu lassen. Noch schlimmer, sich an die falsche Abteilung um Hilfe zu wenden. Unglaublich.«

»Vielleicht können wir etwas unternehmen, mein Cousin.«

Assam kratzte sich die Nase mit einer Hand, die von schweren Ringen geschmückt war. »Sprich weiter.«

»Berichte dem Direktor von Tofik. Melde ihm, daß Maraji – trotz seiner erheblichen Talente – bei der Auswahl seiner Männer Fehler macht, da er im Vergleich zu jemandem wie dir jung und unerfahren ist. Bestehe darauf, daß du für das Personal am Kattara-Projekt verantwortlich sein solltest. Dann besetze dort einen Posten mit einem Mann, der uns treu ist.«

Assam nickte langsam. »Ich verstehe.«

Kawash sah den Erfolg zum Greifen nahe. Er beugte sich vor. »Der Direktor wird dir dankbar sein, weil du diese Nachlässigkeit in einer Angelegenheit der höchsten Geheimhaltungsstufe entdeckt hast. Und du wirst in der Lage sein, alles im Auge zu behalten, was Maraji tut.«

»Das ist ein sehr guter Plan«, lobte Assam. »Noch heute spreche ich mit dem Direktor. Ich bin dir dankbar, Cousin.«

Kawash wollte noch etwas sagen – das Wichtigste –, und zwar im bestmöglichen Moment. In ein paar Minuten, entschied er. Er stand auf. »Bist du nicht immer mein Gönner gewesen?«

Sie traten Arm in Arm in die Hitze der Stadt hinaus. »Und ich werde sofort einen geeigneten Mann finden«, sagte Assam.

»Ach ja«, fiel Kawash ein, als wäre es eine weitere unbedeutende Einzelheit. »Ich habe einen Mann, der ideal wäre. Er ist intelligent, erfinderisch und sehr diskret – und der Sohn meines Schwagers.«

Assams Augen verengten sich. »Er würde also auch dir Bericht erstatten.«

Kawash schien verletzt. »Wenn meine Bitte übertrieben ist . . .« Er breitete die Hände zu einer Geste der Resignation aus.

»Nein«, sagte Assam. »Wir haben einander doch immer geholfen.«

Sie erreichten die Ecke, an der sie sich trennen mußten. Kawash strengte sich an, das Triumphgefühl nicht an seiner Miene sehen zu lassen. »Ich werde den Mann zu dir schicken. Du wirst sehen, er ist völlig zuverlässig.«

»In Ordnung«, stimmte Assam zu.

*

Pierre Borg kannte Nat Dickstein seit zwanzig Jahren. Damals im Jahre 1948 war Borg sicher gewesen, daß der Junge, ungeachtet des Streiches mit der Schiffsladung Maschinenpistolen, nicht zum Agenten tauge. Er war schmächtig, blaß, schüchtern und unansehnlich gewesen. Aber die Entscheidung hatte nicht bei Borg gelegen, und man hatte Dickstein auf die Probe gestellt. Borg hatte rasch anerkennen müssen, daß der Junge bei aller Unscheinbarkeit selten ausgekocht war. Er besaß auch einen Charme, den Borg nicht durchschaute. Manche Frauen im Mossad waren verrückt nach ihm, während andere ihn nicht für anziehend hielten. Dickstein zeigte ohnehin kein Interesse – in seiner Akte stand: »Geschlechtsleben: keines.«

Im Laufe der Jahre waren Dicksteins Geschick und Selbstvertrauen gewachsen, und nun verließ sich Borg mehr auf ihn als auf jeden anderen. Wenn Dickstein mehr persönlichen Ehrgeiz gehabt hätte, säße er jetzt vielleicht sogar auf Borgs Sessel.

Trotzdem glaubte Borg nicht, daß Dickstein seinen Auftrag würde erfüllen können. Das Resultat der politischen Debatte über Atomwaffen war einer jener eselhaften Kompromisse, welche die Arbeit der Beamten so verdarben: Man hatte nur unter der Bedingung zugestimmt, das Uran stehlen zu lassen, daß niemand – jedenfalls für viele Jahre – wissen würde, daß Israel der Dieb gewesen war. Borg hatte gegen den Beschluß angekämpft. Er war für einen urplötzlichen, raschen Piratenakt gewesen, und zum Teufel mit den Konsequenzen. Eine etwas ausgewogenere Art, die Dinge zu lösen, hatte sich im Kabinett durchgesetzt; aber es blieb Borg und seiner Mannschaft überlassen, diese Entscheidung in die Praxis umzusetzen.

Es gab auch noch andere Männer im Mossad, die einen vorgegebenen Plan so gut ausführen konnten wie Dickstein. Mike, der Leiter der

Sondereinsätze, war ein solcher, und Borg selbst schließlich auch. Aber es gab niemanden außer Dickstein, zu dem Borg hätte sagen können: Das ist das Problem – löse es.

Die beiden Männer verbrachten einen Tag in einem Mossad-Unterschlupf in der Stadt Ramat Gan, knapp außerhalb von Tel Aviv. Mossad-Angestellte, die einer Sicherheitsprüfung unterzogen worden waren, kochten Kaffee, servierten Mahlzeiten und patrouillierten durch den Garten mit Revolvern unter den Jacken. Am Morgen unterhielt Dickstein sich mit einem jungen Physikdozenten vom Weizmann-Institut in Rehovot. Der Wissenschaftler hatte lange Haare und eine geblümte Krawatte; er erklärte die chemische Beschaffenheit von Uran, die Natur der Radioaktivität und das Funktionieren eines Atomreaktors mit höchster Klarheit und endloser Geduld. Nach dem Mittagessen sprach Dickstein mit einem Verwaltungsangestellten aus Dimona über Uranbergwerke, Anreicherungsanlagen, Brennstoffherstellungswerke, Lagerung und Transport; über Sicherheitsvorkehrungen und internationale Verordnungen; über die Internationale Atomenergieagentur, die Atomenergiekommission der Vereinigten Staaten, die Atomenergiebehörde des Vereinigten Königreichs und über Euratom.

Am Abend nahmen Borg und Dickstein ihre Mahlzeit gemeinsam ein. Borg folgte wie gewöhnlich einer halbherzigen Diät: Er aß kein Brot zu seinem Lammfleischspieß, aber er trank die ganze Flasche des roten israelischen Weines fast allein aus. Seine Entschuldigung war, daß er seine Nerven beruhigen müsse, um Dickstein gegenüber seine Besorgnis nicht zu zeigen.

Nach dem Essen gab er Dickstein drei Schlüssel. »In Schließfächern in London, Brüssel und Zürich findest du zusätzliche Identitäten. In jedem sind ein Paß, ein Führerschein, Bargeld und eine Waffe. Wenn du die Identität wechseln mußt, läßt du die alten Dokumente im Fach.«

Dickstein nickte. »Erstatte ich dir oder Mike Bericht?«

Borg dachte: Du erstattest ja doch nie Bericht, du Lump. »Mir, bitte. Wenn möglich, ruf mich direkt an und benutze unseren Jargon. Wenn du mich nicht erreichen kannst, nimm mit einer beliebigen Botschaft Verbindung auf und verwende den Code für ein Treffen – ich werde dann versuchen, zu dir zu kommen, wo du auch bist. Im äußersten Notfall kannst du verschlüsselte Briefe mit der Diplomatenpost schicken.«

Dickstein nickte ausdruckslos: All das war Routine. Borg starrte ihn an und versuchte, seine Gedanken zu lesen. Wie fühlte *er* sich? Glaubte er, daß er es schaffen könnte? Hatte er irgendwelche Pläne? Wollte er einfach nur so tun, als habe er es versucht, und dann melden, daß es unmöglich sei? War er wirklich davon überzeugt, daß Israel die Bombe benötigte?

Borg hätte fragen können, aber er würde keine Antwort erhalten haben.

»Vermutlich gibt's einen Endtermin«, sagte Dickstein.

»Ja, aber wir kennen ihn noch nicht.« Borg begann, Zwiebelstücke aus dem Salatrest zu stochern. »Wir müssen unsere Bombe haben, bevor die Ägypter ihre kriegen. Das bedeutet, daß dein Uran in den Reaktorstrom eingegeben werden muß, bevor der ägyptische Reaktor betriebsfertig ist. Danach hängt alles von der Chemie ab – keine Seite kann subatomare Teilchen schneller machen. Wer als erster anfängt, wird auch als erster fertig.«

»Wir brauchen einen Agenten in Kattara«, meinte Dickstein.

»Daran arbeite ich.«

Dickstein nickte. »Wir benötigen einen sehr guten Mann in Kairo.«

Borg wollte über andere Dinge sprechen. »Was willst du – möchtest du mich etwa aushorchen?« fragte er mürrisch.

»Ich habe nur laut gedacht.«

Sie schwiegen ein paar Sekunden lang. Borg zermalmte weitere Zwiebelstücke. »Ich habe dir gesagt, was ich will, aber ich habe dir alle Entscheidungen darüber überlassen, wie du es schaffst.«

»O ja, das hast du.« Dickstein stand auf. »Ich lege mich jetzt am besten hin.«

»Hast du schon eine Vorstellung, wo du anfangen willst?«

»Ja. Gute Nacht.«

Nat Dickstein hatte sich nie daran gewöhnen können, Geheimagent zu sein. Das dauernde Sichverstellenmüssen machte ihm zu schaffen. Er mußte ständig Menschen belügen, sich verstecken, sich für einen anderen ausgeben, sich verstohlen an die Fersen anderer heften und Beamten an Flugplätzen falsche Papiere zeigen. Er hörte nie auf zu fürchten, daß man ihn entlarven könnte. Tagsüber hatte er oft einen Alptraum, in dem er plötzlich von Polizisten eingekreist wurde. Sie riefen: »Du bist ein Spion! Du bist ein Spion!« und brachten ihn ins Gefängnis, wo sie ihm das Bein brachen.

Auch jetzt fühlte er sich unbehaglich. Er befand sich im Jean-Monnet-Gebäude, auf dem Kirchberg-Plateau in Luxemburg, das sich jenseits der Hügelstadt an einem schmalen Flußbett erhebt. Er saß am Eingang zu den Büros des Euratom-Sicherheitsdirektorats und prägte sich die Gesichter der Angestellten ein, die zur Arbeit eintrafen. Eigentlich wartete er auf einen Pressesprecher namens Pfaffer, aber er war absichtlich viel zu früh gekommen, um nach einer Schwachstelle Ausschau zu halten. Der Nachteil dieser Methode war, daß das ganze Personal ebenfalls sein Gesicht sah. Aber er hatte keine Zeit, subtile Vorsichtsmaßnahmen zu treffen.

Pfaffer erwies sich als unordentlicher junger Mann mit mißbilligender Miene und einer abgenutzten braunen Aktentasche. Dickstein folgte ihm in ein gleichermaßen unordentliches Büro und nahm sein Angebot einer Tasse Kaffee an. Sie sprachen französisch. Dickstein war beim Pariser Büro einer obskuren Zeitschrift namens *Science International* akkreditiert. Er erzählte Pfaffer, daß er den Ehrgeiz habe, für den *Scientific American* zu arbeiten.

»Über welches Thema genau schreiben Sie im Moment?«

»Der Artikel heißt ›UVM‹«, erklärte Dickstein, »Unerklärt Verschwundenes Material. In den Vereinigten Staaten geht ständig radioaktiver Brennstoff verloren. Hier in Europa gibt es, wie ich höre, ein internationales System, das über solches Material auf dem laufenden ist.«

»Richtig. Die Mitgliedsländer überlassen Euratom die Kontrolle spaltbarer Substanzen. Wir haben vor allem eine komplette Liste ziviler Einrichtungen, die Vorräte besitzen – von Bergwerken über Vorbereitungs- und Herstellungsanlagen, Lager und Reaktoren bis zu Wiederaufbereitungsanlagen.«

»Sie sprachen von zivilen Einrichtungen.«

»Ja. Die militärischen sind unserem Einfluß entzogen.«

»Fahren Sie fort.« Dickstein war erleichtert darüber, daß er Pfaffer zum Reden gebracht hatte, bevor dieser hatte merken können, wie begrenzt Dicksteins eigene Kenntnis dieser Themen war.

»Nehmen Sie zum Beispiel eine Fabrik, die Brennstoffelemente aus gewöhnlichem Yellow Cake herstellt. Der Rohstoff, der in die Fabrik kommt, wird von Euratom-Inspektoren gewogen und analysiert. Die Ergebnisse werden in den Euratom-Computer programmiert und mit den Informationen der Inspektoren an der Versandanlage verglichen – in diesem Fall wahrscheinlich ein Uranbergwerk. Wenn es einen Unterschied zwischen der Menge, die die Versandanlage verlassen hat, und der Menge gibt, die in der Fabrik eintrifft, macht der Computer darauf aufmerksam. Ähnliche Messungen – Quantität und Qualität – werden bei dem Material durchgeführt, das aus der Fabrik hinausgeht. Diese Zahlen werden ihrerseits mit der Information verglichen, die von Inspektoren an dem Ort kommt, wo der Brennstoff benutzt wird – in einem Atomkraftwerk wahrscheinlich. Außerdem werden alle Rückstände in der Fabrik gewogen und analysiert. Dieser Prozeß der Prüfung und Gegenprüfung wird bis zur endgültigen Ablagerung der radioaktiven Rückstände durchgeführt. Davon abgesehen, findet wenigstens zweimal jährlich in der Fabrik eine Bestandsaufnahme statt.«

»Ich verstehe.« Dickstein wirkte beeindruckt und fühlte sich völlig entmutigt. Zweifellos übertrieb Pfaffer die Leistungsfähigkeit des Systems, aber wie sollte man, selbst wenn nur die Hälfte der vorgeschriebenen Prüfungen vorgenommen wurde, hundert Tonnen Yellow Cake fortzaubern, ohne daß der Computer etwas merkte? Er gab Pfaffer ein weiteres Stichwort: »Ihr Computer weiß also jederzeit, wo jedes Stückchen Uran in Europa ist.«

»Innerhalb der Mitgliedsländer – Frankreich, Deutschland, Italien, Belgien, die Niederlande und Luxemburg. Und nicht nur Uran, sondern alles radioaktive Material.«

»Wie steht's mit Einzelheiten des Transports?«

»Alle müssen von uns gebilligt werden.«

Dickstein klappte sein Notizbuch zu. »Scheint ein gutes System zu sein. Kann ich es in Aktion sehen?«

»Das hängt nicht von uns ab. Sie müßten sich an die Atomenergiebehörde in dem betreffenden Mitgliedsland wenden und die Genehmigung zum Besuch einer Anlage beantragen. Manche von ihnen halten Führungen ab.«

»Können Sie mir eine Liste der Telefonnummern geben?«

»Natürlich.« Pfaffer stand auf und öffnete einen Aktenschrank.

Dickstein hatte ein Problem gelöst, nur um neuerlich mit einem konfrontiert zu werden. Er hatte erfahren wollen, wo er den Standort von Vorräten radioaktiven Materials herausfinden konnte, und nun war seine Frage beantwortet: im Computer der Euratom. Aber alles Uran, von dem der Computer wußte, unterlag einem strengen Kontrollsystem und war deshalb äußerst schwer zu stehlen. Während er in dem unaufgeräumten kleinen Büro saß und zusah, wie der selbstgefällige Herr Pfaffer in seinen alten Pressemitteilungen wühlte, dachte Dickstein: Wenn du wüßtest, was ich vorhabe, du kleiner Bürokrat, würdest du an die Decke gehen. Er unterdrückte ein Grinsen, und seine Laune besserte sich ein wenig.

Pfaffer reichte ihm ein Flugblatt auf Stenzilpapier. Dickstein faltete es und steckte es in die Tasche. »Vielen Dank für Ihre Hilfe.«

»Wo wohnen Sie?«

»Im ›Alfa‹, dem Bahnhof gegenüber.«

Pfaffer begleitete ihn zur Tür. »Viel Spaß in Luxemburg.«

»An mir soll's nicht liegen«, sagte Dickstein und schüttelte ihm die Hand.

*

Dickstein half seinem Gedächtnis durch einen Trick nach. Er hatte ihn als kleines Kind gelernt, als er mit seinem Großvater in einem muffigen Zimmer über einem Pastetengeschäft in der Mile End Road gesessen und sich bemüht hatte, die seltsamen Zeichen des hebräischen Alphabets wiederzuerkennen. Es gelang, wenn er einprägsame

Formmerkmale isolierte und alles andere außer acht ließ. Genau das hatte Dickstein mit den Gesichtern des Euratom-Personals getan.

Er wartete am späten Nachmittag vor dem Jean-Monnet-Gebäude und beobachtete die Menschen, die sich nach Hause aufmachten. Einige interessierten ihn ganz besonders. Sekretärinnen, Boten und Kaffeekocherinnen waren ihm gleichgültig, ebenso wie hohe Verwaltungsbeamte. Er brauchte die Leute dazwischen: Computerprogrammierer, Bürovorsteher, Leiter kleiner Abteilungen, persönliche Assistenten und stellvertretende Chefs. Er hatte den wahrscheinlichsten Kandidaten Namen gegeben, die ihn an ihr einprägsamstes Merkmal erinnerten: Diamanta, Steifkragen, Tony Curtis, Ohne Nase, Schneekopf, Zapata, Fettarsch.

Diamanta war eine mollige Frau Ende Dreißig ohne Ehering. Ihr Name leitete sich von dem hellen Glitzern ihrer Brillengläser ab. Dickstein folgte ihr zum Parkplatz, wo sie sich in den Fahrersitz eines weißen Fiat 500 zwängte. Sein gemieteter Peugeot war in der Nähe abgestellt.

Sie überquerte den Pont-Adolphe, fuhr schlecht, aber langsam ungefähr fünfzehn Kilometer nach Südosten und erreichte schließlich ein kleines Dorf namens Mondorf-les-Bains. Dort parkte sie in dem gepflasterten Hof eines quadratischen luxemburgischen Hauses, dessen Tür mit Nägeln beschlagen war. Sie schloß die Tür auf.

Das Dorf hatte Thermalquellen und war eine Touristenattraktion. Dickstein schlang sich eine Kamera um den Hals und schlenderte umher, wobei er mehrere Male an Diamantas Haus vorbeikam. Einmal sah er – durch ein Fenster –, wie Diamanta einer alten Frau eine Mahlzeit servierte.

Der kleine Fiat blieb bis nach Mitternacht, als Dickstein wegfuhr, vor dem Haus geparkt.

Es war eine schlechte Wahl gewesen. Diamanta war eine unverheiratete Frau, die mit ihrer alten Mutter zusammenlebte, weder reich noch arm war – das Haus gehörte wahrscheinlich der Mutter – und offenbar keine Laster hatte. Wäre Dickstein ein anderer gewesen, hätte er vielleicht versucht, sie zu verführen; einen anderen Weg gab es nicht, sie in die Hand zu bekommen.

Er kehrte enttäuscht und deprimiert in sein Hotel zurück – was unvernünftig war, denn auf der Grundlage seiner Informationen war die Wahl Diamantas die bestmögliche gewesen. Trotzdem hatte er sich mit dem Problem einen ganzen Tag lang befaßt und wollte ihm endlich zu Leibe rücken, damit seine vagen Sorgen endlich ihre Rechtfertigung fänden.

Auch in den nächsten drei Tagen blieb er erfolglos. Zapata, Fettarsch und Tony Curtis erwiesen sich als Nieten.

Aber Steifkragen war genau der Richtige.

Er war etwa so alt wie Dickstein, ein schlanker, eleganter Mann im dunkelblauen Anzug mit schlichter blauer Krawatte und einem weißen Hemd mit gestärktem Kragen. Sein dunkles Haar, ein wenig länger als üblich für einen Mann seines Alters, wurde über den Ohren grau. Er trug handgefertigte Schuhe.

Steifkragen ging vom Büro über die Alzette und bergan in die Altstadt. Er schritt eine schmale Pflasterstraße hinunter und betrat ein altes terrassenförmiges Haus. Zwei Minuten später ging ein Licht unter dem Dach an.

Dickstein vertrieb sich zwei Stunden lang die Zeit.

Als Steifkragen wieder herauskam, trug er eine enganliegende helle Hose und einen orangefarbenen Schal. Sein Haar war nach vorn gekämmt, was ihn jünger aussehen ließ, und sein Gang war unbeschwert.

Dickstein folgte ihm in die Rue Dicks, wo er in einem unerleuchteten Eingang untertauchte. Die Tür war geöffnet, aber nichts deutete an, was sich dahinter verbergen mochte. Nackte Treppenstufen führten nach unten. Nach einer Weile hörte Dickstein schwache Musik.

Zwei junge Männer mit aufeinander abgestimmten gelben Jeans gingen an ihm vorbei und traten ein. Einer von ihnen grinste zu ihm zurück und sagte: »Ja, hier ist es.« Dickstein folgte ihnen die Treppe hinab.

Es war ein normal wirkender Nachtklub mit Tischen und Stühlen, ein paar Nischen, einem kleinen Tanzboden und einem Jazztrio in einer Ecke. Dickstein bezahlte Eintrittsgeld, setzte sich in eine Nische und behielt Steifkragen im Auge. Er bestellte Bier.

Er hatte schon erraten, weshalb hier eine so diskrete Atmosphäre herrschte, und während er sich umsah, wurde seine Theorie bestätigt: Es war ein Homosexuellenklub. Dickstein hatte einen Klub dieser Art noch nie besucht und war leicht verblüfft darüber, daß ihm kaum etwas außergewöhnlich vorkam. Einige der Männer hatten dezentes Make-up aufgelegt, zwei übertrieben aufgeputzte Tunten trieben an der Bar ihr Spiel, und ein sehr hübsches Mädchen hielt Händchen mit einer älteren Frau in Hosen. Aber die meisten Gäste waren nach den Maßstäben des pfauenhaften Europa normal angezogen, und es gab keine Männer in Frauenkleidung.

Steifkragen saß dicht neben einem blonden Mann mit einem kastanienbraunen zweireihigen Jackett. Dickstein hatte keine Vorurteile gegenüber Homosexuellen. Er war nicht beleidigt, wenn jemand fälschlich annahm, daß er homosexuell sei, weil er Anfang Vierzig und immer noch Junggeselle war. Für ihn war Steifkragen nichts als ein Mann, der für Euratom arbeitete und ein Geheimnis hatte, das ihm Schuldgefühle bereitete.

Dickstein lauschte der Musik und trank sein Bier. Ein Kellner kam auf ihn zu und fragte: »Bist du allein, mein Guter?«

Er schüttelte den Kopf. »Ich warte auf meinen Freund.«

Ein Gitarrist löste das Trio ab und begann, vulgäre deutsche Volkslieder zu singen. Dickstein entgingen die meisten Pointen, doch die übrigen Zuhörer brüllten vor Lachen. Danach tanzten mehrere Paare.

Dickstein sah, wie Steifkragen die Hand auf das Knie seines Gefährten legte. Er stand auf und ging auf ihre Nische zu.

»Hallo«, grüßte er munter, »habe ich Sie nicht vor kurzem bei der Euratom gesehen?«

Steifkragen wurde blaß. »Ich weiß nicht . . .«

Dickstein streckte die Hand aus. »Ed Rodgers.« Diesen Namen hatte er auch Pfaffer genannt. »Ich bin Journalist.«

Steifkragen murmelte: »Sehr erfreut.« Er war zutiefst erschüttert, hatte aber genug Geistesgegenwart, seinen Namen zu verschweigen.

»Ich bin in Eile«, sagte Dickstein. »Schön, Sie getroffen zu haben.«

»Auf Wiedersehen also.«

Dickstein drehte sich um und verließ den Klub. Er hatte alles getan, was im Moment nötig war: Steifkragen wußte, daß sein Geheimnis aufgedeckt war, und hatte Angst.

Während er zu seinem Hotel zurückkehrte, konnte Dickstein sich nicht des Gefühls beschämender Schmierigkeit erwehren.

*

Jemand folgte ihm von der Rue Dicks.

Der Beschatter war kein Fachmann und versuchte nicht, sich zu tarnen. Er blieb fünfzehn oder zwanzig Schritte hinter ihm, und seine Ledersohlen klatschten regelmäßig auf das Pflaster. Dickstein gab vor, nichts zu merken. Er überquerte die Straße und erhaschte einen Blick auf seinen Verfolger: ein großer junger Mann, langes Haar, abgetragene braune Lederjacke.

Augenblicke später trat ein anderer Junge aus dem Schatten, stellte sich genau vor Dickstein auf und blockierte den Weg. Dickstein stand still und wartete. Er dachte: Was, zum Teufel, soll das? Er konnte sich nicht vorstellen, daß er bereits überwacht wurde. Und warum würde jemand, der ihn überwachen ließ, ungeschickte Amateure von der Straße einsetzen?

Die Klinge eines Messers glänzte im Straßenlicht. Der Verfolger kam dicht heran.

Der Junge vor ihm sagte: »Also gut, schwules Kerlchen, gib uns deine Brieftasche.«

Dickstein war zutiefst erleichtert. Es waren bloß Diebe, die annahmen, daß jeder, der aus dem Nachtklub kam, eine leichte Beute sein würde.

»Schlagt mich nicht«, bat Dickstein. »Ich gebe euch mein Geld.« Er zog seine Brieftasche hervor.

»Die Brieftasche«, befahl der Junge.

Dickstein wollte nicht mit ihnen kämpfen. Bargeld konnte er sich jederzeit leicht verschaffen, aber wenn er all seine Papiere und Kreditkarten verlöre, wäre das äußerst unangenehm. Er nahm die Banknoten aus der Brieftasche und bot sie den beiden an. »Ich brauche meine Papiere. Wenn ihr euch mit meinem Geld begnügt, zeige ich euch nicht an.«

Der Junge vor ihm riß die Scheine an sich.

Der hinter ihm sagte: »Die Kreditkarten.«

Der Junge vor ihm war der Schwächere. Dickstein blickte ihn direkt an und fragte: »Warum hörst du nicht auf, solange das Glück auf deiner Seite ist, Söhnchen?« Dann ging er weiter und schob sich an der Außenseite des Bürgersteigs an dem Jungen vorbei.

Ledersohlen trommelten kurz auf dem Asphalt, als sich der andere auf Dickstein stürzte. Jetzt gab es nur noch eine Möglichkeit, wie die Begegnung enden konnte.

Dickstein wirbelte herum, packte den Fuß des Jungen, der zutreten wollte, zog, drehte und brach den Knöchel des Angreifers. Der Junge schrie vor Schmerz auf, fiel zu Boden und blieb liegen.

Jetzt sprang der mit dem Messer auf Dickstein zu. Er tänzelte zurück, trat gegen das Schienbein des Jungen, tänzelte wieder zurück und trat noch einmal zu. Der Junge führte einen Stoß mit dem Messer. Dickstein wich aus und trat zum drittenmal gegen genau die gleiche Stelle. Ein Geräusch wie von einem brechenden Knochen, und der Junge sackte zu Boden.

Dickstein blieb einen Moment lang stehen und betrachtete die beiden verletzten Räuber. Er fühlte sich wie ein Vater, dessen Kinder ihm so lange zugesetzt hatten, bis ihm nichts anderes übrigblieb, als sie zu schlagen. Warum habt ihr mich dazu gezwungen? dachte er. Sie waren tatsächlich Kinder – vielleicht siebzehn Jahre alt. Die beiden waren bösartig, denn sie machten Jagd auf Homosexuelle. Aber genau das hatte Dickstein an diesem Abend auch getan.

Er ging weiter. Es war ein Abend, den er vergessen wollte. Am Morgen würde er die Stadt verlassen.

*

Wenn Dickstein an der Arbeit war, blieb er so oft wie möglich in seinem Hotelzimmer, um nicht gesehen zu werden. In solchen Phasen hätte er zum schweren Trinker werden können, aber es war unklug, während eines Einsatzes zu trinken – Alkohol ließ die Wachsamkeit abstumpfen –, und zu anderen Zeiten verspürte er kein Bedürfnis nach Alkohol. Viele Stunden verbrachte er damit, aus dem Fenster zu schauen oder vor einem flimmernden Bildschirm zu sitzen. Er ging nicht in den Straßen spazieren, saß nicht in Hotelbars und aß nicht einmal in Hotelrestaurants, sondern benutzte immer die Zimmerbedienung. Aber auch seine Vorsichtsmaßnahmen hatten ihre Grenzen. Er konnte sich nicht unsichtbar machen. Im Foyer des Alfa-Hotels in Luxemburg stieß er auf jemanden, der ihn kannte.

Dickstein stand an der Rezeption und meldete sich ab. Er hatte die Rechnung geprüft, eine Kreditkarte auf den Namen Ed Rodgers vorgelegt und wartete darauf, den American-Express-Abschnitt zu unterzeichnen, als eine Stimme hinter ihm auf englisch sagte: »Mein Gott! Das ist doch Nat Dickstein, oder?«

Es war der Moment, den er gefürchtet hatte. Wie jeder Agent, der falsche Identitäten benutzt, lebte er in ständiger Angst davor, zufällig jemanden aus seiner fernen Vergangenheit zu treffen, der ihn demaskieren könnte. Das hier war der Alptraum mit den Polizisten, die riefen: »Sie sind ein Spion!«, und der Gerichtsvollzieher, der beharrte: »Aber deine Mutter *ist* zu Hause. Ich habe durchs Fenster geschaut und gesehen, wie sie sich unter dem Küchentisch versteckte.«

Wie jeder Agent war er auf diesen Augenblick vorbereitet worden. Die Regel war einfach: *Wer es auch ist, du kennst ihn nicht.* In der Schule mußte man es üben. Man erhielt den Befehl: »Heute sind Sie Chaim Meyerson, Maschinenbaustudent« und so weiter. Dann mußte man umhergehen, seine Arbeit verrichten und Chaim Meyerson sein; spät am Nachmittag wurde dafür gesorgt, daß man auf seinen Cousin, seinen alten Professor oder einen Rabbi stieß, der die ganze Familie kannte. Beim erstenmal lächelte man immer, grüßte und unterhielt sich kurz über alte Zeiten. Am Abend erfuhr man dann von seinem Lehrer, daß man tot war. Schließlich lernte man, alten Freunden direkt in die Augen zu blicken und zu sagen: »Wer, zum Teufel, sind Sie?«

Dicksteins Training machte sich jetzt bemerkbar. Er blickte zuerst den Angestellten an der Rezeption an, bei dem er sich gerade unter dem Namen Ed Rodgers abmeldete. Der Angestellte reagierte nicht. Vermutlich begriff er nicht, hatte nichts gehört oder verhielt sich gleichgültig.

Eine Hand tippte an Dicksteins Schulter. Er setzte ein entschuldigendes Lächeln auf, drehte sich um und sagte auf französisch: »Leider haben Sie den falschen . . .«

Ihr Kleid war bis zur Taille hochgeschoben, ihr Gesicht war vor Lust gerötet, und sie küßte Yasif Hassan.

»Du bist es wirklich!« rief Yasif Hassan.

Und dann verlor Dickstein – unter der schrecklichen Wucht der Erinnerung an jenen Morgen in Oxford vor zwanzig Jahren – einen Moment lang die Beherrschung, sein Training ließ ihn im Stich, und er machte den größten Fehler seiner Karriere. Er starrte den anderen schockiert an und sagte: »Du lieber Himmel! Hassan.«

Hassan lächelte und streckte die Hand aus. »Wie lange . . . es muß . . . mehr als zwanzig Jahre her sein!«

Dickstein schüttelte mechanisch die ihm dargebotene Hand. Er war sich seines Schnitzers bewußt und versuchte, sich zusammenzureißen. »Bestimmt«, murmelte er. »Was machst du denn hier?«

»Ich wohne in Luxemburg. Und du?«

»Ich reise gerade ab.« Dickstein beschloß, so schnell wie möglich zu verschwinden, bevor er sich noch weiteren Schaden zufügen konnte. Der Angestellte reichte ihm das Kreditkartenformular, und er kritzelte »Ed Rodgers« darauf. Ein Blick auf seine Armbanduhr. »Verdammt, ich darf mein Flugzeug nicht verpassen.«

»Mein Wagen steht draußen«, sagte Hassan. »Ich bringe dich zum Flugplatz. Wir *müssen* miteinander reden.«

»Ich habe ein Taxi bestellt . . .«

Hassan wandte sich an den Angestellten. »Machen Sie die Bestellung rückgängig – geben Sie dem Fahrer dies für seine Mühe.« Er schob ein paar Münzen hinüber.

»Ich habe es wirklich eilig«, drängte Dickstein.

»Dann komm schon!« Hassan nahm Dicksteins Koffer und ging hinaus.

Dickstein, der sich hilflos, dumm und unfähig vorkam, folgte ihm.

Sie stiegen in einen verbeulten engpüschen Zweisitzer. Dickstein musterte Hassan, während dieser den Sportwagen aus dem Parkverbot in den Verkehr einfädelte. Der Araber hatte sich verändert, und es lag nicht nur an den Jahren. Die grauen Strähnen in seinem Schnurrbart, seine fülliger gewordene Taille, seine tiefere Stimme – all das war zu erwarten gewesen. Aber es gab noch einen anderen Unterschied. Hassan war Dickstein immer wie der Urtyp des Aristokraten vorgekommen. Er hatte bedächtig, leidenschaftslos und etwas gelangweilt gewirkt, während alle anderen jung und leicht erregbar gewesen waren. Nun schien seine Arroganz verschwunden zu sein. Er glich seinem Wagen: recht mitgenommen und von einer Aura der Eile umgeben. Immerhin hatte Dickstein sich schon früher gefragt, wieviel an Hassans Oberklassenerscheinung nur eine Pose war.

Dickstein fand sich mit den Konsequenzen seines Fehlers ab und versuchte, den Umfang des Schadens zu ermitteln. »Du wohnst jetzt also hier?«

»Meine Bank hat hier ihre europäische Zentrale.«

Vielleicht ist er also immer noch reich, dachte Dickstein. »Welche Bank ist das?«

»Die Cedar Bank of Lebanon.«

»Wieso in Luxemburg?«

»Es ist ein bedeutendes Bankenzentrum«, erwiderte Hassan. »Die Europäische Investitionsbank hat ihren Sitz in Luxemburg, und es gibt hier eine internationale Börse. Aber wie sieht's bei dir aus?«

»Ich lebe in Israel. Mein Kibbuz stellt Wein her – ich halte nach europäischen Absatzmöglichkeiten Ausschau.«

»Du trägst Eulen nach Athen.«

»Das glaube ich langsam auch.«

»Vielleicht kann ich dir helfen, wenn du zurückkommst. Ich habe eine Menge Kontakte und könnte ein paar Besprechungen für dich arrangieren.«

»Vielen Dank. Ich werde dein Angebot nicht vergessen.« Im schlimmsten Fall, dachte Dickstein, kann ich die Termine einhalten und wenigstens etwas Wein verkaufen.

»Nun ist dein Heim also in Palästina und meins in Europa.« Sein Lächeln wirkte gezwungen.

»Wie kommt die Bank zurecht?« fragte Dickstein. Hatte »meine Bank« bedeutet: »die Bank, die mir gehört« oder »die Bank, die ich leite« oder »die Bank, bei der ich arbeite«?

»Oh, ausnehmend gut.«

Sie hatten sich offenbar nicht viel mehr zu sagen. Dickstein hätte sich gern danach erkundigt, was mit Hassans Familie in Palästina geschehen war, wie sein Verhältnis mit Eila Ashford geendet hatte und warum er einen Sportwagen fuhr. Aber er fürchtete, daß die Antworten – entweder für Hassan oder für ihn selbst – schmerzhaft sein würden.

»Bist du verheiratet?« fragte Hassan.

»Nein. Und du?«

»Nein.«

»Wie seltsam.«

Hassan lächelte. »Wir gehören eben nicht zu dem Typ, der sich Verpflichtungen auflädt.«

»Oh, ich habe Verpflichtungen.« Dickstein dachte an Mottie, der *Die Schatzinsel* noch nicht zu Ende gehört hatte.

»Aber du läßt nichts anbrennen, was?« sagte Hassan augenzwinkernd.

»Wenn ich mich richtig erinnere, warst du doch unser Frauenheld«, antwortete Dickstein unbehaglich.

»Ah, das waren noch Zeiten.«

Dickstein versuchte, nicht an Eila zu denken. Sie erreichten den Flughafen, und Hassan hielt an.

»Vielen Dank für deine Hilfe.«

Hassan schwenkte seinen Kübelsitz herum und starrte Dickstein an. »Ich komme nicht darüber weg. Du siehst tatsächlich jünger aus als 1947.«

Dickstein schüttelte ihm die Hand. »Tut mir leid, daß ich mich so beeilen muß.« Er stieg aus dem Auto.

»Vergiß nicht, mich anzurufen, wenn du das nächste Mal hier bist.«

»Auf Wiedersehen.« Dickstein schloß die Autotür hinter sich und betrat das Flughafengebäude.

Dann ließ er seiner Erinnerung endlich freien Lauf.

*

Die vier Menschen in dem kühlen Garten standen einen Herzschlag lang still. Dann glitten Hassans Hände über Eilas Körper. Sofort schoben sich Dickstein und Cortone an dem Loch in der Hecke vorbei außer Sicht. Die beiden anderen hatten sie nicht bemerkt.

Sie schlenderten zum Haus zurück. Als sie außer Hörweite waren, sagte Cortone: »Jesus, das war heiß.«

»Ich möchte nicht darüber reden«, erwiderte Dickstein. Er fühlte sich wie ein Mann, der sich umgeschaut hat und dabei gegen einen Laternenpfahl geprallt ist: Man empfindet Schmerz und Wut und kann niemandem als sich selbst Vorwürfe machen.

Zum Glück ging die Party zu Ende. Sie verschwanden, ohne sich von Professor Ashford, dem gehörnten Ehemann, zu verabschieden, der in einer Ecke in ein Gespräch mit einem Doktoranden vertieft war. Im »George«, das sie zum Lunch aufsuchten, aß Dickstein sehr wenig, trank aber einige Gläser Bier.

»Hör zu, Nat, ich weiß nicht, weshalb du so sauer bist. Schließlich weißt du jetzt, daß sie zu haben ist, stimmt's?«

»Ja«, sagte Dickstein, aber er meinte es nicht so.

Ihre Rechnung belief sich auf mehr als zehn Shilling. Cortone bezahlte, und Dickstein begleitete ihn zum Bahnhof. Sie schüttelten einander feierlich die Hand, Cortone kletterte in den Zug.

Dickstein wanderte mehrere Stunden lang durch den Park. Er spürte die Kälte kaum, während er versuchte, sich über seine Gefühle klarzuwerden. Vergeblich. Er wußte, daß er weder Hassan beneidete noch desillusioniert war über Eila, noch in seinen Hoffnungen enttäuscht, denn er hatte nie Hoffnungen gehegt. Er war niedergeschmettert, aber ihm fehlten die Worte, um die Ursache zu beschreiben. Wenn er nur mit jemandem darüber hätte reden können!

Kurz darauf ging er nach Palästina, wenn auch nicht nur Eilas wegen.

In den folgenden einundzwanzig Jahren hatte er nie eine Frau gehabt; aber auch daran war nicht ausschließlich Eila schuld.

*

Yasif Hassan war außer sich vor Wut, als er den Flugplatz von Luxemburg hinter sich ließ. Er konnte sich den jungen Dickstein so deutlich vorstellen, als wäre es gestern gewesen: einen blassen Juden in einem billigen Anzug, schmächtig wie ein Mädchen, immer leicht gebeugt, als erwarte er, ausgepeitscht zu werden; einen Jungen, der den üppigen Körper Eila Ashfords sehnsüchtig anstarrte und hartnäckig argumentierte, daß sein Volk Palästina bekommen werde, ob die Araber nun zustimmten oder nicht. Hassan hatte ihn für lächerlich, für ein Kind gehalten. Aber jetzt lebte Dickstein in Israel und baute Trauben an, aus denen Wein gemacht wurde. Er hatte eine Heimat gefunden, und Hassan hatte eine verloren.

Hassan war nicht mehr reich. Er hatte nie ein fabelhaftes Vermögen besessen, auch nicht nach levantinischen Maßstäben, aber er hatte sich immer gutes Essen, teure Kleidung und die beste Ausbildung leisten können und sich bewußt die Manieren der arabischen Aristokratie angeeignet. Sein Großvater war ein erfolgreicher Arzt gewesen, der seinen älteren Sohn in der Medizin und seinen jüngeren im Geschäftsleben untergebracht hatte. Der jüngere, Hassans Vater, kaufte und verkaufte Textilien in Palästina, im Libanon und in Transjordanien. Das Geschäft blühte unter britischer Herrschaft, und die zionistische Einwanderung ließ den Markt nur noch anwachsen. Bis 1948 hatte die Familie überall in der Levante Läden eingerichtet und den Besitz an ihrem Heimatdorf in der Nähe von Nazareth erworben. Der Krieg von 1948 ruinierte sie.

Als der Staat Israel ausgerufen wurde und die arabischen Armeen angriffen, machte die Familie Hassan den verhängnisvollen Fehler, ihre Sachen zu packen und nach Syrien zu fliehen. Sie sollte nie zurückkehren. Das Warenhaus in Jerusalem brannte nieder; die Läden wurden zerstört oder von Juden übernommen, und die israelische Regierung begann, das Land seiner Familie zu »verwalten«. Hassan hatte gehört, daß das Dorf zu einem Kibbuz gemacht worden war.

Hassans Vater hatte seitdem in einem Flüchtlingslager der Vereinten Nationen gelebt. Seine letzte positive Tat hatte darin bestanden, einen Empfehlungsbrief für Yasif an seine libanesischen Bankiers zu schreiben. Yasif hatte die Universität abgeschlossen und sprach ausgezeichnet englisch. Die Bank gab ihm die Stelle.

Er stellte nach dem Landerwerbsgesetz von 1953 einen Entschädigungsantrag an die israelische Regierung, der jedoch abgewiesen wurde.

Nur einmal besuchte er seine Familie im Lager, doch was er dort sah, würde er für den Rest seines Lebens nicht vergessen. Seine Angehörigen wohnten in einer Holzhütte und teilten die Gemeinschaftstoiletten. Sie erhielten keine Vorzugsbehandlung, sondern waren nur eine unter Tausenden von Familien ohne Heim, ohne Ziel oder Hoffnung. Yasif wünschte sich, Bomben auf Schulbusse werfen zu können, als er mit ansah, wie sein Vater, ein kluger, entschlossener Mann, der dereinst ein großes Geschäft mit fester Hand regiert hatte, nun gezwungen war, um sein Essen Schlange zu stehen und seine Zeit mit Backgammon zu verbringen.

Die Frauen holten Wasser und machten sauber, als hätte sich wenig verändert, aber die Männer drückten sich in Kleidung aus zweiter Hand herum und warteten auf nichts. Ihre Körper wurden weichlich, ihr Geist wurde stumpf. Teenager stolzierten durch das Lager, zankten sich und gingen mit Messern aufeinander los, denn sie hatten keine andere Zukunft als die, daß ihr Leben in der brütenden Sonnenhitze dahinschrumpfen würde.

Das Lager roch nach Abwässern und Verzweiflung. Hassan besuchte es nie wieder, obwohl er weiterhin an seine Mutter schrieb. Er war der Falle entkommen, und wenn er seinen Vater im Stich ließ – nun, sein Vater hatte ihm dabei geholfen und mochte es wohl nicht anders gewollt haben.

Als Bankangestellter hatte er bescheidenen Erfolg. Er war intelligent und zuverlässig, aber seine Erziehung machte ihn untauglich für sorgfältige, abwägende Arbeit, die verlangte, daß man innig mit Rechnungen umging und Aufzeichnungen mit zwei Durchschlägen anfertigte. Außerdem war sein Herz woanders.

Hassan hatte immer bitteren Groll über das empfunden, was ihm genommen worden war. Er schleppte seinen Haß durch das Leben wie eine geheime Bürde. Sein logischer Geist mochte versuchen, ihn zu beschwichtigen, aber seine Gefühle sagten ihm, daß er seinen Vater in Zeiten der Not verlassen hatte, und sein Schuldbewußtsein nährte seinen Haß auf Israel. Jedes Jahr erwartete er, daß die arabischen Armeen die zionistischen Eindringlinge vernichten würden, und mit jedem Scheitern wurde er deprimierter und zorniger.

Im Jahre 1957 begann er für den ägyptischen Geheimdienst zu arbeiten.

Er war kein sehr wichtiger Agent, aber während die Bank ihr Europageschäft ausweitete, schnappte er gelegentlich – sowohl im Büro als auch durch den allgemeinen Bankenklatsch – interessante Informationen auf. Manchmal forderte Kairo spezifische Angaben über die Finanzen eines Waffenproduzenten, eines jüdischen Philanthropen oder eines arabischen Millionärs. Wenn Hassan die Details nicht in seinen Bankakten hatte, konnte er sie oft von Freunden und Geschäftspartnern erfahren. Er hatte auch den allgemeinen Auftrag, israelische Geschäftsleute in Europa für den Fall, daß sie Agenten waren, im Auge zu behalten. Deshalb hatte er sich Nat Dickstein genähert und ein freundschaftliches Verhalten vorgetäuscht.

Hassan hielt für wahrscheinlich, daß Dicksteins Geschichte stimmte. Mit seinem schäbigen Anzug, den gleichen runden Brillengläsern und der gleichen unauffälligen Miene wie früher sah er genau aus wie ein unterbezahlter Vertreter, der ein Produkt nicht absetzen kann. Aber da war die merkwürdige Sache in der Rue Dicks am Abend zuvor gewesen: Zwei junge Männer, der Polizei als kleine Diebe bekannt, waren brutal zugerichtet in der Gosse gefunden worden. Hassan hatte alle Einzelheiten von einem Kontaktmann bei der Stadtpolizei erfahren. Offensichtlich hatten sie sich das falsche Opfer ausgesucht. Ihre Verletzungen waren professioneller Art: Der Mann, der sie ihnen zugefügt hatte, mußte Soldat, Polizist, Leibwächter – oder Agent sein. Nach einem solchen Vorfall war jeder Israeli, der am nächsten Morgen eilig abflog, eine Überprüfung wert.

Hassan fuhr zum Alfa-Hotel zurück und sprach mit dem Empfangschef. »Ich war vor einer Stunde hier, als einer Ihrer Gäste sich abmeldete. Erinnern Sie sich?«

»Ich glaube, ja.«

Hassan gab ihm zweihundert Luxemburger Francs. »Würden Sie mir sagen, unter welchem Namen er sich eingetragen hat?«

»Natürlich.« Der Angestellte zog einen Ordner zu Rate. »Edward Rodgers, von der Zeitschrift *Science International*.«

»Nicht Nathaniel Dickstein?«

Der Angestellte schüttelte geduldig den Kopf.

»Würden Sie nachsehen, ob sich überhaupt ein Nathaniel Dickstein aus Israel ins Register eingetragen hat?«

»Gern.« Der Empfangschef benötigte mehrere Minuten, um ein dikkes Bündel Papiere durchzusehen. Hassans Erregung verstärkte sich. Wenn Dickstein sich unter einem falschen Namen eingetragen hatte, war er kein Weinvertreter – was konnte er also anderes sein als ein israelischer Agent? Schließlich klappte der Mann seinen Ordner zu und blickte auf. »Ganz bestimmt nicht.«

»Vielen Dank.« Hassan verließ das Hotel. Auf der Fahrt ins Büro war er strahlender Laune. Er hatte seine Intelligenz eingesetzt und etwas Wichtiges entdeckt. Sobald er an seinem Schreibtisch saß, entwarf er eine Nachricht.

MUTMASSLICHER ISRAELISCHER AGENT HIER ENTDECKT.
NAT DICKSTEIN ALIAS ED RODGERS.
EIN METER ACHTUNDSECHZIG, SCHLANK GEBAUT,
DUNKLES HAAR, BRAUNE AUGEN, ALTER ETWA VIERZIG.

Er verschlüsselte die Botschaft, setzte ein weiteres Codewort an die Spitze und sandte es über Telex an die ägyptische Zentrale der Bank. Sie würde nie dort ankommen, denn das zusätzliche Codewort instruierte das Postamt von Kairo, das Telex an das Direktorat für Allgemeine Nachforschungen umzuleiten.

Es war natürlich eine Enttäuschung, die Botschaft abzuschicken. Von der anderen Seite würde es keine Reaktion, keinen Dank geben. Hassan blieb nichts anderes übrig, als wieder seine Bankarbeit aufzunehmen und alle Tagträume zu verbannen.

Dann rief Kairo ihn telefonisch an.

Das war noch nie der Fall gewesen. Manchmal schickte man ihm Telegramme, Fernschreiben oder sogar Briefe – alle verschlüsselt, wie es sich verstand. Ein- oder zweimal hatte er Leute von arabischen Botschaften getroffen und mündliche Anweisungen erhalten. Aber man hatte ihn noch nie angerufen. Sein Bericht mußte mehr Aufsehen erregt haben, als er erwartet hatte.

Der Anrufer wollte mehr über Dickstein erfahren. »Ich möchte die Identität des Kunden klären, der in ihrer Botschaft erwähnt wird. Trug er eine runde Brille?«

»Ja.«

»Sprach er englisch mit einem Cockney-Akzent? Würden Sie einen solchen Akzent erkennen?«

»Zweimal ja.«

»Hatte er eine Nummer, die auf den Unterarm tätowiert war?«

»Heute habe ich sie nicht gesehen, aber ich weiß, daß er sie hat . . . Vor Jahren waren wir zusammen an der Oxford University. Ich bin völlig sicher, daß er es ist.«

»Sie *kennen* ihn?« In der Stimme aus Kairo drückte sich Erstaunen aus. »Ist diese Information in Ihrer Akte?«

»Nein, ich habe nie . . .«

»Dann sollte sie es sein«, sagte der Mann ärgerlich. »Wie lange sind Sie schon bei uns?«

»Seit 1957.«

»Deshalb also . . . Damals sah es noch anders aus. Gut, hören Sie jetzt zu. Dieser Mann ist ein sehr wichtiger . . . Kunde. Wir wollen, daß Sie ihn 24 Stunden am Tag nicht aus den Augen verlieren.?«

»Das geht nicht«, antwortete Hassan zerknirscht. »Er hat die Stadt verlassen.«

»Wohin ist er gereist?«

»Ich habe ihn am Flughafen abgesetzt. Ich weiß nicht, wohin er geflogen ist.«

»Dann finden Sie es heraus. Rufen Sie die Fluggesellschaften an, erkundigen Sie sich, welchen Flug er genommen hat.«

»Ich werde mein Bestes tun . . .«

»Ihr Bestes interessiert mich nicht«, unterbrach die Stimme aus Kairo. »Ich brauche sein Reiseziel, und zwar bevor er dort eintrifft. Rufen Sie mich in einer Viertelstunde an. Endlich haben wir Kontakt mit ihm, und wir dürfen ihn *auf keinen Fall wieder verlieren.*«

»Ich kümmere mich sofort darum«, versprach Hassan, aber bevor er den Satz beenden konnte, hatte sein Gesprächspartner aufgelegt.

Er wiegte den Hörer in der Hand. Es stimmte, Kairo hatte ihm nicht gedankt. Aber das hier war noch besser. Plötzlich war er wichtig geworden, seine Arbeit war dringlich, man verließ sich auf ihn. Er hatte eine Chance, etwas für die arabische Sache zu tun, eine Chance, endlich zurückzuschlagen.

Hassan hob wieder den Hörer ans Ohr und begann, die Fluggesellschaften anzurufen.

Nat Dickstein beschloß, ein Atomkraftwerk in Frankreich zu besuchen, aus dem einfachen Grunde, weil Französisch die einzige europäische Sprache war, die er annehmbar beherrschte – abgesehen von Englisch natürlich, aber Großbritannien gehörte nicht zur Euratom. Er fuhr mit einer gemischten Gruppe aus Studenten und Touristen zum Kraftwerk. Die Landschaft, die an den Fenstern vorbeihuschte, war von staubigem südlichen Grün und erinnerte eher an Galiläa als an Essex, das für Dickstein in seiner Jugend »das Land« gewesen war. Er war seitdem in der Welt umhergekommen, hatte Flugzeuge so lässig wie ein Jet-setter bestiegen, aber er konnte sich noch an die Zeit entsinnen, da Park Lane im Westen und Southend-on-Sea im Osten seine Horizonte gewesen waren. Und er erinnerte sich auch noch daran, wie plötzlich diese Horizonte zurückgewichen waren, als er begann, sich – nach seiner Bar-Mizwa-Feier und dem Tod seines Vaters – als Mann zu fühlen. Andere Jungen seines Alters dachten daran, im Hafen oder in den Druckereifabriken zu arbeiten, Mädchen aus dem Ort zu heiraten, Häuser eine Viertelmeile von den Heimen ihrer Eltern entfernt zu finden und ein seßhaftes Leben zu führen. Ihre Träume erschöpften sich darin, einen Windhundchampion zu züchten, Westham als Sieger des Pokalfinales zu sehen oder sich ein Auto kaufen zu können.

Der junge Nat dagegen malte sich aus, daß er nach Kalifornien, Rhodesien oder Hongkong gehen und Gehirnchirurg, Archäologe oder Millionär werden würde. Es lag zum Teil daran, daß er intelligenter war als die meisten Gleichaltrigen, daß ihnen Fremdsprachen unnahbar, geheimnisvoll, als Schulfach gleich der Mathematik und nicht als Art, sich auszudrücken, erschienen. Aber der Hauptunterschied war sein Judentum. Harry Chieseman, Dicksteins Schachpartner in seinen Kindertagen, war gescheit, dynamisch und schlagfertig, aber er sah sich als Londoner der Arbeiterklasse und glaubte nicht, daß sich daran etwas ändern könne. Dickstein dagegen wußte – obwohl er sich nicht erinnern konnte, es von jemandem gehört zu haben –, daß Juden, wo sie auch geboren sein mochten, fähig waren, sich zu den größten Universitäten emporzuarbeiten, neue Industrien wie das Filmgeschäft zu starten, die erfolgreichsten Bankiers, Rechtsanwälte und Fabrikanten zu werden; und wenn sie es nicht in dem Land schafften, in dem sie geboren worden waren, zogen sie in ein anderes und versuchten es dort. Es ist seltsam, dachte Dickstein, während er sich seine Jugend ins Gedächtnis zurückrief, daß ein seit Jahrhunderten drangsaliertes Volk so von seiner Fähigkeit überzeugt ist, alles zu erreichen, was es sich vorgenommen hat. Wenn es zum Beispiel Atombomben braucht, macht es sich ans Werk und beschafft sie sich.

Diese Tradition war ein Trost, aber sie half ihm bei seinem eigenen Vorgehen wenig.

Das Kraftwerk zeichnete sich in der Ferne ab. Als sich der Bus näherte, erkannte Dickstein, daß der Reaktor größer war, als er es sich vorgestellt hatte. Er nahm ein Gebäude von zehn Stockwerken Höhe ein. Irgendwie hatte Dickstein erwartet, er würde in einem kleinen Zimmer Platz finden.

Die äußeren Sicherheitsvorkehrungen entsprachen eher industriellen als militärischen Verhältnissen. Das Gelände war von einem hohen, nicht elektrifizierten Zaun umgeben. Dickstein blickte in das Pförtnerhäuschen, während der Touristenführer die Formalitäten erledigte. Die Wärter hatten nur die Schirme von zwei internen Fernsehanlagen vor sich. Dickstein traute sich zu, am hellichten Tage fünfzig Männer auf das Grundstück zu schmuggeln, ohne daß den Wärtern etwas auffallen würde. Ein schlechtes Zeichen, entschied er verdrossen. Es bedeutete, daß sie andere Gründe hatten, sich sicher zu fühlen.

Er verließ den Bus mit den anderen der Gruppe und ging über den asphaltierten Parkplatz auf das Empfangsgebäude zu. Das Gelände war so angelegt, daß das Image der Atomenergie gefördert wurde: Man sah gepflegte Rasen und Blumenbeete und viele neugepflanzte Bäume; alles war sauber und natürlich, weiß bemalt und rauchfrei. Dickstein wandte sich zum Pförtnerhäuschen um, an dem eben ein grauer Opel anhielt. Einer der beiden Insassen stieg aus und unterhielt sich mit den Wärtern, die ihm die Richtung zu weisen schienen.

Im Inneren des Wagens spiegelte etwas ganz kurz die Sonnenstrahlen wider.

Dickstein folgte der Gruppe ins Foyer. In einem Glasbehälter stand ein Rugby-Pokal, den die Mannschaft des Kraftwerks gewonnen hatte. Ein Luftbild der Anlage hing an der Wand. Dickstein stand davor, prägte sich die Details ein und überlegte müßig, wie er das Werk überfallen könnte, während er sich in Wirklichkeit über den grauen Opel Sorgen machte.

Vier Hostessen in adretten Uniformen führten sie durch das Kraftwerk. Dickstein interessierte sich nicht für die massigen Turbinen, den das Raumzeitalter heraufbeschwörenden Kontrollraum mit seinen Reihen von Skalen und Schaltern oder das Wasseraufnahmesystem, das so gebaut war, daß es Fische rettete und in den Fluß zurückbeförderte. Er fragte sich, ob die Männer im Opel ihm gefolgt waren. Und wenn, aus welchem Grund?

Doch er interessierte sich enorm für den Zubringer und erkundigte sich bei der Hostess: »Wie wird der Brennstoff hierher befördert?« »Auf Lastwagen«, sagte sie schalkhaft. Ein paar Leute kicherten nervös bei dem Gedanken, daß Uran mit Lastwagen durch die Landschaft gefahren wurde. »Es ist nicht gefährlich«, fuhr sie fort, sobald der erwartete Lacher verstummt war. »Es ist nicht einmal radioaktiv, bevor es in den Reaktor eingegeben wird. Man lädt es vom Lastwagen direkt in den Lift und bringt es in den Brennstoffspeicher im siebten Stockwerk. Danach geht alles automatisch.«

»Wie wird die Quantität und Qualität der Ladung überprüft?« fragte Dickstein.

»Das geschieht im Brennstoffherstellungswerk. Die Ladung wird dort versiegelt, und hier überprüfen wir nur noch diese Siegel.«

»Vielen Dank.« Dickstein nickte erfreut. Das System war nicht ganz so strikt, wie Herr Pfaffer von Euratom behauptet hatte. Ein oder zwei Pläne nahmen langsam in Dicksteins Phantasie Gestalt an.

Sie sahen, wie die Reaktorlademaschine funktionierte. Ausschließlich durch Fernsteuerung bedient, brachte sie das Spaltelement aus dem Lager zum Reaktor, hob den Betondeckel eines Brennstoffkanals, entfernte das verbrauchte Element, führte das neue ein, schloß den Deckel und ließ das benutzte Element in einen mit Wasser gefüllten Schacht fallen, der zu den Kühlteichen führte.

Die Hostess sprach perfektes Pariser Französisch mit seltsam verführerischer Stimme. »Der Reaktor hat dreitausend Brennstoffkanäle, von denen jeder acht Brennstäbe enthält. Die Stäbe sind fünf bis sieben Jahre lang brauchbar. Die Lademaschine erneuert fünf Kanäle bei jeder Operation.«

Sie gingen weiter, um die Kühlteiche zu besichtigen. Unter sechs Meter Wasser wurden die verbrauchten Brennstoffelemente in Abklingbecken geladen und dann – kühl, aber immer noch hochradioaktiv – in fünfzig Tonnen schwere Bleiflaschen geschlossen, zweihundert Elemente pro Flasche, um über Straßen und Schienen zu einer Wiederaufbereitungsanlage transportiert zu werden.

Während die Hostessen im Foyer Kaffee und Gebäck servierten, überlegte Dickstein, was er gelernt hatte. Er hatte erwogen, verbrauchten Brennstoff zu stehlen, da er letzten Endes Plutonium haben wollte. Jetzt wußte er, warum niemand ihm den Vorschlag gemacht hatte. Es wäre einfach genug, den Lastwagen zu entführen – das könnte er ohne jede Hilfe schaffen –, aber wie sollte er eine fünfzig Tonnen schwere Bleiflasche aus dem Land schmuggeln und nach Israel bringen, ohne daß es jemandem auffiel?

Uran aus dem Kraftwerk selbst zu stehlen war auch keine verheißungsvollere Idee. Die Sicherheitsvorkehrungen waren zwar oberflächlich – schon die Tatsache, daß man ihm gestattet hatte, seine Erkundigung durchzuführen, dazu noch bei einer öffentlichen Besichtigung, war ein Beweis dafür –, aber der Brennstoff innerhalb des Werkes war in ein automatisches, ferngesteuertes System eingeschlossen. Er kam erst heraus, wenn er den nuklearen Prozeß durchlaufen hatte und in den Kühlteichen auftauchte. Und dann würde Dickstein wieder vor dem Problem stehen, einen riesigen Behälter mit radioaktivem Material durch irgendeinen europäischen Hafen zu schmuggeln.

Es mußte einen Weg geben, in das Brennstofflager einzubrechen. Dann könnte man das Zeug in den Lift schleppen, es nach unten schaffen, auf einen Lastwagen laden und wegfahren. Aber hierzu wäre es nötig, einige oder alle Werksangehörigen eine Zeitlang mit der Waffe zu bedrohen. Er hatte jedoch den Auftrag, die Sache geheim auszuführen.

Eine Hostess bot ihm an, seine Tasse nachzufüllen, und er nahm dankend an. Bei den Franzosen konnte man sich wenigstens darauf verlassen, guten Kaffee zu bekommen. Ein junger Ingenieur begann einen Vortrag über nukleare Sicherheit. Er trug ungebügelte Hosen und einen sackartigen Pullover. Dickstein hatte beobachtet, daß alle Wissenschaftler und Techniker ähnlich aussahen: Ihre Kleidungsstücke waren alt, nicht aufeinander abgestimmt und bequem; daß viele von ihnen einen Bart hatten, war gewöhnlich eher ein Zeichen von Gleichgültigkeit als von Eitelkeit. Es konnte daran liegen, daß es bei ihrer Arbeit überhaupt nicht auf persönliche Eindrücke, sondern nur auf Intelligenz ankam, so daß man auf sein Äußeres keinen Wert zu legen brauchte. Aber vielleicht war das eine romantische Einschätzung der Wissenschaft.

Er schenkte dem Vortrag keine Aufmerksamkeit. Der Physiker aus dem Weizmann-Institut war viel präziser gewesen. »Es gibt keine sichere Strahlungsmenge«, hatte er gesagt. »Wer so redet, verwechselt Strahlung mit Wasser in einem Swimmingpool; wenn dieses einen Meter hoch ist, ist man sicher, wenn es drei Meter hoch ist, ertrinkt man. In Wirklichkeit sind Strahlungsmengen eher mit Geschwindigkeitsbegrenzungen auf der Straße zu vergleichen – dreißig Meilen pro Stunde sind sicherer als achtzig, aber nicht so sicher wie zwanzig, und völlig sicher ist man nur, wenn man gar nicht erst ins Auto steigt.«

Dickstein konzentrierte sich wieder auf das Problem des Urandiebstahls. Die *Geheimhaltung* machte jeden Plan zunichte, den er sich erträumen konnte. Vielleicht war die ganze Sache zum Scheitern verurteilt. Was unmöglich ist, ist schließlich unmöglich. Nein, es war noch zu früh, um dieses Urteil zu fällen. Er widmete sich wieder den Grundprinzipien.

Er würde eine Lieferung während des Transports an sich bringen müssen – so viel war aus dem, was er heute gesehen hatte, deutlich geworden. Die Brennstoffelemente wurden am Ende nicht überprüft, sondern direkt ins System eingegeben. Er könnte einen Lastwagen entführen, den Brennstoffelementen das Uran entnehmen, sie wieder verschließen, die Ladung von neuem versiegeln und den Fahrer bestechen oder so einschüchtern, daß er die leeren Hülsen ablieferte. Die leeren Elemente würden allmählich – je fünf, über Monate hinweg – in den Reaktor gelangen. Schließlich würde die Leistung des Reaktors um einen Bruchteil fallen. Man würde Nachforschungen anstellen, Tests durchführen. Vielleicht würde man zu keiner Schlußfolgerung kommen, bevor die leeren Elemente ausgetauscht waren und neue, echte Brennstoffelemente verwendet wurden, welche die Leistung wieder steigen ließen. Vielleicht würde niemand verstehen, was geschehen war, bis man die leeren Elemente wiederaufbereitete und zuwenig Plutonium gewonnen wurde. Bis dahin – vier bis sieben Jahre später – müßte die Spur nach Tel Aviv kalt geworden sein.

Aber man könnte die Ursache auch schneller aufdecken. Und weiterhin blieb die Frage ungelöst, wie das Zeug aus dem Land hinausgeschafft werden sollte.

Immerhin hatte er die Konturen eines möglichen Planes, was ihn ein wenig aufheiterte.

Der Vortrag ging zu Ende. Nach ein paar oberflächlichen Fragen marschierte die Gruppe zurück zum Bus. Dickstein setzte sich nach hinten. Eine Frau mittleren Alters sagte: »Das war mein Platz.« Er starrte sie mit eisiger Miene an, bis sie sich zurückzog.

Auf der Rückfahrt vom Kraftwerk schaute Dickstein immer wieder aus dem Hinterfenster. Nach rund einer Meile bog der graue Opel aus einer Abzweigung und folgte dem Bus. Dicksteins Laune verschlechterte sich wieder.

*

Man hatte ihn entdeckt. Es war entweder hier oder in Luxemburg geschehen, wahrscheinlich in Luxemburg. Verantwortlich dafür konnte entweder Yasif Hassan – es gab keinen Grund, weshalb er nicht ein Agent sein sollte – oder jemand anders sein. Sie mußten ihm aus allgemeiner Neugier folgen, denn es gab keine Möglichkeit für sie – oder doch? –, von seinen Plänen zu wissen. Er brauchte sie nur abzuschütteln.

Dickstein verbrachte einen Tag in der Stadt, die in der Nähe des Atomkraftwerks lag, und ihrer Umgebung; er fuhr mit Bussen, Taxis, einem Mietwagen und ging spazieren. Am Ende des Tages hatte er die drei Fahrzeuge – den grauen Opel, einen schmutzigen kleinen Lastwagen und einen deutschen Ford – und fünf Männer der Überwachungsmannschaft identifiziert. Die Männer erinnerten vage an Araber, aber in diesem Teil Frankreichs stammten viele der Verbrecher aus Nordafrika. Jemand könnte hiesige Helfer angeworben haben. Die Größe der Mannschaft erklärte, weshalb die Überwachung ihm nicht früher aufgefallen war. Sie waren in der Lage gewesen, ständig ihre Autos und ihre Leute auszutauschen. Die lange Hin- und

Rückfahrt zum Kraftwerk auf einer Landstraße mit sehr wenig Verkehr hatte schließlich dafür gesorgt, daß die Aktion nicht mehr geheim blieb.

Am nächsten Tag fuhr er aus der Stadt hinaus auf die *Autoroute*. Der Ford folgte ihm für ein paar Meilen, dann wurde er von dem grauen Opel abgelöst. In jedem Wagen waren zwei Männer. Zwei weitere würden in dem Lastwagen sitzen, und einer würde bei seinem Hotel warten.

Der Opel war immer noch hinter ihm, als er an einer Stelle, an der es für vier oder fünf Meilen in beiden Richtungen keine Abzweigungen von der Autobahn gab, eine über die Straße führende Fußgängerbrücke fand. Dickstein steuerte auf den Straßenrand zu, hielt den Wagen an, stieg aus und hob die Motorhaube. Er machte sich ein paar Minuten lang darunter zu schaffen. Der graue Opel verschwand vor ihm, und der Ford fuhr eine Minute später vorbei. Der Ford würde an der nächsten Abzweigung warten, und der Opel würde auf der anderen Straßenseite zurückkommen, damit seine Insassen sehen konnten, was Dickstein tat. Das schrieben die Lehrbücher für diese Situation vor.

Dickstein hoffte, daß seine Verfolger sich ans Lehrbuch halten würden, denn sonst würde sein Vorhaben fehlschlagen.

Er holte ein zusammenlegbares Warndreieck aus dem Kofferraum des Wagens und stellte es vor das linke Hinterrad.

Der Opel fuhr auf der gegenüberliegenden Straßenseite vorbei.

Sie folgten dem Lehrbuch.

Dickstein marschierte los.

Als er die Autobahn verlassen hatte, bestieg er den ersten Bus, den er sah, und ließ sich bis in die nächste Stadt befördern. Unterwegs entdeckte er jedes der drei Überwachungsautos zu verschiedenen Zeiten. Er gestattete sich einen bescheidenen verfrühten Triumph: Sie fielen darauf rein.

Von der Stadt aus nahm er ein Taxi und ließ sich in der Nähe seines Wagens, aber auf der anderen Seite der Autobahn absetzen. Der Opel zog vorbei, dann bog der Ford zweihundert Meter hinter ihm von der Straße ab.

Dickstein begann zu laufen.

Nach den Monaten der Feldarbeit im Kibbuz war er in guter Kondition. Er sprintete zu der Fußgängerbrücke, überquerte sie und rannte an der anderen Straßenseite am Bankett entlang. Schwer atmend und schwitzend erreichte er sein Auto in weniger als drei Minuten.

Einer der Männer war aus dem Ford ausgestiegen und hatte versucht, ihm zu folgen. Er merkte nun, daß er überlistet worden war. Der Ford startete. Der Mann lief zurück und sprang hinein, während der Wagen schneller wurde und in die erste Spur einschwenkte.

Dickstein kletterte in sein Auto. Die Uberwachungsfahrzeuge waren jetzt auf der falschen Seite der Autobahn und würden erst an der nächsten Kreuzung zu ihm herüberwechseln können. Bei sechzig Meilen pro Stunde würden sie für die Hin- und Rückfahrt zehn Minuten benötigen, was bedeutete, daß er wenigstens fünf Minuten Vorsprung vor ihnen hatte. Sie würden ihn nicht einholen.

Er startete und hielt auf Paris zu, wobei er eine Melodie summte, die auf den Zuschauerrängen von Westham gesungen wird: »Easy, easy, eeeezeee.«

*

In Moskau fiel man aus allen Wolken, als man von der arabischen Atombombe hörte.

Das Außenministerium geriet in Panik, weil es nicht früher davon erfahren hatte, das KGB geriet in Panik, weil es nicht als erstes davon gehört hatte, und im Amt des Generalsekretärs geriet man in Panik, weil man sich nichts Schlimmeres als einen neuen Zuständigkeitsstreit zwischen dem Außenministerium und dem KGB vorstellen konnte – der letzte hatte elf Monate gedauert und jedem im Kreml das Leben zur Hölle gemacht.

Zum Glück gestattete die Art, in der die Ägypter ihr Geheimnis enthüllten, gewisse Rückzugsmöglichkeiten. Die Ägypter legten Wert auf die Feststellung, daß sie keine diplomatische Verpflichtung hätten, ihre Alliierten von diesem Geheimprojekt zu unterrichten, und daß die technische Hilfe, die sie erbaten, für dessen erfolgreiche Durchführung nur nebensächlich sei. Ihre Einstellung war: »Oh, wir bauen übrigens diesen Atomreaktor, damit wir Plutonium bekommen, Atombomben herstellen und Israel vom Erdboden verschwinden lassen können. Wollt ihr uns also helfen oder nicht?« Die Nachricht, aufgeputzt mit diplomatischen Nettigkeiten, wurde wie ein nachträglicher Einfall am Ende eines routinemäßigen Treffens zwischen dem ägyptischen Botschafter in Moskau und dem stellvertretenden Leiter der Abteilung Nahost im Außenministerium übermittelt.

Der Stellvertreter, der die Botschaft empfing, überlegte sehr sorgfältig, was er mit der Information anfangen sollte. In erster Linie hatte er natürlich die Pflicht, die Nachricht an seinen Vorgesetzten weiterzuleiten, der dann den Minister ins Bild setzen würde. Jedoch würde sein Vorgesetzter das Lob für die Information einheimsen und auch die Gelegenheit, gegen das KGB Punkte zu sammeln, nicht auslassen. Gab es einen Weg, wie er selbst persönlichen Vorteil aus der Sache ziehen konnte?

Er wußte, daß man am besten im Kreml vorankam, wenn man sich das KGB irgendwie verpflichtete. Jetzt war er in der Lage, den Knaben einen großen Gefallen zu tun. Wenn er sie jetzt sogleich über die Mitteilung des ägyptischen Botschafters unterrichtete, würden sie Zeit haben, sich darauf einzustellen und dabei so zu tun, als hätten sie alles über die arabische Atombombe ohnehin schon gewußt und wären gerade selbst im Begriff gewesen, die Neuigkeit ans Licht zu bringen.

Er zog seinen Mantel an und wollte fortgehen, um seinen Bekannten beim KGB von einer Telefonzelle aus anzurufen, um nicht zu riskieren, daß das Gespräch abgehört würde. Dann wurde ihm klar, wie albern das wäre, denn er beabsichtigte ja ohnehin, die Organisation anzurufen, die alle Telefonate belauschte. Also zog er seinen Mantel wieder aus und benutzte den Apparat in seinem Büro.

Der Verwaltungsbeamte des KGB, mit dem er sprach, wußte genauso fachmännisch mit dem System umzugehen. Er machte großen Wirbel in dem neuen KGB-Gebäude an der Moskauer Ringstraße. Zuerst rief er die Sekretärin seines Chefs an und bat um eine dringende Zusammenkunft in fünfzehn Minuten. Er achtete sorgfältig darauf, sich nicht an den Chef selbst zu wenden. Dann rief er lärmend ein halbes Dutzend weitere Stellen an und hetzte Sekretärinnen und Boten, die Aufzeichnungen machen und Akten sammeln sollten, durch das Gebäude. Doch die Tagesordnung war sein Meisterstück. Zufällig war die Tagesordnung für die nächste Konferenz des Politischen Komitees Nahost am Tag vorher getippt worden und wurde nun gerade vervielfältigt. Er ließ sich das Papier zurückschicken und setzte einen neuen Punkt an die Spitze der Liste: »Letzte Entwicklungen in der ägyptischen Rüstung – Sonderbericht«; danach folgte sein eigener Name in Klammern. Als nächstes befahl er, die neue Tagesordnung, deren Datum unverändert war, vervielfältigen und am selben Nachmittag an die interessierten Abteilungen weiterleiten zu lassen.

Als er sichergestellt hatte, daß halb Moskau seinen Namen und den keines anderen mit der Nachricht in Verbindung bringen würde, suchte er seinen Chef auf.

Am selben Tag ging eine weit weniger auffällige Information ein. Im Rahmen des routinemäßigen Austausches zwischen dem ägyptischen Geheimdienst und dem KGB teilte Kairo mit, daß ein israelischer Agent namens Nat Dickstein in Luxemburg entdeckt worden sei und nun überwacht werde. Der Umstände wegen wurde dem Bericht weniger Aufmerksamkeit gewidmet, als er verdiente. Es gab nur einen einzigen Mann im KGB, der den leisen Verdacht hegte, daß die beiden Punkte miteinander zu tun haben könnten.

Sein Name war David Rostow.

*

David Rostows Vater war ein kleiner Diplomat gewesen, dessen Karriere durch Mangel an Beziehungen, vor allem zum Geheimdienst, gehemmt gewesen war. Sein Sohn durchschaute diesen Sachverhalt und trat mit der unerbittlichen Logik, die seine Entscheidungen sein ganzes Leben hindurch kennzeichnen sollte, in das damalige NKWD ein, das später in KGB umbenannt wurde.

Schon in Oxford war er ein Agent gewesen. In jenen idealistischen Zeiten, als Rußland gerade den Krieg gewonnen hatte und man das Ausmaß von Stalins Säuberungen noch nicht begriff, waren die großen englischen Universitäten ein fruchtbarer Boden für den sowjetischen Geheimdienst gewesen. Rostow hatte ein paar ausgezeichnete Leute angeworben, von denen einer noch im Jahre 1968 Geheimnisse aus London weiterleitete. Nat Dickstein war einer seiner Fehlschläge gewesen.

Rostow erinnerte sich, daß der junge Dickstein eine Art Sozialist gewesen war und seine Persönlichkeit sich für Spionagezwecke geeignet hatte: Er war zurückhaltend, leidenschaftlich und mißtrauisch; außerdem hatte er Köpfchen. Doch dem Russen fiel ein, wie er mit ihm, Professor Ashford und Yasif Hassan in dem grün-weißen Haus am Fluß über den Nahen Osten diskutiert hatte. Und die Schachpartie zwischen ihm und Dickstein war ein harter Kampf gewesen.

Dicksteins Augen aber spiegelten keinen Idealismus wider, ihm fehlte der bekehrerische Geist. Obwohl er in seinen eigenen Ansichten gefestigt war, hatte er nicht den Wunsch, den Rest der Welt von ihnen zu überzeugen. Die meisten Kriegsveteranen waren wie er gewesen. Rostow legte immer wieder den Köder aus – »Natürlich, wenn du *wirklich* für den Weltsozialismus kämpfen willst, mußt du für die Sowjetunion arbeiten« –, und die Veteranen murmelten stets: »Blödsinn.«

Nach Oxford hatte Rostow in den russischen Botschaften in einer Reihe europäischer Hauptstädte gearbeitet: Rom, Amsterdam, Paris. Er verließ nie das KGB, um in den diplomatischen Dienst einzutreten. Im Laufe der Jahre wurde ihm klar, daß er nicht den nötigen politischen Weitblick besaß, um die Rolle des großen Staatsmannes zu spielen, in der sein Vater ihn am liebsten gesehen hätte. Der Ernst seiner Jugend schwand. Er dachte – alles in allem – immer noch, daß der Sozialismus wahrscheinlich das politische System der Zukunft sei, aber dieses Credo erfüllte ihn nicht mehr mit inbrünstiger Leidenschaft. Er glaubte an den Kommunismus, wie die meisten Menschen an Gott glauben: es würde ihn nicht sehr überraschen oder enttäuscht haben, wenn sich herausgestellt hätte, daß er nicht recht hatte. Inzwischen lebte er weiter wie bisher.

In der Zeit seiner Reife widmete er sich näher gesteckten Zielen mit vielleicht noch größerer Energie. Er wurde ein brillanter Techniker, ein Meister der Listen und Grausamkeiten, die für Geheimdienste typisch sind; und, was in der UdSSR genauso wichtig ist wie im Westen, er lernte, die Bürokratie so zu manipulieren, daß er immer das höchste Lob für seine Triumphe einstreichen konnte.

Die Erste Hauptabteilung des KGB war eine Art Zentrale, die Informationen sammelte und analysierte. Die meisten Außenagenten gehörten zur Zweiten Hauptabteilung, der größten des KGB, die mit Unterwanderung, Sabotage, Verrat, Wirtschaftsspionage und jeder Art von innerer Polizeiarbeit, die für politisch heikel gehalten wurde, zu tun hatte. Die Dritte Hauptabteilung, die einst Smersch genannt worden war, bis diese Bezeichnung im Westen zuviel peinliches Aufsehen erregte, war für Spionageabwehr und Sonderoperationen verantwortlich. Sie beschäftigte einige der mutigsten und gerissensten Leute der Agentenwelt.

Rostow arbeitete in der Dritten Hauptabteilung – und er war einer ihrer Stars.

Er hatte den Rang eines Obersten und war mit einem Orden ausgezeichnet worden, weil er einen verurteilten Agenten aus einer Zelle in Wormwood Scrubs befreit hatte. Im Laufe der Zeit hatte er sich auch eine Ehefrau, zwei Kinder und eine Geliebte zugelegt. Die Geliebte war Olga, zwanzig Jahre jünger als er, eine blonde nordische Göttin aus Murmansk und die aufregendste Frau, der er je begegnet war. Er wußte, daß sie ohne die KGB-Privilegien, die er ihr bieten konnte, sich nicht auf eine Affäre mit ihm eingelassen hätte; trotzdem glaubte er, daß sie ihn liebte. Sie glichen einander, und da jeder den anderen als kühl und ehrgeizig durchschaute, war ihre Leidenschaft irgendwie noch rasender geworden. In seiner Ehe gab es keine Leidenschaft mehr, dafür aber andere Dinge: Zuneigung, Kameradschaft, Stabilität und die Tatsache, daß Marja immer noch der einzige Mensch der Welt war, der ihn dazu bringen konnte, daß er sich unter Lachkrämpfen schüttelte. Da waren die Jungen: Jurij Davidowitsch, der an der Moskauer Staatsuniversität studierte und sich eingeschmuggelte Beatles-Schallplatten anhörte, und Wladimir Davidowitsch, das junge Genie, schon jetzt als möglicher Schachweltmeister im Gespräch. Wladimir hatte sich um einen Platz an der angesehenen Physikalisch-Mathematischen Schule Nummer 2 beworben, und Rostow war sicher, daß er aufgenommen werden würde. Sein Sohn hatte den Platz verdient, und außerdem war ein KGB-Oberst natürlich auch nicht ganz ohne Einfluß.

Rostow war in der sowjetischen Leistungsgesellschaft hoch gestiegen, aber er rechnete sich aus, daß er noch etwas höher steigen konnte. Seine Frau brauchte nicht mehr auf den Märkten mit dem gewöhnlichen Volk Schlange zu stehen – sie kaufte mit der Elite in den Berjoska-Läden ein –, sie hatten eine große Wohnung in Moskau und eine kleine Datscha an der Ostsee. Aber Rostow wollte eine Wolga-Limousine mit Chauffeur, eine zweite Datscha in einem Kurort am Schwarzen Meer, wo er Olga unterbringen konnte, Einladungen zu Privatvorführungen dekadenter westlicher Filme und ärztliche Versorgung in der Kreml-Klinik, wenn das Alter ihm später zu schaffen machen sollte.

Seine Karriere war an einem Scheideweg angekommen. In diesem Jahr wurde er fünfzig. Er verbrachte etwa die Hälfte seiner Zeit an einem Schreibtisch in Moskau, die andere Hälfte war den Operationen mit seiner eigenen kleinen Mannschaft gewidmet. Schon jetzt war er älter als jeder andere Agent, der im Ausland arbeitete. Nun gab es für ihn nur noch zwei Möglichkeiten. Wenn er nachließ und seine früheren Erfolge in Vergessenheit gerieten, würde er seine Karriere damit beschließen, zukünftige Agenten an der KGB-Schule Nummer 311 in Nowosibirsk auszubilden. Konnte er aber weiterhin auf aufsehenerregende Ergebnisse verweisen, dann würde er auf einen reinen Verwaltungsposten befördert werden, die Mitgliedschaft in ein oder zwei Komitees erhalten, und eine anspruchsvolle, aber sichere Karriere in der Organisation des sowjetischen Nachrichtendienstes stand ihm offen. Und *dann* würde er die Wolga-Limousine und die Datscha am Schwarzen Meer bekommen.

Irgendwann in den nächsten zwei oder drei Jahren mußte er noch einen großen Coup landen. Als die Nachricht über Nat Dickstein eintraf, fragte er sich, ob dies seine Chance sein könnte.

Er hatte Dicksteins Karriere mit der träumerischen Faszination eines Mathematiklehrers beobachtet, dessen klügster Schüler beschließt, Kunst zu studieren. Noch in Oxford hatte er Geschichten über die gestohlene Schiffsladung Gewehre gehört und selbst Dicksteins KGB-Akte angelegt. Inzwischen hatten er und andere die Akte aufgrund von gelegentlichen Beobachtungen, Gerüchten, Mutmaßungen und guter altmodischer Spionage ergänzt. Die Akte ließ keinen Zweifel daran, daß Dickstein nun einer der durchschlagskräftigsten Agenten des Mossad war. Wenn Rostow Dicksteins Kopf auf dem Tablett servieren konnte, war seine eigene Zukunft gesichert.

Aber Rostow war vorsichtig. Wenn er sich seine Zielscheibe aussuchen konnte, wählte er eine einfache. Ihm ging es nicht um Ruhm um jeden Preis – im Gegenteil. Eines seiner wichtigsten Talente bestand darin, unsichtbar zu werden, wenn riskante Aufträge vergeben wurden. Ein Wettstreit zwischen ihm und Dickstein wäre auf unangenehme Weise ein Kampf mit ausgeglichenen Siegchancen.

Er würde also mit Interesse weitere Berichte aus Kairo über Nat Dicksteins Aktionen in Luxemburg abwarten, aber darauf achten, selbst nicht einbezogen zu werden.

Schließlich hatte er es nur deshalb so weit gebracht, weil er allzu gefährlichen Spielen immer aus dem Weg gegangen war.

*

Das Forum für die Diskussion der arabischen Bombe war das Politische Komitee Nahost. Es hätte jedes der elf oder zwölf Kreml-Komitees sein können, denn dieselben Fraktionen waren in allen interessierten Komitees vertreten. Man hätte überall das gleiche gesagt und das gleiche Ergebnis erzielt, denn das Problem war groß genug, um fraktionelle Erwägungen auszuschalten.

Das Komitee hatte neunzehn Mitglieder, aber zwei waren im Ausland, einer war krank und einer war am Tage der Konferenz von einem Lastwagen überfahren worden. Es spielte keine Rolle, denn es kam nur auf drei Leute an: einen aus dem Außenministerium, einen KGB-Mann und einen, der den Generalsekretär repräsentierte. Unter den Statisten waren David Rostows Chef, der aus Prinzip alle nur möglichen Komiteemitgliedschaften sammelte, und Rostow selbst, der als Assistent fungierte. (An einem Zeichen wie diesem las Rostow ab, daß seine nächste Beförderung in Betracht gezogen wurde.)

Das KGB war gegen die arabische Bombe, weil es seine Macht hinter den Kulissen entfaltete und die Bombe viele Entscheidungen in die offene Sphäre und damit aus dem Bereich der KGB-Aktivitäten bringen würde. Genau aus diesem Grund war das Außenministerium für die Bombe – sie würde ihm mehr Arbeit und Einfluß geben. Der Generalsekretär war dagegen, denn wie sollte sich die UdSSR weiter im Nahen Osten festsetzen, wenn die Araber einen entscheidenden Sieg davontrugen?

Die Diskussion wurde mit der Verlesung eines KGB-Berichtes, »Letzte Entwicklungen in der ägyptischen Rüstung«, eröffnet. Rostow erkannte sogleich, wie hier eine einzige Information durch ein paar Hintergrundinformationen, gewonnen durch einen Anruf in Kairo, plus einer Menge Mutmaßungen und vieler leerer Phrasen zu einer Tirade ausgewalzt worden war, die zwanzig Minuten dauerte. Er selbst hatte so etwas oft genug getan.

Dann erläuterte ein untergeordneter Beamter aus dem Außenministerium umständlich seine Interpretation der sowjetischen Politik im Nahen Osten. Was die Motive der zionistischen Siedler auch seien, es liege auf der Hand, daß Israel nur infolge der Unterstützung durch den westlichen Kapitalismus überlebt habe; und die Absicht des westlichen Kapitalismus sei es gewesen, im Nahen Osten einen Außenposten einzurichten, von dem aus er sein Ölinteresse im Auge behalten könne. Jeder Zweifel an dieser Analyse sei im Jahre 1956 durch den englisch-französisch-israelischen Angriff auf Ägypten beseitigt worden. Die sowjetische Politik müsse die natürliche Feindseligkeit der Araber gegenüber diesem Anhängsel des Kolonialismus nähren. Obwohl es – im Rahmen der Weltpolitik – unklug für die UdSSR gewesen wäre, eine atomare Rüstung der Araber *einzuleiten*, sei es trotzdem nichts anderes als eine direkte Ausweitung der sowjetischen Politik, eine solche Rüstung zu *unterstützen*, wenn sie einmal begonnen habe. Der Mann redete und redete.

Alle wurden von dieser scheinbar endlosen Darlegung des Selbstverständlichen so gelangweilt, daß die Diskussion danach recht informell verlief – so informell, daß Rostows Chef schließlich ausrief: »Ja, verdammt, wir können den verfluchten Irren doch keine Atombomben geben.«

»Das meine ich auch«, stimmte der Vertreter des Generalsekretärs zu, der gleichzeitig Komiteevorsitzender war. »Wenn sie die Bombe haben, werden sie sie einsetzen. Das wird die Amerikaner zwingen, die Araber anzugreifen, mit oder ohne Atomwaffen – ich würde sagen, mit. Dann hat die Sowjetunion nur zwei Möglichkeiten: ihre Alliierten im Stich zu lassen oder den Dritten Weltkrieg zu beginnen.«

»Ein neues Kuba«, knurrte jemand.

Der Mann aus dem Außenministerium erklärte: »Die Lösung wäre ein Abkommen mit den Amerikanern, in dem beide Seiten sich verpflichten, unter keinen Umständen nukleare Waffen im Nahen Osten einzusetzen.« Wenn er ein derartiges Projekt einleiten konnte, war sein Posten für fünfundzwanzig Jahre gesichert.

»Würde es bedeuten, daß wir das Abkommen gebrochen haben, wenn dann die Araber eine Bombe abwürfen?« fragte der KGB-Mann.

Eine Frau mit weißer Schürze, die einen Teewagen hinter sich herzog, trat ein, und das Komitee machte eine Pause. Der Vertreter des Generalsekretärs stand, eine Tasse in der Hand und den Mund voll von Obstkuchen, neben dem Teewagen und erzählte einen Witz. »Da war mal ein Hauptmann im KGB, dessen blöder Sohn große Schwierigkeiten hatte, die Begriffe Partei, Heimat, Gewerkschaften und Volk zu verstehen. Der Hauptmann riet dem Jungen, seinen Vater mit der Partei, seine Mutter mit der Heimat, seine Großmutter mit den Gewerkschaften und sich selbst mit dem Volk zu vergleichen. Aber der Sohn begriff immer noch nicht. Wütend sperrte der Vater ihn in einen Kleiderschrank im Schlafzimmer der Eltern. In der Nacht war der

Junge immer noch im Schrank, als der Vater anfing, mit der Mutter zu schlafen. Der Junge guckte durch das Schlüsselloch und meinte: ›Jetzt verstehe ich! Die Partei vergewaltigt die Heimat, während die Gewerkschaften schlafen und das Volk dabeistehen und leiden muß!‹«

Alle brüllten vor Lachen. Die Frau am Teewagen schüttelte den Kopf in gekünstelter Empörung. Rostow kannte den Witz schon.

Nachdem das Komitee widerwillig an die Arbeit zurückgekehrt war, stellte der Vertreter des Generalsekretärs die entscheidende Frage: »Wenn wir uns weigern, den Ägyptern die technische Hilfe zu leisten, um die sie bitten, werden sie dann trotzdem die Bombe herstellen können?«

Der KGB-Mann, der den Bericht vorgetragen hatte, antwortete: »Uns liegen nicht genügend Informationen vor, um eine eindeutige Antwort geben zu können. Ich habe mich jedoch von einem unserer Wissenschaftler über diesen Punkt belehren lassen, und es scheint, daß es technisch im Grunde nicht schwieriger ist, eine simple Atombombe zu bauen als eine konventionelle Bombe.«

Der Mann aus dem Außenministerium sagte: »Ich glaube, wir müssen voraussetzen, daß sie die Bombe ohne unsere Hilfe bauen können, wenn auch vielleicht etwas langsamer.«

»Das hätte ich auch selbst erraten«, entgegnete der Vorsitzende brüsk.

»Natürlich«, murmelte der Mann aus dem Außenministerium zerknirscht.

Der KGB-Vertreter fuhr fort: »Ihr einziges ernstes Problem wäre, sich mit Plutonium zu versorgen. Wir wissen einfach nicht, ob sie schon einen Vorrat haben oder nicht.«

David Rostow hörte mit großem Interesse zu. Seiner Meinung nach gab es nur eine einzige Entscheidung, die das Komitee treffen konnte. Der Vorsitzende bestätigte seine Ansicht.

»Ich sehe die Situation folgendermaßen«, begann er. »Wenn wir den Ägyptern helfen, ihre Bombe zu bauen, führen wir unsere gegenwärtige Nahostpolitik verstärkt fort, wir erhöhen unseren Einfluß in Kairo, und wir sind in der Lage, die Bombe bis zu einem gewissen Grade unter Kontrolle zu halten. Wenn wir die Hilfe verweigern, entfremden wir uns den Arabern und hinterlassen möglicherweise eine Situation, in der sie trotzdem eine Bombe besitzen, wir aber keine Kontrolle ausüben.«

»Mit anderen Worten, wenn sie sowieso eine Bombe haben werden, sollte besser ein russischer Finger am Auslöser liegen«, warf der Mann aus dem Außenministerium ein.

Der Vorsitzende bedachte ihn mit einem gereizten Blick und sprach weiter: »Wir könnten dem Politbüro also folgendes empfehlen: Den Ägyptern sollte technische Hilfe bei ihrem Atomreaktorprojekt gewährt werden, wobei die Hilfe darauf abzielt, daß sowjetisches Personal letztendlich Kontrolle über die Waffen gewinnt.«

Rostow gestattete sich den Schatten eines befriedigten Lächelns. Es war die Schlußfolgerung, die er erwartet hatte.

»Ich beantrage, den Vorschlag anzunehmen«, sagte der Mann aus dem Außenministerium.

»Ich schließe mich dem Antrag an«, sekundierte ihm der KGB-Vertreter.

»Keine Gegenstimmen?«

Es gab keine Gegenstimmen.

Das Komitee ging zum nächsten Punkt der Tagesordnung über.

Erst nach der Konferenz wurde Rostow von einem neuen Gedanken überrascht: Wenn die Ägypter nun *nicht* in der Lage waren, ihre Bombe ohne Hilfe zu bauen – weil sie zum Beispiel kein Uran besaßen –, dann hatten sie die Russen durch einen sehr geschickten Bluff dazu gebracht, ihnen die nötige Hilfe zu leisten.

*

Rostow hatte seine Familie gern, wenn sich der Kontakt in Grenzen hielt. Der Vorteil seiner Arbeit war, daß er, sobald er sich langweilte – und mit Kindern zu leben, *war* langweilig für ihn –, meist die nächste Auslandsreise machen mußte; und wenn er zurückkam, vermißte er sie immerhin so sehr, daß er es wieder ein paar Monate mit ihnen aushalten konnte. Er schätzte Jurij, seinen älteren Sohn, trotz seiner billigen Musik und seiner zweifelhaften Ansichten über abtrünnige Dichter. Aber Wladimir, der jüngere, war sein Augapfel. Als Baby war Wladimir so hübsch gewesen, daß viele ihn für ein Mädchen gehalten hatten. Rostow hatte dem Jungen von Anfang an Logikspiele beigebracht, in komplexen Sätzen mit ihm gesprochen, die Geographie ferner Länder, das Wachstum von Blumen und das Funktionieren von Maschinen, Radios, Wasserhähnen und politischen Parteien mit ihm diskutiert. Wladimir war bisher in jeder Klasse der beste

Schüler gewesen – allerdings würde er, dachte Rostow, in der Physikalisch-Mathematischen Schule Nummer 2 auf ihm ebenbürtige Kameraden treffen.

Rostow wußte, daß er einige der Ziele, die ihm selbst versagt geblieben waren, von seinem Sohn erreicht sehen wollte. Zum Glück stimmte dies mit den eigenen Neigungen des Jungen überein. Er war sich über seine Intelligenz im klaren, er hatte Spaß an ihr, und er wollte ein großer Mann werden. Das einzige, was ihm nicht zusagte, war die Arbeit, die er für das Komsomol leisten mußte, denn sie erschien ihm als Zeitverschwendung. Rostow hatte ihn oft gemahnt: »Vielleicht ist es Zeitverschwendung, aber du wirst es auf keinem Gebiet zu etwas bringen, wenn du nicht in der Partei Fortschritte machst. Wenn du das System ändern willst, mußt du dich an seine Spitze setzen und es von innen her umformen.« Wladimir akzeptierte dieses Argument und besuchte die Treffen des Komsomols: Er hatte die unbeugsame Logik seines Vaters geerbt.

Während er in der Hauptverkehrszeit nach Hause fuhr, sah Rostow einem eintönigen, angenehmen Abend entgegen. Die vier Familienmitglieder würden zusammen essen und sich dann eine Fernsehserie anschauen, in der heldenhafte russische Spione den CIA überlisteten. Bevor er sich hinlegte, würde er ein Glas Wodka trinken.

Rostow parkte auf der Straße vor seiner Wohnung. In dem Gebäude lebten höhere Funktionäre, von denen etwa die Hälfte wie er einen russischen Kleinwagen besaß; es gab jedoch keine Garagen. Die Wohnungen waren geräumig für Moskauer Verhältnisse. Jurij und Wladimir hatten jeweils ein eigenes Zimmer, und niemand brauchte im Wohnzimmer zu schlafen.

Ein Streit war im Gange, als er seine Wohnung betrat. Er hörte Marjas zornig erhobene Stimme, das Geräusch eines zerbrechenden Gegenstandes und einen Schrei; dann belegte Jurij seine Mutter mit einem Schimpfwort. Rostow stieß die Küchentür auf und blieb mit finsterer Miene – er hatte seine Aktentasche immer noch in der Hand – auf der Schwelle stehen.

Marja und Jurij trugen ihre Auseinandersetzung über den Küchentisch hinweg aus. Sie war wütend wie selten und hysterischen Tränen nahe, er war von unverhülltem jugendlichen Groll erfüllt. Zwischen ihnen lag Jurijs Gitarre, deren Griffbrett abgebrochen war. Marja hat sie zertrümmert, dachte Rostow sofort, aber der Streit hat eine andere Ursache.

Beide wandten sich an ihn.

»Sie hat meine Gitarre zerbrochen!« rief Jurij.

»Er hat mit seiner dekadenten Musik Schande über die Familie gebracht«, klagte Marja.

Dann beschimpfte Jurij seine Mutter noch einmal genauso wie vorher.

Rostow ließ seine Aktentasche fallen, trat vor und schlug dem Jungen ins Gesicht.

Jurij wankte unter der Kraft des Schlages, und seine Wangen röteten sich vor Schmerz und Scham. Der Sohn war so groß wie der Vater, aber breiter. Rostow hatte ihn nicht mehr geprügelt, seit er ein Mann geworden war. Jurij setzte sich sofort zur Wehr. Seine Faust schoß vor, und ein Treffer hätte Rostow das Bewußtsein verlieren lassen. Doch Rostow wich mit dem Instinkt vieljährigen Trainings zur Seite und warf Jurij so sanft wie möglich zu Boden.

»Verlasse das Haus«, befahl er ruhig. »Komm zurück, wenn du bereit bist, dich bei deiner Mutter zu entschuldigen.«

Jurij rappelte sich auf. »Niemals!« brüllte er, lief hinaus und knallte die Tür zu.

Rostow nahm seinen Hut ab, zog den Mantel aus und setzte sich an den Küchentisch. Er ergriff die zerbrochene Gitarre und legte sie sorgfältig auf den Boden. Marja goß Tee ein und reichte ihm die Tasse; seine Hand zitterte, als er sie entgegennahm. Schließlich fragte er: »Was soll das alles?«

»Wladimir hat die Prüfung nicht bestanden.«

»Wladimir? Was hat das mit Jurijs Gitarre zu tun? Welche Prüfung hat er nicht bestanden?«

»Die für die Physikalisch-Mathematische Schule. Er wurde abgelehnt.«

Rostow starrte sie sprachlos an.

»Ich war so erschüttert, aber Jurij lachte nur – er ist ja ein bißchen eifersüchtig auf seinen Bruder. Dann fing er an, seine westliche Musik zu spielen, und ich dachte, es kann nicht sein, daß Wladimir nicht klug genug ist. Es muß daran liegen, daß seine Familie nicht genug Einfluß hat; vielleicht hält man uns Jurijs Ansichten und seiner Musik wegen für unzuverlässig. Ich weiß, daß es dumm war, aber in meiner Erregung habe ich seine Gitarre zerbrochen.«

Rostow hörte nicht mehr zu. Wladimir abgelehnt? Unglaublich. Der

Junge war gescheiter als seine Lehrer, viel zu gescheit für gewöhnliche Schulen – sie konnten ihm nichts bieten. Die Physikalisch-Mathematische Schule war für außerordentlich begabte Kinder vorgesehen. Außerdem hatte der Junge gesagt, daß die Prüfung nicht schwierig gewesen sei. Er glaubte, hundert Prozent erzielt zu haben, und er wußte *immer*, wie er bei einem Examen abgeschnitten hatte.

»Wo ist Wladimir?« fragte Rostow.

»In seinem Zimmer.«

Rostow ging über den Flur und klopfte an die Schlafzimmertür. Keine Antwort. Er trat ein. Wladimir saß auf dem Bett und starrte die Wand an. Sein Gesicht war rot und von Tränenspuren gezeichnet.

»Wieviel Prozent hast du in der Prüfung bekommen?«

Wladimir blickte zu seinem Vater auf. Sein Gesicht war eine Maske kindlicher Verständnislosigkeit. »Hundert Prozent.« Er streckte Rostow ein Bündel Papiere entgegen. »Ich erinnere mich an die Fragen und an meine Antworten. Keine Fehler – ich habe alles zweimal durchgesehen. Und ich ging fünf Minuten vor der Zeit aus dem Prüfungszimmer.«

Rostow wandte sich um.

»Glaubst du mir nicht?«

»Doch, natürlich.« Rostow betrat das Wohnzimmer, wo das Telefon stand. Er rief die Schule an. Der Direktor war noch an der Arbeit.

»Wladimir hat in dem Test keinen Fehler gemacht«, sagte Rostow.

Der Direktor antwortete besänftigend: »Es tut mir leid, Genosse Oberst. Viele sehr begabte Kinder bewerben sich hier um einen Platz . . .«

»Haben sie alle in der Prüfung hundert Prozent erzielt?«

»Dazu kann ich mich leider nicht . . .«

»Sie wissen, wer ich bin«, unterbrach Rostow schroff. »Sie wissen, daß ich es herausfinden kann.«

»Genosse Oberst, Sie sind mir sympathisch, und ich möchte Ihren Sohn in meiner Schule haben. Bitte, machen Sie sich nicht selbst Schwierigkeiten, indem Sie einen Skandal anzetteln. Wenn Ihr Sohn sich in einem Jahr wieder bewirbt, hat er eine ausgezeichnete Chance, aufgenommen zu werden.«

Man warnte KGB-Offiziere nicht davor, sich selbst Schwierigkeiten zu machen. Rostow begann zu begreifen. »Aber er hat wirklich hundert Prozent geschafft.«

»Mehrere Bewerber haben in der schriftlichen Prüfung hundert Prozent erzielt . . .«

»Vielen Dank«, sagte Rostow und legte den Hörer auf.

Es war dunkel im Wohnzimmer, aber er knipste das Licht nicht an. Er saß in seinem Sessel und dachte nach. Der Direktor hätte mühelos behaupten können, alle Bewerber seien fehlerlos geblieben, aber den meisten Menschen fällt es nicht leicht, eine Lüge zu improvisieren. Ausflüchte sind einfacher. Rostow würde sich jedoch Probleme schaffen, wenn er das Ergebnis in Frage stellte.

Jemand hatte also seine Beziehungen spielen lassen. Weniger begabte Kinder waren aufgenommen worden, weil ihre Väter mehr Druck ausgeübt hatten. Rostow beherrschte seinen Zorn. Ärgere dich nicht über das System, redete er sich zu, sondern nutze es aus.

Auch er konnte einige Beziehungen spielen lassen.

Er hob den Telefonhörer ab und rief seinen Chef, Felix Woronzow, zu Hause an. Dessen Stimme klang etwas seltsam, aber Rostow achtete nicht darauf. »Hör zu, Felix, mein Sohn ist von der Physikalisch-Mathematischen Schule abgelehnt worden.«

»Das ist bedauerlich«, sagte Woronzow. »Aber schließlich kann nicht jeder es schaffen.«

Das war nicht die erwartete Reaktion. Jetzt schenkte Rostow dem Tonfall seines Chefs mehr Aufmerksamkeit. »Was meinst du damit?«

»Mein Sohn wurde angenommen.«

Rostow schwieg einen Moment lang. Er hatte gar nicht gewußt, daß Felix' Sohn sich beworben hatte. Der Junge war gescheit, aber nicht halb so intelligent wie Wladimir. Rostow riß sich zusammen. »Dann erlaube mir, daß ich dich als erster beglückwünsche.«

»Danke«, gab Felix verlegen zurück. »Aber weshalb hast du mich angerufen?«

»Oh . . . ich möchte eure Feier nicht unterbrechen. Es kann noch bis morgen warten.«

»In Ordnung. Bis morgen.«

Rostow hängte ein und stellte das Telefon sanft auf den Fußboden. Wenn der Sohn irgendeines Bürokraten oder Politikers aufgrund von Beziehungen aufgenommen worden wäre, hätte Rostow dagegen ankämpfen können. Jede Akte hatte irgendeinen dunklen Punkt. Die einzige Person, gegen die er nichts ausrichten konnte, war ein höherer KGB-Mann. Es gab keine Möglichkeit für ihn, etwas an der diesjährigen Platzvergabe zu ändern.

Also würde Wladimir sich im nächsten Jahr wieder bewerben. Aber dann konnte das gleiche geschehen. Irgendwie mußte er innerhalb eines Jahres eine Position erreichen, in der die Woronzows dieser Welt ihm nichts mehr anhaben konnten. Beim nächstenmal würde er die ganze Sache anders anfassen. Als erstes würde er die KGB-Akte des Direktors konsultieren. Er würde sich die vollständige Liste der Bewerber besorgen und jedem zusetzen, der sich als Bedrohung erweisen konnte. Daneben würde er Telefone abhören und Briefe öffnen lassen, um herauszufinden, wer Druck ausübte.

Zunächst einmal mußte er diese Position der Stärke aber erreichen. Nun sah er ein, daß er sich Selbstgefälligkeiten hinsichtlich seiner Karriere nicht leisten konnte. Wenn man so mit ihm umsprang, mußte sein Stern schon am Verblassen sein.

Der Coup, den er so beiläufig für die nächsten zwei oder drei Jahre geplant hatte, mußte vorgezogen werden.

Er saß in dem dunklen Wohnzimmer und überlegte sich seine ersten Schritte.

Marja kam nach einer Weile herein und setzte sich schweigend neben ihn. Später brachte sie ihm Essen auf einem Tablett und fragte ihn, ob er fernsehen wolle. Er schüttelte den Kopf und schob die Mahlzeit beiseite. Kurz darauf zog sie sich leise ins Schlafzimmer zurück.

Jurij – er war angeheitert – kam um Mitternacht zurück. Er betrat das Wohnzimmer und schaltete das Licht an. Überrascht und erschrocken, seinen Vater vor sich zu sehen, machte er einen Schritt zurück.

Rostow stand auf und schaute seinen älteren Sohn an. Er erinnerte sich an die Schwierigkeiten seiner eigenen Entwicklungsjahre, den fehlgeleiteten Zorn, die klare, begrenzte Auffassung von Gut und Böse, die raschen Demütigungen und die langsame Aneignung von Wissen. »Jurij, ich möchte mich dafür entschuldigen, daß ich dich geschlagen habe.«

Jurij brach in Tränen aus.

Rostow legte einen Arm um seine breiten Schultern und führte ihn zur Tür seines Zimmers. »Wir hatten beide unrecht, du und ich«, fuhr er fort. »Deine Mutter auch. Ich muß bald wieder verreisen. Dann werde ich versuchen, dir eine neue Gitarre mitzubringen.«

Er hätte seinen Sohn küssen mögen. Aber sie waren alle geworden wie die Menschen im Westen, die sich der Küsse schämten. Sanft schob er Jurij in sein Zimmer und schloß die Tür hinter ihm.

Als er ins Wohnzimmer zurückkehrte, merkte er, daß seine Pläne in den letzten Minuten Gestalt angenommen hatten. Er setzte sich wieder in den Sessel, diesmal mit einem weichen Bleistift und einem Blatt Papier, und begann, ein Memorandum zu entwerfen.

An: Vorsitzenden, Komitee für Staatssicherheit
Von: Stellvertretendem Leiter, Europäische Abteilung
Kopie: Leiter, Europäische Abteilung
Datum: 24. Mai 1968

Genosse Andropow,
mein Abteilungsleiter Felix Woronzow ist heute abwesend, aber ich bin der Meinung, daß die folgenden Angelegenheiten zu dringend sind, um damit auf seine Rückkehr zu warten.

Ein Agent in Luxemburg hat berichtet, dort den israelischen Agenten Nathaniel (»Nat«) David Jonathan Dickstein, alias Edward (»Ed«) Rodgers, bekannt als »der Pirat«, entdeckt zu haben.

Dickstein wurde als Sohn eines Ladenbesitzers 1925 in Stepney, Ostlondon, geboren. Sein Vater verstarb 1938, seine Mutter 1951. Dickstein trat 1943 in die britische Armee ein, kämpfte in Italien, wurde zum Sergeant befördert und bei La Molina gefangengenommen. Nach dem Krieg ging er an die Universität Oxford, um Semitische Sprachen zu studieren. 1948 verließ er Oxford ohne Abschluß und emigrierte nach Palästina, wo er fast sofort begann, für den Mossad zu arbeiten.

Zuerst hatte er mit dem Diebstahl und geheimen Aufkauf von Waffen für den zionistischen Staat zu tun. In den fünfziger Jahren leitete er eine Operation gegen eine von Ägypten unterstützte Gruppe palästinensischer Freiheitskämpfer im Gazastreifen und war persönlich für die Minenfalle verantwortlich, die Kommandeur Aly tötete. In den späten fünfziger und frühen sechziger Jahren war er ein führendes Mitglied der Attentätertruppe, die geflüchtete Nazis jagte. Er inszenierte den Terroristenkampf gegen deutsche Raketenwissenschaftler, die 1963–64 für Ägypten arbeiteten.

Er scheint keine Familie zu haben, weder in Palästine noch anderswo.

Dickstein ist nicht an Alkohol, Rauschgiften oder Glücksspiel interessiert. Er hat keinerlei romantische Beziehungen, und seine Akte enthält die Spekulation, daß er infolge medizinischer Experimente, die Nazi-Wissenschaftler an ihm vornahmen, sexuell passiv ist.

Ich persönlich kannte Dickstein sehr genau in seinen Entwicklungsjahren 1947/48, als wir beide an der Universität Oxford studierten. Wir spielten zusammen Schach, ich legte seine Akte an und verfolgte seine spätere Karriere mit besonderem Interesse. Er scheint nun in dem Gebiet zu arbeiten, auf das ich mich seit zwanzig Jahren spezialisiert habe. Ich bezweifle, daß es unter den 110000 Angestellten unseres Komitees jemanden gibt, der so gut wie ich qualifiziert wäre, diesem imposanten zionistischen Agenten entgegenzutreten.

Ich empfehle deshalb, daß Sie mir den Auftrag geben, Dicksteins Mission aufzudecken und ihn, wenn nötig, auszuschalten.

(Unterschrift)
David Rostow

An: Stellvertretenden Leiter, Europäische Abteilung
Von: Vorsitzendem, Komitee für Staatssicherheit
Kopie: Leiter, Europäische Abteilung
Datum: 24. Mai 1968

Genosse Rostow,
Ihre Empfehlung ist angenommen.
(Unterschrift)
Jurij Andropow

An: Vorsitzenden, Komitee für Staatssicherheit
Von: Leiter, Europäische Abteilung
Kopie: Stellvertretender Leiter, Europäische Abteilung
Datum: 26. Mai 1968

Genosse Andropow,
ich beziehe mich auf den Austausch von Memoranden, der sich während meiner kurzen Abwesenheit in Staatsgeschäften in Nowosibirsk zwischen Ihnen und meinem Stellvertreter David Rostow abspielte.

Natürlich stimme ich Genosse Rostows Sorge und Ihrer Billigung uneingeschränkt zu, aber ich glaube, daß es für seine Hast keine guten Gründe gibt.

Als Außenagent hat Rostow, wie sich versteht, nicht den gleichen großen Überblick über die Dinge wie seine Vorgesetzten. Deshalb hat er versäumt, Sie auf einen anderen Aspekt der Situation aufmerksam zu machen.

Die gegenwärtige Beobachtung Dicksteins wurde von unseren ägyptischen Verbündeten eingeleitet und ist bis jetzt ausschließlich in deren Hand. Aus politischen Gründen würde ich nicht empfehlen, uns da einzumischen, was Rostow für möglich zu halten scheint. Wir sollten ihnen höchstens unsere Kooperation anbieten.

Unnötig zu erwähnen, daß diese Unternehmung, die internationale Zusammenarbeit zwischen Geheimdiensten erfordert, von Abteilungsleitern und nicht von ihren Stellvertretern koordiniert werden sollte.

(Unterschrift)

Felix Woronzow

An: Leiter, Europäische Abteilung
Von: Amt des Vorsitzenden, Komitee für Staatssicherheit
Kopie: Stellvertretender Leiter, Europäische Abteilung
Datum: 28. Mai 1968

Genosse Woronzow,

Genosse Andropow hat mich beauftragt, Ihr Memorandum vom 26. Mai zu beantworten.

Auch er meint, daß die politischen Folgerungen von Rostows Plan berücksichtigt werden müssen, aber er ist dagegen, den Ägyptern die Initiative zu überlassen, während wir nur »kooperieren«. Ich habe mit unseren Verbündeten in Kairo gesprochen, und sie haben zugestimmt, daß Rostow die Ermittlungen gegen Dickstein unter der Bedingung leiten soll, daß einer ihrer Agenten als vollwertiges Mitglied in die Gruppe aufgenommen wird.

(Unterschrift)

Maxim Bykow, persönlicher Assistent des Vorsitzenden

(Mit Bleistift geschriebener Zusatz)

Felix, laß mich mit dieser Sache in Ruhe, bis du ein Ergebnis hast.

Und behalte Rostow im Auge – er hat es auf deinen Posten abgesehen.
Wenn du dich nicht zusammenreißt, werde ich ihn Rostow geben.
Jurij

An: Stellvertretenden Chef, Europäische Abteilung
Von: Amt des Vorsitzenden, Komitee für Staatssicherheit
Kopie: Leiter, Europäische Abteilung
Datum: 29. Mai 1968

Genosse Rostow,
Kairo hat jetzt den Agenten nominiert, der in den Dickstein-Ermitt-
lungen zu Ihrer Gruppe gehören wird. Es ist der Agent, der Dickstein
in Luxemburg entdeckte. Sein Name ist Yasif Hassan.
(Unterschrift)
Maxim Bykow, persönlicher Assistent des Vorsitzenden

*

Wenn er Vorträge im Ausbildungszentrum hielt, sagte Pierre Borg
immer: »Meldet euch, meldet euch dauernd – nicht erst, wenn ihr
etwas benötigt, sondern möglichst jeden Tag. Wir müssen wissen,
was ihr tut, und wir könnten wichtige Informationen für euch haben.« Dann gingen die Rekruten in die Bar und hörten Nat Dicksteins
Motto: »Meldet euch erst, wenn ihr mehr als 100000 Dollar
braucht.«
Borg ärgerte sich über Dickstein. Er ärgerte sich leicht, besonders
dann, wenn er nicht wußte, was anderswo vorging. Zum Glück beeinträchtigte der Ärger nur selten sein Urteil. Er ärgerte sich auch
über Kawash. Zwar konnte er einsehen, daß Kawash ihn in Rom hatte
treffen wollen – die Ägypter hatten dort eine große Mannschaft, so
daß Kawash leicht einen Vorwand finden konnte, um dorthin zu fliegen –, aber es gab keinen Grund, sich in einem gottverdammten Badehaus zu treffen.
Borg ärgerte sich auch, wenn er in seinem Büro in Tel Aviv saß, sich
über Dickstein, Kawash und die anderen Sorgen machte und auf Botschaften wartete, bis ihn dünkte, sie meldeten sich nicht, weil er ihnen
unsympathisch war. Dann wurde er wütend, zerbrach Bleistifte und
feuerte seine Sekretärin.
Ein Badehaus in Rom, um Himmels willen – dort würde es nur so

von Schwulen wimmeln. Außerdem gefiel Borg sein Körper nicht. Er schlief in Pyjamas, ging nie zum Schwimmen, probierte nie in Geschäften Kleidungsstücke an, war nie nackt, außer wenn er sich morgens rasch duschte. Nun stand er in der Dampfkammer und hatte sich das größte Handtuch, das zu finden war, um die Hüfte geschlungen. Ihm war unangenehm bewußt, daß er, abgesehen von seinem Gesicht und seinen Händen, weiß war, sein Fleisch weich und rundlich und daß sich ein Pelz ergrauender Haare über seine Schultern zog.

Er entdeckte Kawash. Der Körper des Arabers war schlank, dunkelbraun und kaum behaart. Ihre Augen trafen sich durch den Dampf hindurch, und wie ein geheimes Liebespaar gingen sie Seite an Seite, ohne sich anzusehen, in ein separates Zimmer mit einem Bett.

Borg war erleichtert, sich nicht mehr zur Schau stellen zu müssen, und wartete ungeduldig auf Kawashs Neuigkeiten. Der Araber schaltete die Maschine ein, die das Bett vibrieren ließ. Ihr Summen würde ein Abhörgerät, falls es hier eines gab, unwirksam machen. Die beiden Männer standen dicht beieinander und sprachen mit leiser Stimme. Verlegen wandte Borg sich ab, so daß er sich über seine Schulter hinweg mit Kawash unterhalten mußte.

»Ich habe einen Mann in Kattara«, sagte Kawash.

»Großartig.« Borg fiel ein Stein vom Herzen. »Dabei hat Ihre Abteilung nicht einmal mit dem Projekt zu tun.«

»Ich habe einen Cousin im Militärischen Geheimdienst.«

»Ausgezeichnet. Wer ist der Mann in Kattara?«

»Saman Hussein, einer Ihrer Leute.«

»Gut, gut, gut. Was hat er herausgefunden?«

»Die Bauarbeiten sind beendet. Sie haben das Reaktorgehäuse, einen Verwaltungsblock, Personalunterkünfte und eine Start- und Landebahn gebaut. Sie sind viel weiter, als sich man erwartet hat.«

»Was ist mit dem Reaktor selbst? Darauf kommt es an.«

»Sie sind jetzt dabei. Schwer zu sagen, wie lange es dauern wird – gewisse Präzisionsarbeiten sind nötig.«

»Sind sie dazu in der Lage?« fragte Borg. »Ich meine, all diese komplizierten Kontrollsysteme . . .«

»Wie ich höre, brauchen die Kontrollen nicht kompliziert zu sein. Man senkt das Tempo der Nuklearreaktion, indem man einfach Metallstäbe in den Atommeiler schiebt. Jedenfalls gibt es noch etwas anderes: Saman meldet, daß Kattara voll von Russen ist.«

»Oh, Mist.«

»Damit dürften sie alle elektronischen Systeme haben, die sie brauchen.«

Borg setzte sich auf den Stuhl. Er dachte nicht mehr an das Badehaus, das vibrierende Bett und seinen weichen, weißen Körper. »Das ist eine schlechte Nachricht.«

»Es gibt eine noch schlechtere. Dickstein ist aufgeflogen.«

Borg starrte Kawash wie vom Donner gerührt an. »Aufgeflogen?« wiederholte er, als verstünde er das Wort nicht. »Aufgeflogen?«

»Ja.«

Wut und Verzweiflung ergriffen abwechselnd von Borg Besitz. Nach einer Weile sagte er: »Wie hat er das geschafft, der . . . Saukerl?«

»Er wurde von einem unserer Agenten in Luxemburg erkannt.«

»Was hatte er da zu suchen?«

»Das sollten *Sie* wissen.«

»Weiter.«

»Es war offenbar eine zufällige Begegnung. Der Agent heißt Yasif Hassan. Er ist ein kleiner Fisch – arbeitet für eine libanesische Bank und behält Israelis, die zu Besuch sind, im Auge. Natürlich war unseren Leuten der Name Dickstein bekannt . . .«

»Er benutzt seinen wahren Namen?« fragte Borg ungläubig. Es wurde immer schlimmer.

»Ich glaube nicht«, erklärte Kawash. »Dieser Hassan kannte ihn noch von früher.«

Borg schüttelte langsam den Kopf. »Wer hätte gedacht, daß wir das Erwählte Volk waren – bei unserem Glück.«

»Wir ließen Dickstein überwachen und informierten Moskau«, fuhr Kawash fort. »Er schüttelte die Verfolger natürlich ziemlich schnell ab, aber Moskau gibt sich große Mühe, ihn wiederzufinden.«

Borg stützte das Kinn auf die Hand und starrte das erotische Fries an der Kachelwand an, ohne es wahrzunehmen. Es war, als gäbe es eine weltweite Verschwörung, um die israelische Politik im allgemeinen und seine Pläne im besonderen zu durchkreuzen. Am liebsten hätte er alles hingeworfen, um nach Quebec zurückzukehren; er wünschte sich, Dickstein mit einem stumpfen Gegenstand über den Kopf schlagen und den undurchdringlichen Ausdruck von Kawash's gutgeschnittenem Gesicht wischen zu können.

Er machte eine wegwerfende Handbewegung. »Prächtig. Die Ägypter sind uns mit ihrem Reaktor weit voraus, die Russen helfen ihnen, Dickstein ist aufgeflogen, und das KGB hat seine Leute auf ihn angesetzt. Wir könnten das Rennen verlieren, ist Ihnen das klar? Dann werden sie eine Atombombe haben und wir nicht. Und meinen Sie, daß sie sie einsetzen werden?« Er hatte Kawash jetzt an den Schultern gepackt und schüttelte ihn. »Es sind Ihre Landsleute. Verraten Sie mir, ob sie die Bombe auf Israel fallen lassen werden. Natürlich werden sie das, Sie können Gift darauf nehmen!«

»Hören Sie auf zu brüllen«, sagte Kawash ruhig. Er löste Borgs Hände von seinen Schultern. »Es ist noch ein weiter Weg bis zu dem Punkt, wo die eine oder die andere Seite gewonnen hat.«

»Ja.« Borg wandte sich ab.

»Sie müssen Kontakt mit Dickstein aufnehmen und ihn warnen«, riet Kawash. »Wo ist er jetzt?«

»Das wüßte auch ich verdammt gern«, erwiderte Pierre Borg.

Die einzige völlig unschuldige Person, deren Leben bei der Yellow-Cake-Geschichte zuschanden ging, war der Euratom-Angestellte, den Dickstein Steifkragen getauft hatte.

Nachdem Dickstein seine Beschatter in Frankreich abgeschüttelt hatte, kehrte er mit dem Auto nach Luxemburg zurück. Er nahm an, daß man rund um die Uhr am Flughafen von Luxemburg nach ihm Ausschau halten würde. Da sie die Nummer seines Mietwagens kannten, machte er in Paris halt, um ihn zurückzugeben und einen neuen bei einer anderen Firma zu mieten.

An seinem ersten Abend in Luxemburg besuchte er den diskreten Nachtklub in der Rue Dicks, setzte sich allein an einen Tisch, schlürfte Bier und wartete auf Steifkragen. Aber dessen blonder Freund traf zuerst ein. Er war noch jung, vielleicht fünfundzwanzig oder dreißig Jahre alt, breitschultrig und unter seiner kastanienbraunen zweireihigen Jacke offensichtlich bestens gebaut. Der Blonde ging hinüber zu der Nische, in der er mit Steifkragen beim letztenmal gesessen hatte. Er bewegte sich anmutig wie ein Tänzer. Die Nische war leer. Wenn sich das Paar jeden Abend hier traf, wurde sie wahrscheinlich für die beiden reserviert.

Der junge Mann bestellte etwas zu trinken und blickte auf seine Uhr. Er merkte nicht, daß Dickstein ihn beobachtete. Steifkragen kam ein paar Minuten später. Er trug einen roten Pullover mit V-Ausschnitt und ein weißes Hemd mit einem Knopfkragen. Wie neulich ging er sofort zu dem Tisch, an dem sein Freund wartete. Die beiden begrüßten sich, indem sie einander an den Händen faßten. Sie wirkten glücklich. Dickstein schickte sich an, die Idylle zu zerschmettern.

Er rief einen Kellner zu sich. »Bitte, bringen Sie eine Flasche Champagner an den Tisch dort drüben, für den Mann im roten Pullover.

Und für mich noch ein Bier.«

Der Kellner brachte zuerst das Bier und trug dann den Champagner in einem Eiskübel an Steifkragens Tisch. Dickstein sah, wie der Kellner dem Paar zeigte, daß er der Spender war. Als sie zu ihm herüberschauten, hob er sein Bierglas zu einem Toast und lächelte. Steifkragen erkannte ihn und schien beunruhigt.

Dickstein verließ seinen Tisch und ging in die Toilette. Er wusch sich das Gesicht, um sich die Zeit zu vertreiben. Zwei Minuten später kam Steifkragens Freund herein. Er kämmte sich und wartete darauf, daß ein dritter Mann hinausginge. Danach sprach er Dickstein an.

»Mein Freund will, daß Sie ihn in Ruhe lassen.«

Dickstein lächelte zynisch. »Das soll er mir selbst sagen.«

»Sie sind doch Journalist? Was wäre, wenn Ihr Herausgeber erführe, daß Sie Lokale wie dieses besuchen?«

»Ich bin freischaffend.«

Der junge Mann kam näher. Er war fast fünfzehn Zentimeter größer als Dickstein und wenigstens dreißig Pfund schwerer. »Sie sollen uns in Ruhe lassen.«

»Nein.«

»Weshalb tun Sie das? Was wollen Sie?«

»An dir bin ich nicht interessiert, mein Hübscher. Du gehst am besten nach Hause, während ich mich mit deinem Freund unterhalte.«

»Hol dich der Teufel«, fauchte der junge Mann und packte Dicksteins Jackenaufschläge mit seiner großen Hand. Er schob den anderen Arm zurück und machte eine Faust. Doch der Schlag landete nicht.

Dickstein stach die Finger in die Augen des Mannes. Der blonde Kopf zuckte im Reflex zurück und zur Seite. Dickstein unterlief den ausholenden Arm und schlug den anderen mit aller Kraft in den Magen. Der Blonde stieß rasselnd den Atem aus, krümmte sich und drehte ab. Dickstein landete einen präzisen Hieb auf seinem Nasenrücken. Etwas knackte, und Blut sprudelte. Der junge Mann brach auf dem gekachelten Fußboden zusammen.

Es reichte.

Dickstein ging rasch hinaus; unterwegs zog er seine Krawatte gerade und glättete sich das Haar. Im Klub hatte die Vorstellung begonnen, und der deutsche Gitarrist sang ein Lied über einen schwulen Polizisten. Dickstein beglich seine Rechnung und schritt zum Ausgang. Er sah, wie sich Steifkragen mit besorgter Miene zur Toilette aufmachte.

Es war eine milde Sommernacht, aber auf der Straße durchfuhr Dickstein ein Frösteln. Er legte eine kurze Strecke zu Fuß zurück, betrat dann eine Bar und bestellte einen Brandy. Es war ein lautes, verrauchtes Lokal mit einem Fernsehapparat auf dem Tresen. Dickstein nahm sein Glas mit an einen Ecktisch und setzte sich der Wand gegenüber.

Der Kampf in der Toilette würde nicht angezeigt werden. Es würde aussehen wie der Streit um einen Liebhaber, und weder Steifkragen noch der Klubinhaber würden so etwas an die Öffentlichkeit bringen wollen. Steifkragen würde seinen Freund zu einem Arzt bringen und vorgeben, er habe sich an einer Tür gestoßen.

Dickstein trank den Brandy und hörte auf zu frösteln. Es war unmöglich, ein Spion zu sein, ohne solche Dinge zu tun. Und in dieser Welt war es unmöglich, eine Nation zu sein, ohne Spione zu haben. Ohne eine Nation aber konnte Nat Dickstein sich nicht sicher fühlen.

Er hatte keine Chance, ehrenhaft zu leben. Selbst wenn er seinen Beruf aufgäbe, würden andere Spione werden und in seinem Namen Böses tun, was beinahe genauso schlimm war. Wer leben wollte, mußte schlecht sein. Dickstein erinnerte sich, daß ein Nazi-Lagerarzt namens Wolfgang ungefähr das gleiche gesagt hatte.

Er war schon vor langer Zeit zu dem Schluß gekommen, daß es im Leben nicht um Gut oder Böse, sondern um Sieg oder Niederlage ging. Trotzdem gab es Zeiten, in denen diese Philosophie ihm keinen Trost bereitete.

Dickstein verließ die Bar und steuerte auf Steifkragens Haus zu. Er mußte seinen Vorteil nutzen, solange der Mann demoralisiert war. Nach ein paar Minuten erreichte er die schmale, mit Pflastersteinen beschlagene Straße und bezog Posten gegenüber dem alten, terrassenförmigen Haus. Das Fenster in der Dachkammer war nicht erleuchtet.

Die Nacht wurde kälter, während er wartete. Er begann auf und ab zu gehen. Das europäische Wetter war deprimierend. Zu dieser Jahreszeit wäre es herrlich in Israel: lange, sonnige Tage und warme Nächte, schwere körperliche Arbeit tagsüber und abends Kameradschaft und Gelächter. Dickstein wünschte sich, heimkehren zu können.

Endlich tauchten Steifkragen und sein Freund auf. Der Kopf des Freundes war von Bandagen umhüllt, und er konnte offenbar kaum etwas sehen, da er wie ein Blinder eine Hand auf Steifkragens Arm gelegt hatte. Sie blieben vor dem Haus stehen, und Steifkragen kramte nach dem Schlüssel. Dickstein überquerte die Straße und näherte sich den beiden. Sie hatten ihm den Rücken zugewandt, und seine Schuhe machten kein Geräusch.

Steifkragen öffnete die Tür, drehte sich um, um seinem Freund zu helfen, und entdeckte Dickstein. Er fuhr erschrocken zusammen. »O Gott!«

»Was ist los? Was ist los?« fragte sein Freund.

»Er ist es.«

»Ich muß mit Ihnen reden«, sagte Dickstein.

»Ruf die Polizei«, keuchte der Blonde.

Steifkragen faßte seinen Freund am Arm und wollte ihn durch die Tür ziehen. Dickstein streckte seine Hand aus und hielt die beiden zurück.

»Sie müssen mich einlassen, oder ich mache hier auf der Straße eine Szene.«

Steifkragen sagte: »Er wird uns das Leben zur Hölle machen, bis er bekommt, was er will.«

»Aber was will er?«

»Das werden Sie gleich erfahren«, erklärte Dickstein. Er betrat als erster das Haus und stieg die Treppe hinauf.

Sie folgten ihm nach einem Moment des Zögerns.

Die drei Männer stiegen bis zum Treppenkopf empor. Steifkragen schloß die Tür der Dachwohnung auf, und sie gingen hinein. Dickstein blickte sich um. Die Wohnung war größer, als er erwartet hatte, und sehr elegant mit Stilmöbeln, gestreiften Tapeten, vielen Pflanzen und Bildern eingerichtet. Steifkragen half seinem Freund in einen Sessel, dann nahm er eine Zigarette aus einem Kästchen, zündete sie mit einem Tischfeuerzeug an und steckte sie seinem Freund in den Mund. Sie saßen dicht beieinander und warteten darauf, daß Dickstein zu sprechen anfinge.

»Ich bin Journalist«, begann Dickstein.

Steifkragen unterbrach: »Journalisten interviewen Leute, sie schlagen sie nicht zusammen.«

»Ich habe ihn nicht zusammengeschlagen – zwei Hiebe, das war alles.«

»Warum?«

»Er hat mich angegriffen. Hat er Ihnen das nicht gesagt?«

»Ich glaube Ihnen nicht.«

»Wieviel Zeit wollen Sie auf einen Streit darüber verschwenden?«

»Überhaupt keine.«

»Gut. Ich brauche eine Geschichte über Euratom, eine gute Geschichte – es ist wichtig für meine Karriere. Also, eine Möglichkeit wäre die große Zahl von Homosexuellen auf verantwortlichen Posten innerhalb der Organisation.«

»Sie sind ein Schwein«, sagte Steifkragens Freund.

»Richtig«, stimmte Dickstein zu. »Aber ich werde die Geschichte fallenlassen, wenn ich eine bessere kriege.«

Steifkragen fuhr sich mit der Hand über das angegraute Haar, und Dickstein bemerkte, daß er klaren Nagellack aufgetragen hatte. »Nun verstehe ich langsam.«

»Was? Was verstehst du?« fragte sein Freund.

»Er will Informationen.«

»Genau«, sagte Dickstein. Steifkragen schien erleichtert.

Jetzt war für Dickstein der Zeitpunkt gekommen, ein wenig freundlich zu sein, als Mensch aufzutreten, sie glauben zu lassen, daß die Dinge vielleicht doch nicht so schlecht aussahen. Er stand auf. Auf einem polierten Seitentisch stand eine Karaffe mit Whisky. Er goß drei kleine Gläser voll. »Gut, Sie sind verwundbar, ich habe Sie aufs Korn genommen und erwarte, daß Sie mich deswegen hassen. Aber ich werde nicht behaupten, daß ich Sie hasse. Ich bin ein Schwein, und ich nutze Sie aus – und damit hat's sich. Abgesehen davon, daß ich auch noch Ihren Alkohol trinke.« Er reichte ihnen die Gläser und setzte sich wieder.

Nach einer Pause erkundigte sich Steifkragen: »Was wollen Sie wissen?«

»Schon besser.« Dickstein nahm einen winzigen Schluck Whisky. Der Geschmack war ihm zuwider. »Euratom hat Aufzeichnungen über alle Transporte von spaltbaren Materialien innerhalb der Mitgliedsländer, dazu über alle Importe und Exporte mit Staaten außerhalb der Gemeinschaft. Stimmt's?«

»Ja.«

»Präzise ausgedrückt: Bevor jemand eine Unze Uran von A nach B befördern kann, muß er um Ihre Erlaubnis bitten.«

»Ja.«

»Es gibt vollständige Verzeichnisse aller erteilten Genehmigungen.«

»Die Aufzeichnungen sind im Computer gespeichert.«

»Ich weiß. Wenn man ihn fragte, würde der Computer eine Liste aller zukünftigen Urantransporte ausdrucken, für die eine Genehmigung vorliegt.«

»Das tut er regelmäßig. Eine Liste geht einmal im Monat innerhalb des Amtes herum.«

»Wunderbar«, sagte Dickstein. »Genau diese Liste will ich haben.«

Ein langes Schweigen. Steifkragen trank etwas Whisky. Dickstein rührte seinen nicht mehr an. Die beiden Gläser Bier und der große Brandy, die er heute abend bereits getrunken hatte, waren mehr, als er normalerweise in zwei Wochen zu sich nahm.

»Wofür brauchen Sie die Liste?« wollte der junge Mann wissen.

»Ich werde alle Transporte in einem bestimmten Monat überprüfen. Dann werde ich beweisen können, daß das, was die Leute in Wirklichkeit tun, nichts oder fast nichts mit ihren Erklärungen gegenüber Euratom zu tun hat.«

»Ich glaube Ihnen nicht«, sagte Steifkragen.

Der Mann ist nicht dumm, dachte Dickstein. Er zuckte die Achseln. »Was meinen Sie denn, wofür ich die Liste brauche?«

»Das weiß ich nicht. Sie sind kein Journalist. Bis jetzt haben Sie kein wahres Wort gesprochen.«

»Darauf kommt es nicht an, oder?« fragte Dickstein. »Glauben Sie, was Sie wollen. Sie haben keine andere Wahl, als mir die Liste zu geben.«

»Doch«, widersprach Steifkragen. »Ich werde meine Stellung kündigen.«

»Wenn Sie das tun«, sagte Dickstein langsam, »werde ich Ihren Freund zu Brei schlagen.«

»Wir gehen zur Polizei!« rief der Freund.

»Ich werde verschwinden, vielleicht für ein Jahr, aber ich werde zurückkommen und Sie finden. Dann schlage ich Sie halbtot. Ihr Gesicht wird nicht mehr zu erkennen sein.«

Steifkragen starrte Dickstein an. »Was *sind* Sie?«

»Spielt es eine Rolle, was ich bin? Sie wissen, daß ich meine Drohung wahrmachen kann.«

Steifkragen vergrub das Gesicht in den Händen.

Dickstein wartete, bis die Stille bedrückend wurde. Steifkragen war hilflos, in die Enge getrieben. Es gab nur einen einzigen Ausweg, der ihm jetzt bewußt wurde. Dickstein ließ ihm Zeit und sprach erst nach einer Minute wieder.

»Der Computerausdruck wird unhandlich sein«, sagte er sanft.

Steifkragen nickte, ohne aufzublicken.

»Wird Ihre Aktentasche überprüft, wenn Sie das Büro verlassen?«

Er schüttelte den Kopf.

»Werden die Ausdrucke unter Schloß und Riegel gehalten?«

»Nein.« Steifkragen riß sich mit sichtlicher Anstrengung zusammen.

»Nein«, wiederholte er erschöpft, »diese Information ist keine Verschlußsache. Sie ist bloß vertraulich, nicht für die Öffentlichkeit bestimmt.«

»Gut. Morgen werden Sie sich die Einzelheiten überlegen müssen – welche Kopie Sie mitnehmen, was genau Sie Ihrer Sekretärin sagen und so weiter. Übermorgen bringen Sie den Computerausdruck mit nach Hause. Dann werden Sie eine Notiz von mir vorfinden. Darin steht, wie Sie mir das Dokument zu übergeben haben.« Dickstein lächelte. »Danach werden Sie mich wahrscheinlich nie wiedersehen.«

»Gott, das hoffe ich.«

Dickstein erhob sich. »Telefonate sind in nächster Zeit nur eine unnötige Belastung für Sie.« Er fand den Apparat und riß die Schnur aus der Wand. Dann trat er zur Tür und öffnete sie.

Der junge Mann schaute den abgetrennten Draht an. Seine Augen schienen sich erholt zu haben. »Haben Sie Angst, daß er es sich anders überlegen könnte?«

»Davor sollten *Sie* Angst haben«, sagte Dickstein, ging hinaus und machte die Tür leise hinter sich zu.

*

Das Leben ist kein Popularitätswettbewerb, schon gar nicht im KGB. David Rostow war jetzt sehr unbeliebt bei seinem Chef und bei all jenen, die loyal zu Felix Woronzow standen. Woronzow kochte vor Wut über die Art und Weise, wie er übergangen worden war. Von nun an würde er alles tun, was in seiner Macht stand, um Rostow zu vernichten.

Rostow hatte damit gerechnet. Er bedauerte seinen Entschluß, in der Dickstein-Geschichte alles auf eine Karte zu setzen, keineswegs. Im Gegenteil, er war recht froh darüber. Schon jetzt dachte er an den erstklassig gearbeiteten, elegant geschnittenen dunkelblauen englischen Anzug, den er sich kaufen würde, wenn er den Einkaufsschein für Abteilung 100 in der dritten Etage des GUM-Warenhauses in Moskau erhielt.

Er bedauerte höchstens, daß er Woronzow ein Schlupfloch gelassen hatte. Er hätte die Ägypter und ihre Reaktion berücksichtigen müssen. Das war das Problem mit den Arabern: Sie waren so tölpelhaft und unbrauchbar, daß man dazu neigte, sie als Faktor in der Welt der Geheimdienste außer acht zu lassen. Zum Glück hatte Jurij Andropow, Chef des KGB und Vertrauter von Leonid Breschnew, durchschaut, was Felix Woronzow vorhatte, nämlich die Kontrolle über das Dickstein-Projekt wiederzugewinnen. Und das hatte Andropow verhindert.

Deshalb war die einzige Konsequenz von Rostows Fehler, daß er gezwungen sein würde, mit den elenden Arabern zusammenzuarbeiten.

Das war schlimm genug. Rostow hatte seine eigene kleine Mannschaft, die aus Nik Bunin und Pjotr Tyrin bestand und reibungslos operierte. Kairo war löchrig wie ein Sieb: Die Hälfte von dem, was dort ankam, wurde nach Tel Aviv weitergeleitet.

Die Tatsache, daß der ihm zugeteilte Araber Yasif Hassan war, konnte sich als Vorteil erweisen, vielleicht aber auch nicht.

Rostow entsann sich sehr deutlich an Hassan: ein reicher Junge, träge und arrogant, recht clever, aber unmotiviert, mit oberflächlichen politischen Ansichten und zuviel Kleidung. Sein wohlhabender Vater, nicht sein Intellekt war dafür verantwortlich gewesen, daß er in Oxford studieren konnte. Das nahm Rostow ihm jetzt noch mehr übel als damals. Immerhin würde es leichter sein, den Mann unter Kontrolle zu halten, da er ihn kannte. Rostow beabsichtigte, Hassan von vornherein klarzumachen, daß er im Grunde überflüssig war und aus rein politischen Gründen zu der Gruppe gehörte. Er würde sehr genau auf das achten müssen, was er Hassan wissen ließ und was er für sich behielt. Wenn er ihm zu wenig sagte, würde Kairo sich in Moskau beschweren, wenn er ihn zu viel wissen ließ, würde Tel Aviv in der Lage sein, jeden seiner Schritte zu durchkreuzen.

Es war ein verdammter Engpaß, aber er selbst war daran schuld.

Rostow fühlte sich noch unbehaglicher, als er Luxemburg erreicht hatte. Er war aus Athen gekommen und hatte nach seinem Abflug aus Moskau zweimal die Identität und dreimal die Maschine gewechselt. Diese kleine Vorsichtsmaßnahme war angebracht, denn wenn man direkt aus Rußland eintraf, nahmen die örtlichen Geheimdienstleute die Ankunft zuweilen zur Kenntnis und behielten einen im Auge. Das könnte sehr lästig werden.

Natürlich holte ihn niemand am Flugplatz ab. Er nahm ein Taxi und fuhr in sein Hotel.

Kairo wußte, daß er den Namen David Roberts verwenden würde. Als er sich im Hotel anmeldete, reichte der Empfangschef ihm eine Botschaft. Er öffnete den Umschlag, während er mit dem Hoteldiener im Lift nach oben fuhr. Auf dem Blatt Papier stand nur »Zimmer 179«.

Er gab dem Hoteldiener ein Trinkgeld, hob den Telefonhörer in seinem Zimmer ab und wählte 179. Eine Stimme sagte: »Hallo?«

»Ich bin in 142. Warten Sie zehn Minuten, und kommen Sie dann zur Besprechung hierher.«

»Schön. Hören Sie zu, ist das . . .«

»Halten Sie den Mund!« bellte Rostow. »Keine Namen. In zehn Minuten.«

»Natürlich, es tut mir leid, ich . . .«

Rostow legte den Hörer auf. Was für Idioten warb Kairo eigentlich an? Offensichtlich solche, die echte Namen an Hoteltelefonen nannten. Es würde noch schlimmer werden, als er befürchtet hatte.

Es hatte eine Zeit gegeben, da er übermäßig professionell vorging. In ähnlicher Situation hätte er damals das Licht ausgeknipst, die Tür, um einer Falle zu entgehen, mit einer Pistole in der Hand beobachtet, bis der andere Mann eintraf. Inzwischen hielt er dieses Benehmen für ein Zeichen von Besessenheit und überließ es den Schauspielern in Fernsehfilmen. Komplizierte persönliche Vorsichtsmaßnahmen gehörten nicht mehr zu seinem Stil. Er hatte nicht einmal eine Pistole bei sich, um nicht aufzufallen, wenn sein Gepäck an Flugplätzen von Zollbeamten durchsucht wurde. Aber es gab Vorsichtsmaßnahmen und Vorsichtsmaßnahmen, Waffen und Waffen: Er hatte ein paar sorgfältig verborgene KGB-Geräte, darunter eine elektrische Zahnbürste, deren Summen Abhörgeräte ausschaltete, eine Miniatur-Polaroidkamera und eine Garotte aus Schnürsenkeln.

Rasch packte er seinen kleinen Koffer aus, der nur wenig enthielt: einen Rasierapparat, die Zahnbürste, zwei amerikanische bügelfreie

Hemden und etwas Unterwäsche. Er schenkte sich einen Drink aus der Zimmerbar ein – schottischer Whisky war einer der Vorzüge, wenn man im Ausland arbeitete. Nach genau zehn Minuten wurde an die Tür geklopft. Rostow öffnete sie, und Yasif Hassan kam herein.

Hassan lächelte breit. »Wie geht's?«

»Guten Tag«, sagte Rostow und schüttelte ihm die Hand.

»Es ist zwanzig Jahre her . . . Wie ist's Ihnen ergangen?«

»Ich hatte viel zu tun.«

»Daß wir uns nach so langer Zeit wiedertreffen, und dann noch Dicksteins wegen!«

»Ja. Setzen Sie sich. Lassen Sie uns über Dickstein reden.« Rostow ließ sich nieder, und Hassan folgte seinem Beispiel. »Bringen Sie mich auf den laufenden Stand. Sie entdeckten Dickstein, dann nahmen Ihre Leute am Flughafen von Nizza seine Spur auf. Was geschah danach?«

»Er nahm an der Besichtigung eines Atomkraftwerks teil und schüttelte dann die Verfolger ab«, sagte Hassan. »Wir haben ihn also wieder aus den Augen verloren.«

Rostow grunzte mißmutig. »Wir brauchen bessere Leistungen.«

Hassan lächelte. Wie ein Vertreter, dachte Rostow. »Wenn er nicht einmal merkte, daß er beschattet wird, und seine Beobachter nicht abschütteln könnte, wäre er wohl kaum ein Agent, um den wir uns Sorgen machen müßten.«

Rostow ignorierte den Einwurf. »Benutzte er ein Auto?«

»Ja. Er mietete sich einen Peugeot.«

»In Ordnung. Was wissen Sie über seine Schritte davor, das heißt, als er hier in Luxemburg war?«

Hassan übernahm Rostows geschäftsmäßige Art und sprach rasch. »Er wohnte eine Woche unter dem Namen Ed Rodgers im Alfa-Hotel. Als Adresse nannte er das Pariser Büro der Zeitschrift *Science International*. Diese Zeitschrift existiert tatsächlich. Sie hat auch eine Pariser Adresse, aber nur zum Nachsenden von Korrespondenz. Ein freier Journalist namens Ed Rodgers arbeitet für die Zeitschrift, doch er hat seit mehr als einem Jahr nichts von sich hören lassen.«

Rostow nickte. »Wie Sie vielleicht wissen, ist das eine typische Mossad-Tarnung. Kaum zu erschüttern. Sonst noch etwas?«

»Ja. Am Abend, bevor er abreiste, gab es einen Zwischenfall in der

Rue Dicks. Zwei Männer wurden übel zugerichtet. Es sah nach Profiarbeit aus – glatt gebrochene Knochen, Sie wissen schon, was ich meine. Die Polizei stellt keine Nachforschungen an, da die Männer als Diebe bekannt sind. Man glaubt, daß sie in der Nähe eines Nachtklubs für Homosexuelle auf der Lauer lagen.«

»Um die Schwulen auszurauben, wenn sie herauskamen?«

»Das muß ihre Absicht gewesen sein. Jedenfalls gibt es nichts, das Dickstein mit der Sache in Verbindung bringt, abgesehen davon, daß er dazu fähig wäre und zu dem Zeitpunkt hier war.«

»Das genügt für eine begründete Vermutung«, sagte Rostow. »Meinen Sie, daß Dickstein homosexuell ist?«

»Möglich, aber Kairo hat nichts Derartiges in seiner Akte. Er müßte also in all den Jahren sehr diskret gewesen sein.«

»Also zu diskret, um einen Schwulenklub zu besuchen, während er einen Auftrag ausführt. Ihr Argument ist damit widerlegt.«

Eine Spur von Ärger zeigte sich in Hassans Miene. »Und was meinen *Sie*?«

»Ich nehme an, daß er einen Informanten hatte, der schwul ist.« Rostow stand auf und begann im Zimmer auf und ab zu gehen. Es war richtig gewesen, Hassan gleich in die Schranken zu verweisen, aber er durfte nicht übertreiben. Es hatte keinen Zweck, den Mann zu verstimmen. Deshalb wollte er ihn jetzt etwas sanfter anfassen. »Lassen Sie uns spekulieren. Weshalb würde er ein Atomkraftwerk besichtigen?«

»Die Israelis stehen mit den Franzosen seit dem Sechstagekrieg auf schlechtem Fuß. De Gaulle hat die Waffenlieferungen eingestellt. Vielleicht plant der Mossad einen Racheakt – die Sprengung des Reaktors?«

Rostow schüttelte den Kopf. »Nicht einmal die Israelis sind so verantwortungslos. Außerdem, was hätte Dickstein dann in Luxemburg zu suchen?«

»Wer weiß?«

Der Russe setzte sich wieder. »Was gibt es hier in Luxemburg? Wieso ist es wichtig? Weshalb ist zum Beispiel Ihre Bank hier?«

»Es ist eine bedeutende europäische Hauptstadt. Meine Bank ist hier, weil die European Investment Bank in Luxemburg ihren Sitz hat. Aber es gibt auch mehrere Institutionen des Gemeinsamen Marktes – drüben auf dem Kirchberg steht ein Europazentrum.«

»Welche Institutionen?«

»Das Sekretariat des Europaparlaments, der Ministerrat und der Gerichtshof. Oh, und Euratom.«

Rostow starrte Hassan an. »Euratom?«

»Das steht für European Atomic Energy Community, aber jeder . . .«

»Ich weiß, was es ist«, unterbrach Rostow. »Sehen Sie die Verbindung nicht? Er kommt nach Luxemburg, wo die Euratom ihr Hauptquartier hat, und dann besichtigt er einen Atomreaktor.«

Hassan zog die Schultern hoch. »Eine interessante Hypothese. Was trinken Sie da?«

»Whisky. Bedienen Sie sich. Wenn ich mich recht erinnere, halfen die Franzosen den Israelis, ihren Atomreaktor zu bauen. Jetzt haben sie ihre Hilfe wahrscheinlich eingestellt. Dickstein könnte hinter wissenschaftlichen Geheimnissen her sein.«

Hassan goß sich ein Glas Whisky ein und nahm wieder Platz. »Wie werden wir vorgehen, Sie und ich? Ich habe Befehl, mit Ihnen zusammenzuarbeiten.«

»Meine Leute treffen heute abend ein«, sagte Rostow. Er dachte: Zusammenarbeiten, das könnte dir so passen – du befolgst meine Befehle. »Ich verwende immer dieselben beiden Männer – Nik Bunin und Pjotr Tyrin. Wir sind sehr gut aufeinander eingespielt. Sie wissen, wie ich operiere. Ich möchte, daß Sie mit ihnen arbeiten, daß Sie tun, was die beiden sagen. Sie können eine Menge lernen, es sind sehr gute Agenten.«

»Und meine Leute . . .«

»Wir werden sie nicht mehr benötigen«, erwiderte Rostow eilig. »Eine kleine Mannschaft ist am besten. Zuerst müssen wir sichergehen, daß wir Dickstein entdecken. Falls er nach Luxemburg zurückkehren sollte.«

»Ich habe Tag und Nacht einen Mann am Flughafen.«

»Daran wird er gedacht haben und nicht mit dem Flugzeug kommen. Wir müssen ein paar andere Möglichkeiten abdecken. Er könnte zur Euratom gehen . . .«

»Das Jean-Monnet-Gebäude, ja.«

»Wir können das Alfa-Hotel überwachen, indem wir den Empfangschef bestechen, aber er wird nicht noch einmal da wohnen. Und den Nachtklub in der Rue Dicks. Sie sagten, daß er sich einen Wagen mietete.«

»Ja, in Frankreich.«

»Er wird ihn inzwischen abgestoßen haben, denn er weiß, daß Sie die Nummer kennen. Ich möchte, daß Sie die Leihfirma anrufen und herausfinden, wo das Auto abgegeben wurde. So erfahren wir vielleicht die Richtung, die er eingeschlagen hat.«

»Wird gemacht.«

»Moskau hatte ein Funkbild von ihm durchgegeben. Unsere Leute werden in jeder Hauptstadt der Welt nach ihm Ausschau halten.«

Rostow trank aus. »Wir werden ihn fangen – so oder so.«

»Glauben Sie wirklich?«

»Ich habe mit ihm Schach gespielt und weiß, wie sein Geist arbeitet. Seine Eröffnungszüge sind reine Routine, durchschaubar. Aber dann tut er plötzlich etwas völlig Unerwartetes, meist etwas sehr Riskantes. Man muß darauf warten, daß er den Hals in die Schlinge steckt – und dann zuziehen.«

»Wenn ich mich nicht täusche, haben Sie die Schachpartie verloren.«

Rostow grinste raubtierhaft. »Ja, aber jetzt ist es kein Spiel mehr.«

*

Es gibt zwei Arten von Beschattern: Pflasterkünstler und Bulldoggen. Pflasterkünstler betrachten die Überwachung von Menschen als Fertigkeit höchsten Ranges, vergleichbar mit Schauspielerei oder Zellbiophysik oder Dichtkunst. Als Perfektionisten sind sie fähig, sich beinahe unsichtbar zu machen. Sie besitzen ganze Garderoben unauffälliger Kleidung, üben vor dem Spiegel, das Gesicht ausdruckslos werden zu lassen, kennen Dutzende von Tricks, bei denen sie sich Ladeneingänge, Busschlangen, Polizisten, Kinder, Brillen, Einkaufstaschen und Hecken zunutze machen. Sie verachten die Bulldoggen, die meinen, daß Beschattung nichts anderes als Verfolgung sei, und die sich an das Opfer hängen wie ein Hund an seinen Herrn.

Nik Bunin gehörte zu den Bulldoggen. Er war ein junger Schläger, der Typ, der, je nachdem, ob er Glück oder Pech hat, entweder Polizist oder Verbrecher wird. Das Glück hatte Nik zum KGB gebracht; sein Bruder dagegen zu Hause in Georgien war Rauschgifthändler, der Haschisch aus Tbilisi an die Moskauer Universität beförderte (wo es unter anderem auch von Rostows Sohn Jurij konsumiert wurde). Nik war offiziell Chauffeur, inoffiziell Leibwächter und dazu ein professioneller Raufbold. Er war es, der den Piraten schließlich entdeckte.

Nik war einen Meter achtzig groß und sehr breit. Er trug eine Lederjacke, hatte kurzes blondes Haar, wäßriggrüne Augen und war gehemmt, weil er sich mit fünfundzwanzig immer noch nicht regelmäßig zu rasieren brauchte.

In dem Nachtklub in der Rue Dicks wurde er für ungemein niedlich
gehalten.

Er kam um 19.30 Uhr herein, kurz nachdem der Klub geöffnet worden war, saß die ganze Nacht hindurch in derselben Ecke, trank mit
sentimentalem Behagen Wodka on the rocks und sah einfach zu. Jemand forderte ihn zum Tanzen auf, und er riet dem Mann in schlechtem Französisch, sich davonzumachen. Als er am zweiten Abend auftauchte, fragte man sich, ob er ein verlassener Liebhaber sei, der auf
eine Auseinandersetzung mit seinem Ehemaligen lauere. Mit seinen
breiten Schultern, der Lederjacke und der mürrischen Miene machte
er den Eindruck eines »rabiaten Kunden«.

Nik merkte nichts von diesen Unterströmungen. Ihm war das Foto
eines Mannes gezeigt worden, und er hatte den Befehl erhalten, den
Klub zu besuchen und nach diesem Mann Ausschau zu halten; also
prägte er sich das Gesicht ein, ging in den Klub und wartete. Für ihn
spielte es kaum eine Rolle, ob er es mit einem Bordell oder einer Ka-
thedrale zu tun hatte. Es gefiel ihm, wenn er gelegentlich Leute ver-
prügeln konnte, aber sonst brauchte er nichts als regelmäßige Bezahlung und zwei freie Tage in der Woche, die er seinen Hobbys – Wodka
und Malbücher – widmete.

Als Nat Dickstein den Nachtklub betrat, verspürte Nik keinerlei Erregung. Wenn er Erfolg hatte, schrieb Rostow es immer dem Um-
stand zu, daß er, Nik, sich genau an das gehalten hatte, was ihm befohlen worden war. Und im allgemeinen hatte er recht. Nik
beobachtete, wie Dickstein sich allein an einen Tisch setzte, etwas zu
trinken bestellte, bedient wurde und an einem Bier nippte. Es schien,
daß auch er auf jemanden wartete.

Nik ging zu dem Telefon im Vorraum und rief das Hotel an. Rostow
antwortete.

»Hier ist Nik. Unser Mann ist gerade gekommen.«

»Gut! Was macht er?«

»Er wartet.«

»Allein?«

»Ja.«

»Bleib bei ihm und melde dich, wenn er etwas unternimmt.«
»Klar.«
»Ich schicke Pjotr hin. Er wird draußen warten. Wenn unser Mann den Klub verläßt, folgst du ihm abwechselnd mit Pjotr. Der Araber schließt sich euch in einem Wagen an, weit dahinter. Es ist ein . . . einen Moment . . . ein grüner Volkswagen mit Heckklappe.«
»Verstanden.«
»Geh jetzt wieder hinein.«
Nik hängte den Hörer ein und kehrte zu seinem Tisch zurück. Während er den Klub durchquerte, sah er Dickstein nicht an.
Ein paar Minuten später kam ein elegant gekleideter, gutaussehender Mann von etwa vierzig Jahren in den Klub. Er blickte sich um, schritt an Dicksteins Tisch vorbei und trat an die Bar. Nik sah, daß Dickstein ein Stück Papier vom Tisch nahm und es sich in die Tasche schob. Alles spielte sich sehr diskret ab. Nur wer Dickstein bewußt beobachtete, konnte wissen, daß etwas geschehen war.
Nik ging wieder zum Telefon.
»Ein warmer Bruder ist reingekommen und hat ihm etwas gegeben – sah wie eine Karte aus«, meldete er Rostow.
»Eine Theaterkarte vielleicht?«
»Keine Ahnung.«
»Haben sie miteinander gesprochen?«
»Nein, der Schwule ließ die Karte einfach im Vorübergehen auf den Tisch fallen. Sie sahen sich nicht einmal an.«
»In Ordnung. Bleib dran. Pjotr müßte inzwischen draußen sein.«
»Eine Sekunde. Unser Mann ist gerade in den Vorraum gekommen. Warten Sie . . . er geht zum Tisch . . . er gibt die Karte ab. Das war es also, eine Garderobennummer.«
»Bleib am Apparat und sag mir, was passiert.«
Rostows Stimme war von tödlicher Ruhe.
»Der Bursche hinter dem Tresen reicht ihm eine Aktentasche und bekommt ein Trinkgeld . . .«
»Eine Übergabe. Gut.«
»Unser Mann verläßt den Klub.«
»Folge ihm.«
»Soll ich ihm die Aktentasche klauen?«
»Nein, ich möchte nicht, daß er auf uns aufmerksam wird, bis wir wissen, was er vorhat. Du mußt nur herausfinden, wohin er geht. Halte dich zurück. Los!«

Nik hängte ein. Er gab dem Garderobenmann ein paar Scheine. »Ich muß mich beeilen. Das reicht für meine Rechnung.« Dann stieg er die Treppe hinauf.

Es war ein heller Sommerabend. Viele Menschen waren unterwegs zu Restaurants und Kinos. Nik schaute nach links und rechts und entdeckte Dickstein auf der gegenüberliegenden Straßenseite, etwa fünfzig Meter vor sich. Er überquerte die Straße und folgte ihm.

Dickstein machte schnelle Schritte und blickte geradeaus; er trug die Aktentasche unter dem Arm. Nik stapfte für ein paar Häuserblocks hinter ihm her. Wenn Dickstein sich jetzt umschaute, würde er in einiger Entfernung hinter sich einen Mann sehen, der ebenfalls in dem Nachtklub gewesen war, und er würde sich fragen, ob man ihn beschattete. Dann tauchte Pjotr neben Nik auf, berührte seinen Arm und ging weiter. Nik ließ sich so weit zurückfallen, daß er nur noch Pjotr, nicht aber den Verfolgten ausmachen konnte. Wenn Dickstein nun hinter sich blickte, würde er Nik nicht sehen und Pjotr nicht erkennen. Es war sehr schwierig für den Beschatteten, bei dieser Art von Überwachung Verdacht zu schöpfen. Doch je länger ein Opfer verfolgt wurde, desto mehr Männer waren natürlich nötig, um einander regelmäßig abzulösen.

Nach einer weiteren halben Meile hielt der grüne Volkswagen am Bordstein neben Nik an. Yasif Hassan lehnte sich vom Fahrersitz herüber und öffnete die Tür. »Neue Befehle. Setzen Sie sich rein.«

Nik stieg in den Wagen, und Hassan steuerte zurück zu dem Nachtklub in der Rue Dicks.

»Gute Arbeit«, sagte Hassan.

Nik ignorierte die Bemerkung.

»Wir möchten, daß Sie in den Klub zurückkehren und dem Überbringer nach Hause folgen.«

»Hat Oberst Rostow das gesagt?«

»Ja.«

»In Ordnung.«

Hassan stoppte das Auto in der Nähe des Klubs. Nik ging hinein. Er blieb in der Tür stehen und musterte den Innenraum.

Der Überbringer war verschwunden.

*

Der Computerausdruck umfaßte mehr als hundert Seiten. Dickstein verlor den Mut, als er das ersehnte Bündel Papiere durchblätterte, für dessen Besitz er so schwer gearbeitet hatte. Nichts schien einen Sinn zu ergeben.

Er kehrte zu der ersten Seite zurück und betrachtete die Menge durcheinandergewürfelter Ziffern und Buchstaben von neuem. Konnte es sich um einen Code handeln? Nein, dieser Ausdruck wurde jeden Tag von den gewöhnlichen Büroangestellten der Euratom benutzt. Er mußte also leicht verständlich sein.

Dickstein konzentrierte sich. »U-234« – das war, wie er wußte, ein Uranisotop. Eine andere Gruppe von Buchstaben und Ziffern war »180KG« – einhundertachtzig Kilogramm. »17F68« mußte ein Datum sein, der 17. Februar dieses Jahres. Allmählich begannen die Zeilen des Computeralphabets ihre Bedeutung preiszugeben: Er fand Ortsnamen aus verschiedenen europäischen Ländern, Wörter wie »ZUG« und »LASTWAGEN« mit daneben eingefügten Entfernungen und Namen mit dem Zusatz »SA« oder »ING«, die auf Firmen hinwiesen. Schließlich wurde ihm das Schema der Eintragungen klar: Die erste Zeile gab Materialtyp und -menge an, die zweite Name und Adresse des Absenders und so weiter.

Seine Stimmung besserte sich. Er las mit wachsendem Verständnis und dem Gefühl, eine große Leistung vollbracht zu haben, weiter. Etwa sechzig Lieferungen waren aufgeführt. Es schien drei Haupttypen zu geben: riesige Mengen von rohem Uranerz, die aus den Minen in Südafrika, Kanada und Frankreich in die europäischen Veredelungsanlagen kamen; Brennstoffelemente, Oxyde, Uranmetall oder angereicherte Mischungen –, die von der Herstellung zu den Reaktoren transportiert wurden; und verbrauchter Reaktorbrennstoff, der zur Wiederaufbereitung oder Ablagerung gebracht wurde. Einige Lieferungen fielen aus dem Rahmen; sie betrafen meist Plutonium und Transuranelemente, die man aus verbrauchtem Brennstoff gewann und an Universitätslaboratorien und Forschungsinstitute sandte.

Dickstein schmerzte der Kopf, und seine Augen hatten sich getrübt, als er endlich fand, was er gesucht hatte. Auf der allerletzten Seite war eine Lieferung unter der Überschrift »NICHT-NUKLEAR« verzeichnet.

Der Physiker mit der geblümten Krawatte aus dem Weizmann-Institut hatte ihm in aller Kürze die nichtnuklearen Verwendungen von Uran und seinen Verbindungen erläutert: in der Fotografie, zum Färben, als Tönungsmittel für Glas und Keramik und als industrielle Katalysatoren. Natürlich verlor das Zeug sein Spaltungspotential nicht, wie alltäglich und unschuldig seine Benutzung auch sein mochte, so daß die Euratom-Vorschriften immer noch gültig waren. Dickstein hielt jedoch für wahrscheinlich, daß die Sicherheitsmaßnahmen in der normalen industriellen Chemie weniger streng sein würden.

Die Eintragung auf der letzten Seite bezog sich auf zweihundert Tonnen Yellow Cake oder rohes Uranoxyd. Sie lagen in Belgien in einer Metallveredelungsanlage nahe der holländischen Grenze; das Werk hatte eine Lizenz zur Lagerung spaltbaren Materials. Die Veredelungsanlage gehörte der Société Général de la Chimie, einer internationalen Bergbaugesellschaft mit dem Hauptquartier in Brüssel. SGC hatte den Yellow Cake an einen deutschen Konzern, F. A. Pedler aus Wiesbaden, verkauft. Pedler plante, es zur »Herstellung von Uranverbindungen, besonders Urankarbid, in kommerziellen Mengen« zu benutzen. Dickstein erinnerte sich, daß das Karbid ein Katalysator für die Produktion synthetischen Ammoniaks war.

Es schien jedoch, daß Pedler das Uran nicht selbst, jedenfalls nicht am Anfang, bearbeiten würde. Dicksteins Interesse erhöhte sich, als er las, daß der Konzern nicht um eine Lizenz für seine eigenen Werke in Wiesbaden, sondern statt dessen um die Erlaubnis nachgesucht hatte, den Yellow Cake zu Wasser nach Genua zu befördern. Dort sollte eine Firma namens Angeluzzi e Bianco ihn »nicht-nuklear aufbereiten«.

Zu Wasser! Die Schlußfolgerung wurde Dickstein sofort deutlich: Jemand anders würde die Ladung aus einem europäischen Hafen ausschiffen.

Er las weiter. Von der Veredelungsanlage der SGC würde das Material mit der Eisenbahn zu den Docks von Antwerpen gebracht werden. Dort würde man den Yellow Cake zur Beförderung nach Genua auf das Motorschiff *Coparelli* verladen. Für den kurzen Transport von dem italienischen Hafen bis zur Fabrik von Angeluzzi e Bianco würde man Lastwagen einsetzen.

Der Yellow Cake – der wie Sand aussieht, allerdings von stärkerem Gelb ist – sollte für die Reise in fünfhundertsechzig 200-Liter-Öltonnen mit schwer versiegelten Deckeln verpackt werden. Der Zug würde elf Waggons benötigen, das Schiff würde für diese Fahrt keine andere Fracht laden, und die Italiener würden die letzte Etappe mit sechs Lastwagen zurücklegen.

Es war die Seereise, die Dickstein in Erregung versetzte: durch den Englischen Kanal, über den Golf von Biskaya, an der Atlantikküste von Spanien entlang, durch die Straße von Gibraltar und über eintausend Meilen des Mittelmeers hinweg.

Bei einer solchen Entfernung konnte eine Menge schiefgehen.

Reisen über Land waren unkompliziert und leicht zu kontrollieren: Ein Zug fuhr heute am Mittag ab und kam am nächsten Morgen um 8.30 Uhr an; ein Lastwagen befuhr Straßen, auf denen immer auch andere Fahrzeuge, darunter Polizeiautos, unterwegs waren. Ein Flugzeug hatte ständig Kontakt mit irgend jemandem auf dem Boden. Aber das Meer war undurchschaubar, besaß seine eigenen Gesetze – eine Reise konnte zehn oder zwanzig Tage dauern, man mußte mit Stürmen, Kollisionen, Maschinenschäden, ungeplanten Anlaufhäfen und plötzlichen Richtungsänderungen rechnen. Wenn man ein Flugzeug entführte, erfuhr es die ganze Welt eine Stunde später durch das Fernsehen; von einem gekaperten Schiff würde die Öffentlichkeit tage- oder wochenlang, vielleicht auch nie erfahren.

Das Meer war der unvermeidliche Aktionsraum für den »Piraten«!

Dickstein überlegte mit wachsender Begeisterung und dem Gefühl, daß die Lösung seines Problems greifbar nahe war. Die *Coparelli* mußte entführt werden ... Und dann? Dann konnte man die Fracht auf das Piratenschiff umladen. Die *Coparelli* hatte wahrscheinlich ihre eigenen Ladebäume. Aber ein solches Manöver konnte auf See riskant sein. Dickstein suchte auf dem Computerausdruck nach dem geplanten Reisedatum: November. Das war schlecht. Es könnte Stürme geben – diese Möglichkeit bestand im November sogar auf dem Mittelmeer. Also? Sollte man die *Coparelli* übernehmen und mit ihr nach Haifa fahren? Es würde schwer gehen, mit einem gestohlenen Schiff unbemerkt anzulegen – sogar in Israel mit seiner starken Abschirmung.

Er warf einen Blick auf seine Armbanduhr. Es war nach Mitternacht. Dickstein begann sich zu entkleiden. Er mußte mehr über die *Coparelli* erfahren: ihre Tonnage, wie viele Besatzungsmitglieder sie hatte, wo sie sich gegenwärtig aufhielt, wem sie gehörte und, wenn möglich, ihren Grundriß. Morgen würde er nach London reisen. Bei

Lloyd's in London konnte man jede Information über Schiffe bekommen.

Es gab noch etwas, was er wissen mußte: Wer verfolgte ihn in Europa? In Frankreich war es eine große Gruppe gewesen. Heute abend, als er den Nachtklub in der Rue Dicks verlassen hatte, war ein brutales Gesicht hinter ihm aufgetaucht. Er hatte den Verdacht, beschattet zu werden, aber das Gesicht war verschwunden – Zufall oder wieder eine große Mannschaft? Es hing davon ab, ob Hassan zum »Geschäft« gehörte. Auch danach konnte er sich in England erkundigen.

Er überlegte, wie er reisen sollte. Wenn jemand heute abend seine Spur aufgenommen hatte, mußte er sich morgen in acht nehmen. Selbst wenn das brutale Gesicht nichts zu bedeuten hatte, mußte Dickstein sichergehen, daß er am Luxemburger Flughafen nicht entdeckt wurde.

Er hob den Telefonhörer und wählte den Empfang, als der Angestellte antwortete, sagte er: »Wecken Sie mich um 6.30 Uhr, bitte.«

»Sehr gern, mein Herr.«

Dickstein legte den Hörer auf und schlüpfte ins Bett. Endlich hatte er ein genaues Ziel: die *Coparelli*. Noch besaß er keinen Plan, aber er wußte ungefähr, was zu tun war. Welche Schwierigkeiten sich auch ergeben mochten, die Kombination einer nicht-nuklearen Lieferung und einer Seereise war unwiderstehlich.

Er knipste das Licht aus, schloß die Augen und dachte: Was für ein guter Tag.

*

David Rostow war nach Yasif Hassans Meinung immer ein arroganter Scheißkerl gewesen, und er hatte sich im Laufe der Jahre nicht gebessert. Mit überheblichem Lächeln sagte er Sätze wie: »Was Ihnen wahrscheinlich nicht klar ist . . .« – »Wir werden ihre Leute nicht mehr benötigen, eine kleine Mannschaft ist am besten« – »Sie können im Auto hinterher fahren und außer Sicht bleiben«. Und schließlich auch noch: »Passen Sie auf das Telefon auf, während ich in die Botschaft gehe.«

Hassan war bereit gewesen, unter Rostow als einer von dessen Mannschaft zu arbeiten, aber wie es schien, war sein Status noch niedriger. Er faßte es, milde ausgedrückt, als Beleidigung auf, tiefer als ein Mann wie Nik Bunin eingestuft zu werden.

Das Problem war, daß einiges für Rostow sprach. Nicht, daß die Russen klüger gewesen wären als die Araber, aber das KGB war zweifellos eine größere, reichere, mächtigere und professionellere Organisation als der ägyptische Geheimdienst.

Hassan blieb nichts anderes übrig, als Rostows Behandlung hinzunehmen, ob berechtigt oder nicht. Kairo war hocherfreut darüber, daß das KGB einen der größten Feinde der arabischen Welt jagte. Wenn Hassan sich beschwerte, würde wahrscheinlich er und nicht Rostow abgezogen werden.

Aber Rostow sollte nicht vergessen, dachte Hassan, daß die Araber Dickstein zuerst entdeckt hatten. Ohne diese ursprüngliche Leistung würde es überhaupt keine Nachforschungen geben.

Trotzdem wollte er Rostows Respekt erringen, damit der Russe sich ihm anvertraute, Entwicklungen mit ihm diskutierte, ihn um seine Meinung fragte. Er würde Rostow beweisen müssen, daß er zuverlässiger war und ein Profi, der Nik Bunin und Pjotr Tyrin nicht im geringsten nachstand.

Das Telefon klingelte. Hassan griff hastig nach dem Hörer. »Hallo?«

»Ist der andere da?« Es war Tyrins Stimme.

»Er ist nicht da. Was ist los?«

Tyrin zögerte. »Wann kommt er zurück?«

»Ich weiß nicht«, log Hassan. »Machen Sie mir Meldung.«

»Also gut. Unser Kunde ist in Zürich aus dem Zug gestiegen.«

»Zürich? Weiter.«

»Er nahm ein Taxi zu einer Bank, wo er den Tresorraum betrat. Diese Bank hat Schließfächer. Er kam heraus und trug eine Aktentasche.«

»Und dann?«

»Er ging zu einem Autohändler am Rande der Stadt und kaufte einen gebrauchten Jaguar. Das Bargeld entnahm er der Aktentasche.«

»Ich verstehe.« Hassan glaubte zu wissen, was nun kommen würde.

»Er fuhr mit dem Wagen aus Zürich hinaus auf die Autobahn E17 und erhöhte seine Geschwindigkeit auf einhundertvierzig Meilen pro Stunde.«

»Und Sie haben ihn aus den Augen verloren«, sagte Hassan gleichermaßen schadenfroh und besorgt.

»Wir hatten ein Taxi und einen Botschaftsmercedes.«

Hassan stellte sich die Straßenkarte Europas vor. »Er könnte ein beliebiges Ziel in Frankreich, Spanien, Deutschland oder Skandinavien haben . . . Es sei denn, daß er wendet. Dann kämen Italien und Österreich in Frage . . . Er ist also verschwunden. Kehren Sie zum Hauptquartier zurück.«

Das große KGB ist also doch nicht unbesiegbar, dachte er. So sehr es ihm gefiel, das Kollektiv scheitern zu sehen, so sehr wurde seine Schadenfreude von der Furcht überschattet, daß sie Dickstein für immer aus den Augen verloren hatten. Er überlegte immer noch, was als nächstes zu unternehmen sei, als Rostow zurückkam.

»Was Neues?« fragte der Russe.

»Ihre Leute haben Dickstein verloren«, sagte Hassan.

Rostows Miene verfinsterte sich. »Wie?«

Hassan erklärte es ihm.

»Und was tun sie jetzt?«

»Ich schlug ihnen vor zurückzufahren.«

Rostow grunzte.

»Ich habe darüber nachgedacht, was wir als nächstes tun sollen.«

»Wir müssen Dickstein wiederfinden.« Rostow hantierte in seiner Aktentasche und schien geistesabwesend.

»Ja, aber davon abgesehen.«

Rostow drehte sich um. »Kommen Sie zur Sache.«

»Ich meine, wir sollten uns den Überbringer schnappen und ihn fragen, was er Dickstein geliefert hat.«

Der Russe stand still und überlegte. »Ja«, sagte er nachdenklich.

Hassan freute sich. »Wir müssen ihn ausfindig machen . . .«

»Das dürfte nicht schwer sein. Wenn wir den Nachtklub, den Flughafen, das Alfa-Hotel und das Jean-Monnet-Gebäude ein paar Tage lang beobachten . . .«

Hassan musterte Rostow, seine große, hagere Gestalt, sein leidenschaftsloses, undurchdringliches Gesicht mit der hohen Stirn und dem kurzgeschnittenen ergrauenden Haar. Ich habe recht, triumphierte Hassan, und er muß es zugeben.

»Sie haben recht«, sagte Rostow. »Das hätte ich nicht übersehen dürfen.«

Hassan spürte das Gefühl des Stolzes heiß in sich aufsteigen und dachte: Vielleicht ist er doch nicht so ein Scheißkerl.

Oxford hatte sich nicht so sehr verändert wie die Menschen. Die Stadt hatte sich gewandelt, wie erwartet: Sie war größer, die Autos und Läden waren zahlreicher und prunkhafter und die Straßen stärker bevölkert. Aber das hervorstechende Merkmal war immer noch der cremefarbene Stein der College-Gebäude, durch deren Bögen man einen gelegentlichen Blick auf den erstaunlich grünen Rasen eines viereckigen Hofes erhaschen konnte. Dickstein bemerkte auch das seltsam bleiche englische Licht, das einen solchen Kontrast zu dem metallischen Gleißen der israelischen Sonne bot. Natürlich war es nie anders gewesen, aber als Einheimischem war es ihm nicht aufgefallen. Die Studenten schienen jedoch einer völlig neuen Rasse anzugehören. Im Nahen Osten und in ganz Europa hatte Dickstein Männer gesehen, die sich das Haar über die Ohren wachsen ließen, mit orangefarbenen und hellroten Halstüchern, mit unten weit ausladenden Hosen und hochhackigen Schuhen. Er hatte zwar nicht erwartet, daß die Männer hier so angezogen sein würden wie 1948 – mit Tweedjakken und Cordhosen, Oxfordhemden und getupften Krawatten von Hall's. Trotzdem war er auf dieses Bild nicht vorbereitet gewesen. Viele von ihnen gingen barfuß oder trugen seltsame offene Sandalen ohne Socken. Männer und Frauen hatten Hosen an, deren Enge Dickstein vulgär erschien. Nachdem er mehrere Frauen beobachtet hatte, deren Brüste unter losen, farbenprächtigen Hemden hüpften, schloß er, daß Büstenhalter aus der Mode gekommen waren. Es gab eine Menge blauen Jeansstoff – nicht nur Hosen, sondern auch Hemden, Jacken, Röcke und sogar Mäntel. Und das Haar! Dies schockierte ihn wirklich. Die Männer ließen es sich nicht nur über die Ohren, sondern manchmal bis halb über den Rücken wachsen. Er sah zwei Burschen mit Zöpfen. Andere, Männer und Frauen, ließen ihr Haar in einem Gewirr von Locken nach oben und zur Seite wachsen, so daß es aussah, als äugten sie durch ein Loch in der Hecke. Da dies offenbar für einige nicht ausgefallen genug war, hatten sie sich zusätzlich mit Jesusbärten, mexikanischen Schnurrbärten oder baumelnden Koteletten geschmückt. Sie hätten vom Mars stammen können.

Er ging voll Staunen durch das Stadtzentrum und hielt auf die Vororte zu. Es war zwanzig Jahre her, daß er diesen Weg gegangen war, aber er kannte sich noch aus. Kleinigkeiten aus seiner Studentenzeit fielen ihm ein: die Entdeckung von Louis Armstrongs verblüffendem Kornettspiel; die Art, wie er sich insgeheim seines Cockneyakzents geschämt hatte; die Frage, warum alle außer ihm sich so gern betranken; die Tatsache, daß er Bücher schneller entliehen hatte, als er sie lesen konnte, so daß der Stoß auf dem Tisch in seinem Zimmer immer höher geworden war.

Ob die Jahre ihn verändert hatten? Nicht sehr. Damals war er ein verängstigter Mann gewesen, der eine Festung suchte. Nun war Israel seine Festung, aber statt sich dort verstecken zu können, mußte er es verlassen und für seine Verteidigung kämpfen. Damals wie heute war er ein halbherziger Sozialist gewesen, der wußte, daß die Gesellschaft ungerecht war, der aber nicht sicher war, wie sie verbessert werden könnte. Er war älter geworden und hatte mehr Fertigkeiten, aber nicht mehr Weisheit erworben. Ihm schien sogar, daß er mehr wußte und weniger verstand.

Aber jetzt war er irgendwie glücklicher. Er wußte, wer er war und was er zu tun hatte; er hatte herausgefunden, welchen Zweck das Leben hatte, und gemerkt, daß er ihm gewachsen war; obwohl seine Ansichten sich seit 1948 kaum verändert hatten, war er nun überzeugter von ihnen. Doch der junge Dickstein hatte sich gewisse andere Arten des Glücks erhofft, die ihm bisher nicht beschieden gewesen waren; im Laufe der Jahre war die Möglichkeit immer geringer geworden. Dieser Ort erinnerte ihn unbehaglich an all diese Dinge. Vor allem dieses Haus.

Dickstein stand davor und betrachtete es. Es war das gleiche geblieben: Immer noch war es grün und weiß bemalt, immer noch ähnelte sein Vorgarten einem Dschungel. Er öffnete die Pforte, schritt über den Pfad zur Tür und klopfte an.

Dies war keine rationelle Methode. Ashford könnte fortgezogen, gestorben oder einfach auf Urlaub sein. Dickstein hätte vielleicht die Universität anrufen sollen, um sich zu vergewissern. Aber wenn die

Nachforschung unauffällig und diskret sein sollte, war es nötig, das Risiko unnötigen Zeitaufwands auf sich zu nehmen. Außerdem hatte er sich darauf gefreut, das alte Haus nach so vielen Jahren wiederzusehen.

Die Tür öffnete sich, und eine Frau sagte: »Ja?«

Ein Kälteschauer durchfuhr Dickstein. Sein Unterkiefer senkte sich. Er taumelte leicht und stützte sich mit einer Hand gegen die Mauer. Falten des Erstaunens durchfurchten seine Stirn.

Sie war es wirklich, und sie war immer noch 25 Jahre alt.

Mit ungläubiger Stimme murmelte Dickstein: »Eila . . .?«

*

Sie starrte den sonderbaren kleinen Mann auf der Schwelle an. Mit seiner runden Brille, dem alten, grauen Anzug und dem borstigen, kurzen Haar sah er wie ein Universitätsdozent aus. Ihm schien nichts gefehlt zu haben, als sie die Tür öffnete, aber sobald er die Augen auf sie gerichtet hatte, war er grau im Gesicht geworden.

Etwas Ähnliches war ihr schon einmal passiert, während sie die High Street hinunterging. Ein netter alter Herr hatte sie gemustert, den Hut gelüftet, sie angehalten und gesagt: »Entschuldigen Sie, ich weiß, daß wir einander nicht vorgestellt wurden, aber . . .«

Hier handelte es sich offensichtlich um das gleiche Phänomen. Deshalb erklärte sie: »Ich bin nicht Eila, sondern Suza.«

»Suza!« wiederholte der Fremde.

»Man sagt, daß ich genauso aussehe wie meine Mutter, als sie in meinem Alter war. Sie kannten sie offenbar. Wollen Sie hereinkommen?«

Der Mann blieb stehen, wo er war. Er schien sich von seiner Überraschung zu erholen, aber er war immer noch bleich. »Ich bin Nat Dickstein«, sagte er mit einem schwachen Lächeln.

»Sehr angenehm. Wollen Sie nicht . . .« Dann wurde sie sich des Namens bewußt, den er genannt hatte. Nun war sie an der Reihe, überrascht zu sein. »Mister Dickstein!« Ihre Stimme hob sich so sehr, daß sie beinahe schrill klang. Sie warf die Arme um seinen Hals und küßte ihn.

»Sie erinnern sich also an mich«, meinte er, als sie ihn losgelassen hatte. Er wirkte erfreut und verlegen.

»Natürlich! Sie haben Hezekiah immer gestreichelt. Außer Ihnen konnte niemand verstehen, was er sagte.«

Er lächelte wieder so wie vorher. »Hezekiah, der Kater . . . Ich hatte ihn ganz vergessen.«

»Aber kommen Sie doch herein!«

Er trat an ihr vorbei ins Haus, und sie schloß die Tür. Dann nahm sie seinen Arm und führte ihn durch den quadratischen Flur. »Wunderbar, daß Sie hier sind. Gehen wir in die Küche. Ich habe gerade in der Küche herumgemurkst, um einen Kuchen zu backen.«

Sie schob ihm einen Hocker hin. Er setzte sich, blickte sich langsam um und nickte leicht, als er den alten Küchentisch, den Kamin und die Aussicht durch das Fenster wiedererkannte.

»Lassen Sie uns Kaffee trinken«, schlug Suza vor. »Oder würden Sie Tee vorziehen?«

»Kaffee, bitte. Vielen Dank.«

»Ich nehme an, daß Sie Daddy sehen wollen. Er unterrichtet heute morgen, aber er kommt bald zum Lunch.« Sie schüttete Kaffeebohnen in eine Handmühle.

»Und Ihre Mutter?«

»Sie starb vor vierzehn Jahren. Krebs.« Suza schaute ihn an und erwartete das automatische »Tut mir leid«. Die Worte blieben aus, aber der Gedanke zeichnete sich in seiner Miene ab. Aus irgendeinem Grunde mochte sie ihn deshalb lieber. Sie mahlte die Bohnen, und der Lärm überbrückte das Schweigen.

Als sie fertig war, sagte Dickstein: »Professor Ashford unterrichtet also noch . . . Ich habe gerade versucht, mir sein Alter auszurechnen.«

»Fünfundsechzig. Er gibt nicht mehr viele Stunden.« Fünfundsechzig klang uralt, aber ihr Vater schien nicht alt. Sein Geist war immer noch messerscharf. Sie überlegte, wovon Dickstein leben mochte. »Sind Sie nicht nach Palästina ausgewandert?«

»Nach Israel. Ich lebe in einem Kibbuz. Dort baue ich Trauben an und mache Wein.«

Israel. In diesem Haus wurde es immer Palästina genannt. Wie würde ihr Vater auf diesen alten Freund reagieren, der nun alles das repräsentierte, was er ablehnte? Suza kannte die Antwort: Es würde keine Rolle spielen, denn ihr Vater theoretisierte nur, er trieb keine praktische Politik. Sie fragte sich, warum Dickstein gekommen war. »Haben Sie Urlaub?«

»Ich bin geschäftlich hier. Wir meinen, daß unser Wein jetzt gut genug ist, um nach Europa exportiert zu werden.«

»Wie schön. Und Sie verkaufen ihn?«

»Ich mache Möglichkeiten ausfindig. Erzählen Sie von sich selbst. Ich wette, daß Sie kein Professor sind.«

Die Bemerkung verärgerte sie ein wenig, und sie wußte, daß sie unterhalb der Ohren leicht errötet war. Sie wollte nicht, daß dieser Mann sie für nicht klug genug hielt, um an einer Universität zu lehren. »Wie kommen Sie darauf?« fragte sie kühl.

»Sie sind so . . . herzlich.« Dickstein wandte den Blick ab, als habe er seine Wortwahl sofort bedauert. »Und Sie sind auch viel zu jung.« Sie hatte ihn falsch eingeschätzt. Es war nicht herablassend gewesen. »Ich habe das Gefühl meines Vaters für Sprachen, aber nicht seine akademische Einstellung. Deshalb bin ich Stewardeß.« Stimmte es wirklich, daß sie keine akademische Einstellung hatte, daß sie nicht intellektuell genug war, um zu unterrichten? Suza goß kochendes Wasser durch einen Filter, und das Aroma von Kaffee füllte das Zimmer. Sie wußte nicht, was sie als nächstes sagen sollte. Dickstein war tief in Gedanken versunken und starrte sie offen an. Seine Augen waren groß und dunkelbraun. Plötzlich fühlte sie Schüchternheit, was höchst ungewöhnlich war. Sie verriet es ihm.

»Schüchtern? Das liegt daran, daß ich Sie angesehen habe, als wären Sie ein Gemälde oder so. Ich versuche mich an die Tatsache zu gewöhnen, daß Sie nicht Eila, sondern das kleine Mädchen mit dem alten grauen Kater sind.«

»Hezekiah ist eingegangen. Es muß bald nach Ihrer Abreise gewesen sein.«

»Vieles hat sich verändert.«

»Waren Sie ein guter Freund meiner Eltern?«

»Ich war einer der Studenten Ihres Vaters, und ich bewunderte Ihre Mutter aus der Ferne. Eila . . .« Wieder blickte er zur Seite, als wolle er vorgeben, daß ein anderer redete. »Sie war nicht nur schön – sie war *eindrucksvoll*.«

Suza blickte ihm ins Gesicht. Sie dachte: Du hast sie geliebt. Der Gedanke kam unerwartet, intuitiv, und sie hatte sofort den Verdacht, sich getäuscht zu haben. Immerhin würde es die Stärke seiner Reaktion erklären, als sie ihm die Tür geöffnet hatte. »Meine Mutter gehörte zu den ersten Hippies – wußten Sie das?«

»Was meinen Sie damit?«

»Sie wollte frei sein. Deshalb rebellierte sie gegen die Beschränkungen, die arabischen Frauen auferlegt werden, obwohl sie aus einer wohlhabenden, liberalen Familie stammte. Sie heiratete meinen Vater, um dem Nahen Osten zu entkommen. Natürlich merkte sie, daß die westliche Gesellschaft ihre eigenen Methoden hat, um Frauen zu unterdrücken. Also machte sie sich daran, die meisten Konventionen zu brechen.«

Suza erinnerte sich wieder daran, wie sie gemerkt hatte, daß ihre Mutter Liebhaber hatte; damals war sie gerade selbst zur Frau geworden und begann zu ahnen, was Leidenschaft bedeutete. Natürlich war sie schockiert gewesen, aber dieses Gefühl blieb jetzt, da sie jene Zeit in ihr Bewußtsein zurückholte, aus.

»Deshalb war sie ein Hippie?« fragte Dickstein.

»Hippies glauben an freie Liebe.«

»Ich verstehe.«

Seine Reaktion *darauf* zeigte ihr, daß Nat Dickstein nicht ein Liebhaber ihrer Mutter gewesen war. Das machte sie ohne jeden Grund traurig. »Erzählen Sie mir von Ihren Eltern.« Sie sprach mit ihm, als wären sie gleichaltrig.

»Nur, wenn Sie den Kaffee eingießen.«

Sie lachte. »Ich hab's ganz vergessen.«

»Mein Vater war Schuster«, begann Dickstein. »Er konnte Schuhe flicken, aber er verstand nicht viel vom Geschäft. Trotzdem, die dreißiger Jahre waren eine gute Zeit für die Schuster im Osten von London. Die Leute konnten sich keine neuen Stiefel leisten und ließen ihre alten Jahr um Jahr von neuem flicken. Wir waren nie reich, aber wir hatten ein bißchen mehr Geld als die meisten Menschen in unserer Umgebung. Natürlich übte die Familie einigen Druck auf meinen Vater aus, damit er das Geschäft erweitere, einen zweiten Laden aufmache, Leute einstelle.«

Suza reichte ihm seinen Kaffee. »Milch, Zucker?«

»Zucker, keine Milch. Danke.«

»Erzählen Sie weiter.« Es war eine andere Welt – eine, von der sie nichts wußte. Sie war nie auf den Gedanken gekommen, daß es einem Schuster in einer Depression gutgehen könnte.

»Die Lederhändler hielten meinen Vater für einen unangenehmen Burschen. Sie konnten ihm immer nur das Beste verkaufen. Wenn einer zweitklassiges Leder hatte, sagte man ihm: ›Biete es Dickstein gar nicht erst an, er schickt es sofort zurück.‹ Das habe ich jedenfalls gehört.«

Er lächelte wieder versonnen.

»Lebt er noch?«

»Er starb vor dem Krieg. Grämte sich zu Tode.«

»Warum?«

»Nun, die dreißiger Jahre waren die faschistischen Jahre in London. Jeden Abend wurden Freiluftveranstaltungen abgehalten. Die Sprecher redeten davon, daß die Juden den arbeitenden Menschen auf der ganzen Welt das Blut aussaugten. Die Organisatoren und Sprecher waren respektable Leute der Mittelklasse, aber die Menge bestand aus arbeitslosen Rowdys. Nach den Veranstaltungen marschierten sie durch die Straßen, warfen Scheiben ein und schlugen Passanten zusammen. Unser Haus war die vollendete Zielscheibe für sie. Wir waren Juden, mein Vater hatte ein Geschäft und war deshalb ein Blutsauger. Und genau wie ihre Propaganda behauptete, ging es uns etwas besser als den anderen in unserer Nähe.«

Er unterbrach sich und starrte vor sich hin. Suza wartete darauf, daß er fortfahre. Während er die Geschichte erzählte, schien er sich zusammenzukauern – er hatte die Beine fest gekreuzt, die Arme um den Körper gelegt und den Rücken hochgezogen. Auf dem Küchenhocker, mit seinem schlechtsitzenden Anzug, dessen grauer Stoff für einen Büroangestellten getaugt hätte, mit seinen in alle Richtungen zeigenden Ellbogen, Knien und Schultern erinnerte er an ein Bündel Stöcke in einem Sack.

»Wir wohnten über dem Laden. Jede Nacht lag ich wach und wartete darauf, daß sie vorbeikämen. Ich war außer mir vor Angst, hauptsächlich weil ich wußte, daß mein Vater so eingeschüchtert war. Manchmal taten sie nichts, sondern marschierten nur vorbei. Gewöhnlich brüllten sie irgendwelche Parolen. Oft, sehr oft, schmissen sie die Fenster ein. Ein-, zweimal brachen sie in den Laden ein und zertrümmerten alles. Ich dachte, daß sie die Treppe heraufkommen würden. Weinend schob ich den Kopf unter das Kissen und verfluchte Gott, weil er mich zu einem Juden gemacht hatte.«

»Unternahm die Polizei nie etwas?«

»Sie tat, was sie konnte. Wenn sie in der Nähe war, schritt sie ein. Aber sie war damals sehr beschäftigt. Die Kommunisten waren die einzigen, die sich mit uns zur Wehr setzen wollten, und mein Vater verzichtete auf ihre Hilfe. Alle politischen Parteien waren natürlich gegen die Faschisten, aber nur die Roten gaben Axtstiele und Stemmeisen aus und bauten Barrikaden. Ich versuchte, in die Kommunistische Partei einzutreten, doch sie lehnten mich ab – als zu jung.«

»Und Ihr Vater?«

»Er verlor einfach den Mut. Nachdem der Laden zum zweitenmal ruiniert war, hatte er kein Geld mehr, um ihn reparieren zu lassen. Es schien, daß ihm die Energie fehlte, um woanders wieder von vorn anzufangen. Er bezog Arbeitslosenunterstützung und siechte nur noch dahin. 1938 starb er.«

»Und Sie?«

»Ich wurde rasch erwachsen. Sobald ich alt genug aussah, schloß ich mich der Armee an. Wurde früh gefangengenommen, kam nach dem Krieg nach Oxford, ließ das Studium sausen und ging nach Israel.«

»Haben Sie dort eine Familie?«

»Der ganze Kibbuz ist meine Familie . . . aber ich habe nie geheiratet.«

»Meiner Mutter wegen?«

»Vielleicht – zum Teil. Sie sind sehr direkt.«

Suza spürte wieder ein schwaches Brennen unter den Ohren. Es war eine sehr intime Frage an jemanden gewesen, der praktisch ein Fremder war. Doch sie hatte sich ganz natürlich ergeben. »Entschuldigen Sie.«

»Sie brauchen sich nicht zu entschuldigen. Ich spreche nur selten über diese Dinge. Eigentlich ist diese ganze Reise – wie soll ich sagen? – von der Vergangenheit umwittert.«

»Das klingt nach Schwermut.«

Dickstein zuckte die Achseln.

Sie schwiegen. Ich mag diesen Mann, dachte Suza. Mir gefallen seine Worte und sein Schweigen, seine großen Augen, sein alter Anzug und seine Erinnerungen. Ich hoffe, daß er eine Weile bleibt.

Sie nahm die gebrauchten Kaffeetassen und öffnete die Geschirrspülmaschine. Ein Löffel rutschte von einer Untertasse und glitt unter die große alte Tiefkühltruhe. »Verdammt«, sagte Suza ärgerlich.

Dickstein kniete sich hin und spähte unter die Truhe.

»Jetzt bleibt er für immer da unten. Das Ding ist so schwer, daß man es nicht bewegen kann.«

Dickstein hob ein Ende der Tiefkühltruhe mit der rechten Hand an und griff mit der linken darunter. Er ließ die Truhe nieder, stand auf und reichte Suza den Löffel.

Sie musterte ihn verblüfft. »Was sind Sie – Captain America? Das Ding ist wirklich schwer.«

»Ich arbeite auf den Feldern. Wieso kennen Sie Captain America? In meiner Jugend waren alle wild auf ihn.«

»Jetzt auch noch. Die Bilder in diesen Comics sind phantastisch.«

»Wir mußten sie heimlich lesen, weil sie Schund waren.«

Sie lächelte. »Arbeiten Sie wirklich auf den Feldern?« Er sah aus wie ein Angestellter, nicht wie ein Landarbeiter.

»Natürlich.«

»Ein Weinverkäufer, der sich in den Weingärten tatsächlich die Finger schmutzig macht. Das ist ungewöhnlich.«

»Nicht in Israel. Wir sind ein wenig . . . besessen, nehme ich an . . . was den Boden betrifft.«

Suza blickte auf ihre Armbanduhr. »Daddy müßte jeden Moment zu Hause sein. Sie werden doch mit uns essen?«

»Das wäre wunderbar.«

Sie schnitt ein französisches Brot in Scheiben und begann Salat anzurichten. Dickstein erbot sich, das Gemüse zu waschen, und sie gab ihm eine Schürze. Nach einer Weile ertappte sie ihn dabei, daß er sie wieder lächelnd beobachtete. »Woran denken Sie?«

»Mir fiel etwas ein, was Ihnen peinlich sein könnte.«

»Sagen Sie mir's trotzdem.«

»Eines Abends kam ich gegen sechs hierher. Ihre Mutter war nicht da. Ich wollte mir ein Buch von ihrem Vater borgen. Sie saßen in der Badewanne. Ihr Vater wurde aus Frankreich angerufen – ich weiß nicht mehr, weshalb. Während er telefonierte, fingen Sie an zu weinen. Ich ging nach oben, holte Sie aus der Wanne, trocknete Sie ab und zog Ihnen Ihr Nachthemd an. Sie müssen vier oder fünf Jahre alt gewesen sein.«

Suza lachte. In einer plötzlichen Vision sah sie Dickstein in einem dampfigen Badezimmer, wie er sich bückte und sie mühelos aus dem warmen, mit Seifenblasen bedeckten Wasser hob. Aber in der Vision war sie kein Kind, sondern eine erwachsene Frau mit nassen Brüsten und Seifenschaum auf den Schenkeln; seine Hände waren stark und fest, während er sie an sich zog. Dann öffnete sich die Küchentür, und ihr Vater kam herein. Der Traum löste sich auf und hinterließ nur ein Gefühl der Verwirrung und eine Spur von Schuldbewußtsein.

*

Nat Dickstein schien, daß Professor Ashford sich im Alter gut gehalten hatte. Abgesehen von einem Mönchskranz weißer Haare, war er jetzt vollkommen kahlköpfig. Er hatte ein wenig zugenommen, und seine Bewegungen waren bedächtiger, aber in seinen Augen glänzte immer noch der Funken intellektueller Neugier.

»Ein überraschender Gast, Daddy«, sagte Suza.

Ashford sah ihn an und begrüßte ihn, ohne zu zögern: »Der junge Dickstein! Ha, so was! Willkommen, mein Lieber.«

Dickstein schüttelte ihm kräftig die Hand. »Wie geht es Ihnen, Herr Professor?«

»Prächtig, mein Junge. Besonders wenn meine Tochter hier ist und sich um mich kümmert. Sie erinnern sich noch an Suza?«

»Wir haben den ganzen Morgen in Erinnerungen geschwelgt.«

»Wie ich sehe, hat Sie Ihnen schon eine Schürze umgebunden. Das ist ein Schnellschuß, sogar für sie. Ich habe ihr schon oft gesagt, daß sie so nie einen Mann kriegt. Binden Sie das Ding ab, mein Junge, und lassen Sie uns etwas trinken.«

Dickstein grinste Suza bedauernd zu und folgte Ashford in den Salon.

»Sherry?«

»Danke, einen kleinen, bitte.«

Dickstein fiel plötzlich ein, daß er aus einem bestimmten Grund hier war. Er mußte Informationen aus Ashford herausholen, ohne daß der alte Mann etwas merkte. Zwei Stunden lang war er sozusagen außer Dienst gewesen, nun mußte er sich wieder auf seine Arbeit konzentrieren. Aber Vorsicht war geboten.

Ashford reichte ihm ein kleines Glas hellen Sherrys. »Nun lassen Sie hören, was Sie in all den Jahren getrieben haben.«

Dickstein nippte an dem Sherry, der sehr trocken war, so wie man ihn in Oxford bevorzugte. Er erzählte dem Professor die gleiche Geschichte wie Hassan und Suza – darüber, daß er versuchte, Exportmärkte für israelischen Wein zu finden. Ashford stellte sachkundige Fragen. Verließen junge Leute die Kibbuzim, um in die Städte zu gehen? Hatten die Zeit und der Wohlstand die Gemeinschaftsideen der Kibbuzniks untergraben? Gab es Umgang und Heiraten zwischen europäischen Juden und solchen aus Afrika und der Levante? Dickstein antwortete: »Ja«, »Nein« und »Kaum«. Ashford vermied höflich, die Frage ihrer entgegengesetzten Ansichten zur politischen Moral Israels zu berühren, aber trotzdem war aus der distanzierten Art, wie er sich nach Israels Problemen erkundigte, der Wunsch nach schlechten Nachrichten herauszuhören.

Suza rief sie zum Lunch in die Küche, bevor Dickstein Gelegenheit gehabt hatte, seine eigenen Fragen zu stellen. Ihre französischen Sandwiches waren riesenhaft und schmeckten köstlich; dazu hatte sie eine Flasche Rotwein geöffnet. Dickstein verstand nun, weshalb Ashford zugenommen hatte.

Beim Kaffee sagte Dickstein beiläufig: »Vor zwei Wochen habe ich einen Kommilitonen von mir getroffen – ausgerechnet in Luxemburg.«

»Yasif Hassan?« fragte Ashford.

»Woher wissen Sie das?«

»Wir haben noch Kontakt. Ich weiß, daß er in Luxemburg wohnt.«

»Sehen Sie ihn oft?« Dickstein ermahnte sich: vorsichtig, vorsichtig.

»Ein paarmal im Laufe der Jahre.« Ashford machte eine Pause. »Man kann nicht verschweigen, Dickstein, daß die Kriege, durch die Sie alles gewonnen haben, ihn teuer zu stehen gekommen sind. Seine Familie hat ihr ganzes Geld verloren und ist in einem Flüchtlingslager. Er hegt natürlich bittere Gefühle gegenüber Israel.«

Dickstein nickte. Er war sich jetzt fast sicher, daß Hassan im Spionagegeschäft war. »Ich hatte nur sehr wenig Zeit – war auf dem Weg zum Flughafen. Wie geht es ihm sonst?«

Ashford runzelte die Stirn. »Ich finde ihn ein bißchen . . . zerstreut. Plötzliche Aufträge, die er ausführen muß, abgesagte Verabredungen, merkwürdige Anrufe zu allen möglichen Zeiten, rätselhafte Abwesenheiten. Vielleicht ist es das Benehmen eines vertriebenen Aristokraten.«

»Vielleicht«, sagte Dickstein. In Wirklichkeit war es das typische Benehmen eines Agenten, und er war nun hundertprozentig davon überzeugt, daß die Begegnung mit Hassan seine Tarnung hatte auffliegen lassen. »Treffen Sie sonst noch jemanden aus meinem Jahrgang?«

»Nur den alten Toby. Er gehört jetzt zur Führung der Konservativen.«

»Großartig!« Dickstein freute sich. »Er redete schon damals wie ein Oppositionssprecher – schwülstig und abwehrend zugleich. Schön, daß er seine Berufung gefunden hat.«

»Noch etwas Kaffee, Nat?« fragte Suza.

»Nein, danke.« Er stand auf. »Ich helfe Ihnen beim Abräumen. Dann muß ich zurück nach London.

»Daddy räumt ab.« Suza grinste. »Wir haben eine Vereinbarung.«

»Leider hat sie recht«, gab Ashford zu. »Sie spielt für niemanden das Arbeitstier, am wenigsten für mich.« Die Bemerkung überraschte Dickstein, weil sie offensichtlich nicht zutraf. Es mochte sein, daß Suza ihn nicht hinten und vorne bediente, doch sie schien sich um ihn zu kümmern, wie eine berufstätige Ehefrau es tun würde.

»Ich begleite Sie noch in die Stadt«, sagte Suza. »Lassen Sie mich nur meine Jacke holen.«

Ashford schüttelte Dickstein die Hand. »War wirklich eine Freude, Sie zu sehen, mein Junge, wirklich eine Freude.«

Suza kam zurück; sie trug eine Samtjacke.

Auf der Straße redete Dickstein viel, nur damit er einen Vorwand hatte, sie anzuschauen. Die Jacke war auf ihre schwarze Samthose abgestimmt, und sie trug ein weites, cremefarbenes Hemd, das wie Seide aussah. Wie ihre Mutter verstand sie es, sich so anzuziehen, daß ihr glänzendes, dunkles Haar und ihre makellose, braune Haut am besten zur Geltung kamen. Dickstein – er fühlte sich recht altmodisch dabei – reichte ihr den Arm, nur damit sie ihn berührte. Es gab keinen Zweifel, daß sie die gleiche körperliche Anziehungskraft wie ihre Mutter besaß. Sie hatte etwas an sich, das einen Mann wünschen ließ, sie zu besitzen; der Wunsch war weniger von Lust als von Habgier genährt, dem Bedürfnis, sich einen schönen Gegenstand anzueignen, so daß er einem nie mehr genommen werden könnte. Dickstein war jetzt alt genug, um zu wissen, wie falsch solche Wünsche waren, und um einzusehen, daß Eila Ashford ihn nicht glücklich gemacht hätte. Aber ihre Tochter schien das zu haben, was ihrer Mutter gefehlt hatte: Wärme. Es tat Dickstein leid, daß er Suza nie wiedersehen würde. Wenn einmal Zeit wäre . . .

Nun, es sollte eben nicht sein.

Als sie den Bahnhof erreichten, fragte er: »Fahren Sie manchmal nach London?«

»Natürlich. Morgen.«

»Wozu?«

»Um Sie zum Dinner zu treffen.«

*

Nach dem Tod von Suzas Mutter war ihr Vater großartig gewesen. Mit elf Jahren war sie alt genug, um den Tod zu begreifen, aber zu jung, um mit ihm fertig zu werden. Ihr Vater hatte sie beruhigt und getröstet. Er hatte gewußt, wann sie allein weinen und wann sie ihre besten Sachen anziehen wollte, um mit ihm zum Lunch zu gehen. Ohne jede Verlegenheit hatte er mit ihr über Menstruation gesprochen und sie gutgelaunt begleitet, um neue Büstenhalter zu kaufen. Er betraute sie mit einer neuen Rolle im Leben: Sie wurde die Hausherrin, die der Reinmachefrau Anweisungen gab, die Wäscheliste aufstellte und am Sonntagmorgen Sherry verteilte. Mit vierzehn war sie für die Finanzen des Haushalts verantwortlich. Sie kümmerte sich besser um ihren Vater, als Eila es je getan hatte. Sie warf abgetragene Hemden fort und ersetzte sie durch identische neue, ohne daß der Professor je etwas merkte. Sie erfuhr, daß man sich auch ohne Mutter lebendig, sicher und geliebt fühlen kann.

Ihr Vater hatte ihr – genau wie ihrer Mutter – eine Rolle gegeben; und wie ihre Mutter hatte sie sich gegen die Rolle aufgelehnt, während sie sie weiterhin spielte.

Er wollte, daß sie in Oxford blieb, um erst zu studieren, dann eine Dissertation zu schreiben und schließlich Dozentin zu werden. Das hätte bedeutet, daß sie immer dagewesen wäre, um ihn zu versorgen. Sie behauptete, nicht gescheit genug zu sein – mit dem unbehaglichen Gefühl, daß dies ein Vorwand war –, und nahm eine Stelle an, die erforderte, daß sie wochenlang von zu Hause fort war und ihren Vater sich selbst überließ. Hoch in der Luft, Tausende von Meilen von Oxford entfernt, servierte sie Männern mittleren Alters Getränke und Mahlzeiten und fragte sich, ob sich wirklich etwas geändert hatte.

Auf dem Weg zum Bahnhof grübelte sie über ihr eingefahrenes Leben nach und darüber, ob sie sich dem alten Trott je würde entziehen können.

Sie hatte eine Liebesgeschichte hinter sich, die wie ihr übriges Leben ermüdend und nach vertrautem Muster verlaufen war. Julian war Ende Dreißig, ein Philosophiedozent, der sich auf die vorsokratischen Griechen spezialisiert hatte: brillant, hingebungsvoll und hilflos. Er nahm Drogen für alles Mögliche – Haschisch für den Sex, Amphetamine für die Arbeit und Mogadon für den Schlaf. Er war geschieden und hatte keine Kinder. Zuerst hatte sie ihn für interessant, charmant und attraktiv gehalten. Im Bett zog er es vor, wenn sie oben lag. Er

143

führte sie in avantgardistische Theater in London und zu bizarren Studentenpartys. Aber bald machte ihr das alles keinen Spaß mehr: sie erkannte, daß er sich nicht wirklich für Sex interessierte, daß er sie ausführte, weil sie an seinem Arm dekorativ wirkte, daß ihre Gesellschaft ihm nur deshalb zusagte, weil sie von seinem Intellekt so beeindruckt war. Eines Tages kam es so weit, daß sie seine Sachen bügelte, während er ein Seminar abhielt. Das war im Grunde das Ende.

Manchmal ging sie mit Männern ihres Alters oder jünger ins Bett – hauptsächlich, weil sie ihre Körper begehrte. Sie war gewöhnlich enttäuscht und nach einiger Zeit gelangweilt.

Suza bedauerte schon den Impuls, der sie verleitet hatte, sich mit Nat Dickstein zu verabreden. Er war deprimierend typisch: eine Generation älter als sie und offensichtlich der Fürsorge und Aufmerksamkeit bedürftig. Was das Schlimmste war, er hatte ihre Mutter geliebt. Auf den ersten Blick war er eine Vaterfigur wie alle anderen.

Aber irgendwie unterschied er sich von ihnen. Er arbeitete auf dem Lande, nicht an der Universität; wahrscheinlich würde er der am wenigsten belesene Mann sein, mit dem sie je ausgegangen war. Dickstein war nach Palästina emigriert, statt in den Cafés von Oxford zu sitzen und darüber zu reden. Er konnte eine Seite der Tiefkühltruhe mit der rechten Hand anheben. In der kurzen Zeit, die sie zusammen verbrachten, hatte er sie mehr als einmal dadurch überrascht, anders zu sein, als sie erwartete.

Vielleicht hilft Nat Dickstein mir aus dem alten Trott, dachte sie. Und vielleicht mache ich mir wieder einmal etwas vor.

*

Nat Dickstein rief die israelische Botschaft aus einer Telefonzelle in der Paddington Station an. Er bat, ihn mit dem Handelskreditbüro zu verbinden. Ein solches Büro existierte nicht: Dies war der Code für das Mossad-Nachrichtenzentrum. Schließlich meldete sich ein junger Mann mit hebräischem Akzent. Dickstein freute sich darüber, denn es war gut zu wissen, daß es Menschen gab, für die Hebräisch die Muttersprache und kein totes Gebilde war. Da das Gespräch automatisch aufgezeichnet werden würde, begann er sofort mit seiner Mitteilung: »Eilig an Bill. Verkauf durch gegnerische Mannschaft gefährdet. Henry.« Er hängte ein, ohne auf eine Bestätigung zu warten.

144

Vom Bahnhof aus ging er zu Fuß zu seinem Hotel und sann über Suza Ashford nach. Er würde sie morgen abend an der Paddington Station abholen, und sie würde die Nacht in der Wohnung von Freunden verbringen. Dickstein wußte nicht, wie er sich verhalten sollte – er konnte sich nicht erinnern, sich jemals nur zum Vergnügen mit einer Frau zum Dinner getroffen zu haben. Als Teenager war er zu arm gewesen und nach dem Krieg zu nervös und ungeschickt. Später dann war er irgendwie darüber hinaus. Natürlich hatte er mit Kolleginnen und mit Frauen aus dem Kibbuz nach Einkäufen in Nazareth zu Abend gegessen. Aber zu zweit auszugehen, nur um die Gesellschaft des anderen zu genießen . . .

Wie stellte man es an? Es gehörte sich, sie mit dem Wagen abzuholen, einen Smoking zu tragen und ihr eine Schachtel Pralinen mit Zierschleife zu schenken. Dickstein würde Suza am Bahnhof erwarten, und er hatte weder ein Auto noch einen Smoking. Wohin sollte er mit ihr gehen? Er kannte nicht einmal in Israel elegante Restaurants, von England ganz zu schweigen.

Dickstein spazierte durch den Hyde Park und lächelte breit. Es Es war eine unglaubliche Situation für einen Mann von dreiundvierzig. Sie wußte, daß er kein Weltmann war, aber es machte ihr offenbar nichts aus, da sie sich selbst zum Dinner eingeladen hatte. Sie würde auch die Restaurants kennen und wissen, was man dort bestellte. Es war schwerlich eine Frage von Leben und Tod. Was auch geschehen mochte, er würde das Beste daraus machen.

In seiner Arbeit war eine Pause eingetreten. Seit er wußte, daß seine Tarnung aufgeflogen war, konnte er nichts unternehmen, bevor er mit Pierre Borg gesprochen hatte. Borg mußte entscheiden, ob man die Sache fallenlassen sollte. Am Abend sah er sich den französischen Film »Ein Mann und eine Frau« an. Es war eine einfache, ergreifend geschilderte Liebesgeschichte, die mit einer eindringlichen lateinamerikanischen Melodie unterlegt war. Er verließ das Kino, noch bevor der Film zu Ende war, da die Geschichte ihn zu Tränen rührte. Aber die Melodie verfolgte ihn die ganze Nacht hindurch.

Am Morgen ging er zu einer Telefonzelle auf der Straße an seinem Hotel und rief noch einmal die Botschaft an. Man verband ihn mit dem Nachrichtenzentrum, und er sagte: »Hier spricht Henry. Gibt's eine Antwort?«

»Finden Sie sich bei dreiundneunzigtausend zur Konferenz ein.«

145

»Melden Sie: Tagesordnung der Konferenz an der Flughafenaus-
kunft.«
Pierre Borg würde morgen um 9.30 Uhr mit dem Flugzeug eintreffen.

*

Die vier Männer saßen stumm und mit geduldiger Aufmerksamkeit
im Wagen, während sich die Dämmerung herabsenkte.
Pjotr Tyrin, ein stämmiger Mann mittleren Alters, der einen Regenmantel trug, trommelte mit den Fingernägeln auf das Armaturen-
brett, was sich anhörte wie über ein Dach trippelnde Tauben. Yasif
Hassan saß neben ihm, David Rostow und Nik Bunin hockten auf den
Rücksitzen.
Nik hatte den Überbringer am dritten Tag gefunden, als er das Jean-
Monnet-Gebäude auf dem Kirchberg beobachtete. Er erkannte ihn
sofort. »In seinem Büroanzug sieht er gar nicht so wie ein Homo aus,
aber ich bin sicher, daß er einer ist. Wahrscheinlich arbeitet er
hier.«
»Darauf hätte ich kommen müssen«, sagte Rostow. »Wenn Dickstein
hinter Geheimnissen her ist, können seine Gewährsleute nicht am
Flugplatz oder im Alfa-Hotel sitzen. Ich hätte Nik zuerst zur Euratom
schicken sollen.«
Er sagte es zu Pjotr Tyrin, aber Hassan, der zuhörte, warf ein: »Sie
können nicht an alles denken.«
»Doch«, entgegnete Rostow.
Hassan war befohlen worden, einen großen, dunklen Wagen zu besorgen. Der amerikanische Buick, in dem sie nun saßen, war etwas
auffälliger, aber dafür geräumig. Nik hatte den Euratom-Mann nach
Hause verfolgt, und jetzt warteten die vier in der mit Kopfsteinen gepflasterten Straße nicht weit von dem alten terrassenförmigen
Haus.
Rostow haßte dieses verschwörerische Getue. Es war so altmodisch
und schien ihm typisch für die zwanziger und dreißiger Jahre, für
Städte wie Wien, Istanbul und Beirut, nicht für Westeuropa im Jahre
1968. Er hielt es für zu gefährlich, einen Zivilisten auf der Straße zu
schnappen, ihn in ein Auto zu stoßen und ihn so lange zu prügeln,
bis er mit der Sprache herausrückte. Man könnte von Passanten gesehen werden, die keine Angst hatten, zur Polizei zu gehen und ihre

146

Beobachtung zu melden. Rostow liebte eindeutige und durchschaubare Situationen: Er war dafür, sein Hirn, nicht seine Fäuste einzusetzen. Aber dieser Überbringer hatte mit jedem Tag, seit Dickstein untergetaucht war, an Bedeutung gewonnen. Rostow mußte wissen, was er Dickstein übergeben hatte, und zwar noch heute.

»Wenn er nur endlich rauskäme«, knurrte Pjotr Tyrin.

»Wir haben keine Eile«, meinte Rostow. Das stimmte nicht, aber er wollte nicht, daß seine Leute nervös und ungeduldig wurden und Fehler machten. Um die Spannung zu mindern, sprach er weiter.

»Dickstein hat natürlich das gleiche getan wie wir. Er hat das Jean-Monnet-Gebäude beobachtet, ist diesem Mann nach Hause gefolgt und hat hier auf der Straße gewartet. Der Mann kam heraus und ging in den Homosexuellenklub. Danach kannte Dickstein seine Schwäche und nutzte sie aus, um Informationen von ihm zu beziehen.«

»Er ist an den letzten beiden Abenden nicht im Klub gewesen«, sagte Nik.

Rostow antwortete: »Er hat entdeckt, daß alles seinen Preis hat, besonders die Liebe.«

»Liebe?« wiederholte Nik verächtlich.

Rostow schwieg.

Die Dunkelheit fiel über die Straße, und die Laternen leuchteten auf. Die Luft, die durch das offene Autofenster drang, schmeckte feucht: Rostow sah Dunstschwaden im Lichtkreis der Lampen. Der Dampf kam vom Fluß herüber. Es wäre zu optimistisch gewesen, im Juni auf Nebel zu hoffen.

»Was ist das?« flüsterte Tyrin.

Ein blonder Mann in einem zweireihigen Jackett kam mit schnellen Schritten auf sie zu.

»Ruhig jetzt«, befahl Rostow.

Der Mann blieb vor dem Haus stehen, das sie beobachteten. Er drückte auf einen Klingelknopf.

Hassan legte eine Hand auf den Türgriff.

»Noch nicht«, zischte Rostow.

Ein Netzvorhang vor dem Fenster der Dachwohnung wurde für einen Moment beiseite gezogen.

Der blonde Mann wartete und pochte mit dem Fuß auf das Pflaster.

»Ist das vielleicht der Geliebte?« sagte Hassan.

»Halten Sie den Mund, verdammt noch mal«, grunzte Rostow.

Eine Minute später öffnete sich die Vordertür, und der Blonde trat ein. Rostow sah kurz den Mann, der aufgemacht hatte: Es war der Überbringer. Die Tür schloß sich, und ihre Chance war dahin.

»Zu schnell«, sagte Rostow. »Verflucht.«

Tyrin begann wieder mit den Fingern zu trommeln, und Nik kratzte sich. Hassan stieß einen indignierten Seufzer aus, als habe er seit langem gewußt, daß es albern war zu warten. Rostow beschloß, ihm bald wieder ordentlich auf die Zehen zu steigen.

Eine Stunde lang geschah nichts.

»Sie bleiben heute abend zu Hause«, vermutete Tyrin.

»Wenn sie es mit Dickstein zu tun gekriegt haben, haben sie wahrscheinlich Angst, abends das Haus zu verlassen«, sagte Rostow.

Nik fragte: »Gehen wir rein?«

»Es gibt ein Problem«, erklärte Rostow. »Vom Fenster aus können sie sehen, wer an der Tür ist. Ich nehme an, daß sie Fremden nicht aufmachen würden.«

»Der Geliebte könnte über Nacht bleiben«, sagte Tyrin.

»Richtig.«

»Wir dürfen eben nicht zimperlich sein«, meinte Nik.

Rostow ignorierte das. Nik war nie für Zurückhaltung, er würde aber keine Gewalt anwenden, bevor er den Befehl dazu bekam. Rostow erwog, daß sie nun vielleicht zwei Menschen entführen müßten, was weit schwieriger und gefährlicher war. »Haben wir Schußwaffen?«

Tyrin öffnete das Handschuhfach vor sich und zog eine Pistole heraus.

»Gut«, lobte Rostow, »aber du darfst auf keinen Fall schießen.«

»Sie ist nicht geladen«, sagte Tyrin. Er schob die Waffe in die Tasche seines Regenmantels.

»Wenn der Geliebte über Nacht bleibt, schnappen wir sie uns dann morgen früh?«

»Kommt nicht in Frage«, erklärte Rostow. »Wir können so etwas nicht am hellichten Tage machen.«

»Was dann?«

»Ich habe mich noch nicht entschieden.«

Er überlegte bis Mitternacht, danach löste sich das Problem von selbst.

Rostow beobachtete den Eingang aus halbgeschlossenen Augen. Er sah die erste Bewegung der sich öffnenden Tür und sagte: »Jetzt.«

Nik war als erster aus dem Wagen, Tyrin folgte ihm. Hassan brauchte einen Moment, um sich zu fassen, dann sprang auch er hinaus.

Die beiden Männer verabschiedeten sich voneinander; der jüngere stand auf dem Bürgersteig, der ältere, der eine Robe trug, in der Tür. Der Überbringer streckte die Hand aus und drückte den Arm seines Geliebten. Beide blickten erschrocken auf, als Nik und Tyrin sich vom Auto her auf sie stürzten.

»Keine Bewegung und ganz ruhig«, sagte Tyrin leise auf französisch und zeigte ihnen die Waffe.

Rostow bemerkte, daß Niks gesunder taktischer Instinkt ihn dazu gebracht hatte, sich knapp hinter den jungen Mann zu stellen.

»Oh, mein Gott, nein, nicht schon wieder«, wimmerte der Ältere.

»In den Wagen«, befahl Tyrin.

Der Blonde sagte: »Wieso könnt ihr Scheißer uns nicht in Ruhe lassen?«

Rostow, der vom Rücksitz des Wagens aus das Geschehen verfolgte und zugleich die Straße im Auge behielt, dachte: Jetzt entscheidet sich, ob sie ruhig mitkommen. Er ließ den Blick rasch über die dunkle Straße schweifen. Sie war leer.

Nik, der spürte, daß der Blonde an Widerstand dachte, umklammerte ihn unterhalb der Schultern und hielt ihn fest.

»Tun Sie ihm nicht weh. Ich komme mit«, sagte der ältere Mann und trat aus dem Haus.

Sein Freund widersprach: »Auf keinen Fall!«

Verdammt, dachte Rostow.

Der Blonde wand sich und versuchte, Nik auf den Fuß zu trampeln. Nik machte einen Schritt zurück und schlug ihm die rechte Faust in die Niere.

»Nein, Pierre!« rief der Ältere – zu laut.

Tyrin umklammerte ihn und preßte seine große Hand auf den Mund des Mannes. Er wehrte sich, bekam den Kopf frei und schrie »Hilfe!«, bevor Tyrin ihn wieder zum Schweigen brachte.

Pierre war auf ein Knie gesunken und stöhnte.

Rostow lehnte sich über den Rücksitz des Autos und rief durch das offene Fenster: »Los jetzt!«

Tyrin hob den älteren Mann hoch und trug ihn über den Bürgersteig zum Wagen. Pierre erholte sich plötzlich von Niks Hieb und rannte davon. Hassan stellte ihm ein Bein, und der Junge kugelte über das Pflaster.

Rostow sah, daß ein Licht hinter dem oberen Fenster eines Nachbarhauses anging. Wenn der Aufruhr noch länger dauerte, würden sie alle verhaftet werden.

Tyrin stieß den Älteren auf den Rücksitz. Rostow packte ihn. »Ich habe ihn. Starte den Wagen. Schnell.«

Nik hatte den Blonden hochgehoben und trug ihn zum Auto. Tyrin schob sich auf den Fahrersitz, und Hassan öffnete die andere Tür. Rostow sagte: »Hassan, Sie Idiot, schließen Sie die Haustür!«

Nik stieß den jungen Mann neben seinen Freund und setzte sich dann nach hinten, so daß er und Rostow die beiden Gefangenen zwischen sich hatten. Hassan zog die Haustür zu und sprang auf den Beifahrersitz. Tyrin gab Gas.

»Allmächtiger Gott, was für eine Scheiße!« fluchte Rostow.

Pierre stöhnte immer noch. »Wir haben Ihnen nichts getan«, meinte der ältere Gefangene.

»Wirklich nicht?« fragte Rostow. »Vor drei Tagen haben Sie einem Engländer in dem Klub an der Rue Dicks eine Aktentasche übergeben.«

»Ed Rodgers?«

»Das ist nicht sein richtiger Name.«

»Sind Sie von der Polizei?«

»Nicht ganz.« Sollte der Mann doch glauben, was er wollte. »Ich bin nicht daran interessiert, Beweismaterial zu sammeln und Sie vor Gericht zu bringen. Mich interessiert, was in der Aktentasche war.«

Schweigen. Tyrin erkundigte sich über die Schulter hinweg: »Soll ich aus der Stadt rausfahren und eine ruhige Stelle suchen?«

»Weiter.«

Der ältere Mann brach sein Schweigen. »Ich werde es Ihnen sagen.«

»Fahr einfach in der Stadt herum«, befahl Rostow Tyrin. Er blickte den Euratom-Angestellten an. »Also.«

»Es war ein Computerausdruck der Euratom.«

»Mit welchen Informationen?«

»Einzelheiten über lizensierte Transporte von spaltbarem Material.«

»Spaltbar? Sie meinen atomares Zeug?«

»Yellow Cake, Uranmetall, nukleare Abfälle, Plutonium . . .«

Rostow lehnte sich zurück und betrachtete die vorbeifliegenden Lichter der Stadt durch das Fenster. Sein Blut raste vor Erregung: Dicksteins Operation wurde klarer. Lizensierte Transporte von spaltbarem Material . . . Die Israelis brauchten atomaren Brennstoff. Dickstein mußte auf der Liste nach einem von zwei Dingen gesucht haben – entweder nach einem Besitzer von Uran, der bereit sein könnte, etwas auf dem schwarzen Markt zu verkaufen, oder nach einer Uranlieferung, die er stehlen könnte.

Und was sie mit dem Zeug *tun* würden, wenn sie es einmal hatten . . .

Der Eurotom-Mann unterbrach seine Gedanken. »Lassen Sie uns jetzt nach Hause gehen?«

»Ich muß eine Kopie der Liste haben.«

»Ich kann nicht noch eine machen. Es war schon verdächtig genug, daß die erste verschwand!«

»Ich fürchte, Sie haben keine andere Wahl. Aber wenn Sie wollen, können Sie sie wieder mit ins Büro nehmen, nachdem wir sie fotografiert haben.«

»O Gott«, seufzte der Mann.

»Ihnen bleibt nichts anderes übrig.«

»Also gut.«

»Zurück zum Haus«, sagte Rostow zu Tyrin. Dann wandte er sich wieder an den Älteren. »Bringen Sie den Ausdruck morgen mit nach Hause. Jemand wird im Laufe des Abends zu Ihnen kommen und ihn fotografieren.«

Der große Wagen rollte durch die Straßen der Stadt. Rostow hatte das Gefühl, daß die Entführung doch nicht so katastrophal verlaufen war. Nik Bunin mahnte Pierre: »Hör auf, mich anzugucken.«

Sie erreichten die Straße mit dem Kopfsteinpflaster, und Tyrin hielt an. »In Ordnung«, sagte Rostow. »Laßt ihn raus. Sein Freund bleibt bei uns.«

Der Euratom-Mann keuchte, als wäre er verwundet worden. »Weshalb?«

»Damit Sie nicht in Versuchung geraten, morgen zusammenzubrechen und Ihren Vorgesetzten alles zu beichten. Der gute Pierre ist unsere Geisel. Steigen Sie aus.«

Nik öffnete die Tür und ließ den Mann hinaus. Er blieb einen Moment lang auf dem Bürgersteig stehen. Nik stieg wieder ein, und Tyrin startete.

»Können wir uns auf ihn verlassen? Wird er es tun?« fragte Hassan.

»Er wird für uns arbeiten, bis er seinen Freund zurückbekommt.«

»Und dann?«

Rostow antwortete nicht. Wahrscheinlich würde es ratsam sein, alle beide umzubringen.

*

Suzas Alptraum. Es ist Abend. Sie ist allein in dem grünen und weißen Haus am Fluß, nimmt ein Bad und liegt lange in dem heißen, duftenden Wasser. Danach geht sie in das große Schlafzimmer, setzt sich vor den dreiteiligen Spiegel und bestäubt sich mit Puder aus einem Onyxkästchen, das ihrer Mutter gehörte.

Sie öffnet den Kleiderschrank und erwartet, daß die Sachen ihrer Mutter von Motten zerfressen sind und, durchsichtig vor Alter, in graubraunen Fetzen auf den Kleiderbügeln hängen. Aber es stimmt nicht: Alle sind sauber, neu und makellos, von einem schwachen Mottenkugelgeruch abgesehen. Sie wählt ein Nachthemd, das so weiß wie ein Leichentuch ist, zieht es an und schlüpft ins Bett.

Sie liegt lange still und wartet darauf, daß Nat Dickstein zu seiner Eila kommt. Der Abend wird zur Nacht, der Fluß wispert, die Tür öffnet sich. Der Mann steht am Fuß des Bettes und zieht sich aus. Er legt sich auf sie, und ihre Panik flammt auf wie der erste Funken einer Feuersbrunst, als sie merkt, daß es nicht Nat Dickstein, sondern ihr Vater ist und daß sie – natürlich – schon längst nicht mehr lebt. Das Nachthemd zerkrümelt zu Staub, ihr Haar fällt aus, ihr Fleisch verwelkt, ihre Gesichtshaut vertrocknet und schrumpft, entblößt die Zähne und den Schädel, und sie wird, während der Mann immer noch zustößt, zu einem Skelett. Sie schreit und schreit und schreit, wacht auf, liegt schwitzend, zitternd und verängstigt da. Warum eilt niemand herbei, um sie zu fragen, was ihr fehlt? Dann begreift sie erleichtert, daß sie sogar die Schreie nur geträumt hat; sie ist getröstet und denkt vage über den Sinn des Traumes nach, während sie wieder in den Schlaf hinübergleitet.

Am Morgen ist sie fröhlich wie immer, aber ein kleiner, verschwommener dunkler Fleck ist geblieben wie ein Wolkenfetzen am Himmel ihrer Unbeschwertheit. Sie erinnert sich nicht mehr an den Traum, sondern ihr ist nur bewußt, daß irgend etwas sie beunruhigt hat.

152

»Nat Dickstein plant, Uran zu stehlen«, sagte Yasif Hassan.
David Rostow nickte zustimmend. Er war nicht bei der Sache, denn
er überlegte, wie er Yasif Hassan loswerden könnte.
Sie spazierten durch das Tal am Fuß der Klippe, auf der die Altstadt
von Luxemburg steht. Hier, an den Ufern der Petrusse, waren Rasen,
Zierbäume und Fußwege.
Hassan fuhr fort: »Sie haben einen Atomreaktor bei Dimona in der
Wüste Negev. Die Franzosen halfen ihnen beim Bau und lieferten
wahrscheinlich Brennstoff. Seit dem Sechstagekrieg hat de Gaulle die
Lieferung von Waffen und vielleicht auch von Uran eingestellt.«
Soweit ist alles klar, dachte Rostow. Es war am besten, Hassans Miß-
trauen einzuschläfern, indem er ihm überschwenglich zustimmte.
»Es wäre typisch für den Mossad, das Uran, das er braucht, einfach
zu stehlen. Genau das ist die Denkweise dieser Leute. Sie glauben,
mit dem Rücken zur Wand zu stehen, und sind deshalb imstande, die
Feinheiten der internationalen Diplomatie außer acht zu lassen.«
Rostow konnte etwas weitergehende Vermutungen anstellen als
Hassan – weshalb er gleichzeitig so gehobener Stimmung und so be-
strebt war, sich des Arabers für eine Weile zu entledigen. Er wußte
von dem ägyptischen Atomprojekt in Kattara, während Hassan
beinahe mit Sicherheit nicht davon unterrichtet war, denn wieso
hätte man einem Agenten in Luxemburg solche Geheimnisse verraten sollen?
Allerdings war Kairo so undicht, daß die Israelis wahrscheinlich auch
über die ägyptische Bombe informiert waren. Und was würden sie
dagegen unternehmen? Sie würden ihre eigene Bombe bauen, wofür
sie, um den Ausdruck des Euratom-Mannes zu benutzen, »spaltbares
Material« benötigten. Er nahm an, daß Dickstein Uran für eine israelische Atombombe besorgen sollte. Hassan würde zu dieser Schluß-

folgerung nicht fähig sein – noch nicht. Rostow hatte nicht vor, ihm zu helfen, denn er wollte nicht, daß Tel Aviv erfuhr, wie heiß seine Spur war.

Wenn der Computerausdruck am Abend eintraf, würde er noch weitere Fortschritte machen, denn aus dieser Liste hatte Dickstein sich wahrscheinlich sein Ziel gewählt. Rostow wollte Hassan auch diese Information vorenthalten.

David Rostows Blut war in Wallung. Er fühlte sich wie bei einer Schachpartie in dem Moment, in dem drei oder vier Züge des Gegners dessen System verrieten, so daß er wußte, wo der Angriff stattfinden würde und wie er ihn in eine Niederlage verwandeln konnte. Er hatte die Gründe, aus denen er die Schlacht mit Dickstein aufgenommen hatte, nicht vergessen – jenen anderen Konflikt innerhalb des KGB zwischen ihm und Felix Woronzow, mit Jurij Andropow als Schiedsrichter und einem Platz in der Physikalisch-Mathematischen Schule als Preis. Aber all das war jetzt in den Hintergrund gedrängt. Was ihn jetzt antrieb, was ihn gespannt und wachsam und skrupellos machte, das waren die Jagdlust und der Duft der Beute.

Hassan war ihm im Weg. Der laienhafte, ungeschickte Hassan, der eifrig seine Berichte nach Kairo sandte, war in diesem Moment ein gefährlicherer Feind als Dickstein selbst. Bei allen seinen Fehlern war er nicht dumm – er besaß sogar eine verschlagene, typisch levantinische Intelligenz, die er zweifellos von seinem kapitalistischen Vater geerbt hatte. Er würde wissen, daß Rostow ihn loswerden wollte. Deshalb mußte er mit einer echten Aufgabe betraut werden.

Sie schritten unter dem Pont Adolphe hindurch, und Rostow blieb stehen, um zurückzublicken und die Aussicht durch den Brückenbogen zu genießen. Er wurde an Oxford erinnert, und plötzlich fiel ihm ein, was er mit Hassan anfangen konnte.

»Dickstein weiß, daß ihn jemand beschattet hat. Vermutlich ahnt er, daß die Begegnung mit Ihnen daran schuld ist.«

»Meinen Sie wirklich?« fragte Hassan.

»Hören Sie zu. Er beginnt an einem Auftrag zu arbeiten, stößt auf einen Araber, der seinen richtigen Namen kennt, und plötzlich wird er verfolgt.«

»Für ihn reine Spekulation, aber er weiß nichts Bestimmtes.«

»Sie haben recht.«

Hassans Miene verriet Rostow, wie gern er diese Worte – *Sie haben recht* – hörte. Rostow dachte: Er mag mich nicht, aber er braucht meine Anerkennung, sogar sehr. Ich kann seinen Stolz ausnutzen.

»Dickstein muß also Nachforschungen anstellen«, fuhr Rostow fort. »Sind Sie in Tel Aviv verzeichnet?«

Hassan zog mit einem Hauch seiner alten aristokratischen Gelassenheit die Schultern hoch. »Wer weiß?«

»Wie oft sind Sie anderen Agenten – Amerikanern, Briten, Israelis – unter die Augen gekommen?«

»Nie. Ich bin zu vorsichtig.«

Rostow hätte beinahe laut aufgelacht. In Wahrheit war Hassan ein zu unbedeutender Agent, als daß er je die Aufmerksamkeit der großen Geheimdienste erregt hätte, und er hatte nie etwas so Wichtiges getan, daß er auf andere Spione gestoßen wäre. »Wenn Sie nicht verzeichnet sind, muß Dickstein sich mit Ihren Freunden unterhalten. Haben Sie gemeinsame Bekannte?«

»Nein, ich hatte ihn seit dem College nicht gesehen. Außerdem könnte er nichts von meinen Freunden erfahren. Sie wissen nichts von meinem Doppelleben. Ich erzähle den Leuten doch nicht . . .«

»Natürlich nicht.« Rostow mußte seine Ungeduld zügeln. »Aber Dickstein brauchte doch nur ein paar beiläufige Fragen über Ihr allgemeines Verhalten zu stellen, um zu sehen, ob es dem Muster geheimer Arbeit entspricht – bekommen Sie zum Beispiel rätselhafte Anrufe, müssen Sie oft plötzlich verreisen, haben Sie Freunde, die Sie niemandem vorstellen . . . Gibt es also in Oxford jemanden, mit dem sie noch umgehen?«

»Mit keinem der Studenten.« Hassan schien sich zu verteidigen, und Rostow wußte, daß er gleich am Ziel war. »Ich habe noch ab und zu Kontakt mit einigen Fakultätsmitgliedern, besonders mit Professor Ashford. Er hat mich ein- oder zweimal mit Leuten zusammengebracht, die bereit waren, Geld für unsere Sache zu spenden.«

»Dickstein kannte Ashford, wenn ich mich recht erinnere.«

»Natürlich. Ashford hatte den Lehrstuhl für Semitische Sprachen. Dickstein und ich studierten dieses Fach.«

»Na also. Dickstein braucht nur Ashford zu besuchen und Ihren Namen am Rande zu erwähnen. Ashford würde ihm erzählen, was Sie tun und wie Sie sich verhalten. Daraus könnte Dickstein schließen, daß sie ein Agent sind.«

»Das wäre reine Glückssache«, Sagte Hassan zweifelnd.

»Überhaupt nicht«, widersprach Rostow unbekümmert, obwohl Hassan recht hatte. »Es ist die normale Technik. Ich habe sie selbst manchmal benutzt. Sie funktioniert.«

»Und wenn er Kontakt mit Ashford aufgenommen hat . . .«

»Haben wir eine Chance, seine Spur wiederzufinden. Deshalb möchte ich, daß Sie nach Oxford reisen.«

»Oh!« Hassan hatte nicht gemerkt, worauf die Unterhaltung hinauslief, und jetzt saß er in der Falle. »Dickstein hat ihn vielleicht nur angerufen . . .«

»Vielleicht, aber es ist leichter, solche Nachforschungen persönlich anzustellen. Dann kann man behaupten, daß man zufällig gerade in der Stadt ist und über die alten Zeiten reden will . . . Bei einem Ferngespräch ist es schwerer, keinen Verdacht zu erwecken. Aus dem gleichen Grund müssen Sie den Professor besuchen. Ein Anruf genügt nicht.«

»Sie haben wahrscheinlich recht«, gab Hassan widerwillig zu. »Ich hatte geplant, Kairo Meldung zu machen, sobald wir den Computerausdruck gelesen haben . . .«

Genau das hatte Rostow vermeiden wollen. »Gute Idee. Aber Ihr Bericht wird viel besser aussehen, wenn Sie gleichzeitig melden können, daß Sie Dickstein wieder auf der Spur sind.«

Hassan starrte versonnen in die Ferne. »Lassen Sie uns umkehren«, schlug er jäh vor. »Wir sind weit genug marschiert.«

Es war Zeit, sich kameradschaftlich aufzuführen. Rostow legte Hassan einen Arm um die Schultern. »Ihr Europäer seid verweichlicht.«

»Erzählen Sie mir bloß nicht, daß das KGB in Moskau ein schweres Leben hat.«

»Wollen Sie einen russischen Witz hören?« fragte Rostow, während sie über den Talrand zur Straße hinaufstiegen. »Breschnew prahlt vor seiner alten Mutter, wie weit er es gebracht hat. Er zeigt ihr seine Wohnung – riesig, mit westlichen Möbeln, Geschirrspülmaschine, Gefriertruhe, Dienern, nichts fehlt. Sie sagt kein Wort. Er bringt sie zu seiner Datscha am Schwarzen Meer, einer großen Villa mit einem Swimming-pool, einem privaten Strand und noch mehr Dienern. Seine Mutter ist immer noch nicht beeindruckt. Er fährt mit ihr in seiner Sil-Limousine zu seinem Jagdhäuschen und zeigt ihr das schöne Gelände, die Gewehre, die Hunde. Schließlich will er wissen:

›Mutter, wieso sagst du nichts? Bist du nicht stolz?‹ Sie antwortet: ›Es ist wunderbar, Leonid, aber was tust du, wenn die Kommunisten zurückkommen?‹«

Rostow brüllte vor Lachen über seinen eigenen Witz, doch Hassan lächelte nur.

»Sie finden die Geschichte nicht lustig?«

»Nicht sehr«, erwiderte Hassan. »Sie lachen nur aus Schuldbewußtsein darüber. Ich fühle mich nicht schuldig, deshalb ist es für mich nicht lustig.«

Rostow zuckte die Achseln und dachte: Vielen Dank, Yasif Hassan, du islamischer Sigmund Freud. Sie erreichten die Straße, blieben eine Weile stehen und sahen den vorbeirasenden Autos zu, während Hassen noch leicht nach Atem rang.

»Oh, da gibt es etwas, was ich Sie schon immer fragen wollte. Haben Sie wirklich mit Ashfords Frau geschlafen?«

»Nur vier- oder fünfmal die Woche«, sagte Hassan und lachte laut.

»Und wer fühlt sich jetzt schuldig?« fragte Rostow.

*

Dickstein war zu früh am Bahnhof, und da der Zug sich verspätet hatte, mußte er eine ganze Stunde lang warten. Es war das erste Mal in seinem Leben, daß er *Newsweek* von vorn bis hinten gelesen hatte. Sie kam fast durch die Sperre gerannt und lächelte über das ganze Gesicht. Genau wie gestern warf sie die Arme um seinen Hals und küßte ihn; diesmal aber dauerte der Kuß länger. Er hatte beinahe erwartet, sie in einem langen Kleid und mit einer Nerzstola zu sehen – wie die Frau eines Bankiers, die abends in den Klub 61 in Tel Aviv geht. Aber Suza gehörte natürlich einem anderen Land und einer anderen Generation an: Sie trug hohe Stiefel, die unter dem Saum ihres die Knie bedeckenden Rockes verschwanden, und ein seidenes Hemd unter einer bestickten Weste, die der eines Matadors glich. Ihr Gesicht war nicht geschminkt, ihre Hände waren leer: kein Mantel, keine Handtasche, kein Handkoffer. Sie standen still und lächelten sich einen Moment lang an. Dickstein wußte nicht genau, was er tun sollte, und reichte ihr seinen Arm wie am Tag vorher. Darüber schien sie sich zu freuen. Sie gingen zum Taxistand.

Als sie in das Taxi stiegen, fragte Dickstein: »Wohin wollen Sie?«

»Sie haben nichts bestellt?«

Ich hätte einen Tisch reservieren sollen, dachte er. »Ich kenne keine Londoner Restaurants.«

»Kings Road«, rief Suza dem Fahrer zu.

Das Taxi setzte sich in Bewegung, und sie blickte Dickstein an. »Hallo, Nathaniel.«

Niemand nannte ihn je Nathaniel. Es gefiel ihm.

Das Restaurant in Chelsea, für das sie sich entschieden hatte, war offenbar »in«. Es war klein, und man saß im Halbdunkel. Als sie zu einem Tisch gingen, glaubte Dickstein, ein oder zwei Gesichter zu erkennen. Sein Magen verkrampfte sich, während er sich bemühte, sie einzuordnen. Dann wurde ihm klar, daß es Schlagersänger waren, die er in Zeitschriften gesehen hatte, und er entspannte sich wieder. Er war froh darüber, daß seine Reflexe ihn nicht im Stich ließen, obwohl er diesen Abend auf so untypische Weise verbrachte. Außerdem war er erleichtert, weil die anderen Gäste allen Altersgruppen angehörten. Er hatte ein wenig gefürchtet, er könnte der älteste Mann weit und breit sein.

Sie setzten sich, und Dickstein fragte: »Bringen Sie alle Ihre jungen Freunde hierher?«

Suza bedachte ihn mit einem kühlen Lächeln. »Das ist die erste Dummheit, die ich von Ihnen höre.«

»Ich gelobe Besserung.« Er hätte sich ohrfeigen können.

»Was essen Sie gern?« wollte sie wissen, und der Moment war vorüber.

»Zu Hause esse ich eine Menge einfacher, gesunder Nahrung. Wenn ich auf Reisen bin, wohne ich in Hotels und bekomme wertloses Zeug, das einem als *haute cuisine* angedreht wird. Am liebsten mag ich Dinge, die ich weder in Israel noch in Hotels bekomme: gebratene Lammkeule, Steak-und-Nieren-Pastete, Lancashire-Fleischragout.«

»Mir gefällt an Ihnen«, grinste sie, »daß Sie keine Ahnung haben, was schick ist und was nicht. Es ist Ihnen sogar völlig egal.«

Er berührte seine Aufschläge. »Was halten Sie von dem Anzug?«

»Ich bin begeistert. Er muß aus der Mode gewesen sein, als Sie ihn kauften.«

Er entschied sich für Roastbeef vom Servierwagen, und sie bestellte eine Art sautierter Leber, die sie mit enormem Appetit verspeiste. Dickstein ließ eine Flasche Burgunder kommen; ein milderer Wein hätte nicht zu der Leber gepaßt. Seine Weinkenntnis war das einzige, mit dem er in feiner Gesellschaft bestehen konnte. Aber er ließ sie den größten Teil trinken; seine Bedürfnis nach Alkohol war gering. Suza erzählte ihm von ihrer Erfahrung mit LSD. »Es war unvergeßlich. Ich konnte meinen ganzen Körper spüren, innen und außen. Meine Haut fühlte sich wunderbar an, wenn ich sie berührte. Ich konnte mein Herz hören. Und die Farben und alles sonst . . . Aber die Frage ist, ob die Droge mir erstaunliche Dinge zeigte oder ob sie mich nur in Erstaunen versetzte. Ist es eine neue Art, die Welt zu sehen, oder stellt es nur künstlich die Eindrücke her, die man hätte, wenn man die Welt wirklich auf neue Art sehen könnte?«

»Danach wollten Sie nicht noch mehr haben?«

Sie schüttelte den Kopf. »Es behagt mir nicht, zu sehr die Kontrolle über mich zu verlieren. Aber ich bin froh, daß ich weiß, wie es ist.«

»Das hasse ich am Alkohol – den Verlust der Selbstbeherrschung. Obwohl ich sicher bin, daß es sich nicht vergleichen läßt. Jedenfalls hatte ich bei den ein, zwei Malen, als ich betrunken war, nicht das Gefühl, den Schlüssel zum Universum gefunden zu haben.«

Sie machte eine abschätzige Handbewegung. Es war eine lange, schlanke Hand, wie die Eilas; und plötzlich erinnerte Dickstein sich, daß Eila immer genau die gleiche anmutige Geste gemacht hatte. »Ich glaube nicht, daß Drogen die Probleme der Welt lösen können.«

»Woran glauben Sie denn, Suza?«

Sie zögerte und sah ihn mit einem schwachen Lächeln an. »Ich glaube, daß wir nichts brauchen außer Liebe.« Ihre Stimme klang schüchtern und unsicher, so als erwarte sie eine höhnische Bemerkung.

»Diese Philosophie dürfte sich für ›swinging London‹ besser eignen als für ein waffenstarrendes Israel.«

»Es hat wohl keinen Zweck, daß ich versuche, Sie zu bekehren.«

»Dieses Glück sollte ich einmal haben.«

Sie blickte ihm in die Augen. »Niemand kennt sein Glück genau.«

Er betrachtete die Speisekarte. »Nur Erdbeeren kommen in Frage.«

Plötzlich sagte sie: »Wen lieben Sie, Nathaniel?«

»Eine alte Frau, ein Kind und einen Geist«, antwortete er sofort, denn er hatte sich oft und oft dieselbe Frage gestellt. »Die alte Frau heißt Esther, und sie erinnert sich noch an die Pogrome im zaristischen Rußland. Das Kind ist ein Junge namens Mottie. Ihm gefällt *Die Schatzinsel*. Sein Vater ist im Sechstagekrieg gefallen.«

»Und der Geist?«

»Nehmen Sie auch Erdbeeren?«

»Ja, bitte.«

»Sahne?«

»Nein, danke. Wollen Sie mir nicht von dem Geist erzählen?«

»Sobald ich Bescheid weiß, werden Sie es erfahren.«

Es war Juni, und die Erdbeeren schmeckten köstlich.

»Und nun sagen Sie mir, wen Sie lieben.«

»Hm«, machte sie und überlegte eine Minute lang. »Hm . . .« Sie legte den Löffel hin. »O Mist, Nathaniel, ich glaube, ich liebe dich.«

*

Ihr erster Gedanke war: Was zum Teufel ist mit mir los? Warum habe ich das gesagt?

Dann dachte sie: Keine Ahnung, aber es stimmt.

Und schließlich: *Warum* liebe ich ihn?

Sie wußte nicht, warum, doch sie wußte, wann sie sich in ihn verliebt hatte. Es hatte zwei Momente gegeben, da sie den echten Dickstein hatte sehen können: zum erstenmal, als er von den Londoner Faschisten in den dreißiger Jahren sprach, und zum zweitenmal, als er den Jungen erwähnte, dessen Vater im Sechstagekrieg umgekommen war. Beide Male hatte er seine Maske fallen lassen. Sie hatte einen kleinen, verängstigten Mann erwartet, der sich in einer Ecke verkroch. Tatsächlich aber war er stark, selbstbewußt und entschlossen. Und in diesen zwei Momenten hatte sie seine Kraft gespürt, und ihr war ein wenig schwindlig geworden.

Der Mann war ungewöhnlich und faszinierend. Suza wollte ihm nahekommen, ihn verstehen, seine geheimsten Gedanken erfahren. Sie wollte seinen knochigen Körper berühren, fühlen, wie seine kräftigen Hände sie packten, wollte in seine traurigen braunen Augen blicken, wenn er vor Leidenschaft aufstöhnte. Sie wollte seine Liebe.

So war es früher noch nie gewesen.

*

Nat Dickstein wußte, daß alles verkehrt war.

Suzas Zutrauen zu ihm war entstanden, als sie fünf Jahre alt und er ein freundlicher Onkel gewesen war, der verstand, mit Kindern und Katzen umzugehen. Jetzt beutete er ihre kindliche Zuneigung aus.

Er hatte Eila geliebt, die nun tot war. Es war etwas Unmoralisches an der Beziehung zu dieser Doppelgängerin, die ihre Tochter war.

Dickstein war nicht nur Jude, sondern Israeli; nicht nur Israeli, sondern ein Mossad-Agent. Weniger als jeder andere durfte er ein Mädchen lieben, das eine halbe Araberin war.

Immer, wenn sich ein schönes Mädchen in einen Spion verliebt, muß der Spion sich zuallererst fragen, für welchen feindlichen Geheimdienst es möglicherweise arbeitet.

Wenn im Laufe der Jahre eine Frau Dickstein ihre Zuneigung gezeigt hatte, hatte er immer Gründe wie diesen gefunden, um kühl zu bleiben, und früher oder später hatte sie verstanden und sich enttäuscht zurückgezogen. Die Tatsache, daß Suza dieser seiner automatischen Abwehr zuvorgekommen war und solcherart sein Unterbewußtsein ausgeschaltet hatte, war nur ein weiterer Grund, mißtrauisch zu sein.

Es war alles verkehrt.

Aber Dickstein kümmerte sich nicht darum.

*

Sie nahmen ein Taxi zu der Wohnung, in der sie vorhatte, die Nacht zu verbringen. Sie lud ihn ein – ihre Freunde, die Besitzer der Wohnung, waren im Urlaub, und sie gingen zusammen ins Bett. Damit begannen ihre Probleme.

Zuerst dachte Suza, er wäre von allzu ungeduldiger Leidenschaft, als er in dem kleinen Flur ihre Arme packte und sie stürmisch küßte. »O Gott«, keuchte er, während sie seine Hände nahm und auf ihre Brüste legte. In diesem Moment ging ihr der zynische Gedanke durch den Kopf: Diese Vorstellung kenne ich schon – er ist so überwältigt von meiner Schönheit, daß er mich praktisch vergewaltigt, und fünf Minuten später schläft er fest und schnarcht. Dann löste sie sich von seinem Kuß und blickte in seine sanften, großen braunen Augen. Ihr wurde klar: Was auch geschieht, es kann keine Schauspielerei sein.

Sie führte ihn in das kleine Zimmer im hinteren Teil der Wohnung, dessen Fenster auf den Hof hinausblickten. Da sie so oft hier zu Besuch war, galt es als ihr Zimmer; sogar einige ihrer Kleidungsstücke waren im Schrank und in den Schubladen aufbewahrt. Sie setzte sich auf den Rand des Einzelbettes und zog die Schuhe aus. Dickstein blieb in der Tür stehen und sah ihr zu. Sie schaute zu ihm auf und lächelte.

»Zieh dich aus.«

Er schaltete das Licht aus.

Neugier und Erregung durchfuhren sie wie das erste Kribbeln eines Haschischrausches. Wie war er wirklich? Er war ein Cockney und ein Israeli, ein Schuljunge mittleren Alters und ein Mann mit Bärenkräften, ein wenig ungeschickt und nervös, aber in Wirklichkeit selbstbewußt und irgendwie unwiderstehlich. Wie verhielt sich ein *solcher* Mann im Bett?

Seltsam gerührt, weil er im Dunkeln mit ihr schlafen wollte, schob sie sich unter das Laken. Er legte sich neben sie, und diesmal küßte er sie zärtlich. Sie ließ die Hände über seinen harten, knochigen Körper gleiten und öffnete den Mund unter seinen Küssen. Nach kurzem Zögern tat er das gleiche. Sie erriet, daß er noch nie so geküßt hatte – oder zumindest seit langer Zeit nicht.

Dann betastete er sie sanft mit den Fingerspitzen und flüsterte staunend: »Oh!«, als er ihre Brustwarze aufgerichtet fand. Seine Liebkosungen hatten nichts von der gekonnten Routine, die sie aus ihren früheren Affären kannte. Es war, als . . . als wäre er unschuldig.

»Deine Brust ist schön«, sagte er.

»Deine auch«, antwortete Suza und streichelte ihn.

Der Zauber ergriff von ihr Besitz, und sie schwelgte in Empfindungen: der Rauheit seiner Haut, den Haaren an seinen Beinen, seinem Geruch. Dann spürte sie plötzlich eine Veränderung in ihm. Es gab keinen Grund dafür, und einen Moment lang glaubte sie, sich geirrt zu haben, denn er liebkoste sie immer noch. Aber sie spürte, daß er es nur noch mechanisch tat, daß er an etwas anderes dachte. Sie hatte ihn verloren.

Suza wollte gerade sprechen, als er die Hände zurückzog und sagte: »Unmöglich. Ich kann es nicht.«

Panik stieg in ihr auf, doch Suza unterdrückte sie. Sie hatte Angst, nicht ihretwegen – *du hast schließlich genug steife Schwänze erlebt, Mädchen, und auch ein paar schlaffe –*, sondern seinetwegen, falls er niedergeschlagen oder beschämt sein sollte und –

Sie legte beide Arme fest um ihn. »Egal, was du tust, bitte, bleib hier.«

»Ich bleibe hier.«

Suza wollte das Licht anmachen, sein Gesicht sehen, aber das schien jetzt nicht das Richtige zu sein. Sie preßte ihre Wange gegen seine

Brust. »Hast du irgendwo eine Frau?«

»Nein.«

Sie streckte die Zunge aus und schmeckte seine Haut. »Vielleicht fühlst du dich irgendwie schuldbewußt – weil ich eine halbe Araberin bin?«

»Ich glaube nicht.«

»Oder weil Eila Ashford meine Mutter war? Du hast sie doch geliebt, nicht wahr?«

»Woher weißt du das?«

»Von der Art, wie du über sie gesprochen hast.«

»Oh. Ich glaube nicht, daß ich mich deshalb schuldig fühle, aber ich könnte mich auch täuschen, Doktor.«

»Hmmm.« Er kam langsam aus sich heraus. Sie küßte seine Brust. »Verrätst du mir etwas, wenn ich dich danach frage?«

»Das nehme ich an.«

»Wann hast du zum letztenmal Sex gehabt?«

»Neunzehnvierundvierzig.«

»Du machst Witze!« sagte sie, ehrlich verblüfft.

»Das ist die erste Dummheit, die ich von dir höre.«

»Ich .. du hast recht. Es tut mir leid.« Sie zögerte. »Aber wieso?«

Dickstein seufzte. »Ich kann nicht . . . ich bin nicht in der Lage, darüber zu reden.«

»Aber du *mußt* es.« Sie streckte die Hand nach der Nachttischlampe aus und knipste das Licht an. Dickstein schloß geblendet die Augen. Suza stützte sich auf einen Ellbogen. »Hör zu, es gibt keine Vorschriften. Wir sind erwachsen, wir liegen nackt im Bett, und wir haben das Jahr neunzehnachtundsechzig. Nichts ist verboten; es kommt nur darauf an, was einem Spaß macht.«

»Es ist nichts.« Seine Augen waren immer noch geschlossen.

»Und es gibt auch keine Geheimnisse. Wenn du ängstlich oder angewidert oder wütend bist, kannst und mußt du darüber reden. Vor heute abend habe ich nie jemandem gesagt, daß ich ihn liebe, Nat. Sprich mit mir, bitte.«

Ein langes Schweigen. Er lag still, unbewegt und mit geschlossenen Augen da. Endlich begann er.

»Ich wußte nicht, wo wir waren – weiß es bis heute nicht. Man brachte uns in Viehwagen dorthin. Es war ein Sonderlager, ein medizinisches Forschungszentrum. Die Gefangenen wurden aus sämtlichen Lagern ausgewählt. Wir waren alle jung, gesund und Juden.

Die Verhältnisse waren besser als in meinem ersten Lager. Wir hatten genug zu essen, Decken, Zigaretten; es gab keine Diebstähle und keine Kämpfe. Zuerst dachte ich, ich hätte Glück gehabt. Viele Tests wurden angestellt – Blut, Urin, blase in dieses Röhrchen, fang diesen Ball, lies die Buchstaben an der Tafel. Es war wie in einem Krankenhaus. Dann fingen die Experimente an.

Bis heute weiß ich nicht, ob echte wissenschaftliche Motive dahintersteckten. Ich meine, wenn man so was mit Tieren täte, könnte ich einsehen, daß es vielleicht ganz interessant, ganz aufschlußreich wäre. Aber die Ärzte müssen wahnsinnig gewesen sein. Ich weiß es nicht.«

Er unterbrach sich und schluckte. Es fiel ihm immer schwerer, ruhig zu sprechen. Suza flüsterte: »Du mußt mir alles erzählen, was geschehen ist – alles.«

Dickstein war bleich, und er fuhr mit sehr leiser Stimme fort und hielt die Augen weiterhin geschlossen. »Sie brachten mich in dieses Labor. Die Posten, die mich begleiteten, blinzelten mir dauernd zu, stießen mich an und sagten mir, daß ich mich freuen könne. Es war ein großes Zimmer mit niedriger Decke und sehr heller Beleuchtung. Sechs oder sieben von ihnen waren da, mit einer Filmkamera. In der Mitte des Raumes stand ein flaches Bett mit einer Matratze, ohne Laken. Auf der Matratze lag eine Frau. Man befahl mir, mit ihr zu schlafen. Die Frau war nackt und zitterte – auch sie gehörte zu den Gefangenen. Sie flüsterte mir zu: ›Du rettest mein Leben, und ich rette deins.‹ Und dann taten wir's. Aber das war erst der Anfang.«

Suza ließ die Hand über seine Lenden gleiten und merkte, daß sein Penis steif war. *Jetzt* begriff sie. Sie streichelte ihn, zunächst ganz sanft, und wartete darauf, daß er weitersprach – denn sie wußte, daß er ihr nun die ganze Geschichte erzählen würde.

»Danach wurde das Experiment variiert. Monatelang dachten sie sich jeden Tag etwas anderes aus. Manchmal Drogen. Eine alte Frau. Einmal ein Mann. Geschlechtsverkehr in verschiedenen Positionen – im Stehen, im Sitzen, alles mögliche. Oral, anal, Masturbation, Gruppensex. Wenn man nicht mitmachte, wurde man ausgepeitscht oder erschossen. Deshalb wurde die Sache nach dem Krieg nie bekannt, verstehst du? Weil alle Überlebenden schuldig waren.«

Suza streichelte ihn stärker. Sie war sicher – ohne zu wissen, warum – daß es richtig war. »Sag es mir. Alles.«

Er atmete schneller. Seine Augen öffneten sich, er starrte an die leere weiße Decke und schien einen anderen Ort und eine andere Zeit zu sehen. »Am Ende . . . am beschämendsten . . . es war eine Nonne. Ich glaubte zuerst, daß sie mich belogen, daß man sie nur verkleidet hatte, aber dann begann sie zu beten, auf französisch. Sie hatte keine Beine . . . man hatte sie amputiert, nur um die Wirkung auf mich zu beobachten . . . Es war fürchterlich, und ich . . . und ich . . .«

Dann zuckte er zusammen, Suza beugte sich vor und schloß den Mund um seinen Penis. Er stöhnte: »O nein, nein, nein!« im Rhythmus seiner Zuckungen. Danach war alles vorbei, und er weinte.

*

Suza küßte seine Tränen und sagte ihm immer wieder, daß alles in Ordnung sei. Er beruhigte sich langsam und schien ein paar Minuten lang zu schlafen. Sie lag neben ihm und betrachtete sein Gesicht, während sich die Spannung löste. Dann öffnete er die Augen und fragte: »Warum hast du das getan?«

Sie hatte es selbst nicht ganz verstanden, aber nun glaubte sie, die Erklärung zu kennen. »Ich hätte dir einen Vortrag halten können«, sagte sie. »Ich hätte dir versichern können, daß du dich nicht zu schämen brauchst, daß jeder gräßliche Phantasien hat, daß Frauen davon träumen, ausgepeitscht zu werden, und Männer davon, sie auszupeitschen, daß man hier in London pornographische Bücher, farbig illustriert, über Sex mit Amputierten kaufen kann. Ich hätte dir sagen können, daß viele Männer bestialisch genug gewesen wären, um alle Befehle in dem Nazi-Labor auszuführen. Aber wenn ich mit dir diskutiert hätte, wäre alles vergeblich gewesen. Ich mußte es dir zeigen. Außerdem –.« Sie lächelte wehmütig. »Außerdem habe auch ich meine dunklen Seiten.«

Er berührte ihre Wange, beugte sich vor und küßte sie auf die Lippen. »Woher hast du so viel Weisheit, Kind?«

»Es ist nicht Weisheit, es ist Liebe.«

Dann drückte er sie fest an sich, küßte sie und gab ihr zärtliche Namen. Nach einer Weile liebten sie sich, einfach, fast ohne Worte, ohne Geständnisse, dunkle Phantasien oder bizarre Begierden. Sie gaben und empfingen Lust mit der Vertrautheit eines alten Paares. Danach schliefen sie von Frieden und Glück erfüllt ein.

*

David Rostow war über den Euratom-Computerausdruck bitter enttäuscht. Nachdem er und Pjotr Tyrin Stunden damit verbracht hatten, ihn zu entschlüsseln, blieb die betrübliche Tatsache bestehen, daß die Lieferungsliste sehr lang war. Sie konnten auf keinen Fall jedes mögliche Ziel überwachen. Die einzige Möglichkeit, es herauszufinden, bestand darin, Dicksteins Fährte wieder aufzuspüren.

Dadurch gewann Yasif Hassans Mission in Oxford weit größere Bedeutung.

Sie warteten auf den Anruf des Arabers. Um 22 Uhr ging Nik Bunin ins Bett; er genoß den Schlaf, wie andere Menschen ein Sonnenbad genossen. Tyrin hielt es bis Mitternacht aus, dann zog auch er sich zurück. Rostows Telefon klingelte endlich um 1 Uhr. Er fuhr wie unter einem Schock zusammen, packte den Hörer und wartete ein paar Sekunden, sich zu sammeln.

»Ja?«

Hassans Stimme ertönte über die dreihundert Meilen der internationalen Telefonverbindung hinweg. »Ich habe es geschafft. Der Mann war hier. Vor zwei Tagen.«

Rostow ballte eine Faust, um seine Erregung zu unterdrücken. »Himmel, welch ein Glück!«

»Was jetzt?« Der Russe hielt überlegend inne. »Er weiß nun, daß wir Bescheid wissen.«

»Ja. Soll ich zurückkommen?«

»Ich glaube nicht. Hat der Professor gesagt, wie lange der Mann vorhat, in England zu bleiben?«

»Nein. Ich habe ihm eine direkte Frage danach gestellt. Der Mann hatte sich darüber nicht geäußert.«

»Das war anzunehmen.« Rostow runzelte sinnend die Stirn. »Als erstes muß der Mann jetzt melden, daß er aufgeflogen ist. Das bedeutet, daß er sich mit seinem Londoner Büro in Verbindung setzt.«

»Vielleicht hat er das schon getan.«

»Ja, aber er könnte ein Treffen arrangieren. Dieser Mann ist vorsichtig, und Vorsichtsmaßnahmen brauchen Zeit. Gut, überlassen Sie es mir. Ich werde heute noch nach London fliegen. Wo sind Sie jetzt?«

»Ich bin immer noch in Oxford, bin vom Flughafen sofort hierhergefahren. Ich kann erst morgen früh nach London zurück.«

»In Ordnung. Nehmen Sie ein Zimmer im Hilton. Sie hören dort gegen Mittag von mir.«

»Wird gemacht. *A bientôt.*«

»Moment.«

»Ja, ich bin noch dran.«

»Unternehmen Sie nichts aus eigener Initiative. Warten Sie, bis ich da bin. Sie haben gute Arbeit geleistet, verderben Sie jetzt nicht alles.«

Hassan hängte ein.

Rostow blieb einen Augenblick lang still sitzen. Plante Hassan irgendeine Dummheit, oder nahm er ihm übel, daß er ermahnt worden war, artig zu sein? Das letztere wahrscheinlich. Hassan konnte in den nächsten Stunden ohnehin nicht viel Schaden anrichten.

Er wandte seine Gedanken wieder Dickstein zu. Der Mann würde ihnen keine zweite Chance geben, seine Spur aufzunehmen. Rostow mußte sofort aktiv werden. Er zog seine Jacke an, verließ das Hotel und fuhr mit einem Taxi zur russischen Botschaft.

Er mußte einige Zeit warten und sich vier verschiedenen Leuten gegenüber identifizieren, bevor man ihn mitten in der Nacht einließ. Der diensthabende Telefonist nahm Haltung an, als Rostow den Fernmelderaum betrat. Rostow befahl: »Setzen Sie sich. Wir haben zu arbeiten. Rufen Sie zuerst das Londoner Büro an.«

Der Telefonist nahm den Apparat mit dem Sprachverzerrer und begann, die Verbindung mit der russischen Botschaft in London herzustellen. Rostow zog seine Jacke aus und krempelte sich die Ärmel hoch.

Der Telefonist sagte: »Genosse Oberst David Rostow spricht nur mit dem höchsten Sicherheitsoffizier.« Er bedeutete Rostow, den Zusatzapparat zu benutzen.

»Oberst Petrow.« Es war die Stimme eines Soldaten von mittlerem Alter.

»Petrow, ich brauche Hilfe«, erklärte Rostow ohne Vorrede. »Ein israelischer Agent namens Nat Dickstein hält sich wahrscheinlich in England auf.«

»Ja, sein Bild ist uns mit der Diplomatenpost zugegangen – aber man hat uns nicht mitgeteilt, daß er hier sein soll.«

»Hören Sie zu. Er könnte mit seiner Botschaft Kontakt aufnehmen. Ich möchte, daß Sie alle bekannten israelischen Diplomaten in London von morgen früh an unter Bewachung stellen.«

»Ich bitte Sie, Rostow«, antwortete Petrow mit einem halben Lachen. »Dazu braucht man eine Menge Leute.«

»Seien Sie nicht albern! Sie haben Hunderte von Männern, die Israelis haben nur ein oder zwei Dutzend.«

»Tut mir leid, Rostow, ich kann eine solche Operation nicht auf Ihre bloße Behauptung hin einleiten.«

Rostow hätte den Mann am liebsten an der Kehle packen mögen. »Es ist dringend!«

»Lassen Sie mir die vorschriftsmäßigen Dokumente zukommen, und ich stehe zu Ihrer Verfügung.«

»Bis dahin wird er woanders sein!«

»Nicht meine Schuld, Genosse.«

Rostow knallte wütend den Hörer auf die Gabel. »Scheißrussen! Sind ohne sechs Bevollmächtigungen nie zu etwas imstande!« Er wandte sich zu dem Telefonisten. »Rufen Sie Moskau an, sagen Sie, daß man Felix Woronzow finden und zu mir durchstellen soll, wo er auch ist.«

Der Telefonist begann, den Auftrag auszuführen. Rostow trommelte ungeduldig mit den Fingern auf den Schreibtisch. Petrow war wahrscheinlich ein alter Soldat, der bald in den Ruhestand treten würde und neben seiner Pension keinen Ehrgeiz mehr hatte. Es gab zu viele Männer wie ihn im KGB.

Ein paar Minuten später meldete sich die schläfrige Stimme von Rostows Chef. »Ja, wer ist da?«

»David Rostow. Ich bin in Luxemburg und brauche deine Unterstützung. Der Pirat will vermutlich Kontakt mit der israelischen Botschaft in London aufnehmen, und ich möchte, daß die israelischen Diplomaten überwacht werden.«

»Ruf London an.«

»Habe ich getan. Man verlangt eine Vollmacht.«

»Dann beantrage sie.«

»Mein Gott, Felix, ich beantrage sie hiermit!«

»Mitten in der Nacht kann ich nichts für dich tun. Ruf mich morgen früh an.«

»Was soll das? Du kannst doch bestimmt . . .« Plötzlich merkte Rostow, was vorging. Er beherrschte sich mit Mühe. »In Ordnung, Felix. Morgen früh.«

»Wiederhören.«

»Felix –«

»Ja?«

»Das vergesse ich dir nicht!«

Die Verbindung wurde abgebrochen.

»Und jetzt?« fragte der Telefonist.

Rostow zog die Brauen zusammen. »Halten Sie die Leitung nach Moskau offen. Ich muß überlegen.«

Er hätte wissen sollen, daß Felix ihm nicht helfen würde. Der alte Narr wollte, daß diese Mission fehlschlug, um zu beweisen, daß er, Felix, von vornherein die Leitung hätte übernehmen sollen. Es war sogar möglich, daß Felix mit Petrow in London unter einer Decke steckte und ihm inoffiziell befohlen hatte, nicht zu kooperieren.

Nun blieb Rostow nur noch ein einziger Ausweg, ein höchst gefährlicher Ausweg, der zu seiner Abberufung führen konnte. Vielleicht hoffte Felix sogar darauf. Aber er durfte sich nicht darüber beklagen, daß der Einsatz hoch war, denn er selbst hatte ihn erhöht.

Er dachte ein oder zwei Minuten darüber nach, wie genau er vorgehen sollte. Dann sagte er: »Moskau soll mich mit Jurij Andropows Wohnung am Kutusow-Prospekt 26 verbinden.«

Der Telefonist hob die Augenbrauen – es war wohl das erste und letzte Mal, daß er die Anweisung erhielt, den Chef des KGB anzurufen –, aber er widersprach nicht.

Rostow wartete nervös. »Ich wette, daß es leichter ist, für den CIA zu arbeiten«, murmelte er.

Der Telefonist gab ihm ein Zeichen, und er nahm den Hörer auf. Jemand fragte: »Ja?«

Rostow erhob die Stimme und bellte: »Name und Rang!«

»Major Pjotr Eduardowitsch Scherbitskij.«

»Hier ist Oberst Rostow. Ich möchte mit Andropow sprechen. Es handelt sich um einen dringenden Fall, und wenn er innerhalb von hundertzwanzig Sekunden nicht am Telefon ist, werden Sie für den Rest Ihres Lebens Dämme in Bratsk bauen. Haben Sie mich verstanden?«

»Ja, Herr Oberst. Bitte, bleiben Sie am Apparat.«

Einen Moment später hörte Rostow die tiefe, selbstbewußte Stimme Jurij Andropows, eines der mächtigsten Männer der Welt. »Sie haben dem jungen Scherbitskij ganz schön Angst gemacht, David.«

»Ich hatte keine andere Wahl.«

»Schön, lassen Sie hören. Ich hoffe, Sie haben einen guten Grund.«

»Der Mossad ist hinter Uran her.«

»Du meine Güte!«

»Ich glaube, daß der Pirat in England ist. Er könnte mit seiner Botschaft Verbindung aufnehmen. Ich möchte, daß die Israelis dort überwacht werden, aber ein alter Trottel namens Petrow in London hält mich hin.«

»Ich werde mit ihm reden, bevor ich mich wieder hinlege.«

»Vielen Dank, Jurij Wladimirowitsch.«

»Etwas noch, David?«

»Ja?«

»Sie hatten recht, mich zu wecken – aber es war hart an der Grenze.«

Ein Klicken, und Andropow hängte ein. Rostow lachte auf, während seine Spannung sich löste. Er dachte: Sollen sie machen, was sie wollen – Dickstein, Hassan, Felix –, ich werde mit ihnen fertig.

»Erfolg gehabt?« meinte der Telefonist mit einem Lächeln.

»Ja. Unser System ist unrationell, umständlich und korrupt, aber letzten Endes kriegen wir, was wir wollen.«

Es tat Dickstein weh, Suza am nächsten Morgen zurückzulassen und wieder an die Arbeit zu gehen.

Er war immer noch . . . nun, überwältigt, als er um 11 Uhr am Fenster eines Restaurants in der Fulham Road saß und auf Pierre Borg wartete. Er hatte bei der Flughafeninformation in Heathrow eine Botschaft hinterlassen, die Borg in ein Café bestellte, das auf der anderen Straßenseite lag. Wahrscheinlich würde dieses Gefühl der Überwältigung noch lange anhalten, vielleicht sein ganzes Leben lang.

Dickstein war um 6 Uhr aufgewacht und hatte einen panischen Moment lang nicht gewußt, wo er war. Dann sah er Suzas lange, braune Hand, gekrümmt wie ein kleines, schlafendes Tier, auf dem Kissen neben seinem Kopf liegen. Die Erinnerungen an die letzte Nacht überfluteten ihn, und er konnte kaum an sein Glück glauben. Vielleicht hätte er sie nicht wecken sollen, aber plötzlich mußte er ihren Körper einfach anfassen. Sie öffnete die Augen bei seiner Berührung, und sie liebten sich spielerisch, manchmal lachend und blickten sich während des Höhepunktes in die Augen. Dann alberten sie halb angezogen in der Küche herum, so daß der Kaffee zu schwach wurde und der Toast anbrannte.

Am liebsten wäre er nie mehr fortgegangen.

Suza hatte sein Unterhemd mit einem Schrei des Entsetzens aufgehoben. »Was ist das?«

»Mein Unterhemd.«

»Unterhemd? Ich verbiete dir, Unterhemden zu tragen. Sie sind altmodisch und unhygienisch, und sie sind im Weg, wenn ich deine Brustwarzen fühlen will.«

Ihre Miene war so lüstern, daß er vor Lachen prustete. »Einverstanden. Ich werde keine mehr tragen.«

»Gut.« Sie öffnete das Fenster und warf das Unterhemd auf die Straße.

171

Er fing wieder an zu lachen und sagte: »Aber du darfst keine Hosen tragen.«

»Wieso nicht?«

Nun war es an ihm, ein lüsternes Gesicht zu machen.

»Aber meine Hosen haben ohnedies alle einen Schlitz vorne.«

»Das reicht nicht. Keine Bewegungsfreiheit.«

Und so ging es weiter.

Sie benahmen sich, als wenn sie den Sex gerade erfunden hätten. Der einzige ein wenig getrübte Moment kam, als sie seine Narben betrachtete und nach ihrer Herkunft fragte.

»Wir haben drei Kriege gehabt, seit ich nach Israel ausgewandert bin«, erwiderte er. Es war die Wahrheit, aber nicht die ganze Wahrheit.

»Weshalb bist du nach Israel gegangen?«

»Zur Sicherheit.«

»Aber dort ist es doch nicht sicher – im Gegenteil.«

»Es ist eine andere Art von Sicherheit.« Er sprach beiläufig, da er es nicht erklären wollte, dann aber überlegte er es sich anders, denn sie sollte alles über ihn wissen. »Es mußte einfach ein Land geben, in dem niemand sagen konnte: ›Du bist anders, du bist kein Mensch, du bist Jude‹, in dem niemand meine Fenster einschlagen oder mit meinem Körper herumexperimentieren konnte, nur weil ich Jude war. Verstehst du . . .« Sie schaute ihn mit ihren klaren, offenen Augen an, und er bemühte sich, ihr die ganze Wahrheit zu sagen, ohne Ausflüchte, ohne irgend etwas zu beschönigen. »Für mich spielte keine Rolle, ob wir uns Palästina oder Uganda oder Manhattan Island aussuchten – wo es auch war, ich hätte gesagt: ›Dieses Land gehört *mir*‹, und ich hätte verbissen dafür gekämpft, es zu behalten. Deshalb versuche ich nie, über das moralische Recht oder Unrecht der Gründung Israels zu diskutieren. Gerechtigkeit und Fairneß hatten nie etwas damit zu tun. Nach dem Krieg . . . nun, der Gedanke, daß die Idee der Fairneß irgendeine Bedeutung für die internationale Politik habe, schien mir ein schlechter Witz zu sein. Ich behaupte nicht, daß diese Haltung bewundernswert ist; ich erkläre dir nur, wie ich die Dinge sehe. An jedem anderen Ort, egal wo, – New York, Paris, Toronto –, wissen die Juden nie, wie lange es dauern wird, bis man ihnen die nächste Krise bequemerweise in die Schuhe schieben wird, gleichgültig, wie wohl sie sich sonst fühlen und wie assimiliert sie auch sein mögen. In Israel kann ich sicher sein, daß ich nie ein Opfer *solcher Umstände* sein werde, was auch immer geschieht. Da dieses Problem beseitigt ist, können wir uns um die Realitäten kümmern, die zu jedem normalen Leben gehören: Saat und Ernte, Kauf und Verkauf, Kampf und Tod. Ich glaube, daß ich deshalb ausgewandert bin . . . Vielleicht habe ich es damals nicht so klar gesehen – eigentlich habe ich es noch nie so wie jetzt in Worte gefaßt –, aber das waren jedenfalls meine Gefühle.«

Nach einer Weile sagte Suza: »Mein Vater ist der Meinung, daß Israel selbst jetzt eine rassistische Gesellschaft ist.«

»Das meinen auch die jungen Leute bei uns. Sie haben nicht unrecht. Wenn . . .«

Sie blickte ihn an und wartete.

»Wenn du und ich ein Kind hätten, würde man sich weigern, es als jüdisch einzustufen. Es wäre ein Bürger zweiter Klasse. Aber ich glaube nicht, daß es ewig so weitergehen wird. Zur Zeit haben die religiösen Fanatiker großen Einfluß in der Regierung. Kein Wunder, denn der Zionismus war eine religiöse Bewegung. Wenn die Nation reifer wird, hören diese Dinge auf. Die Rassengesetze sind schon jetzt umstritten. Wir bekämpfen sie, und am Ende werden wir uns durchsetzen.«

Sie trat auf ihn zu und legte den Kopf auf seine Schulter. Schweigend umarmten sie sich. Er wußte, daß die israelische Politik ihr wenig bedeutete. Es war die Erwähnung eines Kindes, die sie gerührt hatte.

Dickstein saß am Fenster des Restaurants und hing seinen Erinnerungen nach. Er wußte, daß er Suza für immer in seinem Leben haben wollte, und er fragte sich, was er tun würde, wenn sie sich weigerte, ihn in sein Land zu begleiten. Würde er sich für Israel oder Suza entscheiden? Doch er konnte die Frage nicht beantworten.

Er beobachtete die Straße. Es war typisches Juniwetter – regnerisch und recht kalt. Die vertrauten roten Busse und schwarzen Taxis sausten hin und her, wühlten sich durch den Regen und ließen die Pfützen auf der Straße aufspritzen. Sein eigenes Land, seine eigene Frau – vielleicht könnte er beides haben.

War so viel Glück denkbar?

Ein Taxi hielt vor dem gegenüberliegenden Café. Dickstein lehnte sich gespannt noch dichter ans Fenster und spähte durch den Regen.

Er erkannte die massige Gestalt von Pierre Borg, der, mit einem kurzen dunklen Regenmantel und einem weichen Filzhut bekleidet, aus dem Wagen kletterte. Aber er kannte den zweiten Mann nicht, der ausstieg und den Fahrer bezahlte. Die beiden Männer betraten das Café. Dickstein ließ den Blick über die Straße schweifen.

Ein grauer Mark II Jaguar hatte im Halteverbot fünfzig Meter vom Café entfernt gestoppt. Nun setzte er in eine Seitenstraße zurück und parkte an der Ecke in Sichtweite des Cafés. Der Beifahrer stieg aus und kam näher.

Dickstein verließ seinen Tisch und eilte zur Telefonzelle im Restauranteingang. Er hatte das Café gegenüber, dessen Nummer er wählte, immer noch im Auge.

»Ja?«

»Könnte ich Bill sprechen, bitte.«

»Bill? Kenne ich nicht.«

»Würden Sie bitte fragen?«

»Klar. He, heißt hier jemand Bill?« Eine Pause. »Ja, er kommt.«

Kurz darauf hörte Dickstein Borgs Stimme. »Hallo?«

»Wer ist der Bursche bei dir?«

»Chef des Londoner Büros. Meinst du, ist er auf unserer Seite?«

Dickstein achtete nicht auf Borgs Sarkasmus. »Einer von euch hat sich einen Schatten zugelegt. Zwei Männer in einem grauen Jaguar.«

»Wir haben sie gesehen.«

»Schüttelt sie ab.«

»Natürlich. Du kennst diese Stadt – was ist der beste Weg?«

»Schick deinen Bürochef mit einem Taxi zurück zur Botschaft. Dadurch müßten wir den Jaguar loswerden. Warte zehn Minuten und nimm ein Taxi zur . . .« Dickstein zögerte. Er versuchte, sich an eine ruhige Straße in der Nähe zu erinnern. »Zur Redcliffe Street. Ich treffe dich dort.«

»Okay.«

Dickstein warf einen Blick auf die andere Straßenseite. »Euer Verfolger geht gerade ins Café.« Damit hängte er ein.

Er kehrte zu seinem Fensterplatz zurück und hielt Ausschau. Borgs Begleiter kam jetzt aus dem Café, spannte einen Schirm auf und stellte sich an den Bordstein, um ein Taxi heranzuwinken. Der Beschatter hatte Borg entweder am Flughafen erkannt, oder er war dem Bürochef aus irgendeinem anderen Grund gefolgt. Es spielte keine

Rolle. Ein Taxi hielt an. Als es sich in Bewegung setzte, schob sich der graue Jaguar aus der Seitenstraße und fuhr hinter ihm her. Dickstein verließ das Restaurant und winkte sich selbst ein Taxi heran. Taxifahrer verdienen gut am Spionagegeschäft, dachte er.

Er wies den Fahrer an, die Redcliffe Street anzusteuern und zu warten. Nach elf Minuten bog ein weiteres Taxi in die Straße ein, und Borg stieg aus. »Blinken Sie«, sagte Dickstein. »Das ist der Mann, mit dem ich mich treffe.« Borg bestätigte mit einer Geste, daß er das Blinken gesehen hatte. Während er bezahlte, tauchte ein drittes Taxi in der Straße auf und hielt an. Borg entdeckte es.

Der Verfolger im dritten Taxi wartete ab, was geschehen würde. Borg durchschaute seinen Plan und stieg aus seinem Taxi. Dickstein bat seinen Fahrer, nicht mehr zu blinken.

Borg ging an ihnen vorbei. Der Verfolger stieg aus seinem Taxi aus, bezahlte den Fahrer und setzte sich Borg auf die Fersen. Als das Auto des Beschatters verschwunden war, drehte Borg sich um, kam auf Dicksteins Taxi zu und setzte sich hinein.

»Okay, los jetzt«, sagte Dickstein. Sie fuhren davon, während der Verfolger auf dem Bürgersteig zurückblieb und nach einem neuen Taxi Ausschau hielt. Es war eine ruhige Straße, er würde fünf oder zehn Minuten lang keines finden.

»Wie geschmiert«, meinte Borg.

»Keine Kunst.«

»Was sollte der ganze Zirkus?« fragte der Fahrer.

»Kein Grund zur Besorgnis«, antwortete Dickstein. »Wir sind nämlich Geheimagenten.«

Der Fahrer lachte. »Wohin – zum MI 5?«

»Zum Wissenschaftsmuseum.«

Dickstein lehnte sich zurück und lächelte Borg zu. »Na, Bill, du alter Stinker, wie fühlst du dich?«

Borg runzelte die Stirn. »Wieso bist du so verdammt fröhlich?«

Sie schwiegen, solange sie im Taxi saßen. Dickstein merkte, daß er sich nicht ausreichend auf dieses Treffen vorbereitet hatte. Er hätte im voraus entscheiden sollen, was er von Borg wollte und wie er es bekommen konnte.

Er dachte: Was will ich wirklich? Die Antwort kam aus seinem Unterbewußtsein und traf ihn wie eine Ohrfeige. Ich will Israel die Bombe verschaffen – und dann möchte ich nach Hause.

175

Dickstein wandte sich von Borg ab. Regentropfen zogen sich wie Tränen über das Taxifenster. Plötzlich war er froh darüber, daß sie des Fahrers wegen nicht sprechen konnten. Auf dem Bürgersteig standen drei mantellose Hippies, klatschnaß, die Gesichter und Hände erhoben, um den Regen zu genießen. *Wenn ich es schaffe, wenn ich diesen Auftrag beende, könnte ich mich ausruhen.*

Der Gedanke erheiterte ihn unerklärlicherweise. Er sah Borg an und lächelte. Borg drehte das Gesicht zum Fenster.

Sie erreichten das Museum und gingen hinein. Vor der Rekonstruktion eines Dinosaurier sagte Borg: »Ich erwäge, dir diesen Auftrag zu entziehen.«

Dickstein nickte, verbarg seine Betroffenheit und überlegte rasch. Hassan machte Kairo Meldung, und Borgs Mann in Kairo erhielt die Berichte und leitete sie nach Tel Aviv weiter. »Meine Tarnung ist aufgeflogen.«

»Das weiß ich seit Wochen. Wenn du mit uns Kontakt hieltest, würdest du über diese Dinge auf dem laufenden sein.«

»Wenn ich Kontakt hielte, würde man meine Tarnung noch öfter durchschauen.«

Borg grunzte und schritt weiter. Er zog eine Zigarre hervor, und Dickstein sagte: »Rauchen verboten.« Borg steckte die Zigarre weg.

»Es hat nichts zu bedeuten«, erklärte Dickstein. »Ist mir schon ein halbes dutzendmal passiert. Wichtig ist nur, wieviel sie wissen.«

»Dieser Hassan, der dich noch von früher kennt, hat dich verpfiffen. Er arbeitet nun für die Russen.«

»Was *wissen* sie?«

»Du bist in Luxemburg und Frankreich gewesen.«

»Das ist nicht viel.«

»Mir ist klar, daß das nicht viel ist. Ich weiß, daß du in Luxemburg und Frankreich gewesen bist, und *ich* habe keine Ahnung, was du dort zu suchen hattest.«

»Du läßt mich also weiterarbeiten«, sagte Dickstein und sah Borg herausfordernd an.

»Das bleibt abzuwarten. Was hast du bis jetzt unternommen?«

»Hm.« Dickstein wandte den Blick nicht von Borg ab. Der Mann war nervös geworden, da er nicht rauchen durfte und nicht wußte, was er mit den Händen anfangen sollte. Die helle Beleuchtung der Ausstellungsstücke machte seinen schlechten Teint sichtbar. Sein Gesicht glich einem kiesbedeckten Parkplatz. Dickstein mußte genau abwägen, wieviel er Borg mitteilen durfte – genug, um den Eindruck zu erwecken, daß er eine Menge geschafft hatte, aber nicht so viel, daß Borg es für möglich hielte, Dicksteins Plan von einem anderen ausführen zu lassen . . . »Ich habe eine Uranlieferung ausgesucht, die wir stehlen können«, begann er. »Sie geht im November über den Seeweg von Antwerpen nach Genua. Ich werde das Schiff entführen.«

»Scheiße!« Borg schien gleichzeitig erfreut und erschrocken über die Kühnheit der Idee. »Wie, zum Teufel, willst du das geheimhalten?«

»Damit beschäftige ich mich gerade.« Dickstein beschloß, Borg ein wenig mehr zu verraten, um ihm den Mund wäßrig zu machen. »Ich muß Lloyd's, hier in London, aufsuchen. Ich hoffe, das Schiff gehört zu einer Serie – die meisten Schiffe werden auf diese Weise gebaut. Wenn ich ein identisches kaufen kann, hätten wir die Möglichkeit, die beiden irgendwo im Mittelmeer auszutauschen.«

Borg fuhr sich zweimal mit der Hand über das kurzgeschnittene Haar und zupfte dann an seinem Ohr. »Ich verstehe nicht . . .«

»Die Details muß ich noch ausarbeiten, aber ich bin sicher, daß dies der einzige Weg ist, die Sache heimlich über die Bühne zu bringen.«

»Also beeile dich und kümmere dich um die Details.«

»Aber du hast doch daran gedacht, mich abzuberufen.«

»Ja . . .« Borg neigte den Kopf unschlüssig von einer Seite zur anderen. »Wenn ich dich durch einen erfahrenen Mann ersetzen lasse, wird man ihn möglicherweise auch erkennen.«

»Und wenn du einen unbekannten einschaltest, fehlt ihm die Erfahrung.«

»Daneben habe ich Zweifel, daß jemand anders – erfahren oder nicht – außer dir damit fertig wird. Und es gibt etwas, was du nicht weißt.«

Sie blieben vor dem Modell eines Atomreaktors stehen.

»Also?«

»Wir haben einen Bericht aus Kattara erhalten. Die Russen helfen ihnen jetzt. Wir sind in Eile, Dickstein. Ich kann mir keine Verzögerung leisten, und ein neuer Plan wäre eine Verzögerung.«

»Ist es im November früh genug?«

Borg dachte nach. »Gerade noch.« Er schien zu einem Entschluß gelangt zu sein. »In Ordnung, du machst weiter. Aber du mußt dir ein paar Ausweichmanöver ausdenken.«

Dickstein grinste breit und klopfte Borg auf den Rücken. »Du bist ein echter Kumpel, Pierre. Mach dir keine Sorgen um mich. Ich werde die anderen in den April schicken.«

Borg verzog das Gesicht. »Was ist nur mit dir los? Du hörst überhaupt nicht auf zu grinsen.«

»Es liegt daran, daß du hier bist. Dein Gesicht heitert mich eben auf. Dein sonniges Gemüt ist ansteckend. Wenn du lächelst, Pierre, lächelt die ganze Welt mit dir.«

»Du bist verrückt, du Arsch«, sagte Borg.

*

Pierre Borg war vulgär, gefühllos, boshaft und langweilig, aber er war nicht dumm. »Er mag ein Schuft sein«, sagte man über ihn, »aber ein gerissener Schuft.« Als sie sich voneinander verabschiedeten, wußte er, daß sich etwas Wichtiges in Nat Dicksteins Leben verändert hatte.

Er dachte darüber nach, während er zur israelischen Botschaft am Palace Green in Kensington zurückkehrte. In den zwanzig Jahren seit ihrer ersten Begegnung hatte Dickstein sich kaum verändert. Immer noch zeigte sich die Kraft des Mannes an ihm nur selten. Er war immer ruhig und zurückhaltend gewesen, hatte wie ein arbeitsloser Bankangestellter ausgesehen und, abgesehen von gelegentlichen, recht zynischen Geistesblitzen, wenig Humor besessen.

Bis heute.

Zuerst war er so wie immer gewesen – kurz angebunden, hart an der Grenze der Unverschämtheit. Aber gegen Ende hatte er sich in den stereotypen munteren Cockney eines Hollywood-Films verwandelt.

Borg mußte den Grund erfahren.

Er nahm bei seinen Agenten eine Menge in Kauf. Vorausgesetzt, daß sie tüchtig waren, konnten sie neurotisch, aggressiv, sadistisch oder ungehorsam sein – solange er Bescheid wußte. Fehler ließen sich berücksichtigen, unbekannte Faktoren nicht. Er würde sich seiner Macht über Dickstein nicht sicher sein, bis er die Ursache der Veränderung herausbekommen hatte. Das war alles. Im Prinzip hatte er nichts dagegen, wenn bei einem seiner Agenten plötzlich der Frohsinn ausbrach.

Borg war nun in Sichtweite der Botschaft. Er beschloß, Dickstein überwachen zu lassen. Dazu würden zwei Autos und drei Mannschaften, die Acht-Stunden-Schichten absolvierten, erforderlich sein. Der Chef des Londoner Büros würde sich beschweren. Zur Hölle mit ihm.

Das Bedürfnis, zu erfahren, weshalb Dicksteins Stimmung sich gewandelt hatte, war nur ein Grund für Borg gewesen, ihn nicht abzulösen. Der andere Grund war wichtiger. Dickstein hatte einen halben Plan – er eignete sich für solche Aktionen –, und ein anderer Mann wäre wahrscheinlich nicht fähig, den Plan zu vervollständigen. Wenn Dickstein alles ausgetüftelt hatte, *dann* konnte jemand anders seinen Platz übernehmen. Borg beabsichtigte, ihm den Auftrag bei erster Gelegenheit zu entziehen. Dickstein würde wütend sein und sich hintergangen fühlen.

Zur Hölle auch mit ihm.

*

Major Pjotr Alexejewitsch Tyrin mochte Rostow im Grunde nicht. Er mochte keinen seiner Vorgesetzten; seiner Ansicht nach mußte man ein Gauner sein, um im KGB über den Rang eines Majors hinaus befördert zu werden. Trotzdem empfand er eine Art ehrfurchtsvoller Zuneigung zu seinem ausgekochten, erfinderischen Chef. Tyrin besaß erhebliche Fähigkeiten, besonders auf elektronischem Gebiet, aber er verstand es nicht, Menschen zu manipulieren. Er hatte es nur deshalb zum Major gebracht, weil er zu Rostows unglaublich erfolgreichem Team gehörte.

Abba Allon. In der High Street. Zweiundfünfzig oder Neun? Wo sind Sie, Zweiundfünfzig?

Zweiundfünfzig. Sind in der Nähe. Wir übernehmen ihn. Wie sieht er aus?

Regenmantel aus Plastik, grüner Hut, Schnurrbart.

Als Freund taugte Rostow nicht viel, als Feind war er zu fürchten. Dieser Oberst Petrow in London hatte das am eigenen Leibe verspürt. Er hatte versucht, Rostow hinzuhalten, und war mitten in der Nacht durch einen Anruf von Jurij Andropow, dem KGB-Chef persönlich, überrascht worden. Die Leute in der Londoner Botschaft sagten, Petrow habe nach dem Gespräch einem Gespenst geglichen. Seitdem bekam Rostow alles, was er wollte: Wenn er nieste, eilten fünf Agenten hinaus, um Taschentücher zu kaufen.

Wir haben Ruth Davisson. Sie geht . . . nach Norden . . . Neunzehn,
wir können sie übernehmen –
Ruhig, Neunzehn. Fehlalarm. Es ist eine Sekretärin, die ihr ähnlich
sieht.

Rostow hatte alle von Petrows Pflasterkünstlern und die meisten seiner Autos requiriert. Das Gelände um die israelische Botschaft in London wimmelte von Agenten – jemand hatte gesagt: »Hier gibt's mehr Rote als in der Kreml-Klinik« –, aber sie waren schwer auszumachen. Sie saßen in PKWs, Lieferwagen, kleinen Taxis, Lastwagen und einem Fahrzeug, das erstaunlich an einen nicht gekennzeichneten Bus der Stadtpolizei erinnerte. Andere waren zu Fuß unterwegs: Sie hielten sich in öffentlichen Gebäuden auf oder gingen auf den Straßen und den Parkwegen spazieren. Einer war sogar innerhalb der Botschaft und fragte in schrecklich gebrochenem Englisch, was er tun müßte, um nach Israel zu emigrieren.

Die Botschaft war für eine solche Übung vorzüglich geeignet. Sie lag in einem kleinen Diplomatenghetto am Rande von Kensington Gardens. So viele der anmutigen alten Häuser gehörten ausländischen Vertretungen, daß man sie als Embassy Row bezeichnete. Auch die sowjetische Botschaft war nicht weit entfernt in den Kensington Palace Gardens. Die kleine Gruppe von Straßen war Privatbesitz, und man mußte einem Polizisten sein Anliegen erklären, bevor man sie betreten durfte.

Neunzehn, diesmal ist es wirklich Ruth Davisson . . . Neunzehn, hö
ren Sie mich?
Hier Neunzehn, ja.
Sind Sie immer noch an der Nordseite?
Ja. Und wir wissen, wie sie aussieht.

Keiner der Agenten war in Sichtweite der israelischen Botschaft. Nur eines der Mitglieder des Teams konnte die Tür erkennen: Rostow, der vom zwanzigsten Stockwerk eines Hotels aus, eine halbe Meile entfernt, durch ein leistungsfähiges, auf einen Dreifuß montiertes Zeiss-Teleskop schaute. Mehrere Hochhäuser im Westen von London bieten eine klare Aussicht über den Park nach Embassy Row. Tatsächlich waren gewisse Suiten in gewissen Hotels hier nur für außergewöhnlich hohe Preise zu mieten, weil Gerüchte umgingen, daß man von ihnen aus in Prinzessin Margarets Hinterhof im Nachbarpalast sehen konnte, von dem Palace Green und Kensington Palace Gardens ihren Namen bekommen hatten.

Rostow hielt sich in einer dieser Suiten auf; er hatte außer dem Teleskop auch ein Funksprechgerät bei sich. Jede seiner Gruppen auf dem Bürgersteig war mit einem Walkie-talkie ausgerüstet. Petrow sprach mit seinen Männern in schnellem Russisch, benutzte verwirrende Codewörter, und die Wellenlänge, auf der gesendet und empfangen wurde, wurde alle fünf Minuten mit Hilfe eines Computerprogramms geändert, das in die Geräte eingebaut war. Das System funktionierte sehr gut, und Tyrin, der es erfunden hatte, war damit zufrieden; allerdings mußte jeder, der eingeschaltet war, irgendwann fünf Minuten von BBC Radio One über sich ergehen lassen.

Acht, hinauf zur Nordseite.

Verstanden.

Wenn die Israelis in Belgravia, dem Sitz der bedeutenderen Botschaften, gewesen wären, hätte Rostow größere Schwierigkeiten gehabt. In Belgravia gab es fast keine Geschäfte, Cafés oder Amtsstuben, so daß Agenten nirgends untertauchen konnten; und da der ganze Bezirk ruhig, wohlhabend und mit Botschaftern vollgestopft war, hatte die Polizei es leicht, verdächtige Aktivitäten im Auge zu behalten. Jeder der normalen Überwachungstricks – Telefonreparaturwagen, Straßenarbeiter mit gestreiftem Zelt – hätte innerhalb von Minuten Scharen von Bobbies angezogen. Im Gegensatz dazu lag die kleine Oase Embassy Row in Kensington, einem wichtigen Einkaufsviertel mit mehreren Colleges und vier Museen.

Tyrin selbst befand sich in einem Pub in der Kensington Church Street. Die ansässigen KGB-Leute hatten ihm erzählt, daß der Pub häufig von Detektiven der »Special Branch« – der recht verschämte Name der politischen Polizei von Scotland Yard – besucht werde. Die vier jugendlichen, mit ziemlich eleganten Anzügen bekleideten Männer, die an der Bar Whisky tranken, waren vermutlich Detektive. Sie kannten Tyrin nicht und wären auch nicht sehr an ihm interessiert gewesen, falls sie ihn gekannt hätten. Wenn Tyrin sich ihnen genähert und ihnen zugeflüstert hätte: »Übrigens, das KGB beschattet im Moment jeden israelischen Diplomaten in London«, hätten sie wahrscheinlich gesagt: »Was, schon wieder?«, und eine neue Runde Drinks bestellt.

Ohnehin wußte Tyrin, daß er nur selten einen zweiten Blick auf sich zog. Er war klein und etwas rundlich, mit einer großen Nase und dem geäderten Gesicht eines Trinkers; er trug einen grauen Regenmantel über einem grünen Pullover. Der Regen hatte die letzte Spur einer Bügelfalte aus seiner kohlschwarzen Flanellhose entfernt. Er saß mit einem Glas englischen Bieres und einer kleinen Tüte Kartoffelchips in einer Ecke. Das Funkgerät in seiner Hemdtasche war durch einen feinen, fleischfarbenen Draht mit dem Stöpsel – er sah wie ein Hörgerät aus – in seinem linken Ohr verbunden. Er saß mit der linken Seite an der Wand und konnte mit Rostow sprechen, indem er vorgab, in der Innentasche seines Regenmantels zu kramen, während er das Gesicht abkehrte und in die metallene Lochscheibe am oberen Ende des Geräts hineinmurmelte.

Tyrin beobachtete die Whisky trinkenden Detektive und kam zu dem Schluß, daß die Special Branch bessere Spesen zahlte als ihr russisches Pendant: Er selbst durfte nur einen halben Liter Bier pro Tag trinken – die Kartoffelchips hatte tatsächlich er aus eigener Tasche bezahlen müssen. Früher hatten Agenten in England ihr Bier in Viertellitergläsern bestellen müssen, bis man die Buchführung unterrichtet hatte, daß in vielen Pubs ein Mann, der nur Viertel trank, genauso auffiel wie ein Russe, der seinen Wodka nippte und nicht hinunterstürzte.

Dreizehn, folgen Sie einem grünen Volvo, zwei Männer, High Street.

Verstanden.

Und einer zu Fuß . . . Ich glaube, es ist Yigael Meier . . . Zwanzig?

Tyrin war »Zwanzig«. Er verbarg das Gesicht an der Schulter und sagte: »Ja. Beschreiben Sie ihn.«

Groß, graues Haar, Regenschirm, Mantel mit Gürtel. Am Tor der High Street.

»Bin schon unterwegs«, entgegnete Tyrin, trank sein Glas aus und verließ den Pub.

Es regnete. Tyrin zog einen zusammenklappbaren Regenschirm aus der Manteltasche und spannte ihn auf. Einkaufende Menschen drängten sich auf den nassen Bürgersteigen. An der Verkehrsampel entdeckte er den grünen Volvo und – drei Autos dahinter – »Dreizehn« in einem Austin.

Noch ein Auto. Fünf, es gehört Ihnen. Ein blauer Käfer.

Verstanden.

Tyrin erreichte Palace Gate, blickte die Palace Avenue hinauf, sah einen Mann, der der Beschreibung entsprach, auf sich zukommen und schritt ohne Pause weiter. Als er sich ausgerechnet hatte, daß der Mann an der Straße angelangt sein mußte, stellte er sich an den Bordstein, als wolle er die Fahrbahn überqueren, und schaute nach rechts und links. Der andere tauchte aus der Palace Avenue auf und wandte sich, von Tyrin fort, nach Westen.

Der Russe folgte ihm.

Auf der High Street machte die Menge der Passanten die Beschattung leichter. Dann bogen sie nach Süden in ein Labyrinth von Seitenstraßen ein, und Tyrin wurde nervös. Doch der Israeli schien keinen Beschatter hinter sich zu vermuten. Er arbeitete sich einfach weiter durch den Regen vor – eine hochgewachsene, gebeugte Gestalt unter einem Regenschirm, die schnelle Schritte machte und sich ganz auf ihr Ziel konzentrierte.

Er ging nicht weit. Knapp hinter der Cromwell Road bog er in ein kleines, modernes Hotel ein. Tyrin spazierte am Eingang vorbei, und ein Blick durch die Glastür verriet ihm, daß der Verfolgte im Foyer eine Telefonzelle betrat. Kurz darauf kam Tyrin an dem grünen Volvo vorbei und schloß, daß der Israeli und seine Kollegen in dem Auto das Hotel überwachten.

Tyrin überquerte die Straße und kehrte auf der gegenüberliegenden Seite zurück, falls der Beschattete gleich wieder herauskommen sollte. Er sah sich nach dem blauen Käfer um und konnte ihn nicht entdecken. Aber er war ganz sicher, daß der Wagen in der Nähe sein mußte.

Er sprach in seine Hemdtasche hinein. »Hier ist Zwanzig. Meier und der grüne Volvo überwachen das Jacobian Hotel.«

Bestätigt, Zwanzig. Fünf und Dreizehn haben die israelischen Wagen unter Kontrolle. Wo ist Meier?

»Im Foyer.« Tyrin bemerkte den Austin, der den grünen Volvo verfolgte.

Bei ihm bleiben.

»Verstanden.« Tyrin mußte jetzt eine schwierige Entscheidung treffen. Wenn er das Hotel durch den Haupteingang betrat, könnte Meier auf ihn aufmerksam werden; wenn er sich aber die Zeit nahm, den Hintereingang zu finden, könnte Meier mittlerweile verschwunden sein.

Er entschloß sich, es mit dem Hintereingang zu versuchen, weil er von zwei Autos unterstützt wurde, die für ein paar Minuten einspringen konnten, wenn das Schlimmste geschah. Neben dem Hotel war eine schmale Gasse für Lieferwagen. Tyrin ging an ihr entlang und kam zu einem unverschlossenen Feuerausgang in der fensterlosen Seitenfront des Gebäudes. Er trat ein und stand auf einer Betontreppe, die offensichtlich nur als Nottreppe diente. Während er die Stufen hinaufkletterte, schob er seinen Schirm zusammen, steckte ihn sich in die Tasche und zog den Mantel aus. Er faltete ihn und ließ ihn als kleines Bündel auf dem ersten Treppenabsatz zurück, wo er ihn rasch aufheben konnte, wenn er sich eilig davonmachen mußte. Tyrin stieg bis zum zweiten Stock empor und nahm den Lift ins Foyer. Als er, mit Pullover und Hose bekleidet, hinaustrat, sah er aus wie ein Hotelgast.

Der Israeli stand immer noch in der Telefonzelle.

Tyrin näherte sich der Glastür am Foyereingang, spähte hinaus, überprüfte seine Armbanduhr, kehrte zurück und setzte sich, als erwarte er jemanden. Es schien nicht gerade sein Glückstag zu sein. Zweck der Übung war, Nat Dickstein zu finden. Man wußte, daß er in England war, und hoffte, daß er sich mit einem der Diplomaten treffen würde. Die Russen folgten den Diplomaten, um dieses Treffen zu beobachten und Dicksteins Spur wiederaufzunehmen. Die Israelis in diesem Hotel hatten damit offenbar nichts zu tun. Sie lauerten ebenfalls jemandem auf, wahrscheinlich, um ihn zu beschatten, sobald er sich zeigte, und dieser Jemand würde schwerlich einer ihrer eigenen Agenten sein. Tyrin konnte nur hoffen, daß ihr Vorhaben zumindest einigermaßen interessant sein würde.

Er sah zu, wie der Verfolgte aus der Telefonzelle kam und in Richtung Bar weiterging. Konnte das Foyer von der Bar aus beobachtet werden? Anscheinend nicht, denn der Israeli kam ein paar Minuten später mit einem Bier in der Hand zurück, setzte sich Tyrin gegenüber hin und nahm sich eine Zeitung.

Er hatte keine Zeit, sein Bier zu trinken.

Die Lifttüren öffneten sich zischend, und Nat Dickstein trat heraus.

Tyrin war so überrascht, daß er den Fehler machte, Dickstein mehrere Sekunden lang anzustarren. Dickstein erwiderte seinen Blick und nickte höflich. Tyrin lächelte schwach und schaute auf seine Uhr. Er sagte sich – allerdings eher hoffnungsvoll als überzeugt –, Dickstein könne gerade diesen üblen Fehler als Beweis dafür ansehen, daß Tyrin *kein* Agent sei.

Er hatte keine Zeit nachzudenken. Mit schnellen und, wie Tyrin schien, irgendwie schwungvollen Schritten ging Dickstein auf den Empfangstisch zu, gab einen Zimmerschlüssel ab und trat auf die Straße hinaus. Der israelische Beschatter, Meier, legte seine Zeitung auf den Tisch und folgte ihm. Als sich die Glastür hinter Meier geschlossen hatte, stand Tyrin auf. Er dachte: Ich bin ein Agent, der einem Agenten folgt, der einem Agenten folgt. Wenigstens sorgen wir dafür, daß wir nicht arbeitslos werden.

Er betrat den Aufzug und drückte auf den Knopf für das erste Stockwerk. Dann sprach er in sein Funkgerät: »Hier Zwanzig. Ich habe den Piraten.«

Keine Antwort – die Mauern des Gebäudes blockierten die Übertragung. Er verließ den Lift in der ersten Etage und rannte die Feuertreppe hinunter; auf dem Treppenabsatz hob er seinen Mantel auf. Sobald er im Freien war, betätigte er das Gerät von neuem. »Hier ist Zwanzig. Ich habe den Piraten.«

Danke, Zwanzig. Dreizehn hat ihn auch.

Tyrin sah, daß der Israeli die Cromwell Road überquerte. »Ich folge Meier«, meldete er.

Fünf und Zwanzig, hört mir beide zu. Nicht folgen. Ist das klar, Fünf?

Ja.

Zwanzig?

»Verstanden«, sagte Tyrin. Er blieb an der Ecke stehen und wartete, bis Meier und Dickstein in Richtung Chelsea verschwanden.

Zwanzig, geh zurück ins Hotel. Ermittle seine Zimmernummer. Nimm dir ein Zimmer nicht weit von seinem. Ruf mich nachher gleich an.

»Verstanden.« Tyrin probte seine Rolle auf dem Rückweg: Entschuldigen Sie, der Mann, der gerade hinausging, der Kleine mit der Brille – ich glaube, daß ich ihn kenne, aber er ist mit einem Taxi weggefahren, bevor ich ihn einholen konnte . . . Er heißt John, aber wir nannten ihn immer Jack. Welche Zimmernummer . . .? Doch wie sich herausstellte, war all das überflüssig. Dicksteins Schlüssel lag noch auf dem Empfangstisch. Tyrin prägte sich die Nummer ein.

Der Mann an der Rezeption kam zu ihm. »Kann ich Ihnen helfen?«

»Ich hätte gern ein Zimmer«, sagte Tyrin.

*

Dickstein küßte sie wie ein Mann, der den ganzen Tag geschmachtet hat. Er genoß den Duft ihrer Haut und die weichen Bewegungen ihrer Lippen. Dann streichelte er ihr Gesicht und sagte: »Das, das ist es, was ich brauche.« Sie starrten sich in die Augen, und die Wahrheit war nackt zwischen ihnen. Ich kann tun, was ich will, dachte er. Der Gedanke durchfuhr ihn immer wieder wie eine Beschwörung, wie ein Zauberspruch. Er berührte gierig ihren Körper. Sie standen sich in der kleinen, blau und gelb gestrichenen Küche gegenüber und blickten sich in die Augen, während er die geheimen Stellen ihres Körpers betastete. Ihr roter Mund öffnete sich ein wenig, und er spürte, wie ihr Atem schneller wurde und heiß über sein Gesicht strich; er atmete tief ein, um dieselbe Luft wie sie in sich aufzunehmen. Dickstein dachte: Wenn ich tun kann, was ich will, dann kann sie es auch. Als ob sie seine Gedanken gelesen hätte, öffnete sie sein Hemd, neigte sich zu ihm, nahm seine Brustwarze zwischen die Zähne und saugte. Das plötzliche, überraschende Lustgefühl ließ ihn laut stöhnen. Er hielt ihren Kopf sanft in den Händen und schwankte hin und her, um das Gefühl zu vertiefen. Alles, was ich will! Er griff hinter sie, zog ihren Rock hoch und weidete seine Augen an dem weißen Slip, der sich an ihre Kurven schmiegte und sich gegen die braune Haut ihrer langen Beine abhob. Seine rechte Hand streichelte ihr Gesicht, packte ihre Schulter und wiegte ihre Brüste; seine linke Hand schob sich über ihre Hüften, in ihren Slip und zwischen ihre Beine. Alles fühlte sich so gut an, so gut, daß er sich wünschte, vier, nein, sechs Hände zu haben. Dann wollte er plötzlich ihr Gesicht sehen. Er legte ihr die Hände auf die Schultern, so daß sie sich aufrecht hinstellte, und sagte: »Ich möchte dich ansehen.« Ihre Augen füllten sich mit Tränen, und er wußte, daß es kein Zeichen von Trauer, sondern von leidenschaftlicher Lust war. Wieder starrten sie einander in die Augen, und diesmal war nicht nur Wahrheit zwischen ihnen, sondern unverhüllte Erregung, die von einem zum anderen strömte. Wie ein demütiger Bittsteller kniete er sich zu ihren Füßen hin. Zuerst legte er den Kopf an ihre Schenkel und spürte die Hitze ihres Körpers durch die Kleidung. Dann griff er ihr mit beiden Händen hinauf zur Taille unter den Rock und zog ihren Slip langsam herunter; während sie aus dem Slip stieg, hielt er ihre Schuhe am Boden mit den Füßen fest. Dickstein stand auf. Sie waren immer noch an der Stelle, wo sie sich geküßt hatten, als er ins Zimmer kam. Genau dort begannen sie, sich im Stehen zu lieben. Er betrachtete ihr Gesicht. Es war friedlich, ihre Augen waren halb geschlossen. Am liebsten hätte er sich lange ganz ruhig weiterbewegt, aber sein Körper konnte nicht warten. Er war gezwungen, härter und schneller zuzustoßen. Da er merkte, daß er das Gleichgewicht verlor, legte er beide Arme um sie, hob sie ein paar Zentimeter vom Boden hoch und machte, ohne sich von ihrem Körper zu lösen, zwei Schritte, so daß ihr Rücken an die Wand gelehnt war. Sie zog das Hemd aus seinem Hosenbund und grub die Finger tief in seine harten Rückenmuskeln. Dickstein verschränkte die Hände unter ihrem Gesäß und nahm ihr Gewicht auf sich. Suza hob die Beine hoch – ihre Schenkel umklammerten seine Hüften, ihre Knöchel kreuzten sich hinter seinem Rücken –, und er schien, so unglaublich es war, noch tiefer in sie einzudringen. Dickstein spürte, daß er wie ein Uhrwerk aufgezogen wurde, und alles, was sie tat, jeder Ausdruck ihres Gesichts spannte die Feder noch mehr. Er beobachtete sie durch einen Nebel der Lust. In ihren Augen erschien etwas wie Panik, eine wilde, animalische Leidenschaft. Er verlor jede Beherrschung und wußte, daß das Wunderbare nun geschehen würde. Auch sie sollte es wissen, deshalb flüsterte er: »Suza, jetzt«, und sie antwortete: »Oh, ich auch.« Sie bohrte die Nägel in seine Haut und riß sie an seinem Rückgrat hinunter. Es durchfuhr ihn wie ein elektrischer Schock, und er spürte das Beben in ihrem Körper, gerade als es in ihm selbst ausbrach. Immer noch blickte er sie an: Ihr Mund öffnete sich ganz weit, sie schöpfte Atem, der Höhepunkt der Lust überwältigte sie beide, und Suza schrie auf.

*

»Wir folgen den Israelis, und die Israelis folgen Dickstein. Jetzt braucht Dickstein nur noch uns zu folgen, und wir alle können für den Rest des Tages im Kreis rennen«, sagte Rostow. Er eilte den Hotelkorridor hinunter. Tyrin mit seinen kurzen, dicken Beinen mußte beinahe laufen, um Schritt zu halten.

»Mich würde interessieren, warum Sie die Bewachung haben einstellen lassen, sobald wir ihn gefunden hatten?«

»Das liegt doch auf der Hand«, entgegnete Rostow gereizt. Dann fiel ihm ein, daß Tyrins Loyalität wertvoll war, und er beschloß, eine Erklärung zu liefern. »Dickstein ist in den letzten Wochen sehr häufig überwacht worden. Jedesmal hat er uns irgendwann entdeckt und abgeschüttelt. Ein gewisses Maß an Überwachung ist für jemanden, der so lange wie Dickstein als Agent arbeitet, unvermeidlich. Aber wenn er bei einer bestimmten Operation dauernd verfolgt wird, ist um so wahrscheinlicher, daß er schließlich die Durchführung seines Plans anderen überläßt – und wir wüßten vielleicht nicht, wem. Viel zu oft wird die Information, die wir einer Beschattung zu verdanken haben, zunichte gemacht, weil der andere merkt, daß er verfolgt wird, und deshalb über unseren Kenntnisstand unterrichtet ist. Dadurch, daß wir die Überwachung so wie heute aufgeben – wissen wir, wo er ist, aber er weiß nicht, daß wir informiert sind.«

»Ich verstehe.«

»Er wird die Israelis sehr bald entdecken«, setzte Rostow hinzu. »Inzwischen muß er überempfindlich sein.«

»Weshalb sollten sie ihren eigenen Mann verfolgen?«

»Das begreife ich wirklich nicht.« Rostow runzelte die Stirn und dachte laut nach. »Ich bin sicher, daß Dickstein heute morgen Borg getroffen hat – das würde erklären, weshalb Borg unseren Mann mit dem Taxitrick abhängte. Es ist möglich, daß Borg Dickstein abgelöst hat und nun einfach überprüfen will, ob Dickstein sich wirklich zurückzieht und nicht inoffiziell weitermacht.« Er schüttelte ratlos den Kopf. »Nein, das überzeugt mich nicht. Die Alternative wäre, daß Borg kein Vertrauen mehr zu Dickstein hat, und auch das finde ich unwahrscheinlich. Vorsicht jetzt!«

Sie standen vor der Tür von Dicksteins Hotelzimmer. Tyrin zog eine kleine, aber starke Taschenlampe hervor und beleuchtete die Türen. »Keine Warnvorkehrungen.«

Rostow nickte und wartete. Dies war Tyrins Gebiet. Der kleine, rundliche Mann war nach Rostows Meinung der beste Allroundtechniker des KGB. Er sah zu, wie Tyrin einen Dietrich hervorzog, der aus seiner umfangreichen Sammlung stammte. Er hatte mehrere an der Tür seines eigenen Zimmers ausprobiert und dadurch schon festgestellt, welcher für die Schlösser des Jacobian-Hotels paßte. Langsam öffnete er Dicksteins Tür, blieb aber draußen stehen und blickte hinein.

»Keine Fallen«, verkündete er nach einer Minute.

Er trat ein; Rostow folgte ihm und schloß die Tür. Dieser Teil seiner Arbeit machte Rostow nicht den geringsten Spaß. Er zog es vor, zu beobachten, zu kombinieren, Pläne zu schmieden – Einbruch widersprach seinem Stil. Er fühlte sich ausgesetzt und verwundbar. Wenn nun ein Zimmermädchen oder der Geschäftsführer oder sogar Dickstein selbst kommen sollte, der dem Posten im Foyer ausgewichen sein könnte . . . Es wäre so würdelos, so erniedrigend. »Beeilen wir uns!«

Das Zimmer entsprach dem normalen Grundriß: Die Tür führte in eine kurze Passage mit dem Bad auf der einen und dem Kleiderschrank auf der anderen. Dahinter war der Raum quadratisch; das Einzelbett stand an der einen Wand, das Fernsehgerät an der anderen. An der Außenwand gegenüber der Tür war ein großes Fenster.

Tyrin nahm den Telefonhörer hoch und schraubte das Mundstück ab. Rostow stand am Fuß des Bettes, schaute sich um und versuchte, einen Eindruck von dem Mann zu bekommen, der in diesem Zimmer wohnte. Es gab nur wenige Anhaltspunkte. Das Zimmer war gesäubert, das Bett gemacht worden. Auf dem Nachttisch lagen ein Buch mit Schachproblemen und eine Abendzeitung. Es gab keine Zeichen von Tabak oder Alkohol. Der Papierkorb war leer. Ein kleiner schwarzer Kunststoffkoffer auf einem Hocker enthielt saubere Unterwäsche und ein sauberes Hemd. Rostow murmelte: »Der Mann reist mit einem Reservehemd!« Die Schubladen des Frisiertisches waren leer. Rostow blickte in das Bad. Er sah eine Zahnbürste, einen aufladbaren elektrischen Rasierapparat mit Zusatzsteckern für verschiedene Arten von Steckdosen und – das einzige persönliche Zeichen – ein Päckchen Tabletten gegen Verdauungsstörungen.

Rostow kehrte in das Schlafzimmer zurück, wo Tyrin das Telefon wieder zusammensetzte. »Fertig.«

»Bring eine hinter dem Kopfbrett an.«

Tyrin klebte eine Wanze an die Wand hinter dem Bett, als das Telefon klingelte.

Falls Dickstein zurückkam, sollte der Posten im Foyer das Zimmer über den Hausanschluß anrufen, das Telefon zweimal klingeln lassen und dann aufhängen.

Es klingelte zum zweitenmal. Rostow und Tyrin warteten regungslos und stumm.

Es klingelte noch einmal.

Sie atmeten auf.

Nach dem siebten Mal war es zu Ende.

»Wenn er bloß einen Wagen hätte, den wir abhören könnten.«

»Ich habe einen Hemdknopf.«

»Was?«

»Eine Wanze, die wie ein Hemdknopf aussieht.«

»Ich wußte nicht, daß es so was gibt.«

»Es ist neu.«

»Hast du Nadel und Faden?«

»Natürlich.«

»Dann fang an.«

Tyrin trat an Dicksteins Koffer, schnitt den zweiten Knopf ab, ohne das Hemd herauszunehmen, und entfernte sorgfältig alle losen Fäden. Mit ein paar flinken Stichen nähte er den neuen Knopf an. Seine dicklichen Hände waren überraschend geschickt.

Rostows Gedanken waren woanders. Er wollte unbedingt sichergehen, daß er alles belauschen konnte, was Dickstein sagte oder tat. Der Israeli könnte die Wanzen im Telefon und hinter dem Kopfbrett finden, und er würde das präparierte Hemd nicht dauernd tragen. Er schaltete gern alle Fehlerquellen aus, aber Dickstein war so schlüpfrig, daß man rasend werden konnte. Rostow hatte die schwache Hoffnung gehegt, irgendwo in diesem Zimmer ein Foto von jemandem zu finden, den Dickstein liebte.

»Hier.« Tyrin zeigte ihm seine Arbeit. Das Hemd bestand aus einfachem weißen Nylon und hatte ganz gewöhnliche weiße Knöpfe. Der neue war von den anderen nicht zu unterscheiden.

»Gut. Mach den Koffer zu.«

Tyrin tat es. »Sonst noch etwas?«

»Wir müssen uns noch mal nach Warnvorkehrungen umsehen. Ich kann nicht glauben, daß Dickstein weggeht, ohne irgendeine Vorsichtsmaßnahme zu treffen.«

Sie suchten wieder – rasch, schweigend, mit geübten und sparsamen Bewegungen, die ihre Eile nicht erkennen ließen. Es gab Dutzende von Methoden, um Verräterfallen zu stellen. Ein Haar, das leicht über den Türspalt geklebt wurde, war am einfachsten; ein Papierfetzen, hinter die Rückseite einer Schublade geklemmt, würde hinunterfallen, wenn man die Schublade öffnete; ein Stück Würfelzucker unter einem dicken Teppich würde lautlos von einem Fuß zermalmt werden; eine Münze hinter dem Futter eines Kofferdeckels würde von vorn nach hinten rutschen, wenn man den Koffer aufmachte . . .

Sie fanden nichts.

»Alle Israelis leiden an Verfolgungswahn. Wieso sollte er anders sein?« fragte Rostow.

»Vielleicht ist er abgelöst worden.«

Rostow grunzte. »Aus welchem anderen Grund könnte er plötzlich unvorsichtig werden?«

»Er könnte sich verliebt haben.«

»Sicher«, lachte Rostow. »Und Josef Stalin könnte vom Vatikan heiliggesprochen werden. Laß uns verschwinden.«

Er ging hinaus; Tyrin folgte ihm und schloß die Tür leise hinter sich.

*

Es war also eine Frau.

Pierre Borg war schockiert, erstaunt, verblüfft, fasziniert und tief besorgt.

Dickstein hatte *nie* etwas mit Frauen zu tun gehabt.

Borg saß auf einer Parkbank unter einem Regenschirm. Er war unfähig gewesen, in der Botschaft darüber nachzudenken. Da dort ständig Telefone klingelten und man ihm dauernd Fragen stellte, war er trotz des Wetters hierhergegangen. Der Regen blies in dichten Schwaden über den leeren Park. Ab und zu landete ein Tropfen auf der Spitze von Borgs Zigarre, und er mußte sie von neuem anzünden.

Es waren die ungelösten Spannungen in Dickstein, die den Mann so fanatisch machten. Borg wollte auf keinen Fall, daß Dickstein sich zu entspannen lernte.

Die Pflasterkünstler waren Dickstein zu einem kleinen Wohnhaus in Chelsea gefolgt, wo er eine Frau getroffen hatte. »Es ist eine sexuelle Beziehung«, hatte einer von ihnen gemeldet. »Ich habe ihren Orgasmus gehört.« Der Hausverwalter war befragt worden, doch er wußte nichts über die Frau, außer daß sie eng mit den Leuten befreundet war, denen das Appartement gehörte.

Die offensichtlichen Schlußfolgerungen waren, daß die Wohnung Dickstein gehörte und er den Hausverwalter bestochen hatte zu lügen; daß er die Wohnung nur für diese Rendezvous benutzte; daß er sich mit jemandem von der Gegenseite, einer Frau, traf, daß sie miteinander schliefen und er ihr dabei Geheimnisse verriet.

Borg hätte diese Schlußfolgerungen ziehen müssen, wenn er auf irgendeine andere Weise von der Frau erfahren hätte. Aber wenn Dickstein plötzlich zum Verräter geworden war, würde er Borgs Mißtrauen nicht geweckt haben. Er war zu gerissen, hätte seine Spuren verwischt. Niemals hätte er die Pflasterkünstler direkt zu der Wohnung geführt, ohne sich nur einmal umzublicken. Dicksteins ganzes Verhalten schien seine Unschuld zu beweisen. Er hatte Borg getroffen, über das ganze Gesicht gegrinst und entweder nicht gewußt oder sich nichts daraus gemacht, daß seine Stimmung von seiner Miene abzulesen war. Borg hatte keine andere Wahl gehabt, als ihn beschatten zu lassen. Stunden später bumste Dickstein irgendein Mädchen, das so viel Spaß daran hatte, daß man die Schreie bis auf die Straße hören konnte. Die ganze Sache war so verdammt simpel, daß sie einfach wahr sein mußte.

Also gut. Eine Frau hatte einen Weg gefunden, Dicksteins Abwehr zu überwinden und ihn zu verführen. Dickstein reagierte wie ein Teenager, weil er nie eine Jugend gehabt hatte. Die entscheidende Frage war: Wer war sie?

Die Russen besaßen ebenfalls Akten, und sie hätten wie Borg vermuten müssen, daß Dickstein für sexuelle Annäherungen nicht zugänglich war. Vielleicht waren sie bereit gewesen, es auf einen Versuch ankommen zu lassen, und vielleicht hatten sie recht gehabt.

Wieder riet Borgs Instinkt ihm, Dickstein sofort ablösen zu lassen, und wieder zögerte er. Wenn es sich um jedes andere Projekt und jeden anderen Agenten als Dickstein gehandelt hätte, hätte er nicht geschwankt. Doch Dickstein war der einzige, der dieses Problem lösen konnte. Borg blieb nichts anderes übrig, als an seinem ursprünglichen Vorhaben festzuhalten: zu warten, bis Dickstein seinen Plan voll entwickelt hatte, und ihn dann zurückzurufen.

Zumindest würde er das Londoner Büro veranlassen, so viel wie möglich über die Frau herauszufinden.

Vorerst mußte er eben hoffen, daß Dickstein, wenn sie eine Agentin war, klug genug sein würde, ihr nichts zu erzählen.

Es würde gefährlich werden, aber es gab nichts, was Borg im Moment unternehmen konnte.

Seine Zigarre erlosch, doch er merkte es kaum. Der Park war nun völlig menschenleer. Borg saß auf seiner Bank, rührte sich nicht, was für ihn untypisch war, hielt sich den Regenschirm über den Kopf, sah aus wie ein Denkmal und ängstigte sich zu Tode.

*

Dickstein ermahnte sich, daß der Spaß vorbei war. Es wurde Zeit, wieder an die Arbeit zu gehen.

Als er sein Hotelzimmer um 10 Uhr betrat, wurde ihm klar, daß er – gegen alle Vernunft – keine Warnvorkehrungen getroffen hatte. Zum erstenmal seit zwanzig Jahren als Agent hatte er einfach auf die elementarsten Vorsichtsmaßnahmen vergessen. Er stand in der Tür, blickte sich um und dachte an die umwerfende Wirkung, die sie auf ihn gehabt hatte. Suza zu verlassen und die Arbeit wiederaufzunehmen, war, als stiege er in einen vertrauten Wagen, der ein Jahr lang in der Garage gestanden hatte: Er mußte die alten Gewohnheiten, die alten Instinkte, die alte Paranoia wieder in seinen Geist einsickern lassen.

Er ging ins Bad und ließ die Wanne vollaufen. Nun hatte er so etwas wie eine emotionelle Atempause. Suza mußte ab heute wieder arbeiten. Sie war bei der BOAC, und ihr Dienst würde sie um die ganze Welt führen. Zwar dachte sie, in einundzwanzig Tagen zurück zu sein, aber es konnte auch länger dauern. Er hatte keine Ahnung, wo er in drei Wochen sein würde – er wußte also nicht, wann er sie wiedersehen konnte. Doch er würde sie wiedersehen, wenn er überlebte.

Alles – Vergangenheit und Zukunft – sah jetzt anders aus. Die letzten zwanzig Jahre seines Lebens schienen eintönig, obwohl er Menschen erschossen hatte und auf ihn geschossen worden war, obwohl er durch die ganze Welt gereist war, sich verkleidet, Menschen betrogen und unglaubliche Taten vollbracht hatte. Alles kam ihm jetzt trivial vor.

Während er in der Badewanne saß, überlegte er, was er mit dem Rest seines Lebens anfangen sollte. Er hatte sich entschieden, nicht mehr als Spion zu arbeiten – aber was würde er tun? Alle Möglichkeiten schienen ihm offenzustehen. Er konnte für die Knesset kandidieren, sein eigenes Geschäft gründen oder einfach im Kibbuz bleiben und den besten Wein in Israel herstellen. Würde er Suza heiraten? Wenn ja – würde sie in Israel leben? Er genoß die Ungewißheit; es war, als grübelte man darüber nach, welche Geburtstagsgeschenke man bekommen würde.

Wenn ich überlebe, dachte er. Plötzlich stand noch viel mehr auf dem Spiel. Er hatte Angst zu sterben. Bis jetzt war der Tod etwas gewesen, dem man mit allem Geschick aus dem Weg gehen mußte, weil es sozusagen einen schlechten Schachzug darstellte. Aber nun wollte er unbedingt leben: um wieder mit Suza zu schlafen, um ein gemeinsames Heim mit ihr zu haben, um alles über sie zu erfahren – ihre Eigenarten, ihre Angewohnheiten und Geheimnisse, die Bücher, die sie mochte, was sie von Beethoven hielt und ob sie schnarchte.

Es wäre schrecklich, wenn er so bald sein Leben verlöre, nachdem sie es ihm gerade wiedergegeben hatte.

Dickstein stieg aus der Wanne, trocknete sich mit einem Handtuch ab und zog sich an. Er mußte diesen Kampf gewinnen, um am Leben zu bleiben.

Als nächstes hatte er zu telefonieren. Er erwog, vom Hotel aus anzurufen, beschloß aber, jetzt besonders vorsichtig zu sein, und ging hinaus, um eine Telefonzelle zu suchen.

Das Wetter hatte umgeschlagen. Gestern war die Wolkendecke abgezogen, und nun schien die Sonne angenehm warm. Er beachtete die Telefonzelle, die dem Hotel am nächsten war, nicht und schlenderte weiter zur nächsten: besonders vorsichtig. Dann schlug er die Nummer von Lloyd's of London im Telefonbuch nach und wählte sie.

»Lloyd's, guten Morgen.«

»Ich benötige ein paar Informationen über ein Schiff.«

»Dafür ist Lloyd's of London Press zuständig. Ich verbinde.«

Dickstein wartete, betrachtete den Londoner Verkehr durch die Glasscheiben der Telefonzelle und überlegte, ob Lloyd's seinen Wunsch erfüllen würde. Er hoffte es, denn er wußte nicht, an wen er sich sonst wenden sollte. Nervös wippte er mit dem Fuß.

»Lloyd's of London Press.«

»Guten Morgen, ich hätte gern eine Auskunft über ein Schiff.«

»Was für eine Auskunft?« fragte die Stimme mit, wie es Dickstein schien, einer Spur von Mißtrauen.

»Ich möchte wissen, ob es Teil einer Bauserie ist. Wenn das der Fall ist, brauche ich die Namen der Schwesterschiffe, der Eigner und ihrer gegenwärtigen Aufenthaltsorte. Und am besten auch ihre Grundrisse.«

»Leider kann ich Ihnen nicht helfen.«

Dickstein wurde beklommen zumute. »Weshalb nicht?«

»Wir haben keine Grundrisse – das ist Lloyd's Register, und sie geben die Pläne nur an die Eigner weiter.«

»Aber die anderen Auskünfte? Die Schwesterschiffe?«

»Auch dabei kann ich Ihnen nicht helfen.«

Dickstein hätte den Mann an der Gurgel packen mögen. »Wer denn?«

»Wir sind die einzigen, die solche Informationen haben.«

»Und Sie halten sie geheim?«

»Wir teilen sie nicht telefonisch mit.«

»Einen Moment, Sie meinen, daß Sie mir *telefonisch* nicht weiterhelfen können.«

»Genau.«

»Aber Sie können es, wenn ich Ihnen schreibe oder persönlich vorbeikomme.«

»Äh . . . ja, diese Frage dürfte sich rasch erledigen lassen. Sie können also persönlich vorsprechen.«

»Geben Sie mir Ihre Adresse.« Er machte sich eine Notiz. »Und Sie wären in der Lage, diese Einzelheiten zu finden, während ich warte?«

»Ich glaube schon.«

»In Ordnung. Ich gebe Ihnen jetzt den Namen des Schiffes, damit Sie die Informationen bereithalten, wenn ich eintreffe. Es heißt *Coparelli*.« Er buchstabierte.

»Und Ihr Name?«

»Ed Rodgers.«

»Firma?«

»*Science International.*«

»Sollen wir Ihrer Firma eine Rechnung ausstellen?«

»Nein, ich bezahle mit einem persönlichen Scheck.«

»Werden Sie sich identifizieren können?«

»Natürlich. Ich bin in einer Stunde bei Ihnen. Auf Wiedersehen.«

Dickstein verließ aufatmend die Telefonzelle. Er überquerte die Straße, betrat ein Café und bestellte sich Kaffee und ein Sandwich.

Natürlich hatte er Borg belogen. Er wußte ganz genau, wie er die *Coparelli* kapern würde. Er würde eines ihrer Schwesterschiffe kaufen – wenn solche existierten – und die *Coparelli* mit seiner Mannschaft auf See überraschen. Nach der Kaperung würde er nicht das Risiko eingehen, die Fracht auf hoher See von einem Schiff auf das andere zu laden, sondern er würde sein eigenes Schiff versenken und seine Papiere auf die *Coparelli* übertragen. Außerdem würde er den Namen der *Coparelli* übermalen und durch den des versenkten Schwesterschiffes ersetzen. Dann würde er scheinbar mit seinem eigenen Schiff Haifa anlaufen.

So weit, so gut. Aber das waren erst die Grundzüge eines Planes. Was würde er mit der Besatzung der *Coparelli* anfangen? Wie wäre der scheinbare Untergang der *Coparelli* zu erklären? Wie konnte er internationale Nachforschungen über den Verlust von etlichen Tonnen Uranerz auf See vermeiden?

Je länger er darüber nachdachte, desto größer schien ihm das letzte Problem. Nach jedem größeren Schiff, das gesunken sein mochte, wurde eine umfassende Suche eingeleitet. Wenn das Schiff Uran geladen hatte, würde die Suche öffentliche Aufmerksamkeit erregen und deshalb noch gründlicher sein. Und was wäre, wenn man schließlich nicht die *Coparelli*, sondern das Schwesterschiff hob, das angeblich Dickstein gehörte?

Er setzte sich eine Weile mit der Frage auseinander, ohne eine Lösung zu finden. Die Gleichung enthielt immer noch zu viele Unbekannte. Entweder das Sandwich oder das Problem hatte ihm auf den Magen geschlagen; er nahm eine Tablette gegen Verdauungsstörungen.

Dickstein wandte sich einem anderen Aspekt zu: War er seinen Gegnern entkommen? Hatte er seine Spuren gut genug verwischt? Nur Borg konnte von seinen Plänen wissen. Sogar wenn sein Hotelzimmer und die Telefonzelle, die dem Hotel am nächsten war, abgehört wurden, konnte niemand von seinem Interesse an der *Coparelli* erfahren haben. Er war besonders vorsichtig gewesen.

Er schlürfte seinen Kaffee. Ein anderer Gast stieß auf dem Weg nach draußen Dicksteins Ellbogen an, so daß sich die braune Flüssigkeit über die ganze Brust seines sauberen Hemdes ergoß.

*

»*Coparelli*«, rief David Rostow erregt. »Wo habe ich nur von diesem Schiff gehört?«

»Es kommt mir auch bekannt vor«, sagte Yasif Hassan.

»Lassen Sie mich die Computerliste sehen.«

Sie saßen auf der Ladefläche eines Lauschwagens, der in der Nähe des Jacobean-Hotels geparkt war. Der Lieferwagen, der dem KGB gehörte, war dunkelblau, sehr schmutzig und trug keine Aufschrift. Leistungsstarke Funkausrüstung nahm den größten Teil des Innenraums ein, aber hinter den Vordersitzen war eine kleine Lücke, in die

Rostow und Hassan sich hatten hineinquetschen können. Pjotr Tyrin saß am Steuer. Große Lautsprecher über ihren Köpfen übertrugen das schwache Geräusch ferner Gespräche und das gelegentliche Klirren von Porzellan. Gerade hatte sich ein unverständlicher Austausch abgespielt: Jemand hatte sich für irgend etwas entschuldigt, und Dickstein hatte ihn beruhigt, da es ja keine Absicht gewesen sei. Seitdem war kein Wort mehr gefallen.

Rostows Freude darüber, daß er Dickstein zuhören konnte, wurde nur dadurch beeinträchtigt, daß Hassan ebenfalls lauschte. Hassan war seit seinem Triumph – der Entdeckung, daß Dickstein in England war – selbstbewußt geworden; nun glaubte er, ein Berufsspion zu sein wie die anderen. Er hatte darauf bestanden, an jeder Einzelheit der Londoner Operation teilzunehmen, und gedroht, sich in Kairo zu beschweren, wenn er ausgeschlossen würde. Rostow hatte erwogen, es darauf ankommen zu lassen, aber das hätte einen weiteren direkten Zusammenstoß mit Felix Woronzow bedeutet, und Rostow wollte nach dem letzten Mal Felix nicht schon wieder umgehen und Andropow um Hilfe ersuchen. Deshalb hatte er sich für eine Alternative entschieden: Er würde gestatten, daß Hassan mitkam, ihm aber gleichzeitig davon abraten, irgend etwas nach Kairo weiterzumelden.

Hassan, der eben den Computerausdruck studiert hatte, reichte ihn Rostow. Während der Russe die Seiten überflog, kamen aus den Lautsprechern ein oder zwei Minuten lang Straßengeräusche, denen ein kurzer Dialog folgte.

Wohin, Chef?

Dicksteins Stimme: *Lime Street.*

Rostow blickte auf und sagte zu Tyrin: »Das muß Lloyd's sein, die Adresse, die man ihm am Telefon gegeben hat. Laß uns hinfahren.«

Tyrin startete den Lieferwagen und steuerte nach Osten auf den City-Bezirk zu. Rostow beschäftigte sich wieder mit der Liste.

»Lloyd's gibt ihm wahrscheinlich einen schriftlichen Bericht«, meinte Hassan pessimistisch.

Tyrin warf ein: »Die Wanze funktioniert sehr gut . . . bis jetzt.« Er lenkte mit einer Hand und biß sich auf die Fingernägel der anderen.

Rostow fand, was er gesucht hatte. »Hier! Die *Coparelli*. Gut, gut, gut!« Er klatschte sich begeistert aufs Knie.

»Zeigen Sie mir's«, bat Hassan.

Der Russe zögerte ganz kurz, sah ein, daß er keine andere Wahl hatte, und lächelte Hassan zu, während er auf die letzte Seite deutete. »Unter NICHT-NUKLEAR. Zweihundert Tonnen Yellow Cake sollen mit dem Motorschiff *Coparelli* von Antwerpen nach Genua gebracht werden.«

»Das ist es also. Das ist Dicksteins Ziel.«

»Aber wenn Sie es nach Kairo melden, wird Dickstein wahrscheinlich auf ein anderes Ziel umschalten. Hassan . . .«

Das Gesicht des Arabers wurde vor Zorn noch dunkler. »Das haben Sie schon einmal gesagt«, unterbrach er kühl.

»Schon gut«, erwiderte Rostow. Er dachte: Verdammt, diplomatisch muß man auch noch sein. »Jetzt wissen wir, was er stehlen will und von wem. Das nenne ich Fortschritt.«

»Wir wissen nicht, wann, wo oder wie«, sagte Hassan.

Rostow nickte. »Diese ganze Geschichte mit den Schwesterschiffen muß etwas damit zu tun haben.« Er zupfte an seiner Nase. »Aber ich begreife nicht, was.«

Zwei Shilling, Sixpence, bitte, Chef.

Stimmt so.

»Halt irgendwo an, Tyrin«, befahl Rostow.

»Das ist hier nicht so leicht«, klagte Tyrin.

»Wenn du keine Lücke findest, bleib einfach stehen. Ist völlig egal, ob du Strafe zahlen mußt«, meinte Rostow ungeduldig.

Guten Morgen. Mein Name ist Ed Rodgers.

Ach ja. Einen Moment, bitte . . .

Ihr Bericht ist gerade abgetippt worden, Mr. Rodgers. Und hier ist die Rechnung.

Sie sind aber äußerst effektiv.

»Es ist ein schriftlicher Bericht«, sagte Hassan.

Haben Sie vielen Dank.

Auf Wiedersehen, Mr. Rodgers.

»Er ist nicht sehr redselig, oder?« bemerkte Tyrin.

»Das sind gute Agenten nie«, belehrte Rostow ihn. »Du solltest dich danach richten.«

»So ein Mist«, fluchte Hassan. »Jetzt werden wir die Antworten auf seine Fragen nicht erfahren.«

»Spielt keine Rolle«, erwiderte Rostow. »Mir ist gerade etwas eingefallen.« Er lächelte. »Wir kennen die Fragen. Also brauchen wir selbst nur die gleichen Fragen zu stellen, und wir bekommen die gleichen Antworten. Da, er ist wieder auf der Straße. Fahr um den Block, Tyrin. Vielleicht können wir ihn sehen.«

Der Lieferwagen setzte sich in Bewegung, doch bevor er den Häuserblock umrundet hatte, verklang der Straßenlärm wieder.

Bitte, Sir?

»Er ist in einen Laden gegangen«, sagte Hassan.

Rostow warf ihm einen Blick zu. Wenn er seinen Stolz vergaß, war der Araber wie ein Schuljunge von Erregung gepackt – über den Lieferwagen, die Wanzen, die Beschattung. Vielleicht würde er den Mund halten, wenn auch nur, damit er mit den Russen weiter Agent spielen durfte.

Ich brauche ein neues Hemd.

»O nein!« stöhnte Tyrin.

Das sehe ich, Sir. Was ist es?

Kaffee.

Es hätte sofort mit einem Schwamm ausgewaschen werden müssen, Sir. Es wird sehr schwierig sein, den Fleck jetzt noch zu entfernen.

Möchten Sie ein ähnliches Hemd?

Ja. Weißes Nylon, Knopfmanschetten, Kragenweite vierzehneinhalb.

Hier. Dieses kostet 32 Shilling, Sixpence.

In Ordnung.

Tyrin sagte: »Ich wette, daß er es auf Spesen abrechnet.«

Vielen Dank. Wollen Sie es vielleicht sofort anziehen?

Ja, bitte.

Die Kabinen sind da drüben.

Schritte, dann kurze Stille.

Möchten Sie eine Tüte für das alte, Sir?

Vielleicht können Sie es für mich wegwerfen.

»Der Knopf hat zweitausend Rubel gekostet!« jammerte Tyrin.

Natürlich, Sir.

»Das wär's«, sagte Hassan. »Mehr werden wir nicht erfahren.«

»Zweitausend Rubel!« wiederholte Tyrin.

Rostow beruhigte ihn. »Ich glaube, die Ausgabe hat sich gelohnt.«

»Wohin?« fragte Tyrin.

»Zurück zur Botschaft. Ich möchte mir die Beine vertreten – das linke spüre ich schon gar nicht mehr. Verdammt, heute morgen haben wir einiges geleistet.«

Während Tyrin nach Westen fuhr, sagte Hassan nachdenklich: »Wir müssen herauskriegen, wo die *Coparelli* gerade ist.«

»Das können die Eichhörnchen tun.«

»Die Eichhörnchen?«

»Die Büroangestellten im Moskauer Zentrum. Sie sitzen den ganzen Tag auf dem Hintern, tun nichts Gefährlicheres, als die Granowskij-Straße in der Hauptverkehrszeit zu überqueren.« Rostow beschloß, die Gelegenheit zu Hassans Weiterbildung zu nutzen. »Ein Agent sollte keine Zeit für die Beschaffung von Informationen verschwenden, die bekannt sind. Die Eichhörnchen können alles finden, was in Büchern, Berichten und Akten steht. Da ein Eichhörnchen weniger kostet als ein Agent – nicht wegen der Gehälter, sondern wegen des Hilfsapparates –, zieht das Komitee es immer vor, wenn die Eichhörnchen eine bestimmte Arbeit machen können. Man muß sie so oft wie möglich einsetzen.«

Hassan verzog ironisch die Mundwinkel – eine Spur seiner alten Lässigkeit zeichnete sich ab. »Dickstein arbeitet nicht so.«

»Die Israelis haben eine völlig andere Methode. Außerdem vermute ich, daß Dickstein ein Einzelgänger ist.«

»Wie lange werden die Eichhörnchen brauchen, um uns den Standort der *Coparelli* mitzuteilen?«

»Vielleicht einen Tag. Ich werde den Auftrag erteilen, sobald wir in der Botschaft sind.«

Tyrin sagte über die Schulter hinweg: »Können Sie gleichzeitig eine Eilanforderung durchgeben?«

»Was brauchst du?«

»Noch sechs Hemdknöpfe.«

»Sechs?«

»Wenn sie so sind wie die letzte Lieferung, werden fünf nicht funktionieren.«

Hassan lachte. »Ist das kommunistische Tüchtigkeit?«

»Es hat nichts mit kommunistischer Tüchtigkeit zu tun«, sagte Rostow. »Wir leiden unter russischer Tüchtigkeit.«

Der Lieferwagen bog nach Embassy Row ein und wurde von dem diensthabenden Polizisten weitergewinkt.

»Was unternehmen wir, wenn wir die *Coparelli* ausfindig gemacht haben?«

»Das ist doch klar. Wir bringen einen Mann an Bord unter.«

Der Don hatte einen schlechten Tag gehabt.

Es hatte beim Frühstück mit der Nachricht angefangen, daß zwei seiner Leute in der Nacht geschnappt worden waren. Die Polizei hatte einen Lastwagen angehalten und durchsucht, der 2500 Paar pelzgefütterter Hauspantoffeln und fünf Kilo verschnittenen Heroins enthielt. Die Ladung, auf dem Weg von Kanada nach New York City, war in Albany entdeckt worden. Man hatte die Ware beschlagnahmt und den Fahrer und den Beifahrer eingesperrt.

Das Zeug gehörte dem Don nicht. Aber die Leute, die es schmuggelten, zahlten ihm Abgaben und erwarteten als Gegenleistung, daß er sie schützte. Sie würden fordern, daß er die Männer aus dem Gefängnis holte und das Heroin wiederbeschaffte. Das war so gut wie unmöglich. Er würde vielleicht dazu in der Lage sein, wenn nur die regionale Polizei für die Aktion verantwortlich wäre; aber wenn es sich nur um die gehandelt hätte, wäre die Sache gar nicht erst passiert.

Und das war erst der Anfang. Sein ältester Sohn hatte aus Harvard telegrafisch mehr Geld verlangt, da er den gesamten Zuschuß für das nächste Semester schon Wochen vor Vorlesungsbeginn verspielt hatte. Am Morgen hatte er ermittelt, weshalb seine Restaurantkette Verlust machte, und am Nachmittag hatte er seiner Geliebten erklärt, weshalb er sie in diesem Jahr nicht mit nach Europa nehmen könne. Zu guter Letzt war er von seinem Arzt informiert worden, daß er Tripper hatte – schon wieder.

Er betrachtete sich im Spiegel seines Ankleidezimmers, rückte seine Schleife zurecht und sagte zu sich selbst: »Was für ein Scheißtag.«

Wie sich herausgestellt hatte, war die Aktion von der New Yorker Stadtpolizei veranlaßt worden. Sie hatte den Tip an die Bundespolizei weitergeleitet, um Schwierigkeiten mit der städtischen Mafia zu vermeiden. Die Stadtpolizei hätte den Tip natürlich ignorieren können;

da sie es nicht getan hatte, mußte daraus geschlossen werden, daß der Fingerzeig von einer wichtigen Stelle gekommen war, vielleicht von der Drogenbekämpfungsbehörde. Der Don hatte den verhafteten Fahrern Rechtsanwälte besorgt, ihre Familien besuchen lassen und Verhandlungen mit der Polizei aufgenommen, um das Heroin zurückzukaufen.

Er zog sein Jackett an. Es hatte ihm immer Spaß gemacht, sich zum Dinner umzuziehen. Was sollte er nur mit seinem Sohn Johnny anfangen? Wieso war er im Sommer nicht nach Hause gekommen? Das wurde von Studenten doch erwartet. Der Don hatte daran gedacht, jemanden zu Johnny zu schicken, aber dann würde der Junge annehmen, daß sein Vater sich nur des Geldes wegen Sorgen mache. Wahrscheinlich würde er selbst fahren müssen.

Das Telefon klingelte, und der Don nahm den Hörer ab. »Ja.«

»Hier ist der Pförtner, Sir. Ein Engländer will mit Ihnen sprechen, aber er weigert sich, seinen Namen zu nennen.«

»Also schick ihn weg«, knurrte der Don, dessen Gedanken immer noch bei Johnny waren.

»Ich soll Ihnen sagen, daß er ein Freund von der Universität Oxford ist.«

»Ich kenne niemanden . . . eine Sekunde. Wie sieht er aus.«

»Ein kleiner Bursche mit Brille, sieht wie ein Stromer aus.«

»Na, so was!« Das Gesicht des Dons verzog sich zu einem Lächeln. »Laß ihn rein – und roll den roten Teppich aus!«

*

In diesem Jahr hatte er mehrere alte Freunde getroffen und dabei feststellen können, wie sehr sie sich verändert hatten. Doch Al Cortones Erscheinung war die verblüffendste von allen. Die Gewichtszunahme, die nach seiner Rückkehr aus Frankfurt gerade begonnen hatte, schien sich über die Jahre hinweg stetig fortgesetzt zu haben, und nun wog er mindestens 250 Pfund. Sein aufgeplustertes Gesicht drückte eine Sinnlichkeit aus, die 1947 nur in Andeutung vorhanden gewesen war und während des Krieges noch völlig gefehlt hatte. Und er war vollkommen kahlköpfig. Dickstein fand dies bei einem Italiener ungewöhnlich.

Dickstein konnte sich so deutlich, als wäre es gestern gewesen, an jenes Ereignis erinnern, bei dem er sich Cortone zu Dank verpflichtet hatte. In jenen Tagen hatte er die psychische Verfassung des in die Enge getriebenen Tieres begreifen gelernt. Wenn man keine Möglichkeit mehr hat davonzulaufen, merkt man, wie wild man kämpfen kann. Dickstein war in einem fremden Land abgesetzt und von seiner Einheit getrennt worden; während er mit dem Gewehr in der Hand über unbekanntes Gelände schlich, hatte er sich Reserven an Geduld, List und Rücksichtslosigkeit zunutze gemacht, von deren Existenz er nichts geahnt hatte. Er hatte eine halbe Stunde lang in dem Dickicht gelegen und den verlassenen Panzer beobachtet, der, wie er *wußte* – ohne zu verstehen, wieso –, der Köder in einer Falle war. Dann hatte er den einen Scharfschützen entdeckt und nach einem anderen Ausschau gehalten, als die Amerikaner angebraust kamen. Dadurch war Dickstein bei seinem Schuß kein Risiko gelaufen – wenn es einen weiteren Scharfschützen gab, würde der auf das offensichtliche Ziel, die Amerikaner, gefeuert und nicht versucht haben, den Urheber des Schusses in den Büschen ausfindig zu machen.

Ohne also einen Gedanken an etwas anderes als sein eigenes Überleben zu verschwenden, hatte Dickstein Al Cortone das Leben gerettet.

Cortone war noch unerfahrener gewesen als Dickstein, hatte aber genauso schnell gelernt wie er. Beide hatten gesunde Instinkte besessen und alte Prinzipien auf ein neues Gebiet angewandt. Eine Zeitlang kämpften, fluchten und lachten sie zusammen und unterhielten sich miteinander über Frauen. Als die Insel erobert war, hatten sie sich während der Vorbereitungen für den nächsten Vorstoß davongemacht und Cortones sizilianische Cousins besucht.

Diese Cousins standen jetzt im Mittelpunkt von Dicksteins Interesse.

Sie hatten ihm schon einmal geholfen, im Jahre 1948. Damals hatten sie einiges verdienen können, deshalb war Dickstein mit seinem Plan direkt an sie herangetreten. Dieses Projekt hier war etwas anderes. Er wollte, daß man ihm einen Gefallen tat, und er konnte keine Gewinnbeteiligung anbieten. Folglich mußte er sich an Al wenden und ihm die vierundzwanzigjährige Schuld abfordern.

Er war sich überhaupt nicht sicher, daß es gelingen würde. Cortone war nun ein reicher Mann. Das große Haus – in England hätte man so etwas als Landsitz bezeichnet – lag auf einem prächtigen Grundstück hinter einer hohen Mauer, deren Tor bewacht wurde. Auf der kiesbedeckten Anfahrt standen drei Autos, und Dickstein konnte die Angestellten schon nicht mehr zählen. Ein reicher und bequemer Amerikaner mittleren Alters würde sich wohl kaum darum reißen, in politische Eskapaden am Mittelmeer verwickelt zu werden – auch nicht um eines Mannes willen, der ihm einmal das Leben gerettet hatte.

Cortone schien sich sehr über seinen Besuch zu freuen, was ein gutes Zeichen war. Sie klopften sich wieder, wie damals an dem November-sonntag im Jahre 1947, auf den Rücken und riefen: »Wie, zum Teufel, geht's dir?«

Cortone musterte Dickstein. »Du hast dich nicht verändert! Ich habe mein ganzes Haar verloren und hundert Pfund zugenommen, und du bist nicht einmal grau geworden. Was hast du getrieben?«

»Ich bin nach Israel gegangen. Arbeite dort in der Landwirtschaft. Und du?«

»Geschäfte gemacht. Komm, wir wollen essen und uns unterhalten.«

Das Essen war eine seltsame Angelegenheit. Mrs. Cortone saß am Fuß des Tisches, ohne ein Wort zu sagen und ohne angesprochen zu werden. Zwei schlechterzogene Jungen schlangen ihre Speisen hinunter und verschwanden rasch unter dem Brüllen eines Sportwagen-auspuffs. Cortone aß große Mengen des schweren italienischen Essens und trank mehrere Gläser kalifornischen Rotweins. Aber am erstaunlichsten war ein elegant gekleideter, haifischgesichtiger Mann, der sich manchmal wie ein Freund, manchmal wie ein Berater und manchmal wie ein Diener benahm. Einmal nannte Cortone ihn seinen Anwalt. Während des Essens wurde nicht über Geschäfte gesprochen. Statt dessen erzählten sie einander Kriegsgeschichten. Cortone, der am meisten redete, erzählte auch die Geschichte des Bravourstücks, mit dem Dickstein 1948 die Araber überrumpelt hatte. Er hatte sie von seinen Cousins gehört und war nicht weniger belustigt gewesen als sie. Der Bericht war mit der Zeit immer weiter ausgeschmückt worden.

Dickstein kam zu dem Schluß, daß Cortone sich wirklich über seinen Besuch freute. Vielleicht langweilte der Mann sich. Kein Wunder, wenn er jeden Tag mit einer schweigenden Frau, zwei mürrischen Jungen und einem haifischgesichtigen Anwalt zu Abend aß. Dickstein gab sich Mühe, die Jovialität aufrechtzuerhalten; er wollte, daß Cortone guter Laune war, wenn er um den Gefallen gebeten wurde.

Nach dem Dinner setzten Cortone und Dickstein sich in einem gemütlichen Zimmer in Ledersessel, und ein Butler brachte Brandy und Zigarren. Dickstein wies beides zurück.

»Früher konntest du höllisch viel trinken«, sagte Cortone.

»Es war ein höllischer Krieg«, antwortete Dickstein. Der Butler verließ das Zimmer. Dickstein sah zu, wie Cortone seinen Brandy schlürfte und an der Zigarre zog, alles offenbar freudlos, wie in der Hoffnung, er werde irgendwann Geschmack an diesen Dingen finden, wenn er sie nur lange genug tue. Beim Gedanken an die unverfälschte Heiterkeit, der sie sich zusammen mit den sizilianischen Cousins hingegeben hatten, fragte Dickstein sich, ob in Cortones Leben noch wirkliche Menschen existierten.

Plötzlich lachte Cortone laut auf. »Ich erinnere mich an jede Minute des Tages in Oxford. Sag mal, bist du bei der Frau des Professors, der Araberin, noch weit gekommen?«

»Nein.« Dickstein lächelte kaum. »Sie ist jetzt tot.«

»Tut mir leid.«

»Etwas Seltsames geschah. Ich war wieder dort, in dem Haus am Fluß, und traf ihre Tochter . . . Sie sieht genauso aus wie Eila vor zwanzig Jahren.«

»Was du nicht sagst. Und . . .« Cortone zog eine lüsterne Grimasse. »Und du hast mit der Tochter was angefangen – nicht zu glauben!«

Dickstein nickte. »Wir haben nicht nur was angefangen. Ich möchte sie heiraten. Wenn ich sie das nächste Mal sehe, werde ich sie fragen.«

»Wird sie einverstanden sein?«

»Ich bin nicht sicher, aber ich nehme es an. Ich bin immerhin älter als sie.«

»Alter spielt keine Rolle. Aber du könntest ein bißchen zunehmen. Eine Frau freut sich, wenn sie sich an etwas festhalten kann.«

Das Gespräch ärgerte Dickstein, und nun merkte er, weshalb: Cortone war entschlossen, nur über Trivialitäten zu reden. Es mochte daran liegen, daß ihm Wortkargheit in den Jahren zur Gewohnheit geworden war; vielleicht war ein großer Teil seines »Familiengeschäfts« kriminell, und er wollte es vor Dickstein verbergen; es mochte auch etwas anderes geben, vor dessen Enthüllung er sich fürchtete, irgendeine geheime Enttäuschung, die er mit niemandem teilen wollte. Jedenfalls war der einstige offene, geschwätzige, leicht erregbare Junge längst in diesem dicken Mann aufgegangen. Dickstein sehnte sich danach, ihn zu bitten: Sag mir, was dich glücklich macht, wen du liebst und wie sich dein Leben abspielt.

Statt dessen fragte er: »Weißt du noch, was du in Oxford zu mir gesagt hast?«

»Klar. Ich habe gesagt, daß ich dir etwas schulde, weil du mir das Leben gerettet hast.« Cortone inhalierte den Rauch seiner Zigarre.

»Ich bin hier, um dich um Hilfe zu bitten.«

»Nur zu.«

»Hast du was dagegen, wenn ich das Radio anstelle?«

Cortone lächelte. »Dieses Haus wird ungefähr einmal die Woche nach Wanzen abgekämmt.«

»Gut«, sagte Dickstein, aber er schaltete das Radio trotzdem an. »Ich arbeite für den israelischen Geheimdienst.«

Cortones Augen weiteten sich. »Das hätte ich ahnen sollen.«

»Ich plane für November eine Operation im Mittelmeer. Es ist . . .« Dickstein überlegte, wieviel er preisgeben mußte. Sehr wenig, entschied er. »Es ist etwas, das das Ende aller Kriege im Nahen Osten bedeuten könnte.« Er machte eine Pause und entsann sich an eine Wendung, die Cortone ständig benutzt hatte. »Und ich scheiße dich nicht an.«

Cortone lachte. »Wenn du mich anscheißen wolltest, wärst du wohl nicht erst nach zwanzig Jahren hierhergekommen.«

»Es ist wichtig, daß die Fäden der Operation nicht nach Israel zurückverfolgt werden können. Ich brauche einen Stützpunkt für meine Arbeit: ein großes Haus an der Küste mit einer Anlegestelle für kleine Boote und einem Ankerplatz für ein großes Schiff nicht weit weg davon. Solange ich dort bin – zwei Wochen, vielleicht länger – muß ich vor den Nachforschungen der Polizei und anderer neugieriger Beamter geschützt sein. Mir fällt nur ein Ort ein, wo ich all das bekommen kann, und nur eine Person, die es mir verschaffen könnte.«

Cortone nickte. »Ich kenne eine Stelle – ein verlassenes Haus in Sizilien. Es ist nicht gerade luxuriös – keine Heizung, kein Telefon –, aber es könnte genau das sein, was du brauchst.«

Dickstein lächelte breit. »Großartig. Darum wollte ich dich bitten.«

»Du machst Witze«, sagte Cortone. »Das ist *alles*?«

*

An: Leiter des Mossad
Von: Leiter des Londoner Büros
Datum: 29. Juli 1968

Suza Ashford ist mit an Sicherheit grenzender Wahrscheinlichkeit eine Agentin des arabischen Geheimdienstes.

Sie wurde am 17. Juni 1944 in Oxford, England, geboren und ist das einzige Kind von Mr. (nun Professor) Steven Ashford (geboren in Guildford, England, 1908) und Eila Zuabi (geboren in Tripolis, Libanon, 1925).

Die Mutter, die 1954 starb, war reinblütige Araberin. Der Vater ist »Arabist«; er verbrachte den größten Teil der ersten vierzig Jahre seines Lebens im Nahen Osten als Forscher, Unternehmer und Linguist. Er unterrichtet jetzt Semitische Sprachen an der Universität Oxford, wo er für seine gemäßigt proarabischen Ansichten bekannt ist.

Obwohl Suza Ashford genaugenommen Staatsbürgerin des Vereinigten Königreichs ist, kann vermutet werden, daß sie sich der arabischen Sache verpflichtet fühlt.

Sie arbeitet als Stewardeß der BOAC auf interkontinentalen Routen und befliegt unter anderem häufig die Routen nach Teheran, Singapur und Zürich. Infolgedessen hat sie zahlreiche Gelegenheiten, heimlich Kontakte mit arabischem diplomatischen Personal aufzunehmen.

Suza Ashford ist eine auffallend schöne junge Frau (siehe beigefügte Fotografie, die ihr jedoch – laut Erklärung des Außenagenten, der diesen Fall bearbeitet – nicht gerecht wird). Ihre sexuellen Partner wechseln, wenn auch nicht ungewöhnlich oft, gemessen an den Maßstäben ihres Berufes oder denen ihrer Generation in London. Um präzise zu sein: Sexuelle Beziehungen mit einem Mann, um Informationen zu gewinnen, könnten für sie ein unangenehmes, jedoch kein traumatisches Erlebnis sein.

Schließlich – und das ist entscheidend: Yasif Hassan, der Agent, der Dickstein in Luxemburg entdeckte, studierte zur gleichen Zeit wie Dickstein bei ihrem Vater und hat seitdem gelegentlich mit Professor Ashford Kontakt aufgenommen. Er könnte den Professor ungefähr zu dem Zeitpunkt besucht haben, als Dicksteins Verhältnis mit Suza Ashford begann (ein Mann, auf den seine Beschreibung zutrifft, hat ihm jedenfalls zur fraglichen Zeit einen Besuch abgestattet).

Ich empfehle, die Überwachung fortzusetzen.

(Unterschrift)
Robert Jakes

An: Leiter des Londoner Büros
Von: Leiter des Mossad
Datum: 30. Juli 1968
Bei allem, was gegen sie spricht, ist mir unverständlich, weshalb Sie nicht empfehlen, sie zu töten.
(Unterschrift)
Pierre Borg

An: Leiter des Mossad
Von: Leiter des Londoner Büros
Datum: 31. Juli 1968
Ich empfehle aus folgenden Gründen nicht, Suza Ashford zu beseitigen:
1. Das gegen sie sprechende Material ist überzeugend, aber es handelt sich nur um Indizien.
2. Nach allem, was ich über Dickstein weiß, bezweifle ich sehr, daß er ihr irgendwelche Informationen gegeben hat, selbst wenn er eine Liebesbeziehung zu ihr unterhält.
3. Wenn wir sie beseitigen, wird die andere Seite eine neue Methode suchen, um an Dickstein heranzukommen. Ein bekanntes Übel ist ein kleineres Übel.
4. Wir könnten sie benutzen, um Falschinformationen an die andere Seite weiterzuleiten.
5. Ich halte nichts davon, auf der Grundlage von Indizien einen Mord zu begehen. Wir sind keine Barbaren, wir sind Juden.
6. Wenn wir eine Frau töten, die Dickstein liebt, ist damit zu rechnen, daß er Sie, mich und jeden anderen Betroffenen umbringt.
(Unterschrift)
Robert Jakes

An: Leiter des Londoner Büros
Von: Leiter des Mossad
Datum: 1. August 1968
Tun Sie, was Sie für richtig halten.
(Unterschrift)
Pierre Borg

POSTSKRIPTUM (mit dem Zusatz *Persönlich*):
Punkt 5 ist sehr edel und rührend, aber solche Ansichten werden Ihnen bei uns keine Beförderung einbringen. – P. B.

*

Sie war ein kleines, altes, häßliches, schmutziges, ekliges Luder. Rost bedeckte in großen orangefarbenen Flecken ihren ganzen Rumpf wie ein Hautausschlag. Wenn auf ihrem Oberwerk je Farbe gewesen war, mußte sie vor langer Zeit abgeblättert, fortgefegt oder von Wind, Regen und Meer aufgelöst worden sein. Ihr Steuerbordschandeck war bei einer Kollision knapp hinter dem Bug stark eingebeult worden, und niemand hatte sich je die Mühe gemacht, ihn auszubeulen. Ihr Schornstein trug eine zehn Jahre dicke Schmutzschicht. Ihr Deck war gekerbt, von Dellen und Flecken übersät; zwar wurde es oft geschrubbt, aber nie gründlich, so daß die Spuren früherer Ladungen – Getreidekörner, Holzsplitter, verfaulende Pflanzenstücke und Sackfetzen – hinter Rettungsbooten, unter Tauwerksrollen und in Spalten, Fugen und Löchern verborgen waren.
Sie hatte rund 2500 Bruttoregistertonnen, war 65 Meter lang und etwas über zehn Meter breit. An ihrem stumpfen Bug erhob sich ein hoher Funkmast. Ihr Deck war fast ganz von zwei großen Luken eingenommen, die in die Hauptladeräume führten. An Deck standen drei Kräne: einer vor den Luken, einer achtern und einer zwischen ihnen. Das Ruderhaus, die Offizierskabinen, die Kombüse und die Mannschaftsunterkunft gruppierten sich am Heck um den Schornstein. Sie hatte eine Schraube, die von einem Sechs-Zylinder-Dieselmotor angetrieben wurde, theoretisch 2450 PS Bremsleistung und eine Reisegeschwindigkeit von dreizehn Knoten entwickeln konnte.
Wenn sie voll beladen war, stampfte sie heftig. War sie nur mit Ballast geladen, gierte sie wie der Teufel. In beiden Fällen rollte sie beim geringsten Anlaß durch siebzig Bogengrade. Die Unterkunft war eng und schlecht gelüftet, die Kombüse wurde oft überflutet, und der Maschinenraum schien von Hieronymus Bosch entworfen zu sein.
Ihre Besatzung bestand aus 31 Offizieren und Matrosen, von denen keiner ein gutes Wort über sie zu sagen wußte.
Die einzigen Passagiere waren eine Kolonie von Schaben in der Kombüse, ein paar Mäuse und mehrere hundert Ratten.
Niemand liebt sie, und ihr Name war *Coparelli*.

10

Nat Dickstein war in New York, um Reeder zu werden. Er brauchte einen ganzen Morgen dazu.

Er schlug im Telefonbuch von Manhattan nach und wählte einen Anwalt an der unteren East Side. Statt anzurufen, fuhr er persönlich hin und war zufrieden, als er sah, daß das Büro des Anwalts über einem chinesischen Restaurant lag. Der Anwalt hieß Mr. Chung.

Dickstein und Chung nahmen ein Taxi zur Park Avenue und suchten die Büros der Liberian Corporation Services, Inc., auf, einer Firma, die gegründet worden war, um Leuten zu helfen, die eine liberianische Handelsgesellschaft eintragen lassen wollten, aber nicht die Absicht hatten, sich Liberia auch nur auf 3000 Meilen zu nähern. Dickstein wurde nicht um Empfehlungen gebeten, und er brauchte nicht zu beweisen, daß er ehrlich, kreditwürdig und bei Verstand war. Gegen eine Gebühr von fünfhundert Dollar, die Dickstein in bar bezahlte, registrierte man die Savile Shipping Corporation of Liberia. Die Tatsache, daß Dickstein zu diesem Zeitpunkt nicht einmal ein Ruderboot besaß, interessierte niemanden.

Als Adresse des Firmensitzes war 80 Broad Street, Monrovia, Liberia, aufgeführt; die Direktoren waren P. Satia, E. K. Nugba und J. D. Boyd, alle in Liberia ansässig. Dies war auch die Adresse der meisten liberianischen Gesellschaften und der Liberian Trust Company. Satia, Nugba und Boyd waren die Gründer vieler solcher Gesellschaften – auf diese Weise verdienten sie ihren Lebensunterhalt. Sie waren außerdem Angestellte der Liberian Trust Company.

Mr. Chung verlangte fünfzig Dollar und das Taxifahrgeld. Dickstein bezahlte auch ihn in bar und riet ihm, den Bus zu nehmen.

Ohne auch nur eine Adresse angeben zu müssen, hatte Dickstein eine völlig legitime Reederei geschaffen, die weder mit ihm noch mit dem Mossad in Verbindung gebracht werden konnte.

Satia, Nugba und Boyd traten, wie es üblich war, 24 Stunden später zurück, und am selben Tag stempelte der öffentliche Notar von Montserrado County, Liberia, eine eidesstattliche Erklärung ab, die besagte, daß die Kontrolle über die Savile Shipping Corporation sich nun in den Händen eines gewissen André Papagopulos befinde.

Inzwischen fuhr Dickstein bereits mit dem Bus vom Züricher Flughafen in die Stadt, um sich mit Papagopulos zum Mittagessen zu treffen.

Wenn er Zeit hatte, darüber nachzudenken, war sogar er selbst von der Kompliziertheit seines Plans überwältigt, von der Zahl der Teile in diesem Puzzle, der Menge der Personen, die überredet, bestochen oder gezwungen werden mußten, ihre Rolle zu spielen. Bis jetzt hatte er Erfolg gehabt, zuerst bei Steifkragen, dann bei Al Cortone, von Lloyd's of London und Liberian Corporation Services, Inc., gar nicht zu reden, aber wie lange konnte es so weitergehen?

Papagopulos bot in mancher Hinsicht die größte Herausforderung. Er war ein Mann, so schwer zu fassen, so stark und so frei von Schwächen wie Dickstein selbst.

Er war 1912 in einem Dorf geboren worden, das während seiner Jugend abwechselnd zur Türkei, zu Bulgarien und Griechenland gehörte. Sein Vater war Fischer. Als Halbwüchsiger arbeitete er sich vom Fischfang zu anderen Meeresbeschäftigungen, hauptsächlich Schmuggel, empor. Nach dem Zweiten Weltkrieg tauchte er in Äthiopien auf und kaufte zu Ramschpreisen die Berge von militärischen Restbeständen, die mit dem Ende des Krieges plötzlich wertlos geworden waren. Er erwarb Gewehre, Handfeuerwaffen, Maschinengewehre, Panzerfäuste und Munition. Dann nahm er Kontakt mit der Jewish Agency in Kairo auf und verkaufte diese Waffen mit enormem Profit an die israelische Untergrundarmee. Er arrangierte den Seetransport – hier erwiesen sich seine Erfahrungen mit der Schmuggelei als unschätzbar – und beförderte die Ware nach Palästina. Dann erkundigte er sich, ob man an weiteren Lieferungen interessiert sei.

Auf diese Weise war er mit Nat Dickstein bekannt geworden.

Bald zog er weiter, in das Kairo Faruks und dann in die Schweiz. Sein Handel mit den Israelis hatte den Übergang von vollkommen illegalen Geschäften zu Operationen eingeleitet, die im schlimmsten Fall anrüchig, im besten Fall unanfechtbar waren. Gegenwärtig bezeichnete er sich als Schiffsmakler, und das war tatsächlich sein wichtigstes, wenn auch keineswegs sein einziges Geschäft.

Er hatte keine Adresse. Man konnte ihn über ein halbes Dutzend Telefonnummern in aller Welt erreichen, aber er war nie da – immer nahm jemand anders den Anruf entgegen, und Papagopulos meldete sich später. Viele Leute, besonders im Reedereiwesen, kannten ihn und vertrauten ihm, denn er ließ nie jemanden im Stich; doch dieses Vertrauen gründete sich auf seinen Ruf, nicht auf persönlichen Kontakt. Er lebte ein gutes, aber unauffälliges Leben, und Nat Dickstein war einer der wenigen Menschen, die sein einziges Laster kannten: Er ging gern mit *vielen* Mädchen ins Bett – das heißt, mit zehn oder zwölf gleichzeitig. Er hatte keinen Sinn für Humor.

Dickstein stieg am Bahnhof, wo Papagopulos ihn auf dem Bürgersteig erwartete, aus dem Bus. Der Grieche war ein großer, massiger Mann mit olivenfarbener Haut und dünnem dunklen Haar, das er über den immer kahler werdenden Schädel kämmte. An diesem hellen Sommertag in Zürich trug er einen marineblauen Anzug, ein blaßblaues Hemd und eine dunkelblaue, gestreifte Krawatte. Seine Augen waren klein und dunkel.

Sie schüttelten einander die Hand. »Wie geht das Geschäft?« fragte Dickstein.

»Mal besser, mal schlechter.« Papagopulos lächelte. »Meistens besser.«

Sie schlenderten durch die sauberen, ordentlichen Straßen und wirkten wie ein Generaldirektor und sein Buchhalter. Dickstein atmete die kalte Luft ein. »Ich mag diese Stadt.«

»Ich habe einen Tisch im Veltliner Keller in der Altstadt bestellt«, sagte Papagopulos. »Ich weiß, daß Ihnen egal ist, was Sie essen, aber mir nicht.«

»Sind Sie in der Pelikanstraße gewesen?«

»Ja.«

»Gut.«

Das Züricher Büro der Liberian Corporation Services, Inc., lag in der Pelikanstraße. Dickstein hatte Papagopulos gebeten, sich dort als Präsident und Hauptgeschäftsführer von Savile Shipping registrieren zu lassen. Dafür würde er 10 000 amerikanische Dollar erhalten, die vom Konto des Mossad bei einer Schweizer Bank auf Papagopulos' Konto in derselben Filiale derselben Bank überwiesen wurden – eine Transaktion, die nur sehr schwer aufzudecken war.

»Aber ich habe nicht versprochen, noch mehr zu tun«, sagte Papagopulos. »Sie könnten Ihr Geld verschwendet haben.«

»Ich bin sicher, daß es gut angelegt ist.«

Sie erreichten das Restaurant. Dickstein hatte erwartet, daß Papagopulos hier bekannt sein würde, doch das Verhalten des Oberkellners wies nicht darauf hin. Natürlich, er ist nirgends bekannt, dachte Dickstein.

Sie bestellten jeder ein Gericht und dazu Wein. Dickstein stellte zu seinem Bedauern fest, daß der Schweizer Weißwein immer noch besser war als der israelische.

Während sie aßen, erklärte Dickstein, welche Aufgaben Papagopulos als Präsident von Savile Shipping haben würde.

»Erstens: Sie kaufen ein kleines, schnelles Schiff, tausend oder fünfzehnhundert Tonnen groß, nur wenige Mann Besatzung. Sie lassen es in Liberia eintragen.« Das war mit einem weiteren Besuch in der Pelikanstraße und einem Honorar von etwa einem Dollar pro Tonne verbunden. »Bei dem Kauf bekommen Sie die übliche Maklergebühr. Machen Sie ein paar Geschäfte mit dem Schiff, und berechnen Sie sich auch dabei Ihre Gebühr. Mir ist egal, was Sie mit dem Schiff anfangen, vorausgesetzt, es beendet am 7. Oktober oder vorher eine Fahrt in Haifa. Dort entlassen Sie die Besatzung. Wollen Sie sich Notizen machen?«

Papagopulos lächelte. »Ich glaube nicht.«

Der tiefere Sinn blieb Dickstein nicht verborgen. Papagopulos hörte zwar zu, aber er hatte sich noch nicht bereit erklärt, den Auftrag zu übernehmen. Dickstein sprach weiter: »Zweitens: Kaufen Sie irgendeines der Schiffe auf dieser Liste.« Er reichte dem Griechen ein einzelnes Blatt Papier, auf dem die Namen der vier Schwesterschiffe der *Coparelli*, mit ihren Eignern und den letzten bekannten Standorten, verzeichnet waren – die Information, die er von Lloyd's erhalten hatte. »Kein Preis ist zu hoch: Ich muß eines von ihnen haben. Berechnen Sie Ihre Maklergebühr, liefern Sie das Schiff bis zum 7. Oktober in Haifa ab. Entlassen Sie die Besatzung.«

Papagopulos aß Schokoladencreme; sein glattes Gesicht blieb undurchdringlich. Er ließ den Löffel sinken und setzte eine Goldrandbrille auf, um die Liste zu lesen. Dann faltete er das Blatt Papier in der Mitte zusammen und legte es ohne Kommentar auf den Tisch.

Dickstein gab ihm einen weiteren Bogen Papier. »Drittens: Kaufen

213

Sie dieses Schiff – die *Coparelli*. Aber es muß genau zum richtigen Zeitpunkt geschehen. Sie sticht am Sonntag, dem 17. November, von Antwerpen aus in See. Wir müssen sie kaufen, *nachdem* sie abgelegt hat, aber *bevor* sie die Straße von Gibraltar passiert.«

Papagopulos schien skeptisch. »Hm . . .«

»Warten Sie, bis Sie den Rest gehört haben. Viertens: Anfang 1969 verkaufen Sie Schiff Nummer 1, das kleine, und Schiff Nummer 3, die *Coparelli*. Sie bekommen von mir eine Bestätigung, daß Schiff Nummer 2 verschrottet worden ist. Die Bestätigung schicken Sie an Lloyd's. Dann liquidieren Sie Savile Shipping.« Dickstein lächelte und nippte an seinem Kaffee.

»Sie haben also vor, ein Schiff spurlos verschwinden zu lassen.« Dickstein nickte. Papagopulos' Verstand war rasiermesserscharf.

»Ihnen ist sicher klar«, fuhr Papagopulos fort, »daß dies alles kein Problem ist – bis auf den Kauf der *Coparelli* auf See. Das normale Verfahren beim Kauf eines Schiffes ist folgendes: Verhandlungen finden statt, man einigt sich auf einen Preis, und die Dokumente werden aufgesetzt. Das Schiff kommt zur Inspektion ins Trockendock. Wenn es den Ansprüchen genügt, werden die Dokumente unterzeichnet, die Kaufsumme wird bezahlt, und der neue Eigner holt es aus dem Trockendock. Es ist höchst ungewöhnlich, ein Schiff zu kaufen, während es auf See ist.«

»Aber nicht unmöglich.« Dickstein beobachtete ihn.

»Nein, nicht unmöglich.« Papagopulos wurde nachdenklich, sein Blick war abwesend. Es war ein gutes Zeichen, daß er das Problem zu lösen versuchte. »Wir müßten die Verhandlungen eröffnen, einen Preis absprechen und die Inspektion auf einen Termin nach Beendigung der Novemberfahrt legen. Dann, wenn das Schiff in See gestochen ist, behaupten wir, daß der Käufer das Geld sofort zahlen muß, vielleicht aus Steuergründen. Der Käufer würde dann eine Versicherung gegen größere Reperaturen abschließen, die nach der Inspektion nötig sein könnten . . . aber das ist nicht die Sorge des Verkäufers. Ihn interessiert nur sein Ruf als Spediteur. Deshalb wird er eine eiserne Garantie fordern, daß seine Fracht von dem neuen Eigner der *Coparelli* abgeliefert wird.«

»Würde er eine Garantie akzeptieren, die sich auf Ihr persönliches Ansehen stützt?«

»Natürlich. Aber weshalb sollte ich eine solche Garantie abgeben?«

Dickstein sah ihm in die Augen. »Ich kann Ihnen versprechen, daß der Eigentümer der Fracht sich nicht beklagen wird.«

Papagopulos hob die Handflächen. »Es ist offensichtlich, daß Sie irgendeinen Schwindel vorhaben. Sie benötigen meine Mitarbeit, um eine ehrbare Fassade zu haben. Das ließe sich machen. Aber Sie wollen auch, daß ich meinen Ruf riskiere und Ihrem Versprechen traue, daß er nicht leiden wird?«

»Ja. Lassen Sie mich Ihnen eine Frage stellen. Sie haben den Israelis schon einmal vertraut, erinnern Sie sich?«

»Gewiß.«

»Haben Sie es je bedauert?«

Papagopulos dachte an die alte Zeit und lächelte. »Es war die beste Entscheidung, die ich je getroffen habe.«

»Werden Sie uns also auch diesmal vertrauen?«

»Damals hatte ich weniger zu verlieren. Ich war . . . fünfunddreißig. Wir hatten viel Spaß miteinander. Dies ist das interessanteste Angebot, das ich seit zwanzig Jahren erhalten habe. Was soll's, ich bin einverstanden.«

Dickstein streckte die Hand über den Tisch hinweg. Papagopulos schüttelte sie.

Eine Kellnerin brachte auf einem kleinen Teller Schweizer Schokolade zu ihrem Kaffee. Papagopulos nahm ein Stückchen.

»Zu den Einzelheiten«, erklärte Dickstein. »Richten Sie bei Ihrer hiesigen Bank ein Konto für Savile Shipping ein. Die Botschaft wird die jeweils benötigten Summen einzahlen. Sie informieren mich, indem Sie einfach eine schriftliche Mitteilung in der Bank hinterlegen. Ein Botschaftsangestellter wird den Zettel abholen. Wenn wir uns zu einem Gespräch treffen müssen, verwenden wir die üblichen Telefonnummern.«

»Einverstanden.«

»Ich freue mich, daß wir wieder miteinander im Geschäft sind.«

Papagopulos war nachdenklich. »Schiff Nummer 2 ist ein Schwesterschiff der *Coparelli*«, sinnierte er. »Ich kann mir in etwa ausmalen, was Sie vorhaben. Eines hätte ich gern gewußt, obwohl ich sicher bin, daß Sie es mir nicht sagen werden. Was, zum Teufel, ist die Fracht, die die *Coparelli* laden soll – Uran?«

*

Pjotr Tyrin betrachtete die *Coparelli* finster und sagte: »Was für ein schmieriger alter Kasten.«

Rostow antwortete nicht. Sie standen mit ihrem gemieteten Ford an einem Kai der Hafenanlagen von Cardiff. Die Eichhörnchen im Moskauer Zentrum hatten ihnen mitgeteilt, daß die *Coparelli* heute hier einlaufen würde; nun sahen sie zu, wie das Schiff anlegte. Es sollte eine Ladung schwedisches Holz löschen und eine gemischte Ladung aus kleineren Geräten und Baumwollartikeln übernehmen, was mehrere Tage dauern würde.

»Wenigstens ist die Messe nicht am Vorderdeck«, murmelte Tyrin vor sich hin.

»*So* alt ist sie nun auch nicht«, entgegnete Rostow.

Tyrin war erstaunt darüber, daß Rostow ihn verstanden hatte. Der Mann überraschte ihn immer wieder mit seinen hier und dort gesammelten Kenntnissen.

Vom Rücksitz des Wagens aus fragte Nik Bunin: »Ist das der vordere oder der hintere Teil des Schiffes?«

Rostow und Tyrin tauschten einen Blick aus und grinsten über Niks Ignoranz. »Der hintere Teil«, sagte Tyrin. »Man nennt ihn das Heck.«

Es regnete. Der Regen in Wales war sogar noch hartnäckiger und monotoner als in England und außerdem kälter. Pjotr Tyrin haderte mit seinem Schicksal. Zufällig hatte er zwei Jahre in der sowjetischen Marine absolviert. Deshalb und weil er der Funk- und Elektronikexperte war, eignete er sich am besten dazu, an Bord der *Coparelli* geschleust zu werden. Er wollte nicht mehr zur See fahren. Hauptsächlich hatte er sich sogar deshalb um die Aufnahme ins KGB beworben, um der Marine zu entgehen. Er haßte die Feuchtigkeit, die Kälte, das Essen und die Disziplin. Außerdem wartete in einer Wohnung in Moskau seine liebevolle, mollige Frau, und er vermißte sie.

Natürlich kam nicht in Frage, daß er Rostow den Befehl verweigerte.

»Wir lassen dich als Funker anheuern, aber du mußt zur Sicherheit deine eigene Ausrüstung mitnehmen«, sagte Rostow.

Tyrin überlegte, wie das anzufangen sei. Er selbst hätte den Schiffsfunker ausfindig gemacht, ihm einen Schlag über den Kopf versetzt und ihn ins Wasser geworfen. Danach wäre er an Bord gegangen und hätte gesagt: »Wie ich höre, brauchen Sie einen neuen Funker.«

Zweifellos würde Rostow sich etwas Raffinierteres ausdenken. Dazu war er schließlich Oberst.

Die Geschäftigkeit an Deck hatte sich gelegt, die Maschinen der *Coparelli* schwiegen. Fünf oder sechs Seeleute drängten sich lachend und lärmend über die Laufplanke und steuerten auf die Stadt zu. Rostow befahl: »Finde heraus, in welchen Pub sie gehen, Nik.« Bunin stieg aus und folgte den Matrosen.

Tyrin blickte ihm nach. Die ganze Szene hier deprimierte ihn: die Gestalten, die den nassen Betonkai mit hochgeschlagenem Kragen überquerten; die Geräusche von heulenden Schleppern, von Männern, die nautische Anweisungen brüllten, von Ketten, die ein- und abgehievt wurden; die Berge von Strohsäcken; die nackten, an Wachtposten erinnernden Kräne; der Geruch des Maschinenöls, der Schiffstaue und des salzigen Sprühwassers. All das ließ ihn an seine Moskauer Wohnung denken, den Sessel vor dem Paraffinofen, Pökelfisch und Schwarzbrot, Bier und Wodka im Kühlschrank und einen Abend vor dem Fernsehschirm.

Er war nicht in der Lage, Rostows nicht zu übersehenden Frohsinn über den Verlauf der Operation zu teilen. Wieder einmal hatten sie keine Ahnung, wo Dickstein sich aufhielt – zwar war er ihnen nicht entwischt, aber sie hatten ihn absichtlich gehen lassen. Es war Rostows Entscheidung gewesen; er hatte gefürchtet, Dickstein zu nahe zu kommen, ihn zu verschrecken. »Wir folgen der *Coparelli*, und Dickstein kommt zu uns«, war Rostows Argument gewesen. Yasif Hassan hatte dem widersprochen, doch Rostow hatte sich durchgesetzt. Tyrin, der zu solchen strategischen Diskussionen nichts beizutragen hatte, stimmte zwar mit seinem Chef überein, sah aber keinen Grund, so zuversichtlich zu sein.

»Als erstes mußt du dich mit der Besatzung anfreunden«, unterbrach Rostow seine Gedanken. »Du bist Funker von Beruf. Auf deinem letzten Schiff, der *Christmas Rose*, hattest du einen kleineren Unfall – du brachst dir den Arm –, und wurdest hier in Cardiff entlassen, um gesund zu werden. Die Reeder haben dir eine ausgezeichnete Entschädigung gezahlt. Du amüsierst dich, gibst dein Geld aus. Wenn du nichts mehr hast, wirst du dich vielleicht nach einer neuen Heuer umsehen. Du mußt zwei Dinge herausfinden: die Identität des Funkers sowie den Tag, an dem das Schiff in See stechen soll.«

»Schön«, erwiderte Tyrin, obwohl es alles andere als schön war. *Wie* sollte er sich nur mit diesen Leuten »anfreunden«? Seiner Meinung nach war er kein großer Schauspieler. Würde er die Rolle des munteren Kumpels spielen müssen? Und wenn die Besatzung ihn für einen Langweiler, einen einsamen Mann hielt, der versuchte, sich einer fröhlichen Gruppe anzuschließen? Was, wenn sie ihn einfach nicht mochten?

Er zog unbewußt die breiten Schultern hoch. Entweder würde er es schaffen, oder es würde irgendeinen Grund dafür geben, daß es unmöglich war. Er konnte nur versprechen, sein Bestes zu tun.

Bunin kam über den Kai hinweg zurück. »Setz dich nach hinten, Nik soll fahren«, sagte Rostow. Tyrin stieg aus und hielt die Tür für Nik auf. Das Gesicht des jungen Mannes war klatschnaß vom Regen. Er ließ den Wagen an, und Tyrin stieg ein.

Während das Auto sich in Bewegung setzte, drehte Rostow sich zu Tyrin um. »Hier sind hundert Pfund.« Er reichte Tyrin ein Bündel Banknoten. »Geh nicht zu vorsichtig damit um.«

Bunin stoppte den Wagen an einer Ecke, gegenüber einer kleinen Hafenkneipe. Auf einem Schild, das sachte im Wind flatterte, stand »Brains Beers«. Ein rauchiges, gelbes Licht glühte hinter den Milchglasfenstern. An einem Tag wie heute gibt es schlimmere Plätze, dachte Tyrin.

»Welche Nationalität hat die Besatzung?« fragte er plötzlich.

»Es sind Schweden«, sagte Bunin.

»Welche Sprache soll ich benutzen?« fragte Tyrin. Seine gefälschten Papiere gaben ihn als Österreicher aus.

»Alle Schweden sprechen englisch«, erläuterte Rostow. Nach kurzem Schweigen fuhr er fort: »Noch Fragen? Ich möchte zu Hassan zurückkehren, bevor er sich irgendwelche Dummheiten einfallen läßt.«

»Keine Fragen mehr.« Tyrin öffnete den Schlag.

»Melde dich bei mir, wenn du heute nacht ins Hotel zurückkommst – egal, wie spät es ist.«

»Klar.«

»Viel Glück.«

Tyrin ließ die Wagentür zufallen und ging über die Straße auf den Pub zu. Als er den Eingang erreichte, kam jemand heraus, und der warme Geruch von Bier und Tabak umhüllte Tyrin einen Moment lang. Er trat ein.

Es war eine schäbige, kleine Kneipe, mit harten Holzbänken an den Wänden und Kunststofftischen, die am Fußboden festgenagelt waren. Vier der Matrosen spielten in einem Winkel mit Wurfpfeilen, ein fünfter sah von der Bar aus zu.

Der Barkellner nickte Tyrin zu. »Guten Morgen«, sagte der Russe. »Einen halben Liter Lagerbier, einen großen Whisky und ein Schinkensandwich.«

Der Matrose an der Bar wandte sich um und nickte freundlich. Tyrin lächelte. »Seid ihr gerade eingelaufen?«

»Ja, mit der *Coparelli*«, antwortete der Seemann.

»*Christmas Rose*«, sagte Tyrin. »Sie haben mich zurückgelassen.«

»Du hast Glück.«

»Ich hatte mir den Arm gebrochen.«

»Na und?« meinte der schwedische Matrose grinsend. »Trinken kannst du doch.«

»Und nicht schlecht«, sagte Tyrin. »Ich lade dich ein. Was soll's sein?«

*

Zwei Tage später tranken sie immer noch. Die Zusammensetzung der Gruppe änderte sich, weil die einen zum Dienst zurückkehrten und andere an Land kamen; und es gab eine kurze Zeitspanne zwischen 4 Uhr morgens und der Öffnungszeit, in der man nirgends in der Stadt – ob legal oder illegal – Alkohol kaufen konnte. Davon abgesehen, war das Leben zu einer einzigen langen Sauftour geworden. Tyrin hatte schon vergessen gehabt, wieviel Seeleute vertragen können. Ihm graute vor dem Katzenjammer. Allerdings war er froh darüber, daß er nicht in eine Situation geraten war, in der er sich mit Prostituierten einlassen mußte. Die Schweden waren an Frauen interessiert, aber nicht an Huren. Tyrin hätte seine Frau nie davon überzeugen können, daß er sich im Dienst von Mütterchen Rußland eine Geschlechtskrankheit geholt hatte. Glücksspiele waren das andere Laster der Schweden. Tyrin hatte ungefähr fünfzig Pfund des KGB-Geldes beim Poker verloren. Er stand auf so gutem Fuß mit der Besatzung der *Coparelli*, daß man ihn in der Nacht zuvor um 2 Uhr an Bord eingeladen hatte. Er war auf dem Messedeck eingeschlafen, und die anderen hatten ihn bis acht Glasen dort gelassen.

Heute nacht würde es anders aussehen. Die *Coparelli* sollte mit der

Morgenflut in See stechen, und alle Offiziere und Matrosen mußten bis Mitternacht an Bord sein. Es war 23.10 Uhr. Der Gastwirt sammelte Gläser ein und leerte Aschenbecher. Tyrin spielte Domino mit Lars, dem Funker. Sie hatten das eigentliche Spiel aufgegeben und wetteiferten nun darum, wer die meisten Stücke nebeneinander aufstellen konnte, ohne alle umzustoßen. Lars war stark betrunken, Tyrin tat nur so. Er hatte große Angst vor dem, was er in ein paar Minuten tun mußte.

Der Wirt rief: »Das wär's, Gentlemen! Vielen Dank.«

Tyrin stieß seine Dominos um und lachte.

»Siehst du – du bist ein schlimmerer Trinker als ich«, sagte Lars.

Die anderen Besatzungsmitglieder verließen den Pub. Tyrin und Lars standen auf. Der Russe legte den Arm um Lars' Schulter, und sie taumelten zusammen auf die Straße.

Die Nachtluft war kühl und feucht. Tyrin erschauerte. Von jetzt an mußte er nahe bei Lars bleiben. Hoffentlich hat Nik alles genau ausgerechnet, dachte er. Hoffentlich streikt der Wagen nicht. Und hoffentlich wird Lars dabei nicht umgebracht.

Er begann, Fragen nach Lars' Heim und Familie zu stellen. Tyrin achtete darauf, daß sie sich ein paar Meter hinter der Hauptgruppe der Seeleute hielten.

Sie kamen an einer blonden Frau mit einem Minirock vorbei. Sie berührte ihre linke Brust. »Hallo, Jungs, wie wär's mit uns?«

Heute nicht, Liebling, dachte Tyrin und ging weiter. Er durfte Lars nicht anhalten und mit ihr plaudern lassen. Der richtige Zeitpunkt, darauf kam es jetzt an. Nik, wo war Nik?

Dort. Sie näherten sich einem dunkelblauen Ford Capri 2000, der mit ausgeschalteten Scheinwerfern am Straßenrand parkte. Dann blitzte die Innenbeleuchtung auf, und Tyrin erkannte das Gesicht des Mannes am Steuer: Es war Nik Bunin. Tyrin zog eine flache weiße Mütze aus der Tasche und setzte sie auf – das Signal, daß Bunin anfangen konnte. Nachdem die Seeleute vorbeigeschlendert waren, wurde das Auto angelassen und rollte in die entgegengesetzte Richtung.

Nicht mehr lange.

»Ich habe eine Verlobte«, sagte Lars.

O nein, hör bloß damit auf.

Lars kicherte. »Sie ist ganz schön heiß.«

»Wirst du sie heiraten?« Tyrin spähte angestrengt nach vorn und lauschte. Er sprach nur, damit Lars dicht neben ihm blieb.

Lars verzog lüstern das Gesicht. »Wozu?«

»Ist sie treu?«

»Würde ich ihr raten. Sonst schneide ich ihr die Kehle durch.«

»Ich dachte, daß die Schweden für die freie Liebe sind.« Tyrin sagte das, was ihm als erstes einfiel.

»Freie Liebe, ja. Aber ich würde ihr raten, treu zu sein.«

»Aha.«

»Ich kann es dir erklären . . .«

Komm schon, Nik. Mach schnell . . .

Einer der Matrosen in der Gruppe blieb stehen, um in die Gosse zu urinieren. Die anderen machten derbe Bemerkungen und lachten. Tyrin wünschte, daß der Mann sich beeilen würde – der Zeitpunkt, der Zeitpunkt –, aber es schien ewig zu dauern.

Endlich hörte er auf, und alle setzten sich wieder in Bewegung.

Tyrin hörte ein Motorengeräusch.

Er erstarrte. »Was ist los?« fragte Lars.

»Nichts.« Tyrin sah die Scheinwerfer. Das Auto kam in der Mitte der Straße stetig auf sie zu. Die Matrosen schoben sich auf den Bürgersteig, um ihm auszuweichen.

Das war doch ganz anders, es konnte nicht gelingen!

Plötzlich wurde Tyrin von Verwirrung und Panik ergriffen – dann konnte er den Umriß des Autos deutlicher ausmachen, als es an einer Straßenlaterne vorbeirollte, und er merkte, daß es nur ein Streifenwagen der Polizei war. Er tauchte harmlos in der Dunkelheit wieder unter.

Das Ende der Straße führte auf einen breiten, leeren, schlecht gepflasterten Platz. Es gab keinen Verkehr. Die Matrosen marschierten genau über die Mitte des Platzes.

Jetzt.

Komm.

Sie hatten den Platz zur Hälfte überquert.

Komm schon!

Ein Auto umrundete eine Ecke und raste mit flammenden Scheinwerfern auf den Platz. Tyrin packte Lars' Schulter mit festerem Griff. Das Auto schleuderte wild.

»Der Fahrer ist besoffen«, sagte Lars mit schwerer Zunge.

Es war ein Ford Capri. Er drehte auf die vordere Gruppe zu. Die Matrosen hörten auf zu lachen und sprangen fluchend zur Seite. Der

Wagen bog ab, beschrieb dann mit quietschenden Bremsen eine Kurve und jagte direkt auf Tyrin und Lars zu.

»Vorsicht!« schrie Tyrin.

Als das Auto sie fast erreicht hatte, zog er Lars zur Seite, so daß der Mann das Gleichgewicht verlor, und warf sich selbst zu Boden. Ein Übelkeit erregender dumpfer Knall, gefolgt von einem Schrei und dem Krachen von splitterndem Glas. Das Auto fuhr vorbei.

Geschafft, dachte Tyrin.

Er rappelte sich auf und blickte sich nach Lars um.

Der Matrose lag ein paar Schritte von ihm entfernt auf der Straße. Blut glänzte im Lampenlicht.

Lars stöhnte.

Er lebt, dachte Tyrin, Gott sei Dank.

Das Auto bremste. Einer seiner Scheinwerfer war ausgegangen – derjenige, der Lars getroffen hatte, nahm Tyrin an. Es rollte im Leerlauf weiter, als zögere der Fahrer. Dann erhöhte es die Geschwindigkeit und verschwand einäugig in der Nacht.

Tyrin beugte sich über Lars. Die anderen Seeleute sammelten sich, schwedisch sprechend, um die beiden. Tyrin berührte Lars' Bein. Der Mann schrie vor Schmerz auf.

»Ich glaube, das Bein ist gebrochen«, sagte Tyrin. *Ein Glück, daß das alles ist.*

In einigen der Gebäude, die den Platz umgaben, gingen Lichter an. Einer der Offiziere gab einen Befehl, und ein einfacher Matrose rannte auf ein Haus zu, wahrscheinlich um einen Krankenwagen anzurufen. Nach einem weiteren raschen Dialog lief ein anderer in Richtung des Docks.

Lars blutete, aber nicht allzu stark. Der Offizier beugte sich über ihn und gestattete niemandem, Lars' Bein anzufassen.

Der Krankenwagen erschien nach wenigen Minuten, aber Tyrin schien es eine Ewigkeit zu dauern: Er hatte noch nie einen Menschen ermordet, und er wollte niemanden ermorden.

Man legte Lars auf eine Bahre. Der Offizier stieg in den Krankenwagen und wandte sich an Tyrin. »Sie sollten besser mitkommen.«

»Ja.«

»Sie haben ihm das Leben gerettet, glaube ich.«

»Oh.«

Er kletterte zu dem Offizier in den Wagen.

Sie rasten durch die nassen Straßen, während das blitzende Blaulicht auf dem Dach einen unerfreulichen Schimmer über die Gebäude warf. Tyrin saß hinten. Er war unfähig, Lars oder den Offizier anzuschauen, und wollte nicht wie ein Tourist aus dem Fenster sehen; deshalb wußte er nicht, wohin er den Blick richten sollte. Er hatte im Dienste seines Landes und Oberst Rostows viele unerfreuliche Dinge getan – er hatte die Gespräche von Liebespaaren aufgenommen, um sie hernach erpressen zu können, er hatte Terroristen gezeigt, wie man Bomben herstellte, er hatte geholfen, Menschen zu fangen, die man später foltern würde –, aber er war nie gezwungen gewesen, mit seinem Opfer zusammen in einem Krankenwagen zu fahren. Es gefiel ihm nicht.

Sie erreichten das Krankenhaus. Die Sanitäter trugen die Bahre hinein. Tyrin und der Offizier wurden in ein Wartezimmer geführt. Und plötzlich war jede Hast vorbei. Sie hatten nichts anderes zu tun, als sich Sorgen zu machen. Tyrin blickte auf die schmucklose elektrische Uhr an der Krankenhauswand und sah zu seinem Erstaunen, daß es noch nicht einmal Mitternacht war. Dabei schienen Stunden vergangen zu sein, seit sie den Pub verlassen hatten.

Nach einer langen Wartezeit kam der Arzt heraus. »Das Bein ist gebrochen, und er hat etwas Blut verloren.« Der Arzt wirkte sehr müde. »Er hat eine Menge Alkohol im Körper, was nicht gerade nützlich ist. Aber er ist jung, kräftig und gesund. Sein Bein wird heilen, und er dürfte in ein paar Wochen wieder auf dem Damm sein.« Erleichterung übermannte Tyrin. Er merkte, daß er zitterte.

Der Offizier sagte: »Unser Schiff legt morgen früh ab.«

»Er kann nicht mit«, erklärte der Arzt. »Ist Ihr Kapitän auf dem Weg hierher?«

»Ich habe nach ihm geschickt.«

»Gut.« Der Arzt drehte sich um und ging hinaus.

Der Kapitän traf gleichzeitig mit der Polizei ein. Er unterhielt sich auf schwedisch mit dem Offizier, während ein junger Sergeant Tyrins vage Beschreibung des Autos zu Protokoll nahm.

Danach näherte der Kapitän sich dem Russen. »Wie ich höre, haben Sie Lars vor einem viel schlimmeren Unfall bewahrt.«

Tyrin wünschte sich, so etwas nicht mehr hören zu müssen. »Ich versuchte, ihn zur Seite zu ziehen, aber er fiel hin. Er war stark betrunken.«

»Horst hier sagt, daß Sie gerade kein Schiff haben.«

»Jawohl.«

»Sie sind vollausgebildeter Funker?«

»Jawohl.«

»Ich brauche jemanden, der den armen Lars ersetzt. Würden Sie morgen früh mit uns in See stechen?«

*

Pierre Borg sagte: »Ich löse dich ab.«

Dickstein wurde bleich. Er starrte seinen Chef an.

»Ich möchte, daß du nach Tel Aviv zurückkehrst und die Operation vom Büro aus leitest«, fuhr Borg fort.

»Darauf scheiße ich.«

Sie standen an dem See in Zürich. Darauf drängten sich Boote, deren bunte Segel malerisch unter der Schweizer Sonne flatterten. »Keine Diskussionen, Nat«, sagte Borg.

»Keine Diskussionen, *Pierre*. Ich lasse mich nicht ablösen. Basta.«

»Ich befehle es dir.«

»Und ich sage dir, daß ich darauf scheiße.«

»Hör zu.« Borg machte einen tiefen Atemzug. »Dein Plan ist fertig. Der einzige Fehler daran ist, daß du bloßgestellt bist: Der Gegner weiß, daß du einen Auftrag hast, und er versucht, dich zu finden und deine Arbeit, was sie auch sein mag, zu ruinieren. Du kannst das Projekt immer noch leiten – aber du mußt dich im Hintergrund halten.«

»Nein«, sagte Dickstein. »Dies ist kein Projekt, bei dem man im Büro sitzen kann und nur auf Knöpfe zu drücken braucht. Es ist zu kompliziert, und es gibt zu viele veränderliche Faktoren. Ich muß selbst draußen sein, um an Ort und Stelle Entscheidungen treffen zu können.« Dickstein hörte auf zu sprechen und überlegte: *Warum* will ich es selbst tun? Bin ich wirklich der einzige in Israel, der es schaffen kann? Habe ich es nur auf den Ruhm abgesehen?

Borg gab ähnlichen Gedanken Ausdruck. »Versuch nicht, ein Held zu sein, Nat. Dafür bist du zu klug. Du bist ein Profi, du befolgst Befehle.«

Dickstein schüttelte den Kopf. »Du solltest wirklich wissen, daß so etwas bei mir nicht zieht. Erinnerst du dich daran, was Juden von Menschen halten, die immer nur Befehle befolgen?«

»In Ordnung, du warst also im Konzentrationslager – aber das gibt dir nicht das Recht, den Rest deines Lebens zu tun, was dir paßt!« Dickstein machte eine abschätzige Geste. »Du kannst mich daran hindern, indem du mich nicht mehr unterstützt. Aber dann bekommst du auch dein Uran nicht, weil ich keinem anderen sagen werde, wie es gemacht werden kann.«

Borg starrte ihn an. »Du Schwein, du meinst es wirklich ernst.«

Dickstein beobachtete Borgs Miene. Er hatte einmal das peinliche Erlebnis gehabt, mit ansehen zu müssen, wie Borg sich mit seinem Sohn Dan, einem Teenager, stritt. Der Junge hatte mürrisch, aber selbstbewußt dagestanden, während sein Vater sich bemüht hatte, ihm zu erklären, daß es nicht loyal gegenüber seiner Familie, seiner Heimat und Gott sei, an Friedensmärschen teilzunehmen, bis Borg schließlich an sprachloser Wut fast erstickt war. Dan hatte wie Dickstein gelernt, sich nicht einschüchtern zu lassen, und Borg würde nie so recht verstehen, wie Leute zu behandeln sind, die nicht eingeschüchtert werden können.

Das Drehbuch verlangte jetzt, daß Borgs Gesicht rot anlief und er zu brüllen begann. Plötzlich merkte Dickstein, daß es nicht dazu kommen würde. Sein Chef war ruhig geblieben.

Borg lächelte tückisch. »Ich glaube, daß du eine Agentin der anderen Seite bumst.«

Dickstein stockte der Atem. Er hatte das Gefühl, von hinten mit einem Schmiedehammer geschlagen worden zu sein. Das war das letzte, was er erwartet hatte. Er war erfüllt von irrationaler Schuld – wie ein Junge, den man beim Masturbieren überrascht hat: Scham, Verlegenheit und die Empfindung, daß etwas verdorben war. Suza war etwas Privates, sie war von seinem übrigen Leben getrennt, aber nun zog Borg sie hervor und stellte sie vor der Öffentlichkeit bloß: Seht nur, was Nat angestellt hat!

»Nein«, sagte Dickstein tonlos.

»Ein paar Stichwörter genügen. Sie ist Araberin, ihr Vater ist proarabisch eingestellt, sie reist in ihrem Tarnberuf durch die ganze Welt und hat Gelegenheit zu Kontakten. Der Agent Yasif Hassan, der dich in Luxemburg entdeckte, ist ein Freund der Familie.«

Dickstein wandte sich Borg zu, trat ganz dicht an ihn heran und blickte ihm wütend in die Augen. Sein Schuldbewußtsein verwandelte sich in Groll. »Das ist alles?«

»Alles? Was soll das heißen, *alles*? Das Material würde dir genügen, um Leute zu liquidieren!«

»Nicht Leute, die ich kenne.«

»Hat sie irgendeine Information aus dir herausgeholt?«

»Nein!« rief Dickstein.

»Du regst dich auf, weil du einen Fehler gemacht hast.«

Dickstein drehte sich um und schaute über den See hinweg. Er bemühte sich, seine Fassung wiederzugewinnen. Nach einer langen Pause sagte er: »Ja, ich rege mich auf, weil ich einen Fehler gemacht habe. Ich hätte dir von ihr erzählen sollen – nicht andersherum. Mir ist klar, welchen Eindruck du haben mußt . . .«

»Eindruck? Glaubst du etwa nicht, daß sie eine Agentin ist?«

»Hast du es durch Kairo überprüfen lassen?«

»Du redest, als wenn Kairo *mein* Geheimdienst wäre.«

»Aber du hast einen sehr guten Doppelagenten im ägyptischen Geheimdienst.«

»Wie kann er gut sein, wenn jeder von ihm zu wissen scheint?«

»Hör mit deinen Spielchen auf. Seit dem Sechstagekrieg steht sogar in den Zeitungen, daß du gute Doppelagenten in Ägypten hast. Entscheidend ist, daß sie bisher nicht überprüft wurde.«

Borg hob besänftigend die Hände. »Okay, ich werde in Kairo nachfragen. Inzwischen schreibst du einen Bericht über alle Einzelheiten deines Planes, und ich setze andere Agenten auf die Sache an.«

Dickstein dachte an Al Cortone und André Papagopulos. Keiner der beiden würde sich auf die Zusammenarbeit mit einem anderen einlassen. »Daraus wird nichts, Pierre«, sagte er ruhig. »Du brauchst das Uran, und ich bin der einzige, der es dir beschaffen kann.«

»Und wenn Kairo bestätigt, daß sie eine Agentin ist?«

»Ich bin sicher, daß die Antwort negativ sein wird.«

»Und wenn nicht?«

»Dann wirst du sie umbringen, nehme ich an.«

»O nein.« Borg deutete mit dem Finger auf Dicksteins Gesicht und sprach mit echter, tiefempfundener Schadenfreude. »Wenn sie eine Agentin ist, wirst *du* sie umbringen.«

Langsam und bedächtig packte Dickstein Borgs Handgelenk und schob den Finger vor seinem Gesicht zur Seite. In seiner Stimme war nur ein schwaches, kaum spürbares Beben, als er zurückgab: »Ja, Pierre, ich werde sie umbringen.«

11

In der Bar des Flughafens Heathrow bestellte David Rostow eine weitere Runde und beschloß, sich mit Yasif Hassan auf ein Risiko einzulassen. Das Problem war immer noch, Hassan daran zu hindern, daß er einem israelischen Doppelagenten in Kairo alles erzählte, was er wußte. Beide, Rostow und Hassan, mußten Zwischenberichte abgeben, deshalb war die Entscheidung nicht länger hinauszuzögern. Rostow wollte Hassan über alles unterrichten und dann an dessen Professionalismus – soweit davon die Rede sein konnte – appellieren. Die Alternative war, ihn zu provozieren, aber er brauchte den Araber gerade jetzt als Verbündeten, nicht als mißtrauischen Gegner.

»Sehen Sie sich das an«, sagte Rostow und zeigte Hassan eine dechiffrierte Botschaft.

An: Oberst David Rostow über Londoner Botschaft
Von: Moskauer Zentrale
Datum: 3. September 1968
Genosse Oberst,
wir nehmen Bezug auf Ihre Mitteilung g/35–21a, in der Sie weitere Informationen über jedes der in Ihrer Nachricht r/35–21 genannten Schiffe anfordern.
Das Motorschiff *Stromberg*, 2500 Tonnen, niederländischer Eigner und niederländische Registration, hat kürzlich den Besitzer gewechselt. Es wurde für DM 1500000 von einem gewissen André Papagopulos, einem Schiffsmakler, im Namen der Savile Shipping Corporation of Liberia gekauft.
Savile Shipping wurde am 6. August dieses Jahres im New Yorker Büro der Liberian Corporation Services, Inc., mit einem Aktienkapital von 500 Dollar amtlich eingetragen. Die Aktionäre sind Mr. Lee Chung, ein New Yorker Anwalt, und ein gewisser Mr. Robert Ro-

berts, der Mr. Chungs Büro als seine Adresse angegeben hat. Die drei Direktoren wurden wie üblich von den Liberian Corporation Services gestellt, und sie traten wie üblich einen Tag nach Gründung der Gesellschaft zurück. Der erwähnte Papagopulos löste sie als Präsident und Hauptbevollmächtiger ab.

Savile Shipping hat auch das Motorschiff *Gil Hamilton*, 1500 Bruttoregistertonnen, für 80 000 Pfund gekauft.

Unsere Leute in New York haben sich mit Chung unterhalten. Er berichtet, daß »Mr. Roberts« einfach in sein Büro kam, keine Adresse angab und sein Honorar in bar bezahlte. Er schien Engländer zu sein. Wir haben eine ausführliche Beschreibung in den Akten, aber sie ist nicht sehr hilfreich.

Papagopulos ist uns bekannt. Er ist ein wohlhabender internationaler Geschäftsmann mit unklarer Nationalität. Schiffsmakelei ist seine Haupttätigkeit. Man nimmt an, daß er dicht an der Grenze der Legalität operiert. Wir besitzen keine Adresse. Seine Akte enthält umfassendes Material, doch darunter sind viele Mutmaßungen. Er soll im Jahre 1948 mit dem israelischen Geheimdienst Geschäfte gemacht haben. Trotzdem hat er, soweit bekannt, keine politischen Verbindungen.

Wir sind dabei, weitere Informationen über alle Schiffe auf der Liste zu sammeln.

Moskauer Zentrum.

*

Hassan gab Rostow das Blatt Papier zurück. »Wie kommen sie nur an all das Zeug heran?«

Rostow zerriß die Nachricht in kleine Fetzen. »Es ist alles irgendwo in den Akten zu finden. Der Verkauf der *Stromberg* muß Lloyd's of London gemeldet worden sein. Jemand aus unserem Konsulat in Liberia hat die Einzelheiten über Savile Shipping aus öffentlichen Verzeichnissen in Monrovia erfahren. Unsere New Yorker Leute fanden Chungs Adresse im Telefonbuch, und über Papagopulos gibt es eine Akte in Moskau. Nichts davon, außer der Papagopulos-Akte, ist geheim. Es kommt nur darauf an, daß man weiß, wo man nachzufragen hat. Darauf spezialisieren sich die Eichhörnchen. Sie tun nichts anderes.«

Rostow legte die Papierfetzen in einen großen, gläsernen Aschenbecher und steckte sie an. »Ihre Leute sollten Eichhörnchen haben.«

»Vielleicht sind wir schon dabei, sie uns zuzulegen.«

»Schlagen Sie es selbst vor. Das dürfte Ihnen nicht schaden. Sie könnten sogar den Auftrag erhalten, die Sache zu organisieren. Es würde Ihrer Karriere helfen.«

Hassan nickte. »Mal sehen.«

Neue Getränke wurden gebracht: Wodka für Rostow, Gin für Hassan. Rostow war erfreut, weil Hassan auf seine freundschaftlichen Annäherungsversuche positiv reagierte. Er untersuchte die Asche, um sicherzugehen, daß die Nachricht völlig verbrannt war.

»Sie nehmen an, daß Dickstein hinter der Savile Shipping Corporation steckt«, sagte Hassan.

»Ja.«

»Und was ist mit der *Stromberg*?«

»Hm . . .« Rostow leerte sein Glas und stellte es auf den Tisch. »Ich vermute, daß er die *Stromberg* braucht, um einen genauen Grundriß ihres Schwesterschiffes *Coparelli* zu bekommen.«

»Das wäre ein teurer Grundriß.«

»Er kann das Schiff wieder verkaufen. Aber er könnte die *Stromberg* auch bei der Kaperung der *Coparelli* einsetzen – ich weiß nur noch nicht genau, wie.«

»Werden Sie einen Mann auf die *Stromberg* schmuggeln, wie Tyrin auf die *Coparelli*?«

»Hat keinen Zweck. Dickstein wird die alte Besatzung bestimmt entlassen und israelische Matrosen anheuern. Ich muß mir etwas anderes einfallen lassen.«

»Wissen wir, wo die *Stromberg* jetzt ist?«

»Ich habe die Eichhörnchen gefragt. Bis zu meiner Ankunft in Moskau werden sie eine Antwort haben.«

Hassans Flug wurde aufgerufen. Er erhob sich. »Wir treffen uns in Luxemburg?«

»Ich bin nicht sicher. Sie werden von mir hören. Aber ich möchte Ihnen noch etwas sagen. Setzen Sie sich wieder.«

Hassan nahm Platz.

»Als wir begannen, gegen Dickstein zusammenzuarbeiten, war ich Ihnen gegenüber sehr feindselig. Das tut mir nun leid, und ich möchte mich entschuldigen. Aber ich hatte meine Gründe. Kairo ist nämlich nicht abgeschirmt. Ohne Zweifel gibt es Doppelagenten im ägyptischen Geheimdienstapparat. Was mir Sorgen machte – und noch macht –, ist die Möglichkeit, daß alles, was Sie Ihren Vorgesetzten berichten, über einen Doppelagenten nach Tel Aviv weitergeleitet wird. Dann wird Dickstein erfahren, wie dicht wir ihm auf den Fersen sind, und Ausweichmanöver einleiten.«

»Ich weiß Ihre Offenheit zu schätzen.«

Nicht nur das, dachte Rostow, er schwelgt darin. »Nun sind Sie vollkommen im Bilde, und wir müssen darüber reden, wie wir verhindern können, daß die Information, die Sie haben, Tel Aviv erreicht.«

Hassan nickte. »Was schlagen Sie vor?«

»Nun, Sie müssen natürlich melden, was wir ermittelt haben, aber ich möchte, daß Sie sich zu den Einzelheiten so vage wie möglich äußern. Geben Sie keine Namen, Zeiten oder Orte an. Wenn man Ihnen zusetzt, beklagen Sie sich über mich; sagen Sie, daß ich mich geweigert hätte, alle Informationen mit Ihnen zu teilen. Sprechen Sie mit niemandem außer den Leuten, denen Sie Bericht erstatten müssen. Vor allem sollten Sie niemandem gegenüber Savile Shipping, die *Stromberg* oder die *Coparelli* erwähnen. Und versuchen Sie zu vergessen, daß Pjotr Tyrin an Bord der *Coparelli* ist.«

Hassan wirkte beunruhigt. »Was bleibt dann noch?«

»Eine Menge. Dickstein, Euratom, Uran, das Treffen mit Pierre Borg . . . Selbst wenn Sie nur die halbe Geschichte erzählen, wird man Sie in Kairo für einen Helden halten.«

Hassan war nicht überzeugt. »Ich will genauso offen sein wie Sie. Wenn ich Ihrem Vorschlag folge, wird mein Bericht weniger eindrucksvoll sein als Ihrer.«

Rostow lächelte ironisch. »Wäre das unfair?«

»Nein«, gab Hassan zu, »das meiste ist Ihr Verdienst.«

»Außerdem werden nur wir beide wissen, wie unterschiedlich die Berichte sind. Und Sie werden alles Lob, das Ihnen zusteht, am Ende ernten.«

»In Ordnung. Mein Bericht wird vage sein.«

»Gut.« Rostow winkte einen Kellner zu sich. »Sie haben noch etwas Zeit für ein Gläschen.« Er ließ sich in seinen Sessel zurücksinken und schlug die Beine übereinander. Rostow war zufrieden: Hassan würde tun, was er ihm geraten hatte. »Ich freue mich darauf, nach Hause zurückzukehren.«

»Irgendwelche Pläne?«

»Ich werde versuchen, mit meiner Frau und den Jungen ein paar Tage an der Küste zu verbringen. Wir haben eine Datscha am Rigaer Meerbusen.«

»Klingt verlockend.«

»Es ist ganz angenehm dort, aber natürlich nicht so warm wie bei Ihnen. Wohin werden Sie reisen – nach Alexandria?«

Hassans Flug wurde zum letztenmal über das Lautsprechersystem ausgerufen, und der Araber stand auf. »Das wäre schön, aber ich rechne damit, die ganze Zeit im schmutzigen Kairo festzusitzen.«

Rostow hatte das merkwürdige Gefühl, daß Yasif Hassan ihn belog.

*

Franz Albrecht Pedler war ruiniert, als Deutschland den Krieg verloren hatte. Mit fünfzig Jahren, als Karriereoffizier der Wehrmacht, war er plötzlich ohne Heim, ohne Geld und ohne Arbeit. Und wie Millionen andere Deutsche fing er wieder ganz von vorne an.

Er arbeitete als Vertreter – gegen eine kleine Provision, ohne Gehalt – für einen französischen Farbstoffhersteller. 1946 gab es wenige Kunden, aber um 1951 war der Aufbau der deutschen Industrie fortgeschritten, und als die Aussichten endlich wieder günstiger wurden, war Pedler in einer guten Position, um die neuen Möglichkeiten zu nutzen. Er eröffnete ein Büro in der Stadt Wiesbaden, die versprach, sich zu einem Industriezentrum zu entwickeln. Das Verzeichnis seiner Produkte wurde länger, seine Kundenliste ebenfalls. Bald verkaufte er nicht nur Farbstoffe, sondern auch Seife, und er verschaffte sich Zugang zu den amerikanischen Stützpunkten, die damals jenen Teil des besetzten Deutschland verwalteten. In den schweren Jahren hatte er gelernt, opportunistisch zu sein: Wenn ein amerikanischer Beschaffungsoffizier Desinfektionsmittel in Halbliterflaschen wollte, kaufte Pedler Vierzig-Liter-Fässer davon, füllte das Zeug in einer gemieteten Scheune in gebrauchte Flaschen um, klebte ein Etikett mit der Aufschrift »F. A. Pedlers spezielles Desinfektionsmittel« darauf und verkaufte mit hohem Profit.

Vom Kauf en gros und der Neuverpackung war es kein großer Schritt zum Kauf von Bestandteilen und zur Herstellung. Das erste Faß von »F. A. Pedlers speziellem Industriereinigungsmittel« – nie nannte er es einfach »Seife« – wurde in derselben gemieteten Scheune gemixt und zur Verwendung durch Instandhaltungsingenieure an die amerikanische Luftwaffe verkauft. Danach entwickelte die Firma sich stetig weiter.

In den späten fünfziger Jahren las Pedler ein Buch über chemische Kriegführung, bemühte sich um einen großen Verteidigungsauftrag zur Lieferung einer Reihe von Lösungen, die verschiedene Arten chemischer Waffen neutralisieren sollten, und kriegte ihn auch.

Die Firma F. A. Pedler war Militärlieferant geworden – klein, aber sicher und profitabel. Die gemietete Scheune war zu einem begrenzten Komplex einstöckiger Gebäude angewachsen. Franz heiratete wieder – seine erste Frau war in den Bombardements von 1944 getötet worden – und zeugte ein Kind. Aber im tiefsten Inneren war er immer noch Opportunist, und als er hörte, daß ein kleiner Berg Uranerz billig losgeschlagen werden sollte, roch er Gewinn.

Das Uran gehörte einer belgischen Gesellschaft namens Société Générale de la Chimie. Sie war eine der Korporationen, welche die afrikanische Kolonie Belgiens, den mineralreichen Kongo, ausbeuteten. Nach dem Rückzug der Belgier 1960 blieb »Chimie« im Kongo; aber da sie wußte, daß alle, die nicht freiwillig gingen, letzten Endes hinausgeworfen werden würden, setzte die Gesellschaft alle Anstrengungen daran, soviel Rohmaterial wie möglich nach Hause zu transportieren, bevor die Tore ganz zu waren. Zwischen 1960 und 1965 sammelte sie einen riesigen Vorrat von Yellow Cake in ihrer Raffinerie nahe der niederländischen Grenze an. Zum Unglück der Gesellschaft hatte man inzwischen ein Abkommen über die Einstellung von Kernwaffenversuchen ratifiziert, und als die Gesellschaft schließlich aus dem Kongo gewiesen wurde, gab es nur wenige Urankäufer. Das Yellow Cake lagerte in einem Silo und blockierte das knappe Kapital.

F. A. Pedler verwendete nicht sehr viel Uran für die Herstellung seiner Farbstoffe. Doch Franz liebte Spielchen dieser Art: Der Preis war niedrig, er konnte ein wenig dadurch verdienen, daß er das Zeug veredeln ließ, und wenn sich der Uranmarkt verbesserte – was früher oder später abzusehen war –, würde er einen gewaltigen Gewinn erzielen. Also kaufte er etwas Uran.

Nat Dickstein mochte Pedler sofort. Der Deutsche war ein rüstiger Dreiundsiebzigjähriger, der immer noch alle Haare und ein Funkeln in den Augen hatte. Sie trafen sich an einem Samstag. Pedler trug eine auffällige Sportjacke und eine rehbraune Hose, sprach gutes

Englisch mit amerikanischem Akzent und reichte Dickstein ein Glas Sekt.

Zuerst gingen sie vorsichtig miteinander um. Schließlich hatten sie in einem Krieg, der grausam für beide gewesen war, auf gegnerischen Seiten gekämpft. Aber Dickstein hatte nie Deutschland, sondern den Faschismus für seinen Feind gehalten. Er war deshalb nervös, weil Pedler sich unbehaglich fühlen könnte; offenbar galt das gleiche für den Deutschen.

Dickstein hatte von seinem Hotel in Wiesbaden aus angerufen, um eine Verabredung zu treffen. Er war schon ungeduldig erwartet worden. Der örtliche israelische Konsul hatte Pedler mitgeteilt, daß Herr Dickstein, ein hoher Beschaffungsoffizier der Armee, mit einer langen Einkaufsliste unterwegs sei. Pedler hatte vorgeschlagen, am Samstagmorgen, wenn seine Fabrik leer war, einen kurzen Rundgang, gefolgt von einem Mittagessen in seinem Haus, zu machen.

Wäre Dickstein ein echter Kunde gewesen, der Rundgang hätte ihn abschrecken müssen. Die Fabrik war kein glänzendes Beweisstück deutscher Tüchtigkeit, sondern eine Ansammlung alter Baracken und unordentlicher, mit Material aller Art vollgestopfter Höfe, in denen ein durchdringender Geruch herrschte.

Nachdem er die halbe Nacht über einem Lehrbuch für Chemieingenieure gesessen hatte, konnte Dickstein ein paar intelligente Fragen über Rührapparate, Ablenkplatten, Materialbeförderung, Qualitätskontrolle und Verpackung stellen. Er verließ sich darauf, daß die Sprachbarriere Fehler vertuschen würde. Es schien zu funktionieren.

Die Situation war höchst ungewöhnlich. Dickstein mußte die Rolle des Käufers spielen, Zweifel und Zögern vortäuschen und sich von dem Verkäufer umwerben lassen, während er in Wirklichkeit hoffte, Pedler in eine Beziehung zu locken, die der Deutsche nicht lösen konnte oder wollte. Dickstein brauchte Pedlers Uran, doch darum würde er sich auf keinen Fall bemühen. Statt dessen würde er versuchen, Pedler in eine Lage zu manövrieren, in der sein Lebensunterhalt von Dickstein abhing.

Nach dem Rundgang fuhr Pedler ihn in einem neuen Mercedes von der Fabrik zu einem geräumigen Landhaus an einem Hügel. Sie saßen vor einem großen Fenster und nippten an ihrem Sekt, während Frau Pedler – eine hübsche, Frohsinn ausstrahlende Frau in den Vierzigern

– sich in der Küche zu schaffen machte. Es war eine jüdische Geschäftsmethode, einen möglichen Kunden am Wochenende zum Essen einzuladen. Dickstein überlegte, ob Pedler es deshalb so geplant hatte.

Das Fenster blickte über das Tal. Unten wälzte sich der breite Fluß langsam dahin, begleitet von einer schmalen Straße. Niedrige graue Häuser mit weißen Fensterläden drängten sich in kleinen Gruppen an den Ufern, und die Weinberge stiegen bis zum Haus der Pedlers hinan und weiter bis zum Kamm des Höhenzuges. Wenn ich in einem kalten Land leben müßte, dachte Dickstein, wäre es hier nicht schlecht.

»Nun, was meinen Sie?« fragte Pedler.

»Zur Aussicht oder zur Fabrik?«

Pedler lächelte und zuckte die Achseln. »Zu beidem.«

»Die Aussicht ist großartig. Die Fabrik ist kleiner, als ich erwartet hatte.«

Pedler zündete sich eine Zigarette an. Er war ein starker Raucher und hatte Glück gehabt, so alt geworden zu sein. »Klein?«

»Vielleicht sollte ich erklären, was ich suche.«

»Bitte.«

Dickstein begann seine Geschichte. »Im Moment kauft die Armee Reinigungsmittel von einer Vielzahl Lieferanten: Waschmittel von dem einen, gewöhnliche Seife von dem anderen, Lösungsmittel für Maschinen von einem dritten und so weiter. Wir versuchen, die Kosten zu senken. Vielleicht schaffen wir es, wenn wir auf diesem Gebiet nur mit einem einzigen Hersteller Geschäfte machen.«

Pedlers Augen weiteten sich. »Das ist . . .«, er suchte nach einem Ausdruck, ». . . sehr viel verlangt.«

»Ich fürchte, es könnte zuviel für Sie sein«, erwiderte Dickstein und dachte: Sag nicht ja!

»Nicht unbedingt. Der einzige Grund, weshalb wir keine so große Herstellungskapazität haben, ist einfach der, daß unser Geschäftsvolumen es nie erforderte. Aber wir haben das betriebswirtschaftliche und technische Wissen. Wenn wir einen großen Auftrag bekämen, könnten wir unsere Ausweitung finanzieren . . . Es hängt eigentlich alles von den Zahlen ab.«

Dickstein hob die Aktentasche, die neben seinem Sessel stand, zu sich empor und öffnete sie. »Hier sind die Einzelangaben der Produkte.«

Er reichte Pedler eine Liste. »Dazu die benötigten Mengen und der Zeitplan. Sie werden eine Weile brauchen, um mit Ihren Direktoren zu beraten und Berechnungen anzustellen –«

»Ich bin der Chef«, sagte Pedler mit einem Lächeln. »Ich brauche mich mit niemandem zu beraten. Lassen Sie mich morgen an den Zahlen arbeiten und Montag zur Bank gehen. Dienstag rufe ich Sie an, um Ihnen die Preise zu nennen.«

»Ich hatte gehört, daß man gut mit Ihnen arbeiten kann.«

»Es gibt ein paar Vorteile, wenn man eine kleine Firma hat.«

Frau Pedler kam aus der Küche und verkündete: »Das Essen ist fertig.«

*

Suza, mein Liebling,

ich habe noch nie einen Liebesbrief geschrieben. Bis jetzt habe ich auch noch nie jemanden Liebling genannt. Es ist ein schönes Gefühl.

Ich bin allein in einer fremden Stadt an einem kalten Sonntagnachmittag. Die Stadt ist recht hübsch und hat viele Parks – ich sitze gerade in einem und schreibe mit einem leckenden Kugelschreiber auf gräßlichem grünen Briefpapier, dem einzigen, das ich bekommen konnte, an Dich. Meine Bank steht unter einer seltsamen Pagode mit einer runden Kuppel und einem Kreis griechischer Säulen – wie ein verrückter Einfall oder die Art von Sommerhäuschen, die man auf einem englischen Privatgrundstück, entworfen von einem viktorianischen Exzentriker, finden könnte. Vor mir liegt ein flacher Rasen mit vereinzelten Pappeln, und in der Ferne kann ich ein Blasorchester hören, das etwas von Edward Elgar spielt. Der Park ist voll von Eltern mit ihren Kindern und Fußbällen und Hunden.

Ich weiß nicht, warum ich Dir das alles erzähle. Eigentlich möchte ich Dir sagen, daß ich Dich liebe und den Rest meines Lebens mit Dir zusammensein will. Das war mir schon zwei Tage, nachdem wir uns getroffen hatten, klar. Ich habe gezögert, es zuzugeben, nicht, weil ich unsicher war, sondern . . .

Um ganz aufrichtig zu sein, ich dachte, daß ich Dich erschrecken könnte. Ich weiß, daß Du mich liebst, aber ich weiß auch, daß Du fünfundzwanzig Jahre alt bist, daß Du Dich leicht verliebst (im Gegensatz zu mir) und daß Liebe, die sich mühelos einstellt, genauso leicht verschwinden kann. Deshalb dachte ich: Sei vorsichtig, gib ihr eine Chance, Dich gern zu haben, bevor Du sie um ein »Für immer« bittest. Jetzt sind wir seit so vielen Wochen voneinander getrennt, und ich bin zu solcher Geheimniskrämerei nicht mehr fähig. Ich muß Dir einfach sagen, was Du für mich bedeutest. »Für immer« ist das, was ich will, und Du sollst es nun ruhig erfahren.

Ich bin ein anderer Mensch. Das klingt abgedroschen, aber wenn es mit einem selbst geschieht, ist es überhaupt nicht abgedroschen, im Gegenteil. Das Leben sieht jetzt in vielen Punkten anders für mich aus – einige kennst Du, von anderen werde ich Dir eines Tages erzählen. Sogar dies ist anders, dieses Alleinsein an einem fremden Ort, ohne bis Montag etwas zu tun zu haben. Nicht, daß es mir sehr viel ausmachte. Aber früher hätte ich nicht einmal darüber nachgedacht, ob es mir gefällt oder nicht. Nun gibt es immer etwas, was ich lieber täte, und Du bist die Person, mit der ich es tun möchte. Doch ich muß dieses Thema vergessen; es macht mich zappelig.

Ich werde in ein paar Tagen von hier abreisen – wohin, weiß ich nicht. Am schlimmsten ist, daß ich nicht einmal weiß, wann ich Dich wiedersehe. Aber wenn es soweit ist, werde ich Dich zehn oder fünfzehn Jahre lang nicht mehr aus den Augen lassen, das kannst Du mir glauben.

Nichts klingt so, wie es klingen soll. Ich möchte Dir schreiben, wie ich mich fühle, aber ich kann es nicht in Worte fassen. Du sollst wissen, wie es für mich ist, mir Dein Gesicht viele Male am Tag vorzustellen, irgendein schlankes Mädchen mit schwarzem Haar zu sehen und gegen alle Vernunft zu hoffen, daß Du es sein könntest, mir dauernd auszumalen, was Du über eine Aussicht, einen Zeitungsartikel, einen kleinen Mann mit einem großen Hund oder ein hübsches Kleid sagen könntest. Du sollst wissen, daß die Sehnsucht, Dich zu berühren, meinen Körper schmerzen läßt, wenn ich allein ins Bett gehe. Ich liebe Dich so sehr.

N.

*

Franz Pedlers Sekretärin rief Nat Dickstein am Dienstagmorgen in seinem Hotel an und verabredete mit ihm einen Termin zum Mittagessen.

Sie gingen in ein bescheidenes Restaurant in der Wilhelmstraße und bestellten Bier statt Wein; es war schließlich ein Arbeitsessen. Dickstein beherrschte seine Ungeduld – Pedler sollte um ihn werben, nicht umgekehrt.

»Tja, ich glaube, daß wir Ihnen helfen können«, sagte Pedler.

Dickstein hätte am liebsten »Hurra!« geschrien, aber er verzog keine Miene.

Pedler fuhr fort: »Die Preise, die ich Ihnen jetzt nennen werde, sind vorbehaltlich. Wir brauchen einen Fünfjahresvertrag. Für die ersten zwölf Monate werden wir die Preise garantieren, danach können sie sich je nach dem Weltpreisindex gewisser Rohstoffe ändern. Bei Abbestellung gilt eine Strafklausel, nach der Sie zehn Prozent des Wertes der Jahreslieferung übernehmen müssen.«

Dickstein wollte antworten: »Abgemacht!« und das Geschäft mit einem Handschlag besiegeln, aber er ermahnte sich, weiterhin seine Rolle zu spielen. »Zehn Prozent ist eine Menge.«

»Es ist nicht übermäßig viel«, widersprach Pedler. »Jedenfalls würde es uns nicht für die Verluste entschädigen, wenn Sie tatsächlich abbestellten. Aber die Summe muß hoch genug sein, um Sie – wenn nicht sehr zwingende Umstände vorliegen – von einem Rückzieher abzuhalten.«

»Das sehe ich ein, aber wir könnten einen kleineren Prozentsatz vorschlagen.«

Pedler hob die Schultern. »Über alles läßt sich verhandeln. Hier sind die Preise.«

Dickstein studierte die Liste. »Es ist ungefähr das, was wir uns vorgestellt haben.«

»Heißt das, daß die Sache abgemacht ist?«

Dickstein dachte: Ja, ja! Aber er sagte: »Nein, es bedeutet, daß wir meiner Ansicht nach ins Geschäft kommen können.«

Pedler strahlte. »In diesem Fall müssen wir etwas Vernünftiges trinken. Herr Ober!«

Nachdem die Getränke gebracht worden waren, hob Pedler sein Glas zu einem Trinkspruch. »Auf viele Jahre gemeinsamer Geschäfte.«

»Das meine ich auch«, antwortete Dickstein. Er setzte das Glas an den Mund und dachte: Ich habe es also wieder einmal geschafft!

*

Das Leben auf See war unbequem, aber nicht so schlimm, wie Pjotr Tyrin erwartet hatte. In der sowjetischen Marine waren Schiffe nach dem Prinzip pausenloser harter Arbeit, strenger Disziplin und schlechten Essens geführt worden. Die *Coparelli* war ganz anders. Der Kapitän, Eriksen, war nur an Sicherheit und guter Seemannskunst interessiert, doch sogar auf diesem Gebiet waren seine Maßstäbe nicht allzu hoch. Das Deck wurde gelegentlich geschrubbt, doch nichts wurde je poliert oder gestrichen. Das Essen war recht gut, und Tyrin hatte den Vorteil, eine Kabine mit dem Koch zu teilen. Theoretisch mußte er sich zu jeder Tages- oder Nachtstunde bereithalten, Funksignale auszusenden, aber in der Praxis spielte sich der ganze Funkverkehr während des normalen Arbeitstages ab, so daß er jede Nacht sogar seine acht Stunden Schlaf bekam. Es war eine geregelte Lebensweise, und darauf legte Pjotr Tyrin Wert.

Leider war das Schiff alles andere als behaglich. Die *Coparelli* war ein Luder. Sobald sie Kap Wrath umrundet, The Minch und die Nordsee hinter sich gelassen hatten, begann sie zu stampfen und zu rollen wie eine Spielzeugjacht im Sturm. Tyrin wurde sogar seekrank, aber er mußte es verbergen, da er ja vorgab, hauptberuflich Matrose zu sein. Zum Glück geschah es, während der Koch in der Kombüse zu tun hatte und Tyrin nicht im Funkraum gebraucht wurde. Deshalb konnte er sich in seiner Koje flach auf den Rücken legen, bis das Schlimmste vorbei war.

Die Quartiere waren schlecht gelüftet und unzureichend geheizt. Sobald es also oben etwas feucht wurde, füllte nasse Kleidung, die zum Trocknen aufgehängt war, die Messedecks und beeinträchtigte die Atmosphäre noch mehr.

Tyrins eigene Funkausrüstung befand sich – gut geschützt von Polyäthylen, Segeltuch und einigen Pullovern – in seinem Seesack. Er durfte sie jedoch nicht in der Kabine aufstellen und benutzen, da der Koch oder jemand anders ihn hätte überraschen können. In einem stillen, aber trotzdem aufregenden Moment hatte er, als niemand zuhörte, den Routinekontakt mit Moskau auf dem Funkgerät des Schiffes hergestellt. Aber er brauchte etwas Sichereres und Zuverlässigeres.

Tyrin liebte die Gemütlichkeit. Während Rostow von einem Botschaftsgebäude in ein Hotelzimmer oder einen Schlupfwinkel umziehen konnte, ohne von seiner Umgebung Notiz zu nehmen, zog Tyrin es vor, einen Stützpunkt zu haben, der behaglich und sicher war. Bei einer ortsfesten Überwachung – die Art von Auftrag, die ihm am meisten zusagte – stellte er immer einen großen Sessel vor die Fenster, saß stundenlang am Teleskop und war vollkommen zufrieden mit seiner Tüte belegter Brote, seiner Limonadeflasche und seinen Gedanken. Hier auf der *Coparelli* hatte er eine Stelle gefunden, um sich gemütlich einzurichten.

Er hatte das Schiff tagsüber erforscht und im Bug, jenseits der vorderen Luke, ein kleines Labyrinth von Speichern gefunden. Der Schiffsarchitekt hatte sie dort eingefügt, nur um die Lücke zwischen dem Laderaum und dem Bug auszufüllen. In den Hauptspeicher gelangte man durch eine halb verborgene Tür und über eine Treppe. Er enthielt einiges Werkzeug, mehrere Fässer Schmiere für die Kräne und – unerklärlicherweise – einen rostigen alten Rasenmäher. Mehrere kleinere Räume schlossen sich an: Manche bargen Taue, Maschinenteile und verfaulende Pappschachteln mit Schrauben und Muttern, andere waren, von Insekten abgesehen, leer. Tyrin hatte nie jemanden hinuntersteigen sehen; alles Material, das man wirklich verwendete, war achtern gelagert, wo es benötigt wurde.

Er wählte einen Moment, als die Dunkelheit sich herabsenkte und die meisten Besatzungsmitglieder und Offiziere beim Abendessen waren. Er ging in seine Kabine, packte seinen Seesack und kletterte den Niedergang zum Deck hinauf. Dann nahm er eine Taschenlampe aus einem Kasten unterhalb der Brücke, knipste sie aber noch nicht an.

Laut Kalender hätte Vollmond herrschen müssen, doch der Mond versteckte sich hinter dichten Wolken. Tyrin schlich nach vorn und hielt sich am Schandeckel fest, wo seine Silhouette sich am schwächsten gegen das graue Deck abheben würde. Etwas Licht fiel von der Brücke und dem Ruderhaus her ein, aber die diensthabenden Offiziere würden das Meer, nicht das Deck beobachten.

Kalter Schaum spritzte über ihn hinweg, und während die *Coparelli* ihr berüchtigtes Schlingern vollführte, mußte er sich mit beiden Händen an die Reling klammern, um nicht über Bord geschwemmt zu werden. Manchmal nahm sie Wasser – nicht viel, aber genug, um in Tyrins Seestiefel zu sickern und seine Füße frieren zu lassen. Er hoffte inbrünstig, nie erfahren zu müssen, wie sie sich in einem wirklichen Sturm verhielt.

Total durchnäßt und zitternd vor Kälte erreichte er den Bug und betrat den kleinen unbenutzten Speicher. Er schloß die Tür hinter sich, knipste die Taschenlampe an und schob sich durch allerlei Gerümpel zu einem der engen Räume vor, die an den Hauptspeicher angrenzten. Dann machte er auch diese Tür hinter sich zu. Er zog die Ölhaut aus, rieb die Hände an seinem Pullover, um sie zu trocknen und etwas zu wärmen, und öffnete den Seesack. Nun stellte er den Sender in eine Ecke, band ihn mit einem Draht, den er durch Decksringe zog, ans Schott und klemmte ihn mit einer Pappschachtel fest.

Tyrin trug Schuhe mit Gummisohlen, doch für seine nächste Aufgabe zog er als weitere Vorsichtsmaßnahme Gummihandschuhe an. Die Kabel zum Funkmast des Schiffes liefen durch ein Rohr am Deck über ihm. Mit einer kleinen Metallsäge, die er aus dem Maschinenraum gestohlen hatte, trennte er ein fünfzehn Zentimeter langes Stück des Rohres ab und legte die Kabel bloß. Er führte einen Stromabnehmer von dem Starkstromkabel zur Stromeingabe des Senders und verband den Antennenstecker seines Gerätes mit dem Signaldraht des Mastes.

Jetzt stellte er sein Gerät an und rief Moskau.

Seine Signale würden jene des Schiffssenders nicht stören, da er der Funker war und nicht anzunehmen war, daß ein anderer als er das Gerät benutzen würde. Doch während er seinen eigenen Sender betätigte, würden eingehende Signale den Funkraum des Schiffes nicht erreichen; und er selbst würde sie auch nicht hören, da er eine andere Frequenz benutzte. Er hätte alles so verdrahten können, daß beide Geräte gleichzeitig empfingen, aber dann würden die Antworten aus Moskau ebenfalls im Funkraum ankommen, und jemand könnte Verdacht schöpfen . . . Schließlich erregte es kein Aufsehen, wenn ein kleines Schiff ein paar Minuten brauchte, um Signale zu empfangen. Tyrin würde sich bemühen, seinen Sender nur dann zu benutzen, wenn keine Nachrichten für das Schiff erwartet wurden.

Als er Moskau erreicht hatte, meldete er: *Überprüfe Sekundärsender.*

Die Botschaft wurde bestätigt. *Warten Sie auf Signal von Rostow.* All das wurde im normalen KGB-Code übermittelt.

Tyrin sendete: *Ich warte, aber beeilen Sie sich.*

Die Mitteilung traf ein. *Verhalte dich unauffällig, bis etwas geschieht. Rostow.*

Tyrin antwortete: *Verstanden. Over and out.* Ohne auf die Abmeldung zu warten, zog er die Drähte heraus und brachte die Kabel des Schiffes wieder in Ordnung. Es war zeitraubend und recht gefährlich, nackte Drähte zu verdrehen, sogar mit einer isolierten Zange. Zu seiner Ausrüstung im Funkraum gehörten einige Schnellkontaktleisten; er würde sich ein paar davon einstecken und sie beim nächstenmal mitbringen, um den Vorgang zu beschleunigen.

Tyrin war zufrieden mit der Leistung dieses Abends. Er hatte sich eingerichtet, die Verbindung hergestellt und war unentdeckt geblieben. Jetzt brauchte er sich zunächst nicht mehr von der Stelle zu rühren, und das gefiel ihm am besten.

Er beschloß, eine weitere Pappschachtel hereinzuschleppen und sie vor den Sender zu stellen, damit er vor oberflächlichen Blicken geschützt war. Nachdem er die Tür geöffnet hatte, leuchtete er mit der Taschenlampe in den Hauptspeicher – und fuhr zusammen.

Seine Ruhe war gestört.

Das Oberlicht war angeknipst und warf mit seinem gelben Glühen nervöse Schatten. In der Mitte des Speichers saß ein junger Matrose mit ausgestreckten Beinen an ein Schmierefaß gelehnt. Er blickte auf, genauso verblüfft wie Tyrin und – wie seine Miene verriet – genauso schuldbewußt.

Tyrin erkannte ihn. Sein Name war Ravlo. Er war vielleicht neunzehn Jahre alt, hatte hellbondes Haar und ein schmales, weißes Gesicht. Zwar hatte er sich der Sauftour in Cardiff nicht angeschlossen, doch mit dunklen Ringen unter den Augen und einem abwesenden Gesichtsausdruck wirkte er oft verkatert.

»Was machst du hier?« fragte Tyrin. Dann sah er es.

Ravlo hatte sich den linken Ärmel bis über den Ellbogen aufgerollt. Auf dem Deck zwischen seinen Beinen lagen ein Fläschchen, ein Uhrglas und ein kleiner wasserdichter Beutel. In der rechten Hand hielt er eine Injektionsspritze, die er gerade ansetzen wollte.

Tyrin runzelte die Stirn. »Bist du Diabetiker?«

Ravlos Gesicht verzog sich, und er lachte trocken und freudlos.

»Du bist süchtig.« Tyrin hatte begriffen. Er verstand nicht viel von Drogen, aber er wußte, daß Ravlos Verhalten zu seiner Entlassung im nächsten Hafen führen könnte. Tyrin beruhigte sich ein wenig. Mit diesem Problem konnte er fertig werden.

Ravlo schaute an ihm vorbei in den kleineren Speicher. Tyrin blickte sich um und merkte, daß der Sender deutlich zu sehen war. Die beiden Männer starrten sich an – jeder wußte, daß der andere etwas zu verbergen hatte.

»Ich behalte dein Geheimnis für mich, und du meins«, sagte Tyrin. Ravlo verzog noch einmal das Gesicht und lachte wieder trocken und freudlos. Dann wandte er die Augen von Tyrin ab, betrachtete seinen Arm und stach die Nadel in das Fleisch.

*

Der Austausch zwischen der *Coparelli* und Moskau war von einer Abhörstation des amerikanischen Marinegeheimdienstes abgefangen und aufgezeichnet worden. Da der normale KGB-Code benutzt wurde, konnte die Unterhaltung entschlüsselt werden. Aber man erfuhr nur, daß jemand an Bord eines Schiffes – man wußte nicht, welches Schiffes – seinen Sekundärsender überprüfte und daß ein anderer, der Rostow hieß – der Name war in keiner Akte zu finden –, ihm riet, sich unauffällig zu verhalten. Niemand konnte etwas damit anfangen, deshalb legte man eine Akte mit der Aufschrift »Rostow« an, schob die Botschaft hinein und vergaß sie.

12

Als er seinen Zwischenbericht in Kairo beendet hatte, bat Hassan um Erlaubnis, seine Eltern in dem Flüchtlingslager in Syrien zu besuchen. Man gewährte ihm vier Tage. Er flog nach Damaskus und nahm ein Taxi zum Lager.

Aber er besuchte seine Eltern nicht.

Hassan zog im Lager verschiedene Erkundigungen ein, und einer der Flüchtlinge fuhr mit ihm unter Benützung etlicher Autobuslinien nach Dara, über die jordanische Grenze und bis nach Amman. Von dort aus begleitete ein anderer Mann ihn mit einem weiteren Bus zum Jordan.

Am Abend des zweiten Tages überquerte er, geführt von zwei Männern, die Maschinenpistolen trugen, den Fluß. Hassan trug inzwischen wie sie ein arabisches Gewand und einen Kopfputz, aber er verlangte keine Waffe. Es waren junge Männer, deren weiche Gesichter eben erst begannen, die harten Linien von Erschöpfung und Grausamkeit anzunehmen. Sie bewegten sich still und selbstbewußt durch das Jordantal und lenkten Hassan mit einer Berührung oder einem Flüstern; es schien, daß sie diesen Weg schon oft gegangen waren. Einmal lagen alle drei hinter einer Kaktusgruppe, während Lichter und Soldatenstimmen eine Viertelmeile vor ihnen vorbeizogen.

Hassan empfand Hilflosigkeit und noch etwas mehr. Zuerst dachte er, dieses Gefühl habe damit zu tun, daß er diesen Jungen so vollkommen ausgeliefert war, daß sein Leben von ihrem Wissen und ihrem Mut abhing. Aber später, als sie ihn verlassen hatten und er auf einer Landstraße versuchte, mitgenommen zu werden, wurde ihm klar, daß diese Reise eine Art Regression bedeutete. Seit Jahren hatte er jetzt in Europa in einer Bank gearbeitet, mit seinem Auto, seinem Eisschrank und seinem Fernsehapparat in Luxemburg gelebt. Nun ging er plötzlich wieder in Sandalen über die staubigen palästinensischen Straßen seiner Jugend: kein Auto, kein Flugzeug; er war wieder ein Araber, ein Bauer, ein Bürger zweiter Klasse im Land seiner Geburt. Keiner seiner Reflexe würde hier funktionieren – es war nicht möglich, ein Problem zu lösen, indem man einen Telefonhörer hob, eine Kreditkarte hervorzog oder ein Taxi rief. Er fühlte sich gleichzeitig wie ein Kind, ein Bettler und ein Flüchtling.

Hassan legte fünf Meilen zurück, ohne ein Fahrzeug zu sehen. Dann kam ein Lastwagen, der Obst geladen hatte, vorbei und hielt ein paar Meter vor ihm an; der Motor hustete ungesund und stieß Rauch aus. Hassan lief hinter dem Wagen her.

»Nach Nablus?« rief er.

»Springen Sie rein.«

Der Fahrer war ein schwerer Mann, dessen Unterarme vor Muskeln strotzten, während er den Lastwagen mit Höchstgeschwindigkeit um die Kurven hievte. Er rauchte ständig. Da er in der Mitte der Straße fuhr und nie die Bremse benutzte, mußte er sicher sein, daß ihm die ganze Nacht hindurch kein anderes Fahrzeug begegnen würde. Hassan hätte etwas Schlaf brauchen können, doch der Fahrer wollte sich unterhalten. Er erzählte, daß die Juden gute Herrscher seien, daß das Geschäft seit ihrer Besetzung Westjordaniens blühe, daß das Land aber natürlich eines Tages frei sein müsse. Zweifellos war mehr als die Hälfte von dem, was er sagte, unaufrichtig, aber Hassan wußte nicht, welche Hälfte.

Sie erreichten Nablus in der kühlen samaritischen Morgendämmerung; die rote Sonne erhob sich hinter den Hügeln, und die Stadt schlief noch. Der Lastwagen donnerte auf den Marktplatz und hielt an. Hassan verabschiedete sich.

Er wanderte langsam durch die leeren Straßen, während die Sonne begann, die Nachtkälte zu vertreiben. Genußvoll atmete er die saubere Luft ein, erfreute sich an den niedrigen weißen Gebäuden, an jeder Einzelheit, und schwelgte in der Sehnsucht nach seiner Kindheit: Er war in Palästina, er war zu Hause.

Man hatte ihm genau beschrieben, welches Haus ohne Nummer in einer Straße ohne Namen er aufsuchen müsse. Es stand in einem ärmeren Viertel, wo die kleinen Steinhäuser zu eng aneinanderstanden und niemand die Straßen fegte. Eine Ziege war draußen angebunden, und er überlegte kurz, was sie fressen mochte, denn es gab kein Gras. Die Tür war unverschlossen.

Hassan zögerte einen Moment und unterdrückte die Erregung, die ihn überwältigen wollte. Er war zu lange fortgewesen. Viele Jahre hatte er auf diese Gelegenheit gewartet, sich für das zu rächen, was sie seinem Vater angetan hatten. Er hatte das Exil ertragen, er hatte geduldig ausgeharrt und seinen Haß lange genug genährt, vielleicht zu lange.

Er trat ein.

Auf dem Boden schliefen vier oder fünf Menschen. Einer von ihnen, eine Frau, öffnete die Augen, sah ihn und setzte sich sofort auf. Ihre Hand schob sich unter das Kissen, vielleicht einer Pistole entgegen.

»Was wollen Sie?«

Hassan nannte den Namen des Mannes, der die Feddajin befehligte.

*

Mahmud hatte nicht weit von Yasif Hassan entfernt gewohnt, als sie beide in den späten dreißiger Jahren Jungen gewesen waren, aber sie waren einander nie begegnet oder erinnerten sich jedenfalls nicht daran. Nach dem Krieg in Europa hütete Mahmud Schafe mit seinen Brüdern, seinem Vater, seinen Onkeln und seinem Großvater, während Yasif in England studierte. Ihr Leben hätte sich weiterhin ganz verschieden entwickelt, wenn nicht der Krieg von 1948 gewesen wäre. Mahmuds Vater traf wie der Yasifs die Entscheidung, alles einzupakken und zu fliehen. Die beiden Söhne – Yasif war ein paar Jahre älter als Mahmud – freundeten sich im Flüchtlingslager an. Mahmuds Reaktion auf den Waffenstillstand war noch heftiger als die Yasifs, was paradox schien, da Yasif mehr verloren hatte. Aber Mahmud war von so starkem Zorn besessen, daß er an nichts anderes denken konnte, als für die Befreiung seiner Heimat zu kämpfen. Bis dahin hatte er sich nicht um Politik gekümmert, da sie für Schafhirten keine Bedeutung hatte. Nun bemühte er sich, sie zu verstehen. Doch zunächst mußte er sich selber das Lesen beibringen.

Sie trafen sich in den fünfziger Jahren wieder. In Gaza. Inzwischen war Mahmud aufgeblüht, wenn das das richtige Wort für einen so grimmigen Mann war. Er hatte Clausewitz und Platos *Staat*, *Das Kapital* und *Mein Kampf*, Keynes, Mao, Galbraith und Gandhi, Geschichte und Biographien, klassische Romane und moderne Theaterstücke gelesen. Er sprach gut englisch, schlecht russisch und ein wenig kantonesisch. Mahmud war der Anführer einer kleinen Gruppe von Terroristen, die Ausfälle nach Israel machten, Bomben warfen, schossen und stahlen und dann wieder in den Gaza-Lagern verschwanden wie Ratten in einem Müllabladeplatz. Die Terroristen erhielten Geld, Waffen und Information aus Kairo, Hassan gehörte für kurze Zeit zu den Geheimdienstleuten, die mit ihnen zusammenarbeiteten. Als sie sich wiederbegegneten, gestand Yasif Mahmud, wem er sich letzten Endes verpflichtet fühlte – nicht Kairo, nicht einmal der panarabischen Sache, sondern Palästina.

Yasif war bereit gewesen, sofort alles aufzugeben – seine Arbeit in der Bank, seine Wohnung in Luxemburg, seine Rolle im ägyptischen Geheimdienst – und sich den Freiheitskämpfern anzuschließen. Aber Mahmud hatte es ihm verboten – die Aura des Befehlshabers paßte ihm schon wie ein maßgeschneiderter Mantel. In ein paar Jahren – er blickte weit in die Zukunft – werde man alle Guerillas haben, die man brauche, doch man werde immer noch Freunde in hohen Ämtern, europäische Verbindungen und den Geheimdienst benötigen.

Sie hatten sich noch einmal in Kairo getroffen und ein Kommunikationssystem eingerichtet, das die Ägypter umging. Für seine Vorgesetzten im Geheimdienst schuf Hassan ein trügerisches Bild von sich. Er gab vor, weniger scharfsinnig zu sein, als er war. Zuerst hatte er ungefähr die gleichen Informationen hierher gesandt wie die, die Kairo von ihm erhielt, hauptsächlich die Namen loyaler Araber, die ein Vermögen in Europa anlegten und deshalb um Zuschüsse angegangen werden konnten. In letzter Zeit hatte er unmittelbar praktischen Wert bewiesen, als die Palästinenserbewegung begann, in Europa zu operieren. Er hatte Hotelzimmer und Flüge gebucht, Autos und Häuser gemietet, Waffen und überwiesene Gelder gelagert.

Hassan war kein Mann, der eine Waffe benutzte. Er schämte sich dessen ein wenig, war aber um so stolzer, weil er sich auf andere – gewaltlose, aber trotzdem praktische – Weise so nützlich machen konnte.

Die Ergebnisse seiner Arbeit hatten in jenem Jahr zu dem Anschlag in Rom geführt. Yasif war von Mahmuds Programm des europäischen Terrorismus überzeugt. Er war sicher, daß die arabischen Armeen, selbst mit russischer Unterstützung, die Juden nie besiegen könnten, denn ihre Bedrohung gestattete den Juden, sich als belagertes Volk zu fühlen, das sein Heim gegen ausländische Soldaten verteidigte – und daraus bezogen sie ihre Kraft. Die Wahrheit bestand nach Yasifs Meinung darin, daß die palästinensischen Araber ihr Heim gegen einmarschierende Zionisten verteidigten. Es gab immer noch mehr arabische Palästinenser als jüdische Israelis, wenn man die Flüchtlinge in den Lagern mitzählte; und *sie*, nicht ein Mob von Soldaten aus Kairo und Damaskus, würden die Heimat befreien. Aber zuerst mußten sie an die Feddajin glauben. Aktionen wie das Attentat auf dem römischen Flughafen würden sie davon überzeugen, daß die Feddajin internationale Möglichkeiten besaßen. Und wenn das Volk an die Feddajin glaubte, würde das Volk zu Feddajin *werden* und damit unaufhaltsam sein.

Die Sache in Rom war eine Beiläufigkeit, verglichen mit dem, was Hassan plante.

Es war ein unerhörtes, überwältigendes Vorhaben, das die Feddajin für Wochen auf die Titelseiten der internationalen Presse bringen und beweisen würde, daß sie eine mächtige politische Kraft waren und nicht eine Schar zerlumpter Flüchtlinge. Hassan hoffte sehnlich, daß Mahmud seinen Plan akzeptieren würde.

Yasif Hassan war gekommen, um vorzuschlagen, daß die Feddajin einen Holocaust kapern sollten.

*

Sie umarmten sich wie Brüder, küßten sich auf die Wangen und traten dann zurück, um sich anzusehen.

»Du riechst wie eine Hure«, sagte Mahmud.

»Du riechst wie ein Ziegenhirt«, entgegnete Hassan. Sie lachten und umarmten sich noch einmal.

Mahmud war ein riesiger Mann, ein paar Zentimeter größer als Hassan und viel breiter; und er *wirkte* riesig durch die Art, wie er den Kopf hielt, ging und sprach. Er roch tatsächlich: es war der saure, vertraute Geruch, der sich einstellt, wenn man sehr eng mit vielen Menschen an einem Ort zusammen lebt, dem moderne heiße Bäder, sanitäre Einrichtungen und Abfallbeseitigung fehlen. Es war drei Tage her, seit Hassan Rasierwasser und Körperpuder benutzt hatte, aber für Mahmud duftete er immer noch wie eine Frau.

Das Haus hatte zwei Zimmer: das eine, in das Hassan eingetreten war, und dahinter ein anderes, in dem Mahmud mit zwei Männern auf dem Fußboden schlief. Es gab kein Obergeschoß. Man kochte auf einem Hinterhof, und die nächste Wasserzufuhr war hundert Meter entfernt. Die Frau zündete ein Feuer an und begann, einen Brei aus zerstampften Bohnen herzustellen. Während sie darauf warteten, erzählte Hassan seine Geschichte.

»Vor drei Monaten traf ich in Luxemburg einen Mann, den ich noch aus Oxford kannte, einen Juden namens Dickstein. Wie sich herausstellt, ist er ein wichtiger Mossad-Agent. Seitdem habe ich ihn beobachtet, und zwar mit Hilfe der Russen; deren Leiter ist ein KGB-Mann namens Rostow. Wir haben entdeckt, daß Dickstein plant, eine Schiffsladung Uran zu stehlen, damit die Zionisten Atombomben produzieren können.«

Zuerst weigerte Mahmud sich, ihm zu glauben. Er nahm Hassan ins Kreuzverhör: Wie gut war die Information, was genau war das Beweismaterial, wer könnte lügen, welche Fehler könnten gemacht worden sein? Dann, als Hassans Antworten immer mehr Sinn ergaben, begann Mahmud allmählich, die Wahrheit zu durchschauen, und er wurde sehr ernst.

»Das ist nicht nur eine Bedrohung für die Sache der Palästinenser. Diese Bomben könnten den ganzen Nahen Osten verwüsten. Was habt ihr beide, du und dieser Russe, vor?«

»Unser Plan ist, Dickstein zu stoppen und das israelische Komplott aufzudecken, um die Zionisten als gesetzlose Abenteurer bloßzustellen. Wir haben die Einzelheiten noch nicht ausgearbeitet. Aber ich habe einen anderen Vorschlag.« Er machte eine Pause und suchte nach den richtigen Worten, dann stieß er hervor: »Ich meine, die Feddajin sollten das Schiff kapern, noch bevor Dickstein es tut.«

Mahmud starrte ihn einige Sekunden lang verständnislos an.

Hassan betete: Sag etwas, um Gottes willen! Mahmud begann, langsam den Kopf zu schütteln, dann weitete sein Mund sich zu einem Lächeln, und endlich fing er an zu lachen – ein leises Glucksen ging in ein gewaltiges, seinen ganzen Körper erfassendes Gebrüll über, so daß sich der ganze Haushalt versammelte, um zu sehen, was los sei.

»Aber was hältst du davon?« erkundigte Hassan sich furchtsam.

Mahmud seufzte. »Es ist großartig. Ich sehe nicht, wie wir es tun können, aber es ist eine wunderbare Idee.«

Dann begann er, Fragen zu sellen.

Er fragte während des Frühstücks und fast den ganzen Morgen hindurch: nach der Uranmenge, nach den Namen der Schiffe, danach, wie Yellow Cake in nuklearen Sprengstoff umgewandelt werde, nach Orten, Daten und Personen. Sie unterhielten sich im Hinterzimmer; meist waren sie allein, aber gelegentlich rief Mahmud jemanden ins Zimmer und befahl ihm zuzuhören, während Hassan einen speziellen Punkt wiederholte.

Gegen Mittag ließ er zwei Männer kommen, die seine Unterführer zu sein schienen. Sie lauschten, während er noch einmal alles durchging, was er für entscheidend hielt.

»Die *Coparelli* ist ein gewöhnliches Handelsschiff mit einer normalen Besatzung?«

»Ja.«

»Sie wird durch das Mittelmeer nach Genua fahren?«

»Ja.«

»Wie schwer ist das Yellow Cake?«

»Es wiegt zweihundert Tonnen.«

»Und es ist in Fässern?«

»565 Fässer.«

»Der Marktpreis?«

»2 Millionen Dollar.«

»Und man benutzt es, um Atombomben herzustellen?«

»Ja. Es ist der Rohstoff.«

»Ist die Verwandlung in den Explosivzustand teuer oder schwierig?«

»Nicht, wenn man einen Atomreaktor hat. Sonst schon.«

Mahmud nickte seinen beiden Unterführern zu. »Geht und berichtet den anderen davon.«

*

Am Nachmittag, als die Sonne den Zenit überschritten hatte und es kühl genug war, um hinauszugehen, wanderten Mahmud und Yasif über die Hügel außerhalb der Stadt. Yasif hätte nur zu gern gewußt, was Mahmud wirklich von seinem Plan hielt, doch der andere weigerte sich, über Uran zu sprechen. Also redete Yasif über David Rostow: Er bewundere die Tüchtigkeit des Russen trotz der Schwierigkeiten, die er ihm gemacht habe.

»Wir können die Russen bewundern«, sagte Mahmud, »vorausgesetzt, daß wir ihnen nicht trauen. Ihr Herz schlägt nicht für unsere Sache. Es gibt drei Gründe, weshalb sie auf unserer Seite sind. Der am wenigsten wichtige ist, daß wir dem Westen Schwierigkeiten machen, und alles was für den Westen schlecht ist, ist gut für die Russen. Außerdem geht es um ihr Image. Die Entwicklungsländer identifizieren sich eher mit uns als mit den Zionisten; deshalb machen sich die Russen bei der Dritten Welt beliebt, indem sie uns unterstützen – und vergiß nicht, in dem Wettstreit zwischen den Vereinigten Staaten und der Sowjetunion stellt die Dritte Welt alle Wechselwähler. Aber der wichtigste Grund – der einzige *wirklich* wichtige Grund – ist das Öl. Die Araber haben Öl.«

Sie kamen an einem Jungen vorbei, der eine kleine Herde knochiger Schafe hütete. Der Junge spielte auf einer Flöte. Yasif fiel ein, daß Mahmud einst ein junger Schafhirte gewesen war, der weder lesen noch schreiben konnte.

»Verstehst du, wie wichtig das Öl ist?« fragte Mahmud. »Hitler verlor den Krieg in Europa wegen des Öls.«

»Nein.«

»Hör zu. Die Russen besiegten Hitler. Das war unvermeidlich. Hitler wußte es, er wußte von Napoleon, ihm war klar, daß niemand Rußland erobern konnte. Weshalb versuchte er es also? Sein Öl wurde knapp. Es gibt Öl in Georgien, in den kaukasischen Ölfeldern. Hitler wollte unbedingt den Kaukasus haben. Aber man kann den Kaukasus nicht abschirmen, ohne Wolgograd, das damalige Stalingrad, zu haben – und dort wendete sich das Blatt gegen Hitler. Öl. Darum geht unser Kampf, ob es uns gefällt oder nicht. Siehst du das ein? Wenn das Öl nicht wäre, würde niemand sich wegen ein paar Arabern und Juden beunruhigen, die um ein staubiges kleines Land kämpfen.«

Mahmud besaß magnetische Anziehungskraft, wenn er sprach. Seine starke, klare Stimme formulierte kurze Sätze, einfache Erklärungen, Behauptungen, die wie unverrückbare Urwahrheiten klangen. Hassan vermutete, daß er dieselben Dinge oft zu seinen Truppen sagte. Im Unterbewußtsein erinnerte er sich an die komplizierte Art, mit der Politik in Luxemburg und Oxford diskutiert wurde. Nun schien ihm, daß jene Leute, Bergen von Information zum Trotz, weniger Kenntnisse hatten als Mahmud. Er wußte auch, daß internationale Politik tatsächlich kompliziert war, daß das Öl nicht den einzigen Hintergrund bildete, doch im tiefsten Inneren war er davon überzeugt, daß Mahmud recht hatte.

Sie saßen im Schatten eines Feigenbaumes. Die glatte, schwärzlichbraune Landschaft erstreckte sich leer nach allen Seiten. Der Himmel zog sich heiß, blau und wolkenlos. Mahmud entkorkte eine Wasserflasche und reichte sie Hassan, der das lauwarme Wasser trank und die Flasche zurückreichte. Dann fragte er Mahmud, ob er Palästina regieren wolle, wenn die Zionisten zurückgeschlagen waren.

»Ich habe viele Menschen getötet«, erwiderte Mahmud. »Zuerst tat ich es mit meinen eigenen Händen, mit einem Messer, einer Pistole oder einer Bombe. Jetzt töte ich, indem ich Pläne entwerfe und Befehle erteile, aber ich töte immer noch. Wir wissen, daß es eine Sünde ist, doch ich kann es nicht bereuen. Ich habe keine Gewissensbisse, Yasif. Sogar wenn wir einen Fehler machen, wenn wir Kinder und Araber statt Soldaten und Zionisten töten, denke ich nur: ›Das ist schlecht für unseren Ruf‹, nicht: ›Das ist schlecht für meine Seele.‹ An meinen Händen klebt Blut, und ich will es nicht abwaschen. Ich möchte es nicht einmal versuchen. Es gibt ein Buch mit dem Titel *Das Bildnis des Dorian Gray*. Es handelt von einem Mann, der ein böses und erschöpfendes Leben führt, ein Leben, das ihn alt aussehen lassen, ihm Falten im Gesicht und Säcke unter den Augen, eine zerstörte Leber und Geschlechtskrankheiten geben sollte. Trotzdem hat er keine Beschwerden. Während die Jahre vergehen, scheint er sogar jung zu bleiben, als habe er den Jungbrunnen gefunden. Aber in einem verschlossenen Zimmer seines Hauses hängt ein Gemälde von ihm; dieses Bild wird älter und spiegelt die Verwüstungen eines üblen Lebenswandels und schrecklicher Krankheiten wider. Kennst du das Buch? Es wurde von einem Engländer geschrieben.«

»Ich habe den Film gesehen.«

»Ich las es, als ich in Moskau war. Es würde mir Spaß machen, den Film zu sehen. Erinnerst du dich, wie es endet?«

»O ja. Dorian Gray zerstört das Gemälde. Danach gehen alle Krankheiten und Entstellungen sofort auf ihn über, und er stirbt.«

»Ja.« Mahmud verkorkte die Flasche wieder und schaute mit blicklosen Augen über die braunen Hügel hinweg. »Wenn Palästina frei ist, wird mein Bild zerstört werden.«

Danach saßen sie eine Zeitlang schweigend da.

Schließlich erhoben sie sich ohne ein Wort und begannen, in die Stadt zurückzukehren.

*

An jenem Abend kamen mehrere Männer in der Dämmerung, kurz vor der Polizeistunde, zu dem kleinen Haus in Nablus. Hassan wußte nicht genau, wer sie waren. Es hätten die örtlichen Führer der Bewegung sein können oder verschiedene Leute, deren Urteil Mahmud schätzte, oder auch ein ständiger Kriegsrat, der sich in Mahmuds Nähe aufhielt, aber nicht bei ihm wohnte. Hassan entschied sich für das letztere, denn es war logisch. Wenn sie alle zusammenwohnten, konnten sie auch alle zusammen vernichtet werden.

Die Frau reichte ihnen Brot, Fisch und wäßrigen Wein, und Mahmud erzählte ihnen von Hassans Plan. Mahmud hatte ihn gründlicher durchdacht als Hassan. Er schlug vor, die *Coparelli* zu kapern, bevor Dickstein sie erreichte, und dann die Israelis zu überfallen, wenn sie an Bord kamen. Da Dicksteins Gruppe nur eine gewöhnliche Besatzung und halbherzigen Widerstand erwartete, würde sie ausgelöscht werden. Dann würden die Feddajin mit der *Coparelli* einen nordafrikanischen Hafen anlaufen und die Weltpresse einladen, an Bord zu kommen und sich die Leichen der zionistischen Verbrecher anzusehen. Die Fracht würde ihren Eigentümern für ein Lösegeld angeboten werden, das die Hälfte des Marktpreises betrug: eine Million Dollar.

Es folgte eine lange Debatte. Offensichtlich war eine Fraktion der Feddajin schon jetzt nervös, weil Mahmud den Krieg nach Europa getragen hatte; sie sah die geplante Kaperung als weiteren Schritt derselben Strategie. Die Vertreter dieser Richtung deuteten an, daß die Feddajin am meisten erreichen könnten, wenn sie einfach eine Pressekonferenz in Beirut oder Damaskus einberiefen und der internationalen Presse das israelische Komplott enthüllten. Hassan war überzeugt, daß das nicht genügte: Anklagen waren billig, und nicht die Gesetzlosigkeit Israels, sondern die Macht der Feddajin mußte demonstriert werden.

Sie sprachen als Gleichberechtigte, und Mahmud schien jedem mit der gleichen Aufmerksamkeit zuzuhören. Hassan saß still da und lauschte den leisen, ruhigen Stimmen dieser Menschen, die wie Bauern aussahen und wie Senatoren redeten. Er hoffte und fürchtete gleichzeitig, daß sie seinen Plan akzeptieren würden: Es würde die Erfüllung zwanzigjähriger Racheträume sein, jedoch bedeuten, daß er Dinge tun mußte, die schwieriger, brutaler und riskanter waren als seine bisherige Arbeit.

Am Ende hielt er es nicht länger aus, ging nach draußen, hockte sich auf den schäbigen Hof, roch den Duft der Nacht und des sterbenden Feuers. Ein wenig später hörte er von innen einen leisen Chor, als werde abgestimmt.

Mahmud kam heraus und setzte sich neben Hassan. »Ich habe nach einem Auto schicken lassen.«

»Wieso?«

»Wir müssen nach Damaskus reisen. Heute nacht, denn es gibt eine Menge zu tun. Es wird unsere größte Operation sein. Wir müssen sofort mit der Arbeit anfangen.«

»Es ist also entschieden?«

»Ja. Die Feddajin werden das Schiff kapern und das Uran stehlen.«

»So sei es«, sagte Yasif Hassan.

*

David Rostow hatte seine Familie immer in kleiner Dosierung bevorzugt, und während er älter wurde, verkleinerten sich diese Dosierungen weiter. Mit dem ersten Tag seines Urlaubs war er zufrieden. Er bereitete das Frühstück zu, sie gingen am Strand spazieren, und am Nachmittag spielte Wladimir, das junge Genie, simultan gegen Rostow, Marja und Jurij Schach und gewann alle drei Partien. Sie nahmen sich zum Abendessen stundenlang Zeit, tauschten alle Neuigkeiten miteinander aus und tranken ein wenig Wein. Der zweite Tag verlief ähnlich, aber er machte ihm weniger Freude; und am dritten Tag hatte ihnen ihre eigene Gesellschaft nichts Neues mehr zu bieten. Wladimir erinnerte sich daran, daß er ein Wunderkind sein sollte, und steckte die Nase wieder in seine Bücher; Jurij begann, auf dem Plattenspieler degenerierte westliche Musik zu spielen, und stritt sich mit seinem Vater über abtrünnige Dichter; Marja zog sich in die Küche der Datscha zurück und hörte auf, ihr Gesicht zu schminken.

Als die Nachricht eintraf, daß Nik Bunin aus Rotterdam zurückgekehrt sei und eine Abhörvorrichtung in der *Stromberg* angebracht habe, benutzte Rostow dies als Vorwand, um wieder nach Moskau zu reisen.

Nik berichtete, daß die *Stromberg*, bevor der Verkauf an Savile Shipping abgeschlossen worden sei, zu der üblichen Inspektion im Trokkendock gelegen habe. Eine Anzahl kleinerer Reparaturen sei durchgeführt worden; Nik habe sich als Elektriker ausgegeben, sei ohne

Schwierigkeiten an Bord gelangt und habe einen starken Leitstrahlsender im Bug des Schiffes angebracht. Zum Schluß habe der Dockvormann ihn zur Rede gestellt, da sein Plan für jenen Tag keine elektrischen Arbeiten vorsah; Nik habe darauf hingewiesen, daß seine Arbeit zweifellos nicht bezahlt werden müsse, wenn sie nicht bestellt worden sei.

Von nun an würde der Sender, wenn der Strom des Schiffes eingeschaltet war – also ständig auf See und meistens im Dock –, alle dreißig Minuten ein Signal ausschicken, bis die *Stromberg* sank oder verschrottet wurde. Für den Rest ihres Lebens würde Moskau sie überall in der Welt innerhalb einer Stunde ausfindig machen können.

Rostow hörte Nik zu und schickte ihn dann nach Hause. Er hatte Pläne für den Abend. Schon seit langem hatte er Olga nicht mehr getroffen, und er war neugierig, was sie mit dem batteriegetriebenen Vibrator anstellen würde, den er ihr als Geschenk aus London mitgebracht hatte.

*

Im israelischen Marinegeheimdienst gab es einen jungen Hauptmann namens Dieter Koch, der als Schiffsingenieur ausgebildet war. Wenn die *Coparelli* mit ihrer Yellow-Cake-Ladung von Antwerpen aus in See stach, mußte Koch an Bord sein.

Nat Dickstein traf in Antwerpen ein und hatte nur eine ganz vage Idee, wie er vorgehen könnte. Von seinem Hotelzimmer aus rief er den örtlichen Repräsentanten der Firma an, der die *Coparelli* gehörte.

Wenn ich sterbe, dachte er, während er auf die Verbindung wartete, wird man mich von einem Hotelzimmer aus beerdigen.

Ein Mädchen meldete sich. Dickstein sagte energisch: »Hier ist Pierre Beaudaire, geben Sie mir den Direktor.«

»Einen Moment, bitte.«

Eine Männerstimme. »Ja?«

»Guten Morgen, hier ist Pierre Beaudaire von der Beaudaire-Besatzungsvermittlung.« Dickstein improvisierte, während er sprach.

»Nie von Ihnen gehört.«

»Deshalb rufe ich Sie an. Wir erwägen nämlich, ein Büro in Antwerpen zu eröffnen. Mich würde interessieren, ob Sie bereit wären, uns einen Auftrag zu geben.«

»Das bezweifle ich, aber Sie können mir schreiben und . . .«

»Sind Sie mit Ihrer jetzigen Besatzungsagentur vollkommen zufrieden?«

»Sie könnte schlechter sein. Hören Sie . . .«

»Noch eine Frage, und ich werde Sie nicht länger belästigen. Dürfte ich wissen, mit wem Sie im Moment zusammenarbeiten?«

»Mit Cohen. Aber jetzt habe ich keine Zeit mehr –«

»Ich verstehe. Vielen Dank für Ihre Geduld. Auf Wiederhören.«

Cohen! Ein glücklicher Zufall! Vielleicht kann ich es diesmal ohne Brutalität schaffen, dachte Dickstein, während er den Hörer auflegte. Cohen! Eine Überraschung – das Werft- und Schiffsgeschäft war für Juden nicht typisch. Nun, er hatte eben Glück gehabt.

Er schlug die Besatzungsagentur Cohen im Telefonbuch nach, prägte sich die Adresse ein, zog seinen Mantel an, verließ das Hotel und winkte einem Taxi.

Cohen hatte ein kleines Zweizimmerbüro über einer Seemannsbar im Vergnügungsviertel der Stadt. Es war noch nicht Mittag, und die Nachtmenschen schliefen noch – die Prostituierten und Diebe, Musiker und Nackttänzerinnen, Kellner und Rausschmeißer, die das Viertel am Abend zum Leben erweckten. Zur Zeit sah es aus wie jeder andere vernachlässigte Geschäftsbezirk, grau und kalt und nicht allzu sauber.

Dickstein stieg die Treppe zu einer Tür im ersten Stockwerk hinauf, klopfte an und trat ein. Eine Sekretärin mittleren Alters spielte Wachhund in einem kleinen Empfangszimmer mit Regalen mit Ordnern an den Wänden und orangefarbenen Plastikstühlen.

»Ich würde gern mit Herrn Cohen sprechen.«

Sie musterte ihn und kam wohl zu dem Schluß, daß er kein Seemann war. »Brauchen Sie ein Schiff?« fragte sie skeptisch.

»Nein. Ich bin aus Israel.«

»Oh.« Die Sekretärin zögerte. Sie hatte dunkles Haar und tiefliegende, mit Lidschatten bemalte Augen, und sie trug einen Ehering. Dickstein überlegte, ob sie Frau Cohen sein könnte. Sie stand auf und trat durch eine Tür hinter ihrem Schreibtisch in das zweite Zimmer. Von hinten – sie trug einen Hosenanzug – war ihr Alter nicht zu übersehen.

Eine Minute später tauchte sie wieder auf und bat ihn in Cohens Büro. Cohen erhob sich, schüttelte ihm die Hand und sagte ohne Vorrede:

»Ich spende jedes Jahr für die gute Sache. Während des Krieges habe ich 20 000 Gulden gespendet, ich kann Ihnen den Scheck zeigen. Geht es um eine neue Sammlung? Gibt es wieder Krieg?«

»Ich bin nicht hier, um Geld zu sammeln, Herr Cohen«, beruhigte Dickstein ihn mit einem Lächeln. Die Sekretärin hatte die Tür offengelassen, Dickstein schloß sie. »Darf ich mich setzen?«

»Wenn Sie kein Geld wollen, nehmen Sie Platz, trinken Sie Kaffee mit mir und bleiben Sie den ganzen Tag«, lachte Cohen.

Dickstein setzte sich. Cohen war ein kleiner, bebrillter Mann, kahlköpfig und glattrasiert, und schien etwa fünfzig Jahre alt zu sein. Er trug einen braunen, karierten Anzug, der nicht sehr neu war. Dickstein vermutete, daß er kein schlechtes Geschäft hatte, aber längst kein Millionär war.

»Waren Sie im Zweiten Weltkrieg hier?«

Cohen nickte. »Damals war ich noch jung. Ich ging aufs Land und arbeitete auf einem Bauernhof, wo niemand mich kannte. Niemand wußte, daß ich Jude war. Ich hatte Glück.«

»Glauben Sie, daß das alles noch einmal passieren könnte?«

»Ja. Es ist in der Geschichte immer wieder passiert, weshalb sollte es jetzt aufhören? Es wird geschehen – aber nicht mehr, solange ich lebe. Hier fühle ich mich wohl. Ich will nicht nach Israel.«

»Gut. Ich arbeite für die israelische Regierung. Wir möchten, daß Sie etwas für uns tun.«

Cohen zuckte die Achseln. »Das wäre?«

»In ein paar Wochen wird sich einer Ihrer Kunden mit einem dringenden Auftrag an Sie wenden. Er wird einen Maschinenoffizier für ein Schiff namens *Coparelli* benötigen. Wir möchten, daß Sie einen unserer Männer vermitteln. Er heißt Koch und ist Israeli, doch er wird einen anderen Namen und gefälschte Papiere benutzen. Aber er ist tatsächlich Schiffsingenieur – Ihr Kunde wird nicht unzufrieden sein.«

Dickstein wartete darauf, daß Cohen etwas sagte. Du bist ein netter Bursche, dachte er, ein anständiger jüdischer Geschäftsmann, clever und fleißig und nicht mehr der Jüngste. Bitte, zwinge mich nicht, dich hart anzufassen.

»Sie wollen mir nicht sagen, weshalb die israelische Regierung diesen Koch an Bord der *Coparelli* haben will?« fragte Cohen.

»Nein.«

Schweigen.

»Können Sie sich ausweisen?«

»Nein.«

Die Sekretärin kam herein, ohne anzuklopfen, und brachte ihnen Kaffee. Dickstein spürte ihre Feindseligkeit.

Cohen hatte die Unterbrechung benutzt, um sich zu sammeln. Als sie hinausgegangen war, sagte er: »Ich müßte meschugge sein, um das zu tun.«

»Wieso?«

»Sie kommen einfach herein, behaupten, daß Sie die israelische Regierung vertreten, aber Sie können sich nicht ausweisen, Sie nennen mir nicht einmal Ihren Namen. Ich soll in etwas verwickelt werden, was offensichtlich anrüchig und wahrscheinlich kriminell ist. Sie wollen mir nicht sagen, was Sie vorhaben, und selbst wenn Sie es mir sagten und ich glaubte Ihnen, weiß ich nicht, ob ich damit einverstanden wäre, daß die Israelis sich so verhalten.«

Dickstein seufzte und überlegte sich die Alternativen: Erpressung, Entführung seiner Frau, Besetzung seines Büros an dem entscheidenden Tag . . . »Gibt es nichts, wodurch ich Sie überzeugen könnte?«

»Wenn mich der israelische Ministerpräsident persönlich darum bittet, würde ich mich darauf einlassen.«

Dickstein stand auf, um hinauszugehen, dann dachte er: Warum nicht? Warum nicht, verdammt noch mal? Es war eine unglaubliche Idee. Man würde ihn für verrückt halten . . . aber es würde funktionieren, es würde den Zweck erfüllen . . . Er grinste. Pierre Borg würde einen Schlaganfall erleiden.

»In Ordnung.«

»Was soll das heißen: ›In Ordnung‹?«

»Ziehen Sie Ihren Mantel an. Wir fliegen nach Jerusalem.«

»Jetzt?«

»Haben Sie dringend zu tun?«

»Meinen Sie das ernst?«

»Ich habe Ihnen doch gesagt, daß es wichtig ist.« Dickstein deutete auf das Telefon auf dem Schreibtisch. »Rufen Sie Ihre Frau an.«

»Sie ist draußen.«

Dickstein trat zur Tür und öffnete sie. »Frau Cohen?«

»Ja.«

»Würden Sie hereinkommen, bitte?«

Sie eilte mit besorgter Miene herbei. »Was ist los, Joseph?« fragte sie ihren Gatten.

»Dieser Mann will, daß ich mit ihm nach Jerusalem fliege.«

»Wann?«

»Jetzt.«

»Du meinst in dieser Woche?«

Dickstein sagte: »Ich meine heute morgen, Frau Cohen. Sie müssen wissen, daß dies alles streng geheim ist. Ich habe Ihren Mann gebeten, etwas für die israelische Regierung zu tun. Natürlich möchte er sichergehen, daß die Regierung ihn um diesen Gefallen bittet und nicht irgendein Verbrecher. Deshalb nehme ich ihn mit, um ihn zu überzeugen.«

»Laß dich in nichts hineinziehen, Joseph –«

Cohen hob die Schultern. »Ich bin Jude, damit bin ich schon hineingezogen. Kümmere dich um das Geschäft.«

»Du weißt überhaupt nichts über diesen Mann!«

»Also muß ich es herausfinden.«

»Die Sache gefällt mir nicht.«

»Es gibt keine Gefahr«, erwiderte Cohen. »Wir nehmen einen Linienflug, reisen weiter nach Jerusalem, ich treffe den Ministerpräsidenten, und wir fliegen zurück.«

»Den Ministerpräsidenten!« Dickstein war klar, wie stolz sie sein würde, wenn ihr Mann den Ministerpräsidenten von Israel traf. »Dies muß geheim bleiben, Frau Cohen. Bitte, sagen Sie allen, daß Ihr Mann geschäftlich nach Rotterdam gefahren ist.«

Sie starrte die beiden an. »Mein Joseph trifft den Ministerpräsidenten, und ich darf es Rachel Rothstein nicht erzählen?«

Nun wußte Dickstein, daß alles glattgehen würde.

Cohen nahm seinen Mantel vom Haken und zog ihn an. Frau Cohen küßte ihn und legte die Arme um seine Schultern.

»Alles ist in Ordnung. Es kommt sehr plötzlich und scheint seltsam, aber es ist in Ordnung.«

Sie nickte stumm und ließ ihn los.

*

Sie nahmen ein Taxi zum Flugplatz. Dicksteins Freude verstärkte sich während der Fahrt. Der Plan hatte etwas Übermütiges an sich; er kam sich fast wie ein Schuljunge vor, der sich einen großartigen Streich ausgedacht hatte. Dickstein mußte das Gesicht abwenden, damit Cohen sein Grinsen nicht bemerkte.

Pierre Borg würde an die Decke gehen.

Dickstein löste zwei Rückflugkarten nach Tel Aviv und bezahlte mit seiner Kreditkarte. Sie mußten einen Anschlußflug über Paris nehmen. Vor dem Start rief er die Botschaft in Paris an und sorgte dafür, daß jemand sie im Transitsaal erwartete.

In Paris übergab er dem Mann von der Botschaft eine Nachricht an Borg, in der alles Erforderliche erklärt wurde. Der Diplomat gehörte zum Mossad und behandelte Dickstein voll Ehrerbietung. Cohen durfte der Unterhaltung zuhören, und als der Mann zur Botschaft zurückgekehrt war, sagte er: »Wir können zurückfliegen. Ich bin schon überzeugt.«

»O nein. Da wir schon einmal hier sind, will ich ganz sichergehen.«

Im Flugzeug meinte Cohen: »Sie müssen in Israel ein wichtiger Mann sein.«

»Nein, aber was ich tue, ist wichtig.«

Cohen wollte wissen, wie er sich zu benehmen habe und wie der Ministerpräsident anzureden sei. »Keine Ahnung, ich bin ihm nie begegnet«, sagte Dickstein. »Schütteln Sie ihm die Hand und reden Sie ihn mit seinem Namen an.«

Der Geschäftsmann lächelte. Er begann, Dicksteins Übermut zu teilen.

Pierre Borg holte sie am Flughafen Lod mit einem Wagen ab, der sie nach Jerusalem bringen sollte. Er lächelte und reichte Cohen die Hand, aber er kochte unter der Oberfläche. Während sie zum Wagen gingen, raunte er Dickstein zu: »Ich hoffe, du hast einen verflucht guten Grund für diesen Zirkus.«

»Habe ich.«

Cohen war dauernd bei ihnen, so daß Borg keine Gelegenheit hatte, Dickstein ins Kreuzverhör zu nehmen. Sie fuhren direkt zur Residenz des Ministerpräsidenten in Jerusalem. Dickstein und Cohen warteten in einem Vorraum, während Borg dem Regierungschef erklärte, worum es ging.

Ein paar Minuten später wurden sie hereingebeten. »Das ist Nat Dickstein, Herr Ministerpräsident«, stellte Borg vor.

Sie schüttelten einander die Hand, und der Ministerpräsident sagte:

»Wir sind uns noch nie begegnet, aber ich habe von Ihnen gehört, Herr Dickstein.«

»Und das ist Herr Joseph Cohen aus Antwerpen«, meinte Borg.

»Herr Cohen.« Der Ministerpräsident lächelte. »Sie sind ein sehr vorsichtiger Mann. Sie hätten Politiker werden sollen. Also . . . bitte, helfen Sie uns. Es ist sehr wichtig, und es wird Ihnen nicht schaden.«

Cohen war geblendet. »Ja, natürlich, es tut mir leid, daß ich so viel Schwierigkeiten gemacht habe . . .«

»Keine Ursache. Sie haben das Richtige getan.« Er gab Cohen noch einmal die Hand. »Vielen Dank für Ihren Besuch. Auf Wiedersehen.«

Auf dem Rückweg zum Flughafen war Borg weniger höflich. Er saß stumm auf dem Beifahrersitz des Autos, rauchte eine Zigarre und spielte nervös mit den Händen. Am Flughafen gelang es ihm, eine Minute lang allein mit Dickstein zu sprechen. »Wenn du noch einmal so eine Masche abziehst . . .«

»Es ging nicht anders, und es dauerte weniger als eine Minute. Warum nicht?«

»Warum nicht? Meine halbe Abteilung hat den ganzen beschissenen Tag daran gearbeitet, diese Minute zu ermöglichen. Warum hast du dem Mann nicht einfach die Pistole an die Schläfe gesetzt?«

»Weil wir keine Barbaren sind.«

»Das wird mir immer wieder gesagt.«

»Tatsächlich? Ein schlechtes Zeichen.«

»Wieso?«

»Weil du es eigentlich selbst wissen müßtest.«

Dann wurde ihr Flug aufgerufen. Während er mit Cohen in die Maschine stieg, sann Dickstein darüber nach, daß seine Beziehung zu Borg ruiniert war. Sie hatten immer scherzhafte Beleidigungen ausgetauscht, aber bis jetzt war ein Unterton von . . . vielleicht nicht von Zuneigung, aber wenigstens von Respekt dabeigewesen. Das war vorbei. Borg verhielt sich unverhüllt feindselig. Dicksteins Weigerung, sich ablösen zu lassen, war eine Herausforderung, die Berg nicht dulden konnte. Wenn Dickstein weiter im Mossad hätte arbeiten wollen, hätte er Borg den Posten des Direktors streitig machen müssen – die Organisation bot nicht mehr genügend Platz für beide Männer. Aber dazu würde es nicht kommen, denn er, Dickstein, würde zurücktreten.

Auf dem Nachtflug nach Europa trank Cohen etwas Gin und schlief ein. Dickstein beschäftigte sich in Gedanken mit der Arbeit, die er in den letzten fünf Monaten geleistet hatte. Im Mai hatte er angefangen – ohne klares Konzept. Er hatte sich den jeweils auftretenden Problemen gestellt und für jedes eine Lösung gefunden: wie Uran ausfindig zu machen war, welches Uran er stehlen sollte, wie er ein Schiff kapern konnte, wie die israelische Beteiligung an dem Diebstahl zu tarnen war, wie man verhindern konnte, daß das Verschwinden des Urans den Behörden gemeldet wurde, wie er die Eigentümer zu versöhnen hatte. Wenn er sich am Anfang hingesetzt und versucht hätte, den ganzen Plan zu entwerfen, hätte er nie alle Komplikationen vorhersehen können.

Er hatte etwas Glück und etwas Pech gehabt. Die Tatsache, daß die Eigner der *Coparelli* mit einer jüdischen Besatzungsagentur in Antwerpen zusammenarbeiteten, war ein Glücksfall, ebenso die Existenz einer Uranladung für nicht-nukleare Zwecke, die noch dazu auf dem Seeweg transportiert wurde. Das Pech beschränkte sich im wesentlichen auf seine zufällige Begegnung mit Yasif Hassan.

Hassan – das Haar in der Suppe. Dickstein war ziemlich sicher, daß er den Gegner abgeschüttelt hatte, als er nach Buffalo geflogen war, um Cortone zu besuchen, und daß seine Spur noch nicht wiederaufgenommen worden war. Aber das bedeutete nicht, daß die anderen aufgegeben hatten.

Es wäre nützlich gewesen, zu wissen, wieviel sie herausgefunden hatten, bevor er ihnen entwischt war.

Dickstein konnte Suza nicht wiedersehen, bis die ganze Angelegenheit vorbei war – und auch daran war Hassan schuld. Wenn er noch einmal nach Oxford reiste, würde Hassan sich bestimmt wieder irgendwie auf seine Fährte setzen.

Das Flugzeug begann niederzugehen. Dickstein schnallte seinen Sicherheitsgurt fest. Nun war es soweit, der Plan stand fest, die Vorbereitungen waren getroffen. Alle Karten waren ausgeteilt. Er wußte, welche Trümpfe er hielt, er kannte einige Karten seiner Gegner und umgekehrt. Jetzt mußte die Partie nur noch gespielt werden, und niemand konnte das Ergebnis voraussagen. Er wünschte sich, die Zukunft klarer sehen zu können, weniger komplizierte Pläne in die Tat umzusetzen, sein Leben nicht mehr riskieren zu müssen, und er wünschte sich, daß das Spiel endlich begänne, damit er endlich handeln könnte.

Cohen war erwacht. »Habe ich das alles geträumt?«

»Nein.« Dickstein lächelte. Ihm stand noch eine unangenehme Pflicht bevor. Er mußte Cohen zu Tode erschrecken. »Ich habe Ihnen gesagt, daß die Sache wichtig und geheim ist.«

»Natürlich, ich verstehe.«

»Sie verstehen nicht. Wenn Sie mit irgend jemandem außer Ihrer Frau darüber sprechen, werden wir drastische Maßnahmen ergreifen.«

»Ist das eine Drohung? Worauf wollen Sie hinaus?«

»Ich will darauf hinaus, daß wir Ihre Frau umbringen, wenn Sie nicht den Mund halten.«

Cohen starrte ihn an und wurde bleich. Nach einem Moment wandte er sich ab und blickte aus dem Fenster auf den Flugplatz hinunter, der ihnen entgegenkam.

13

Das Moskauer Hotel »Rossija« ist das größte Hotel Europas. Es hat 5738 Betten, zehn Meilen Flure und keine Klimaanlage.

Yasif Hassan schlief dort sehr schlecht.

Es war einfach, zu sagen: Die Feddajin müssen das Schiff kapern, bevor Dickstein es tut, aber je mehr er darüber nachdachte, desto mehr ängstigte ihn die Sache.

Die PLO war 1968 keine so straffe politische Einheit, wie sie vorgab. Sie war nicht einmal ein loses Bündnis individueller Gruppen. Eher erinnerte sie an einen Verein für Menschen mit einem gemeinsamen Interesse: sie repräsentierte ihre Mitglieder, doch sie beherrschte sie nicht. Die einzelnen Guerillagruppen konnten durch die PLO mit einer Stimme sprechen, aber sie agierten nicht einheitlich und konnten es auch nicht. Wenn Mahmud also erklärte, daß die Feddajin etwas unternehmen würden, sprach er nur für seine eigene Gruppe. Außerdem wäre es in diesem Fall unklug gewesen, die PLO auch nur um Unterstützung zu bitten. Die Organisation erhielt Geld, Einrichtungen und Asyl von den Ägyptern, aber sie war auch von ihnen infiltriert worden. Wenn man etwas vor dem arabischen Establishment geheimhalten wollte, mußte man es auch vor der PLO geheimhalten. Wenn nach der Aktion die Weltpresse kam, um sich das gekaperte Schiff mit seiner Atomladung anzusehen, würden die Ägypter natürlich Bescheid wissen und vermutlich argwöhnen, daß die Feddajin ihnen absichtlich einen Strich durch die Rechnung gemacht hatten. Doch Mahmud würde den Unschuldigen spielen, und die Ägypter würden in den allgemeinen Beifall für die Feddajin, die einen israelischen Aggressionsakt vereitelt hatten, einstimmen müssen.

Ohnehin glaubte Mahmud nicht, daß er die Hilfe der anderen benötigte. Seine Gruppe hatte die besten Verbindungen außerhalb Palästinas, die beste europäische Organisation und genug Geld. Er war jetzt in Benghasi, um sich ein Schiff zu borgen, während seine internationale Mannschaft sich aus verschiedenen Teilen der Welt zusammenfand.

Aber die allerwichtigste Aufgabe fiel Hassan zu: Wenn die Feddajin die *Coparelli* vor den Israelis schnappen sollten, mußte er ermitteln, wann und wo genau Dickstein das Schiff kapern wollte. Dazu brauchte er das KGB.

Inzwischen fühlte er sich in Rostows Gegenwart äußerst unbehaglich. Vor seinem Besuch bei Mahmud hatte er sich einreden können, daß er für zwei Organisationen mit dem gleichen Ziel arbeitete. Nun aber war er unbestreitbar ein Doppelagent, der nur vortäuschte, mit den Ägyptern und dem KGB zusammenzuarbeiten, während er in Wirklichkeit ihre Pläne sabotierte. Er schien sich verändert zu haben – in mancher Hinsicht kam er sich wie ein Verräter vor –, und er hatte Angst, daß Rostow die Veränderung bemerken würde.

Bei Hassans Ankunft in Moskau war Rostow selbst verlegen gewesen. Er hatte behauptet, seine Wohnung sei zu klein, um Hassan unterbringen zu können, obwohl der Rest der Familie im Urlaub war. Es schien, daß Rostow etwas zu verbergen hatte. Hassan vermutete, daß er sich mit einer Frau traf und sich dabei nicht stören lassen wollte.

Nach einer ruhelosen Nacht im Hotel »Rossija« begegnete Hassan Rostow im KGB-Gebäude an der Moskauer Ringstraße, im Büro von Rostows Chef, Felix Woronzow. Auch hier gab es Unterströmungen. Die beiden Männer stritten sich, als Hassan das Zimmer betrat, und obwohl sie sich sofort beherrschten, war die Atmosphäre immer noch von unausgesprochener Feindseligkeit erfüllt. Doch Hassan war zu sehr von seinen eigenen Plänen in Anspruch genommen, um dafür Interesse aufzubringen.

Er setzte sich. »Gibt es irgendwelche Entwicklungen?«

Rostow und Woronzow wechselten einen Blick, und Rostow zuckte die Achseln. »Die *Stromberg* ist mit einem sehr starken Leitstrahlsender versehen worden«, sagte Woronzow. »Sie hat das Trockendock jetzt verlassen und über den Golf von Biscaya einen südlichen Kurs eingeschlagen. Wir nehmen an, daß sie nach Haifa fährt, um eine Besatzung von Mossad-Agenten an Bord zu nehmen. Ich finde, daß wir mit den gesammelten Informationen zufrieden sein können. Das Projekt tritt jetzt in die Phase der eigentlichen Aktion ein. Unsere Aufgabe ist sozusagen nicht mehr deskriptiv, sondern wird normativ.«

»Im Moskauer Zentrum reden alle so«, meinte Rostow respektlos. Woronzow starrte ihn nur an.

»Um welche Aktion handelt es sich?« fragte Hassan.

»Rostow wird in Odessa an Bord des polnischen Handelsschiffes *Karla* gehen«, erklärte Woronzow. »Sie ist scheinbar ein gewöhnliches Frachtschiff, aber sie ist sehr schnell und hat eine Zusatzausrüstung – wir benutzen sie recht oft.«

Etwas angewidert starrte Rostow zur Decke hinauf. Hassan erriet, daß er den Ägyptern einige dieser Details hatte vorenthalten wollen. Vielleicht hatte er sich mit Woronzow darüber gestritten.

»Sie müssen uns ein ägyptisches Schiff besorgen und im Mittelmeer mit der *Karla* Kontakt aufnehmen«, fuhr Woronzow fort.

»Und dann?«

»Wir warten, bis Tyrin uns von Bord der *Coparelli* mitteilt, wann die israelische Kaperung stattfindet. Er wird uns auch darüber informieren, ob das Uran von der *Coparelli* auf die *Stromberg* umgeladen werden soll oder einfach auf der *Coparelli* bleibt, um erst in Haifa entladen zu werden.«

»Und danach?« beharrte Hassan.

Woronzow wollte weitersprechen, aber Rostow kam ihm zuvor. »Ich möchte, daß Sie Kairo zur Tarnung etwas anderes erzählen«, sagte er zu Hassan. »Ihre Leute sollen glauben, daß wir nichts von der *Coparelli* wissen, daß wir nur von Plänen der Israelis im Mittelmeer erfahren haben und immer noch versuchen, die Einzelheiten aufzudecken.«

Hassan nickte mit unbewegtem Gesicht. Er *mußte* wissen, was geplant wurde, doch Rostow wollte ihn nicht ins Bild setzen! »Ja, das werde ich tun – wenn Sie mir den tatsächlichen Plan beschreiben.«

Rostow hob die Schultern und blickte Woronzow an. »Nach der Kaperung durch Dickstein wird die *Karla* Kurs auf Dicksteins Schiff nehmen, und zwar das mit dem Uran«, erläuterte Woronzow. »Die *Karla* wird das Schiff rammen.«

»Rammen!«

»Ihr eigenes Schiff wird Zeuge des Zusammenstoßes sein, ihn melden und beobachten, daß die Besatzung des gerammten Schiffes aus Israel stammt und die Fracht aus Uran besteht. Auch diese Tatsachen werden Sie melden. Es wird eine internationale Untersuchung der Kollision geben. Man wird eindeutig feststellen, daß das Schiff Israelis und gestohlenes Uran an Bord hatte. Man wird das Uran seinen rechtmäßigen Eigentümern zurückgeben, und die Israelis werden mit Schande bedeckt.«

»Sie werden kämpfen«, gab Hassan zu bedenken.

»Um so besser«, sagte Rostow. »Das ägyptische Schiff wird da sein, beobachten, daß sie uns angreifen, und uns helfen, sie zurückzuschlagen.«

»Es ist ein guter Plan«, kommentierte Woronzow. »Er ist einfach. Die beiden Schiffe brauchen nur zu kollidieren – alles übrige ergibt sich automatisch.«

»Ja, es ist ein guter Plan«, sagte Hassan. Er ließ sich ganz mit dem Plan der Feddajin in Einklang bringen. Im Gegensatz zu Dickstein wußte Hassan, daß Tyrin an Bord der *Coparelli* war. Nachdem die Feddajin die *Coparelli* gekapert und die Israelis überfallen hatten, könnten sie Tyrin und seinen Sender ins Meer werfen. Dann würde Rostow keine Möglichkeit haben, sie zu finden.

Aber Hassan mußte wissen, wann und wo Dickstein die Kaperung durchführen wollte, damit die Feddajin ihm mit Sicherheit zuvorkommen konnten.

Es war sehr heiß in Woronzows Büro. Hassan trat ans Fenster und blickte auf den Verkehr der Moskauer Ringstraße hinab. »Wir müssen erfahren, wann und wo Dickstein plant, die *Coparelli* zu kapern.«

»Wozu?« fragte Rostow und breitete die Arme aus. »Wir haben Tyrin an Bord der *Coparelli* und einen Leitstrahlsender auf der *Stromberg*. Wir wissen jederzeit, wo beide sich aufhalten. Also brauchen wir nur in der Nähe zu bleiben und zuzuschlagen, wenn es soweit ist.«

»Mein Schiff muß zum kritischen Zeitpunkt in der richtigen Gegend sein.«

»Folgen Sie einfach der *Stromberg* jenseits des Horizonts – Sie können sich an ihrem kleinen Signal orientieren, oder halten Sie Kontakt mit mir auf der *Karla*. Meinetwegen auch beides.«

»Angenommen, der Leitstrahlsender versagt oder Tyrin wird entdeckt?«

»Das Risiko muß gegen die Gefahr abgewogen werden, daß wir uns verraten, wenn wir Dickstein wieder verfolgen – vorausgesetzt, daß wir ihn finden.«

»Aber er hat nicht unrecht«, sagte Woronzow.

Nun war Rostow an der Reihe, wütend dreinzublicken.

Hassan knüpfte seinen Kragen auf. »Darf ich ein Fenster öffnen?«

»Sie lassen sich nicht öffnen«, antwortete Woronzow.

»Haben Sie hier noch nie etwas von Klimaanlagen gehört?«

»In Moskau?«

Hassan drehte sich zu Rostow um. »Denken Sie darüber nach. Ich möchte völlig sicher sein, daß wir diese Leute festnageln.«

»Ich habe darüber nachgedacht«, erwiderte Rostow. »Wir sind so sicher, wie wir nur sein können. Kehren Sie nach Kairo zurück, besorgen Sie das Schiff und halten Sie mit mir Verbindung.«

Du arrogantes Schwein, dachte Hassan. Er wandte sich an Woronzow. »Um ehrlich zu sein, ich kann meinen Leuten niht berichten, daß mir der Plan gefällt, solange sich diese Ungewißheit nicht beseitigen läßt.«

»Ich stimme mit Ihnen überein.«

»Aber ich nicht«, sagte Rostow. »Und der Plan ist in seiner jetzigen Fassung schon von Andropow gebilligt worden.«

Bis jetzt hatte Hassan geglaubt, sich durchsetzen zu können, da er Woronzow auf seiner Seite hatte. Schließlich war Woronzow Rostows Vorgesetzter. Doch die Erwähnung des KGB-Vorsitzenden war in diesem Spiel offenbar ein wichtiger Schachzug. Woronzow schien dadurch beinahe eingeschüchtert, und Hassan mußte wieder seine Verzweiflung verbergen.

»Der Plan kann geändert werden«, meinte Woronzow.

»Nur mit Andropows Genehmigung. Und ich werde deinen Wunsch nicht unterstützen.«

Woronzows Lippen waren zu einer schmalen Linie zusammengepreßt. Er haßt Rostow, dachte Hassan, genau wie ich.

»Also gut.« Woronzow gab sich geschlagen.

Während seiner ganzen Zeit im Spionagegeschäft war Hassan Teil einer professionellen Organisation gewesen – des ägyptischen Geheimdienstes, des KGB, sogar der Feddajin. Immer waren andere da gewesen, erfahrenere und entschlossenere, die ihm Befehle und Hinweise gegeben und letzten Endes die Verantwortung auf sich genommen hatten. Als er das KGB-Gebäude verließ, um in sein Hotel zurückzukehren, wurde ihm klar, daß er nun auf sich selbst gestellt war.

Ganz allein mußte er einen höchst geschickten und klugen Mann aufspüren und sein am besten gehütetes Geheimnis herausfinden.

Mehrere Tage lang war er in einem Zustand der Panik. Er flog nach Kairo zurück, erzählte dort zur Tarnung Rostows Geschichte und besorgte das ägyptische Schiff, das die Russen erbeten hatten. Das Problem ragte weiterhin vor ihm auf wie eine schroffe Felsenklippe, deren Besteigung er nicht wagen konnte, bevor er wenigstens einen Teil der Route kannte. Er suchte in seinem Unterbewußtsein nach Verhaltensweisen und Methoden, die ihn befähigen würden, eine solche Aufgabe in Angriff zu nehmen, vollkommen unabhängig zu handeln.

Seine Erinnerungen führten ihn weit in die Vergangenheit zurück.

Früher einmal war Yasif Hassan ein anderer Mensch gewesen: ein wohlhabender, fast aristokratischer junger Araber, dem die Welt zu Füßen lag. Er war der Auffassung gewesen, zu jeder Leistung fähig zu sein. Diese Einstellung hatte ihm immer wieder recht gegeben. Ohne die geringsten Bedenken hatte er in England, einem ihm fremden Land, studiert; und er hatte in die dortige Gesellschaft Eingang gefunden, ohne sich darum zu kümmern oder sich auch nur zu fragen, was man von ihm halten mochte.

Sogar damals hatte es Zeiten gegeben, in denen er lernen mußte, aber auch das war ihm leichtgefallen. Einmal hatte ihn ein Kommilitone, irgendein Viscount, zum Polospielen eingeladen. Hassan hatte nie vorher Polo gespielt. Er hatte sich nach den Regeln erkundigt, den anderen eine Weile zugesehen, darauf geachtet, wie sie die Schläger hielten, wie sie den Ball vorwärts trieben, wie sie Pässe schlugen und warum. Dann hatte er sich ihnen angeschlossen. Zwar ging er ungeschickt mit dem Schläger um, aber er konnte reiten wie der Wind: Er spielte nicht schlecht, das Match machte ihm Spaß, und seine Mannschaft gewann.

Heute, im Jahre 1968, sagte er sich: Ich kann alles schaffen, aber wem soll ich nacheifern?

Die Antwort lag auf der Hand: David Rostow.

Rostow war unabhängig, selbstbewußt, fähig, brillant. Er konnte Dickstein finden, sogar wenn es schien, daß er ratlos war, keine Anhaltspunkte hatte und in einer Sackgasse steckte. Zweimal war es ihm gelungen. Hassan erinnerte sich:

Frage: Warum ist Dickstein in Luxemburg?

Also, was wissen wir über Luxemburg? Was gibt es hier? Die Börse, die Banken, den Europarat, Euratom – Euratom!

Frage: Dickstein ist verschwunden – wohin könnte er gereist sein?
Keine Ahnung.
Aber wen kennen wir, den auch er kennt?
Nur Professor Ashford in Oxford – Oxford!
Rostows Methode war, Informationssplitter zusammenzusetzen – beliebige Informationen, wie trivial sie auch sein mochten –, um sich dem Ziel zu nähern.
Die Schwierigkeit bestand darin, daß sie offenbar alle ihre Informationen bereits genutzt hatten.
Also brauche ich mehr Material, dachte Hassan; ich kann alles schaffen.
Er zermarterte sich das Hirn nach all den Einzelheiten, deren er sich aus ihrer gemeinsamen Zeit in Oxford entsann. Dickstein war im Krieg gewesen, er spielte Schach, seine Kleidung war schäbig –
Er hatte eine Mutter.
Aber sie war gestorben.
Hassan war nie Brüdern oder Schwestern, überhaupt keinen Verwandten Dicksteins begegnet. Es war alles so lange her, und sogar damals hatten sie sich nicht sehr nahegestanden.
Doch es gab jemanden, der etwas mehr über Dickstein wissen könnte: Professor Ashford.
In seiner Verzweiflung kehrte Yasif Hassan nach Oxford zurück.
Während der ganzen Reise – im Flugzeug von Kairo aus, im Taxi vom Londoner Flughafen zur Paddington Station, im Zug nach Oxford und im Taxi zu dem kleinen grün-weißen Haus am Fluß – beschäftigte er sich in Gedanken mit Ashford. Es war unzweifelhaft, daß er den Professor verachtete. In seiner Jugend war er vielleicht ein Abenteurer gewesen, aber er war zu einem schwachen alten Mann, einem politischen Dilettanten, einem Akademiker geworden, der nicht einmal seine eigene Frau an sich binden konnte. Es war unmöglich, einen alten Hahnrei zu respektieren – und die Tatsache, daß die Engländer eine andere Mentalität hatten, vergrößerte Hassans Verachtung nur noch.
Er fürchtete, daß Ashfords Schwäche, zusammen mit einer Art Loyalität gegenüber Dickstein als seinem früheren Freund und Studenten, ihn vor einer Einmischung zurückschrecken lassen könnte.
Hassan fragte sich, ob er versuchen sollte, Dicksteins Judentum auszunutzen. Er wußte aus seiner Zeit in Oxford, daß der hartnäckigste

Antisemitismus Englands jener der Oberklassen ist: Die Londoner Klubs, die Juden immer noch ausschlossen, lagen im West End, nicht im East End. Aber Ashfords Fall lag anders. Er liebte den Nahen Osten, und seine proarabische Haltung war ethisch, nicht rassisch begründet.

Nein, ein solches Vorgehen wäre ein Fehler.

Am Ende entschied er sich für die direkte Methode. Er würde Ashford erzählen, weshalb er Dickstein finden mußte, und hoffen, daß der Professor bereit sein würde, ihm aus den gleichen Motiven heraus zu helfen.

*

Als sie einander die Hände geschüttelt und den Sherry eingeschenkt hatten, nahmen sie im Garten Platz. Ashford fragte: »Was hat Sie so rasch wieder nach England zurückgebracht?«

Hassan sagte die Wahrheit. »Ich bin auf der Jagd nach Nat Dickstein.«

Sie saßen am Fluß in dem kleinen Winkel des Gartens, der durch eine Hecke abgetrennt war. Hier hatte Hassan die schöne Eila vor vielen Jahren geküßt. Der Winkel war vor dem Oktoberwind geschützt, und eine schwache Herbstsonne wärmte ihn.

Ashford blieb zurückhaltend und vorsichtig; sein Gesicht war ausdruckslos. »Ich glaube, Sie sollten mir sagen, worum es geht.«

Hassan bemerkte, daß der Professor während des Sommers der Mode tatsächlich ein wenig nachgegeben hatte. Er hatte sich Koteletten zugelegt, seinen mönchischen Haarkranz lang wachsen lassen, und er trug Jeans mit einem breiten Ledergürtel unter seiner alten Tweedjacke.

»Ich werde es Ihnen sagen«, entgegnete Hassan mit dem beschämenden Gefühl, daß Rostow sich subtiler verhalten hätte. »Aber ich brauche Ihr Wort, daß es unter uns bleibt.«

»Einverstanden.«

»Dickstein ist ein israelischer Spion.«

Ashfords Augen verengten sich, doch er blieb stumm.

Hassan sprach rasch weiter. »Die Zionisten planen, Atombomben zu produzieren, aber sie haben kein Plutonium. Was sie brauchen, ist eine geheime Uranlieferung, um ihren Reaktor zur Plutoniumherstellung zu füttern. Dickstein hat die Aufgabe, das Uran zu stehlen

– und meine Aufgabe ist es, ihn zu finden und daran zu hindern. Ich möchte, daß Sie mir helfen.«

Der Professor starrte in seinen Sherry und trank das Glas in einem Zug aus. »Es geht hier um zwei Fragen«, sagte er, und Hassan merkte, daß Ashford alles als intellektuelles Problem behandeln würde – die typische Verteidigung des eingeschüchterten Theoretikers. »Die erste ist, ob ich helfen *kann* oder nicht, die zweite, ob ich es *sollte* oder nicht. Die zweite Frage ist, glaube ich, wichtiger, moralisch jedenfalls.«

Hassan hätte Ashford am liebsten am Kragen gepackt und kräftig durchgeschüttelt. Vielleicht konnte er es tun, zumindest im übertragenen Sinne. »Natürlich sollten Sie es. Sie glauben an unsere Sache.«

»So einfach ist es nicht. Ich werde aufgefordert, mich in den Streit von zwei Männern einzumischen, die beide meine Freunde sind.«

»Aber nur einer von ihnen ist im Recht.«

»Ich sollte also dem helfen, der im Recht ist, und den verraten, der im Unrecht ist?«

»Natürlich.«

»Es ist alles andere als ›natürlich‹ . . . Was werden Sie tun, wenn und falls Sie Dickstein finden?«

»Ich arbeite für den ägyptischen Geheimdienst, Professor. Aber meine Loyalität – und, wie ich denke, auch Ihre – gehört Palästina.«

Ashford weigerte sich, auf den Köder anzubeißen. »Fahren Sie fort«, sagte er unverbindlich.

»Ich muß ermitteln, wann und wo genau Dickstein das Uran stehlen will.« Hassan zögerte. »Die Feddajin werden Dickstein zuvorkommen und es selbst stehlen.«

Ashfords Augen glänzten. »Mein Gott, wie wunderbar.«

Ich habe es fast geschafft, dachte Hassan. Er hat Angst, aber er ist auch hingerissen. »Es ist leicht für Sie, hier in Oxford loyal zu Palästina zu stehen. Sie brauchen nur Vorlesungen zu halten und Versammlungen zu besuchen. Für diejenigen von uns, die dort draußen für unser Land kämpfen, ist die Lage etwas schwieriger. Ich bin hier, weil ich Sie bitten will, etwas Konkretes für Ihre politische Überzeugung zu tun, zu entscheiden, ob Ihre Ideale wirklich etwas bedeuten. Nun muß sich erweisen, ob die arabische Sache für Sie mehr ist als eine romantische Idee. Dies ist die Stunde der Wahrheit, Professor.«

»Vielleicht haben Sie recht.«
Und Hassan dachte: Jetzt habe ich dich.

*

Suza hatte beschlossen, ihren Vater wissen zu lassen, daß sie Nat Dickstein liebte.

Zuerst war sie sich selbst nicht sicher gewesen. Die wenigen Tage, die sie zusammen in London verbracht hatten, waren voll Ungestüm, Glück und Zärtlichkeit gewesen, aber danach hatte sie sich gesagt, daß es vorübergehende Gefühle sein könnten. Suza hatte entschieden, sich nicht festzulegen. Sie wollte so tun, als wäre nichts vorgefallen, und abwarten, wie sich die Dinge entwickelten.

In Singapur war etwas geschehen, was ihre Meinung geändert hatte. Zwei der Stewards waren homosexuell und brauchten nur eines der beiden Hotelzimmer, die man ihnen zugewiesen hatte. Deshalb konnte die Besatzung das andere Zimmer benutzen, um eine Party abzuhalten. Bei der Party hatte der Pilot Suza gegenüber einen Annäherungsversuch gemacht. Er war ein stiller, lächelnder blonder Mann von zierlicher Gestalt und mit einem herrlich verdrehten Humor. Alle Stewardessen hielten ihn für begehrenswert. Normalerweise wäre Suza ohne Zögern mit ihm ins Bett gegangen. Aber sie hatte nein gesagt und damit die gesamte Besatzung verblüfft. Als sie später darüber nachdachte, wurde ihr klar, daß sie nicht mehr wahllos mit Männern schlafen wollte. Es gefiel ihr einfach nicht mehr. Sie wollte keinen anderen als Nathaniel. Es war ungefähr so . . . wie vor fünf Jahren, als die zweite Langspielplatte der Beatles herausgekommen war und sie ihren Stapel Schallplatten von Elvis, Roy Orbison und den Everly Brothers durchgesehen hatte. Ihr war klargeworden, daß sie sie nicht mehr spielen wollte, die Platten hatten ihren Zauber für sie verloren, sie hatte die alten vertrauten Melodien zu oft gehört und sich Musik von höherem Niveau gewünscht. Nun, es war ungefähr so, aber viel wichtiger.

Dicksteins Brief hatte den Ausschlag gegeben. Er war Gott weiß wo geschrieben und am Pariser Flughafen Orly abgeschickt worden. In seiner kleinen, sauberen Handschrift mit den übermäßig gewundenen Schleifen am G hatte er ihr sein Herz ausgeschüttet, was um so überwältigender war, da es von einem sonst schweigsamen Mann stammte. Der Brief hatte sie zum Weinen gebracht.

Sie wünschte, daß es einen Weg gäbe, um ihrem Vater all das zu erklären.

Suza wußte, daß er gegen die Israelis eingestellt war. Dickstein war ein früherer Student, ihr Vater hatte sich wirklich gefreut, ihn zu sehen, und war bereit gewesen, die Tatsache außer acht zu lassen, daß der frühere Student jetzt auf der Seite des Feindes stand. Aber nun plante sie, Dickstein zu einem Mitglied der Familie zu machen. In seinem Brief stand: »›Für immer‹ ist das, was ich will.« Sie konnte kaum erwarten, ihm zu sagen: »O ja, ich auch.«

Suza glaubte, daß beide Seiten im Nahen Osten unrecht hatten. Die Not der Flüchtlinge war ein Unrecht und bemitleidenswert, aber nach ihrer Meinung hätten sie besser daran getan, sich eine neue Heimat aufzubauen – es war nicht leicht, doch leichter als Krieg. Sie verachtete die theatralische Heldenpose, die für viele arabische Männer so unwiderstehlich war. Andererseits lag auf der Hand, daß die ganze verdammte Geschichte ursprünglich die Schuld der Zionisten war, die sich ein Land angeeignet hatten, das einem anderen Volk gehörte. Eine so zynische Haltung war ihrem Vater unverständlich, der Recht auf der einen und Unrecht auf der anderen Seite sah, und der schöne Geist seiner Frau stand auf der Seite des Rechtes.

Es würde schwer für ihn werden. Sie hatte ihm schon vor langer Zeit seinen Traum ausgeredet, daß er mit seiner Tochter im weißen Hochzeitskleid neben sich zum Altar schreiten würde; aber er redete gelegentlich noch davon, daß sie heimisch werden und ihm eine Enkelin schenken könnte. Die Vorstellung, daß dieses Enkelkind ein Israeli sein könnte, wäre ein schrecklicher Schlag für ihn.

Aber das ist der Preis, den Eltern zahlen müssen, dachte Suza, als sie das Haus betrat. Sie rief: »Daddy, ich bin zurück«, während sie ihren Mantel auszog und die Reisetasche ihrer Fluggesellschaft auf den Boden stellte. Sie hörte keine Antwort, doch seine Aktentasche stand im Flur. Er mußte im Garten sein. Suza setzte den Wasserkessel auf, trat aus der Küche und ging zum Fluß hinab. Sie zerbrach sich immer noch den Kopf, um die richtigen Worte für ihre Nachricht zu finden. Vielleicht sollte sie zunächst über ihre Reise sprechen und dann allmählich zur Sache kommen –

Sie hörte Stimmen, als sie sich der Hecke näherte.

»Und was werden Sie mit ihm anfangen?« Es war die Stimme ihres Vaters.

Suza blieb stehen und überlegte, ob sie stören durfte.

»Ich werde ihm nur folgen«, antwortete eine andere, fremde Stimme. »Dickstein darf natürlich nicht getötet werden, bevor alles vorbei ist.«

Sie schlug die Hand vor den Mund, um ein Keuchen des Entsetzens zu unterdrücken. Dann drehte sie sich erschrocken um und lief mit leisen Schritten zurück zum Haus.

*

»Gut«, sagte Professor Ashford, »wir wollen uns an das halten, was wir die Rostow-Methode nennen könnten. Lassen Sie uns alles ins Auge fassen, was wir über Nat Dickstein wissen.«

Tu, was du willst, dachte Hassan, aber laß dir um Gottes willen *irgend etwas* einfallen.

Ashford fuhr fort: »Er wurde im Londoner East End geboren. Sein Vater starb, als er noch ein Junge war. Was ist mit seiner Mutter?«

»Laut unseren Akten ist sie auch tot.«

»Aha. Hm, er trat nach der Hälfte des Krieges – 1943, glaube ich – in die Armee ein. Jedenfalls kam er rechtzeitig, um an dem Angriff auf Sizilien teilzunehmen. Kurz danach wurde er gefangengenommen, etwa auf der Hälfte des italienischen Stiefels – ich erinnere mich nicht an den Ort. Es ging ein Gerücht um – Sie wissen es bestimmt noch –, daß er in den Konzentrationslagern als Jude besonders viel zu leiden hatte. Nach dem Krieg kam er hierher. Er . . .«

»Sizilien«, unterbrach Hassan.

»Ja?«

»Sizilien wird in seiner Akte erwähnt. Er soll eine Schiffsladung Waffen gestohlen haben. Unsere Leute hatten sie von einer Verbrecherbande in Sizilien gekauft.«

»Wenn wir unseren Zeitungen glauben können, gibt es nur eine einzige Verbrecherbande in Sizilien.«

»Unsere Leute vermuteten, daß die Diebe die Sizilianer bestochen hatten, um einen Tip zu bekommen.«

»War es nicht Sizilien, wo er diesem Mann das Leben rettete?«

Hassan fragte sich, wovon Ashford da redete. Er beherrschte seine Ungeduld. Sollte der Alte doch abschweifen – vielleicht kam dabei etwas heraus. »Er hat jemandem das Leben gerettet?«

»Dem Amerikaner. Erinnern Sie sich nicht? Ich habe es nie vergessen.

Dickstein brachte den Mann hierher, einen ziemlich primitiven GI. Er erzählte mir die ganze Geschichte, hier in diesem Haus. Jetzt machen wir Fortschritte. Sie müssen dem Mann begegnet sein. Wissen Sie nicht mehr, daß Sie an dem Tag auch hier waren?«

»Leider nicht«, murmelte Hassan. Er war verlegen . . . Wahrscheinlich war er in der Küche gewesen und hatte Eila abgetätschelt.

»Es war . . . beunruhigend«, sagte Ashford. Er starrte auf das langsam dahinfließende Wasser, während er sich um zwanzig Jahre zurückversetzte. Ein Schatten der Trauer überflog sein Gesicht, als erinnere er sich an seine Frau. »Lehrer und Studenten waren hier zusammengekommen, diskutierten wahrscheinlich atonale Musik oder Existenzialismus und nippten an unserem Sherry, als plötzlich ein großer Soldat auftauchte und über Scharfschützen, Panzer, Blut und Tod zu reden begann. Es ließ mich frösteln, deshalb erinnere ich mich so deutlich daran. Er erzählte, daß seine Familie aus Sizilien stamme und daß seine Cousins Dickstein nach seiner Lebensrettung gefeiert hätten. Haben Sie gesagt, daß eine sizilianische Bande Dickstein den Tip für die Schiffsladung Waffen gab?«

»Es ist jedenfalls möglich.«

»Vielleicht brauchte er sie gar nicht zu bestechen.«

Hassan schüttelte den Kopf. Dies war die Art trivialer Information, aus der Rostow immer etwas zu machen schien – aber was sollte er selbst damit anfangen? »Ich verstehe nicht, wie uns das alles weiterhelfen soll. Wie könnte Dicksteins damaliger Coup mit der Mafia zu tun haben?«

»Die Mafia«, wiederholte Ashford. »Das ist das Wort, nach dem ich suchte. Der Name des Mannes war Cortone – Tony Cortone – nein, Al Cortone, aus Buffalo. Ich habe Ihnen doch gesagt, daß ich mich an jede Einzelheit erinnere.«

»Aber wo ist der Zusammenhang?« fragte Hassan ungeduldig.

Ashford zuckte die Achseln. »Ganz einfach. Dickstein hat schon einmal seine Freundschaft zu Cortone ausgenutzt, um sich von der sizilianischen Mafia bei einem Piratenakt im Mittelmeer helfen zu lassen. Die Menschen durchleben ihre Jugenderfahrungen immer wieder neu. Er könnte noch einmal das gleiche versuchen.«

Hassan begann zu begreifen, und mit der Erleuchtung faßte er wieder Mut. Es war eine schwache Möglichkeit, eine Vermutung, aber sie ergab Sinn. Vielleicht hatte er eine echte Chance, Dickstein wieder ausfindig zu machen.«

Der Professor wirkte selbstzufrieden. »Es ist eine nette Spekulation – ich wünschte, ich könnte sie veröffentlichen, mit Fußnoten.«

»Sie könnten recht haben«, sagte Hassan sehnsüchtig.

»Es wird kühl. Lassen Sie uns ins Haus gehen.«

Während sie den Garten durchquerten, fiel Hassan flüchtig ein, daß er immer noch nicht wie Rostow war; die Inspiration war von Ashford gekommen. Vielleicht war seine frühere stolze Unabhängigkeit für immer verloren. Daran war etwas Unmännliches. Er überlegte, ob die anderen Feddajin ähnlich empfanden und deshalb so blutdürstig waren.

»Das Problem ist, daß Cortone Ihnen wohl kaum sagen wird, was er weiß«, meinte der Professor.

»Würde er es Ihnen sagen?«

»Wieso sollte er? Er wird sich nur schwach an mich erinnern. Ja, wenn Eila noch am Leben wäre, könnte sie ihn besuchen und ihm irgendeine Geschichte erzählen . . .«

»Hm . . .« Hassan hätte es vorgezogen, wenn Eila nicht erwähnt worden wäre. »Dann muß ich es eben selbst versuchen.«

Sie erreichten das Haus, traten in die Küche und sahen Suza. Die beiden tauschten einen Blick aus und wußten, daß sie die Antwort gefunden hatten.

*

Bevor die beiden Männer ins Haus zurückkamen, war es Suza beinahe gelungen, sich einzureden, daß sie sich getäuscht hatte. Sie konnte nicht gehört haben, daß Nat Dicksteins Ermordung geplant wurde. Es war einfach unwirklich: der Garten, der Fluß, die Herbstsonne, ein Professor und sein Gast . . . Mord paßte nicht hierher, die ganze Vorstellung war so absurd wie ein Eisbär in der Sahara. Außerdem gab es eine sehr gute psychologische Erklärung für ihren Fehler: Sie hatte beabsichtigt, ihrem Vater zu gestehen, daß sie Dickstein liebte, und sie hatte sich vor seiner Reaktion gefürchtet – Freud hätte wahrscheinlich voraussagen können, daß sie sich nun einbilden würde, ihr Vater wolle ihren Geliebten umbringen.

Weil sie von dieser Argumentation fast überzeugt war, brachte sie es fertig, den beiden zuzulächeln und zu fragen: »Wer möchte Kaffee? Ich habe gerade ein paar Tassen gemacht.«

Ihr Vater küßte sie auf die Wange. »Ich wußte nicht, daß du zurück bist, mein Kind.«

»Bin gerade eingetroffen. Ich wollte schon in den Garten gehen, um dich zu suchen.« Weshalb lüge ich?

»Du kennst Yasif Hassan nicht – er war einer meiner Studenten, als du noch klein warst.«

Hassan küßte ihr die Hand und starrte sie so an wie alle, die Eila gekannt hatten. »Sie sind genauso schön wie Ihre Mutter.« Seine verblüffte Stimme verriet, daß er weder einen Flirt noch eine Schmeichelei beabsichtigte.

Ihr Vater sagte: »Yasif war vor ein paar Monaten hier, kurz nachdem einer seiner Kommilitonen uns besucht hatte – Nat Dickstein. Du hast Dickstein, glaube ich, getroffen, aber du warst schon wieder fort, als Yasif kam.«

»Hat das eine . . . etwas mit dem . . . anderen zu tun?« fragte Suza. Sie hätte die Unsicherheit ihrer Stimme verfluchen mögen.

Die beiden Männer sahen sich an, und ihr Vater antwortete: »Allerdings.«

Nun war ihr klar, daß es stimmte, daß sie sich nicht verhört hatte. Die beiden wollten tatsächlich den einzigen Mann umbringen, den sie je geliebt hatte. Sie war den Tränen gefährlich nahe und wandte sich ab, um mit Tassen und Untertassen zu hantieren.

»Ich möchte dich um etwas bitten, mein Kind – etwas sehr Wichtiges, um deiner Mutter willen. Setz dich.«

Nein, dachte Suza, es kann nicht noch schlimmer werden, bitte, nein.

Sie holte tief Atem, drehte sich um und nahm ihm gegenüber Platz.

»Ich möchte, daß du Yasif hilfst, Nat Dickstein zu finden.«

Von diesem Moment an haßte sie ihren Vater. Plötzlich wußte sie, daß seine Liebe zu ihr nicht ehrlich war, daß er sie nie als Person gesehen hatte; er hatte sie ausgenutzt wie früher ihre Mutter. Nie wieder würde sie sich um ihn kümmern, ihm dienen; nie wieder würde sie sich Sorgen darüber machen, wie er sich fühlte, was er brauchte, ob er einsam war . . . Sie erkannte im selben Aufblitzen von Einsicht und Haß, daß ihre Mutter irgendwann auch an diesem Punkt angelangt sein mußte. Nun würde sie das gleiche tun wie Eila und ihn verachten.

Ashford fuhr fort: »In Amerika gibt es einen Mann, der wissen könnte, wo Dickstein ist. Ich möchte, daß du ihn mit Yasif zusammen besuchst.«

Sie schwieg. Hassan hielt ihre Sprachlosigkeit für Unverständnis und begann zu erklären. »Sehen Sie, dieser Dickstein ist ein israelischer Agent, der gegen unser Volk arbeitet. Wir müssen ihn aufhalten. Cortone – der Mann in Buffalo – unterstützt ihn vielleicht. Allerdings wird er sich weigern, uns zu helfen. Aber er wird sich an Ihre Mutter erinnern und Ihnen deshalb vielleicht entgegenkommen. Sie könnten ihm erzählen, daß Sie und Dickstein ineinander verliebt sind.«

»Haha!« Suzas Lachen klang etwas hysterisch, und sie hoffte, daß die beiden es den falschen Ursachen zuschreiben würden. Sie beherrschte sich, und es gelang ihr, ganz gefühllos zu werden, ihren Körper still und ihre Miene ausdruckslos bleiben zu lassen, während sie ihr von dem Yellow-Cake, dem Mann an Bord der *Coparelli*, dem Leitstrahlsender auf der *Stromberg*, von Mahmud und *seinem* Kaperungsplan und davon erzählten, was all das für die Palästinensische Befreiungsbewegung bedeuten würde. Am Ende *war* sie gefühllos und brauchte es nicht mehr vorzutäuschen.

Schließlich fragte ihr Vater: »Also, mein Kind, hilfst du uns? Wirst du es tun?«

Mit einer Selbstbeherrschung, die sie erstaunte, bedachte sie die beiden mit einem unbekümmerten Stewardessenlächeln, stand von ihrem Hocker auf und sagte: »Das ist eine ganze Menge, um es auf einmal zu verdauen, nicht wahr? Ich werde darüber nachdenken, während ich ein Bad nehme.«

Und sie ging hinaus.

*

Allmählich wurde ihr alles klar, als sie – mit einer verschlossenen Tür zwischen sich und ihnen – in dem heißen Wasser lag.

Das war es also, was Nathaniel tun mußte, bevor er sie wiedersehen konnte: ein Schiff stehlen. Und dann würde er sie zehn oder fünfzehn Jahre lang nicht aus den Augen lassen, wie er geschrieben hatte . . . Vielleicht bedeutete es, daß er seine Arbeit aufgeben wollte.

Aber natürlich würde keiner seiner Pläne Erfolg haben, da seine Feinde über alles Bescheid wußten. Dieser Russe hatte vor, Nats Schiff zu rammen, und Hassan wollte die *Coparelli* noch vorher kapern und Nat überrumpeln. In beiden Fällen war Dickstein in Gefahr, in beiden Fällen wollten sie ihn vernichten. Doch Suza konnte ihn warnen.

Wenn sie nur wüßte, wo er war.

Wie schlecht ihr Vater und Hassan sie kannten! Hassan nahm als arabischer männlicher Chauvinist einfach an, daß sie gehorchen würde. Ihr Vater setzte voraus, daß sie auf der Seite der Palästinenser sein würde, weil er es war und weil er die Intelligenz der Familie verkörperte. Er hatte nie gewußt, was im Geist seiner Tochter vorging – genausowenig wie in dem seiner Frau. Eila hatte ihn immer mühelos betrügen können; er hatte nie geahnt, daß sie nicht so war, wie sie schien.

Suza begriff, was sie tun mußte, und wieder wurde sie von Entsetzen gepackt.

Schließlich gab es doch eine Möglichkeit, Nathaniel zu finden und ihn zu warnen.

Die beiden wollten, daß sie Nat fand.

Suza wußte, daß sie ihren Vater und Hassan täuschen konnte, denn sie wähnten sie schon jetzt auf ihrer Seite.

Warum sollte sie nicht tun, was sie wollten? Sie könnte Nat finden – und ihn dann warnen.

Würde sie dadurch nicht alles noch schlimmer machen? Um ihn selbst zu finden, mußte sie auch Hassan zu ihm führen.

Aber sogar wenn Hassan ihn nicht entdeckte, drohte Nat Gefahr von den Russen.

Wenn er rechtzeitig gewarnt würde, könnte er beiden Gefahren entkommen.

Vielleicht würde es auch möglich sein, Hassan irgendwie abzuschütteln, bevor sie Nat erreichte.

Was war die Alternative? Zu warten, weiterzumachen, als wenn nichts geschehen wäre, und vielleicht für immer vergeblich auf einen Anruf zu hoffen ... Es war teilweise ihr Bedürfnis, Dickstein wiederzusehen, das sie so denken ließ, teilweise die Befürchtung, daß er nach der Kaperung tot sein könnte, so daß dies ihre letzte Chance sein mochte. Aber sie hatte auch gute Gründe: Wenn sie nichts tat, würde sie vielleicht Hassans Absicht durchkreuzen, aber dann blieben immer noch die Russen und deren Plan.

Ihre Entscheidung war gefallen. Sie würde so tun, als arbeitete sie mit Hassan zusammen, um Nathaniel zu finden.

Suza war seltsam glücklich. Sie saß in der Falle, doch sie fühlte sich frei; sie gehorchte ihrem Vater, aber sie hatte endlich den Eindruck, ihm Widerstand zu leisten. Was auch geschehen mochte, sie gehörte zu Nathaniel.

Aber sie hatte Angst.

Sie stieg aus der Wanne, trocknete sich ab, zog sich an und ging nach unten, um ihnen die gute Nachricht mitzuteilen.

*

Am 16. November 1968 drehte die *Coparelli* um 4 Uhr morgens vor Vlissingen an der niederländischen Küste bei und nahm einen Hafenlotsen an Bord, der sie durch den Kanal der Westerschelde nach Antwerpen führen sollte. Vier Stunden später, am Eingang des Hafens, wurde er von einem weiteren Lotsen abgelöst, der sie durch die Docks brachte. Vom Haupthafen aus glitt sie durch die Royers-Schleuse, am Suez Canel entlang, unter der Sibirienbrücke hindurch und ins Kattendijk-Dock, wo sie an ihrem Liegeplatz festmachte.

Nat Dickstein beobachtete sie.

Als er sie langsam heranrauschen sah, den Namen *Coparelli* an ihrer Seite las und an die Fässer Yellow Cake dachte, die bald ihr Inneres füllen würden, überkam ihn ein ganz merkwürdiges Gefühl. Es glich dem, das er empfand, wenn er Suzas nackten Körper betrachtete . . . Ja, es war ein Gefühl der Lust.

Er schaute vom Liegeplatz Nummer 42 zu der Eisenbahnstrecke hinüber, die fast bis an den Rand des Kais führte. Ein Zug – elf Waggons und eine Lokomotive – stand jetzt auf den Gleisen. Zehn Waggons hatten je einundfünfzig versiegelte 200-Liter-Fässer mit dem auf die Seiten geprägten Wort PLUMBAT geladen, der elfte Waggon enthielt nur fünfzig Fässer. Dickstein war diesem Uran nun so nahe. Er konnte hinüberschlendern und die Eisenbahnwaggons berühren – noch früher am Morgen hatte er es schon einmal getan und gedacht: Wäre es nicht herrlich, den Hafen einfach mit Hubschraubern und einer israelischen Kommandoeinheit zu überfallen und das Zeug zu rauben.

Die *Coparelli* sollte rasch wieder in See stechen. Die Hafenbehörden waren überzeugt worden, daß der Umgang mit dem Yellow Cake sicher war, aber trotzdem wollten sie nicht, daß es eine Minute länger als nötig in ihrem Hafen blieb. Ein Kran stand bereit, um die Fässer auf das Schiff zu verladen.

Trotzdem mußten einige Formalitäten erfüllt werden, bevor die Beladung beginnen konnte.

Der erste, den Dickstein an Bord des Schiffes gehen sah, war ein Vertreter der Reederei. Er mußte die Lotsen entlohnen und sich vom Kapitän eine Mannschaftsliste für die Hafenpolizei geben lassen.

Als zweiter ging Joseph Cohen an Bord. Er mußte die Beziehung zu seinen Kunden pflegen. Cohen würde dem Kapitän eine Flasche Whisky überreichen und ein Gläschen mit ihm und dem Vertreter der Reederei trinken. Außerdem hatte er ein Bündel Karten bei sich, die im besten Nachtklub der Stadt freien Eintritt und ein kostenloses Getränk gewährten; diese Karten würde der Kapitän an die Offiziere verteilen. Cohen würde auch den Namen des Schiffsingenieurs ermitteln. Dickstein hatte einen Weg vorgeschlagen: Cohen sollte um die Mannschaftsliste bitten und dann eine Freikarte für jeden Offizier abzählen.

Wie er es auch gemacht hatte, er war erfolgreich gewesen. Als Cohen das Schiff verließ und den Kai überquerte, um in sein Büro zurückzukehren, kam er an Dickstein vorbei und flüsterte: »Der Ingenieur heißt Sarne«, ohne seine Schritte zu verlangsamen.

Erst am Nachmittag wurde der Kran eingesetzt, und die Hafenarbeiter begannen, die Fässer in die drei Laderäume der *Coparelli* zu schaffen. Jede Trommel mußte einzeln verladen und im Inneren des Schiffes mit Holzkeilen gesichert werden. Wie erwartet, wurde man an diesem Tag noch nicht fertig.

Am Abend besuchte Dickstein den bewußten Nachtklub. An der Bar, in der Nähe des Telefons, saß eine erstaunliche Frau von etwa dreißig Jahren, mit schwarzem Haar und einem langen, aristokratischen Gesicht, das einen etwas hochmütigen Ausdruck hatte. Sie trug ein elegantes schwarzes Kleid, das ihre aufregenden Beine und ihre hohen, runden Brüste betonte. Dickstein nickte ihr fast unmerklich zu, sprach aber kein Wort mit ihr.

Er saß in einer Ecke, hatte die Hände um ein Glas Bier gelegt und hoffte, daß die Seeleute bald kommen würden. Sie mußten einfach kommen. Lehnten Seeleute je ein kostenloses Getränk ab?

Nein.

Der Klub begann sich zu füllen. Zwei Männer machten der Frau im schwarzen Kleid einen unsittlichen Antrag, doch sie wies beide zurück und zeigte dadurch, daß sie keine Prostituierte war. Um 21 Uhr ging Dickstein hinaus in den Vorraum und rief vom dort befindlichen Einwurfautomaten Cohen an. Wie verabredet, hatte Cohen unter einem Vorwand mit dem Kapitän der *Coparelli* telefoniert. Er hatte erfahren, daß alle außer zwei Offizieren von ihren Freikarten Gebrauch machten. Die Ausnahmen waren der Kapitän selbst, der Schreibarbeiten zu erledigen hatte, und der Funker – ein neuer Mann, in Cardiff angeheuert, nachdem Lars sich das Bein gebrochen hatte –, der an einer Erkältung litt.

Dann wählte Dickstein die Nummer des Klubs, in dem er sich aufhielt. Er bat, mit Mr. Sarne sprechen zu dürfen, der, wie er gehört habe, in der Bar sei. Während er wartete, hörte er, wie ein Barkellner Sarnes Namen ausrief; die Stimme war auf zweifache Art zu vernehmen: direkt von der Bar her und durch mehrere Meilen Telefonkabel. Schließlich meldete sich jemand am Telefon. »Ja? Hallo? Hier spricht Sarne. Wer ist dort? Hallo?«

Dickstein hängte auf und kehrte rasch in die Bar zurück. Er blickte zum Bartelefon hinüber. Die Frau in dem schwarzen Kleid sprach mit einem großen, sonnengebräunten blonden Mann in den Dreißigern, den Dickstein früher am Tag am Kai gesehen hatte. Das war also Sarne.

Die Frau lächelte Sarne zu. Es war ein freundliches Lächeln, das jeden Mann zu einem zweiten Blick verlocken mußte; es war warm, zeigte ebenmäßige weiße Zähne hinter roten Lippen und wurde von einem trägen Augenaufschlag begleitet, der sehr verführerisch war und nicht so wirkte, als sei er tausendmal vor einem Spiegel geprobt worden.

Dickstein schaute fasziniert zu. Er hatte kaum eine Vorstellung davon, wie sich so etwas abspielte, wie Männer mit Frauen anbändelten und umgekehrt, und er verstand erst recht nicht, wie eine Frau sich einen Mann angeln konnte, während der Mann gleichzeitig glaubte, der aktive Teil zu sein.

Sarne hatte offenbar seinen eigenen Charme. Er grinste so schelmisch und jungenhaft, daß er zehn Jahre jünger aussah. Er sagte etwas zu ihr, und sie lächelte wieder. Sarne zögerte wie ein Mann, der weiterplaudern möchte, dem aber nichts mehr einfällt. Dann wandte er sich zu Dicksteins Entsetzen ab.

Doch die Frau war der Situation gewachsen. Dickstein hätte sich keine Sorgen zu machen brauchen. Sie berührte den Ärmel von Sarnes Blazer, und er drehte sich wieder zu ihr um. Eine Zigarette war plötzlich in ihrer Hand aufgetaucht. Sarne tastete seine Taschen nach Streichhölzern ab. Anscheinend rauchte er nicht. Dickstein hätte am liebsten aufgestöhnt. Die Frau zog ein Feuerzeug aus der Abendtasche, die vor ihr auf der Bar lag, und reichte es ihm. Er zündete ihre Zigarette an.

Es war Dickstein unmöglich, jetzt fortzugehen. Er drängte sich zur Bar durch und stellte sich hinter Sarne, der die Frau ansah. Dickstein bestellte ein weiteres Bier.

Die Stimme der Frau war warm und einladend, jetzt zog sie alle Register ihres Könnens.

»Diese Dinge passieren mir ständig«, sagte Sarne.

»Der Anruf?« fragte die Frau.

Sarne nickte. »Probleme mit Frauen. Ich hasse sie. Mein ganzes Leben lang haben Frauen mir Schmerz und Leid zugefügt. Ich wünschte, ich wäre homosexuell.«

Dickstein war verblüfft. Was redete er da? Meinte er es ernst? Versuchte er, ihr einen Korb zu geben?

Sie sagte: »Weshalb werden Sie es nicht?«

»Ich mache mir nichts aus Männern.«

»Werden Sie Mönch.«

»Sehen Sie, ich habe noch ein Problem: diesen unersättlichen sexuellen Appetit. Ich brauche es dauernd, oft mehrere Male in einer Nacht. Das ist wirklich ein großes Problem. Möchten Sie noch etwas trinken?«

Aha, es war also nur eine Masche. Wie war er darauf gekommen? Dickstein nahm an, daß Seeleute ständig solche Tricks benutzten. Jeder von ihnen mußte ein Fachmann auf diesem Gebiet sein.

So ging es weiter. Dickstein mußte die Art bewundern, mit der die Frau Sarne an der Nase herumführte, während sie ihn glauben ließ, daß er die Initiative hatte. Sie erzählte ihm, daß sie nur über Nacht in Antwerpen sei und ein Zimmer in einem guten Hotel gemietet habe. Kurz darauf schlug er vor, Champagner zu trinken, doch der Champagner des Klubs sei erbärmlicher Fusel, nicht zu vergleichen mit dem, den sie vielleicht in einem Hotel bekommen würden – in ihrem Hotel zum Beispiel.

Sie verließen den Klub, als die Vorstellung begann. Dickstein war zufrieden: So weit, so gut. Er sah zehn Minuten lang einer Reihe von Mädchen zu, die die Beine in die Luft warfen, und ging hinaus.

Er nahm ein Taxi zu dem Hotel und stieg die Treppe zu seinem Zimmer hinauf. Dann stellte er sich dicht an die Verbindungstür, die zum nächsten Zimmer führte. Er hörte, wie die Frau kicherte und Sarne mit leiser Stimme etwas sagte.

Dickstein setzte sich auf das Bett und überprüfte den Gaszylinder. Er drehte den Hahn rasch auf und zu, und es stieg ein scharfer, süßer Duft zu ihm auf. Keine Wirkung war zu verspüren. Er fragte sich, wieviel man einatmen mußte, bevor das Gas wirksam war. Ihm hatte die Zeit gefehlt, das Zeug gründlich auszuprobieren.

Die Geräusche aus dem Nachbarzimmer wurden lauter, und Dickstein wurde verlegen. Wie pflichtbewußt mochte Sarne sein? Würde er sofort zum Schiff zurückkehren wollen, wenn er mit der Frau fertig war? Das wäre unangenehm. Es würde einen Kampf auf dem Hotelflur bedeuten – unprofessionell und auch riskant.

Dickstein wartete gespannt, verlegen, unruhig. Die Frau verstand ihr Geschäft. Sie wußte, daß Sarne danach schlafen sollte, und sie versuchte, ihn zu ermüden. Es schien kein Ende zu nehmen.

Erst um 2 Uhr klopfte sie an die Verbindungstür. Sie hatten abgesprochen, daß sie dreimal langsam klopfen sollte, wenn er schlief, oder sechsmal schnell, wenn er fortging.

Sie klopfte dreimal langsam.

Dickstein öffnete die Tür. Mit dem Gaszylinder in der einen und einer Gesichtsmaske in der anderen Hand betrat er leise das Nachbarzimmer.

Sarne lag flach auf dem Rücken, nackt, das blonde Haar zerwühlt, mit weit geöffnetem Mund und geschlossenen Augen. Sein Körper sah durchtrainiert und kräftig aus. Dickstein trat dicht an ihn heran und lauschte seinen Atemzügen. Sarne atmete ein, dann tief aus – und gerade als er wieder einzuatmen begann, drehte Dickstein den Hahn auf und preßte die Maske auf Nase und Mund des schlafenden Mannes.

Sarne riß die Augen auf. Dickstein drückte die Maske noch fester auf sein Gesicht. Ein halber Atemzug, Verständnislosigkeit in Sarnes Augen. Das Atmen wurde zu einem Keuchen, er bewegte den Kopf, konnte Dicksteins Griff nicht lösen und fing an, um sich zu schlagen. Dickstein lehnte sich mit dem Ellbogen auf die Brust des Seemannes und dachte: Um Gottes willen, es dauert zu lange!

Der Schiffsingenieur atmete aus. Die Verwirrung in seinen Augen hatte sich in Furcht und Panik verwandelt. Er keuchte noch einmal, bevor er seinen Widerstand verstärkte. Dickstein überlegte, ob er die Frau zu Hilfe rufen sollte. Aber Sarnes zweiter Atemzug verfehlte seinen Zweck. Er zappelte merklich schwächer, seine Augenlider flatterten und schlossen sich, und bevor er wieder ausgeatmet hatte, war er eingeschlafen.

Es hatte ungefähr sechs Sekunden gedauert. Dicksteins Spannung ließ nach. Wahrscheinlich würde Sarne sich an nichts erinnern. Er ließ ihn noch ein wenig Gas einatmen, um sicherzugehen, dann stand er auf.

Er sah die Frau an. Sie trug Schuhe, Strümpfe und Strumpfhalter, sonst nichts. Sie fing seinen Blick auf, öffnete die Arme und bot sich ihm an: Zu Ihren Diensten. Dickstein schüttelte den Kopf mit einem bedauernden Lächeln, das nur zum Teil unaufrichtig war.

Dann setzte er sich auf den Stuhl neben dem Bett und schaute zu, während sie sich anzog: einen hauchdünnen Slip, einen weichen Büstenhalter, Schmuck, Kleid, Mantel, Tasche. Die Frau kam auf ihn zu, und er gab ihr 8000 Gulden. Sie küßte seine Wange und danach die Banknoten. Ohne ein einziges Wort ging sie hinaus.

Dickstein trat ans Fenster. Ein paar Minuten später erkannte er die Scheinwerfer ihres Sportwagens, der an der Hotelfront vorüberfuhr und wieder zurück nach Amsterdam steuerte.

Er setzte sich, um wieder zu warten. Nach einer Weile wurde er schläfrig. Er ging in den anderen Raum und bestellte Kaffee bei der Zimmerbedienung.

Am Morgen rief Cohen an und teilte mit, daß der Erste Offizier der *Coparelli* die Bars, Bordelle und Pennen von Antwerpen nach seinem Ingenieur durchsuche.

Um 12.30 Uhr meldete Cohen sich wieder. Der Kapitän hatte ihn angerufen, um ihm zu sagen, daß die Fracht verladen sei und er seinen Schiffsingenieur verloren habe. »Kapitän, heute ist Ihr Glückstag«, hatte der Geschäftsmann geantwortet.

Um 14.30 Uhr berichtete Cohen, daß er sich persönlich überzeugt habe, daß Dieter Koch mit seinem Seesack über der Schulter an Bord der *Coparelli* gegangen sei.

Dickstein verabreichte Sarne jedesmal, wenn er aufzuwachen drohte, etwas Gas. Die letzte Dosis gab er ihm am folgenden Morgen um 6 Uhr, dann beglich er die Rechnung für die beiden Zimmer und verschwand.

*

Als Sarne endlich aufwachte, merkte er, daß die Frau, mit der er geschlafen hatte, fortgegangen war, ohne sich zu verabschieden. Er spürte auch, daß er völlig ausgehungert war.

Im Laufe des Morgens entdeckte er, daß er nicht eine Nacht geschlafen hatte, sondern zwei und den Tag dazwischen.

Ihn plagte der hartnäckige Gedanke, irgend etwas Erstaunliches vergessen zu haben, aber er fand nie heraus, was in jenen verlorenen 24 Stunden mit ihm geschehen war.

*

Inzwischen, am Sonntag, dem 17. November 1968, war die *Coparelli* in See gestochen.

14

Suza hätte irgendeine israelische Botschaft anrufen und eine Nachricht für Nat Dickstein hinterlassen können.

Dieser Einfall kam ihr eine Stunde nachdem sie ihrem Vater gesagt hatte, daß sie Hassan helfen wolle. Sie packte gerade einen Koffer und hob sofort den Hörer des Telefons in ihrem Schlafzimmer, um die Nummer bei der Auskunft zu erfahren. Doch ihr Vater kam herein und fragte, wen sie anriefe. Sie nannte den Flugplatz, und er sagte, daß er selbst sich darum kümmern werde.

Danach hatte sie ständig nach einer Gelegenheit Ausschau gehalten, ein heimliches Telefonat zu führen, aber vergeblich. Hassan war jede Minute bei ihr. Sie fuhren zum Flugplatz, stiegen in die Maschine, nahmen am Kennedy Airport ein Flugzeug nach Buffalo und machten sich sofort zu Cortones Haus auf.

Während der Reise begann sie Yasif Hassan zu verabscheuen. Er prahlte endlos, doch vage über seine Arbeit für die Feddajin, er lächelte ölig und legte ihr die Hand aufs Knie, er deutete an, daß Eila und er mehr als Freunde gewesen wären und daß er auch für Suza mehr als ein Freund sein wolle. Sie erwiderte, daß Palästina erst dann frei sein werde, wenn auch seine Frauen frei seien, und daß Araber lernen müßten, zwischen männlichem und schweinischem Verhalten zu unterscheiden. Diese Bemerkung brachte ihn zum Schweigen.

Sie hatten einige Mühe, Cortones Adresse zu ermitteln – Suza hoffte beinahe, daß sie erfolglos bleiben würden –, aber am Ende fanden sie einen Taxifahrer, der das Haus kannte. Suza wurde abgesetzt; Hassan würde eine halbe Meile weiterfahren und auf sie warten.

Das Haus war groß, von einer hohen Mauer umgeben und am Tor von Posten bewacht. Suza sagte, daß sie Cortone sprechen wolle und eine Freundin Nat Dicksteins sei.

Sie hatte lange darüber nachgedacht, was sie Vortone erzählen sollte:

die ganze oder nur einen Teil der Wahrheit? Angenommen, er wußte oder konnte herausfinden, wo Dickstein war – weshalb sollte er es ihr verraten? Sie würde ihn beschwören, daß Dickstein in Gefahr sei und sie ihn unbedingt warnen müsse. Welchen Grund hatte Cortone, ihr zu glauben? Sie würde ihn bezaubern – das war bei Männern seines Alters kein Problem –, aber er würde immer noch mißtrauisch sein.

Suza hätte Cortone am liebsten völlig ins Bild gesetzt: daß sie Nat suche, um ihn zu warnen, aber daß sie auch von seinen Feinden als Köder benutzt werde, daß Hassan sie eine halbe Meile weiter in einem Taxi erwarte. Aber dann würde er ihr mit Sicherheit nichts sagen.

Es fiel ihr schwer, einen klaren Gedanken zu fassen. Sie hatte es mit zu vielen Täuschungen und doppelten Täuschungen zu tun. Und daneben war der Wunsch, Nathaniels Gesicht zu sehen und selbst mit ihm zu sprechen, übermächtig.

Sie hatte immer noch keine Entscheidung getroffen, als der Posten ihr das Tor öffnete und sie über die Kiesanfahrt zum Haus führte. Dieses war schön, aber drinnen recht überladen, als ob der Innenarchitekt es großzügig eingerichtet und die Besitzer dann eine Menge teuren Trödels ihrer eigenen Wahl hinzugefügt hätten. Es schien sehr viele Diener zu geben. Einer von ihnen brachte Suza nach oben, da Mr. Cortone in seinem Schlafzimmer ein spätes Frühstück einnahm.

Als sie eintrat, saß Cortone an einem kleinen Tisch und schaufelte Eier und Pommes frites in sich hinein. Er war ein dicker, völlig kahlköpfiger Mann. Suza konnte sich an seinen Besuch in Oxford nicht mehr erinnern, aber er mußte damals ganz anders ausgesehen haben.

Er warf ihr einen Blick zu, sprang mit entsetzter Miene auf und rief: »Mein Gott, sie ist nicht gealtert!« Dann bekam er das Frühstück in die falsche Kehle und fing an zu keuchen und zu prusten.

Der Diener packte Suza von hinten und hielt ihre Arme mit schmerzhaftem Griff fest. Doch er ließ sie sofort wieder los, um seinem Chef auf den Rücken zu klopfen.

»Wie haben Sie das gemacht?« brüllte Cortone. »Wie, zum Teufel, haben Sie das gemacht?«

Diese Farce half ihr merkwürdigerweise, sich ein wenig zu beruhigen. Sie konnte keine Angst vor einem Mann haben, der so viel Angst vor ihr selbst gehabt hatte. Suza ließ sich von ihrem Selbstbewußtsein treiben, setzte sich an seinen Tisch und goß sich Kaffee ein. Nachdem Cortone aufgehört hatte zu husten, sagte sie: »Es war meine Mutter.«

»Du meine Güte.« Cortone hustete noch einmal, scheuchte den Diener mit einer Handbewegung hinaus und nahm wieder Platz. »Sie sind ihr so ähnlich, daß Sie mich beinahe zu Tode erschreckt hätten.« Er kniff die Augen zusammen, während er sich konzentrierte. »Sind Sie damals – äh, 1947 – vielleicht vier oder fünf Jahre alt gewesen?«

»Das stimmt.«

»Teufel, jetzt erinnere ich mich. Sie hatten eine Schleife im Haar und jetzt haben Sie sich mit Nat eingelassen.«

»Er ist also hier gewesen.« Ihr Herz machte vor Freude einen Sprung.

»Vielleicht.« Cortones Freundlichkeit war verschwunden. Sie merkte, daß es nicht leicht sein würde, ihn hinters Licht zu führen.

»Ich möchte wissen, wo er ist.«

»Und ich möchte wissen, wer Sie hierhergeschickt hat.«

»Niemand hat mich geschickt.« Suza sammelte sich und versuchte, ihre Spannung zu verbergen. »Ich habe vermutet, daß er sich bei diesem . . . Projekt, an dem er arbeitet, an Sie um Hilfe gewandt haben könnte. Die Araber haben nämlich davon erfahren und wollen ihn töten. Ich muß ihn warnen . . . Bitte, helfen Sie mir, wenn Sie wissen, wo er ist.«

Sie war plötzlich den Tränen nahe, aber Cortone blieb ungerührt. »Ihnen zu helfen ist kein Problem, aber es fällt mir schwer, Ihnen zu trauen.« Er wickelte in aller Ruhe eine Zigarre aus und zündete sie an. Suza beobachtete ihn mit krampfhafter Ungeduld. Er sah sie nicht mehr an und sprach beinahe zu sich selbst. »Wissen Sie, es gab eine Zeit, in der ich alles an mich raffte, was ich haben wollte. So einfach ist es nicht mehr. Nun ist alles viel komplizierter geworden. Ich muß dauernd zwischen Dingen wählen, von denen mir eigentlich keins gefällt. Es könnte an mir liegen oder daran, daß sich die Verhältnisse geändert haben.«

Er sah sie wieder an. »Ich verdanke Dickstein mein Leben. Nun habe ich eine Chance, ihm das Leben zu retten, wenn Sie die Wahrheit sagen. Es ist eine Ehrenschuld, die ich persönlich zurückzahlen muß. Was soll ich also tun?« Er machte eine Pause.

Suza hielt den Atem an.

»Dickstein ist in einem verkommenen Haus irgendwo am Mittelmeer. Es ist eine Ruine – seit Jahren hat niemand darin gewohnt –, deshalb gibt's dort kein Telefon. Ich könnte ihm eine Nachricht schikken, aber ich wäre nicht sicher, daß sie ihn erreicht. Und, wie gesagt, er soll es von mir persönlich hören.« Er zog an seiner Zigarre. »Ich könnte Ihnen sagen, wo Sie ihn suchen sollen, aber vielleicht würden Sie diese Information an die falschen Leute weiterleiten. Das Risiko kann ich nicht eingehen.«

»Was dann?« fragte Suza mit schriller Stimme. »Wir müssen ihm helfen!«

»Das weiß ich«, gab Cortone unbeeindruckt zurück. »Deshalb reise ich selbst zu ihm.«

»Oh!« Suza war überrascht; mit dieser Möglichkeit hatte sie überhaupt nicht gerechnet.

»Und was wird aus Ihnen?« fuhr er fort. »Ich werde Ihnen nicht sagen, wohin ich reise, aber Sie könnten mich verfolgen lassen. Von nun an will ich, daß Sie ganz dicht bei mir bleiben. Seien wir ehrlich, Sie könnten ein falsches Spiel treiben. Ich nehme Sie also mit mir.«

Suza starrte ihn an. Ihre Spannung löste sich schlagartig, und sie sackte in sich zusammen. »Oh, vielen Dank.« Dann endlich weinte sie.

*

Sie flogen erster Klasse – das tat Cortone immer. Nach dem Essen tat Suza so, als wolle sie zur Toilette gehen. Sie spähte durch den Vorhang in die zweite Klasse, gegen alle Vernunft hoffend, doch sie wurde enttäuscht: Hassans argwöhnisches braunes Gesicht war über die Reihen von Kopfstützen hinweg zu erkennen.

Suza betrat die Kombüse und sprach den Chefsteward mit vertraulicher Stimme an. Sie habe ein Problem: es sei unbedingt notwendig für sie, mit ihrem Freund Verbindung aufzunehmen, aber ihr italienischer Vater lasse sie nicht aus den Augen – er wolle am liebsten, daß sie bis zu ihrem einundzwanzigsten Geburtstag einen Keuschheitsgürtel trage. Ob der Steward das israelische Konsulat in Rom anrufen und eine Nachricht für Nathaniel Dickstein hinterlassen könne? Er solle nur sagen, daß Hassan ihr alles erzählt habe und mit ihr auf der Reise zu ihm sei. Sie gab ihm Geld für den Anruf – viel zuviel, es war eine Art Trinkgeld. Er schrieb sich die Botschaft auf und versprach, den Auftrag auszuführen.

Sie kehrte zu Cortone zurück. Schlechte Nachrichten. Einer der Araber sei hinten in der zweiten Klasse. Er folge ihnen offenbar.
Cortone fluchte, riet ihr aber, sich keine Sorgen zu machen. Man werde sich später um den Mann kümmern.
Suza dachte: O Gott, was habe ich getan?

*

Von dem großen Haus auf der Klippe stieg Dickstein über eine lange zickzackförmige Treppe, die in den Felsen gehauen war, zum Strand hinunter. Er plätscherte durch das seichte Wasser zu einem wartenden Motorboot, sprang hinein und nickte dem Mann am Steuer zu.
Der Motor brüllte auf, und das Boot setzte sich mit steil aufgerichtetem Bug aufs Meer hinaus in Bewegung. Die Sonne war gerade untergegangen. Im letzten schwachen Licht ballten sich Wolken zusammen und verdeckten die Sterne, sobald sie aufblinkten. Dickstein war in Gedanken versunken; er zermarterte sich das Hirn nach Versäumnissen, Vorsichtsmaßnahmen, die er noch treffen könnte, Lücken, die zu schließen waren.
Der hohe Schatten der *Stromberg* ragte vor ihnen auf, und der Bootsmann zog das kleine Gefährt in einem schäumenden Bogen herum, um längsseits anzuhalten, wo eine Strickleiter ins Wasser baumelte. Dickstein kletterte über die Leiter zum Deck empor.
Der Kapitän schüttelte ihm die Hand und stellte sich vor. Wie alle Offiziere an Bord der *Stromberg* war er von der israelischen Flotte ausgeliehen.
Sie spazierten über das Deck. Dickstein fragte: »Irgendwelche Probleme, Kapitän?«
»Es ist kein gutes Schiff«, sagte der Kapitän. »Es ist langsam, unbeweglich und alt. Aber wir haben es in gute Verfassung gebracht.«
Nach dem zu schließen, was Dickstein im Zwielicht sehen konnte, war die *Stromberg* in besserem Zustand als ihr Schwesterschiff, die *Coparelli*. Alles an Deck wirkte ordentlich und blitzblank.
Sie stiegen zur Brücke hinauf, musterten die mächtigen Geräte im Funkraum und gingen zur Messe hinab, wo die Besatzung gerade ihr Abendessen beendete. Im Gegensatz zu den Offizieren waren die Matrosen alle Mossad-Agenten; die meisten von ihnen hatten etwas seemännische Erfahrung. Dickstein hatte mit einigen von ihnen zusammengearbeitet. Alle waren wenigstens zehn Jahre jünger als er.

Es waren aufgeweckte, muskulöse Kerle, bekleidet mit einer seltsamen Kombination aus Jeans und zu Hause gestrickten Pullovern; sie waren zäh, humorvoll und gut ausgebildet.

Dickstein nahm eine Tasse Kaffee und setzte sich an einen der Tische. Er hatte einen weit höheren Rang als alle anderen, aber in den israelischen Streitkräften wurde davon nicht viel Aufhebens gemacht, vom Mossad gar nicht zu reden. Die vier Männer am Tisch nickten und begrüßten ihn. Ish, ein mürrischer Sabra mit dunkler Hautfarbe, sagte: »Das Wetter schlägt um.«

»Hör bloß auf. Dabei wollte ich auf dieser Kreuzfahrt braun werden.« Der Sprecher war ein schlaksiger aschblonder New Yorker namens Feinberg, ein Mann mit trügerisch hübschem Gesicht, den Frauen um seine Wimpern beneideten. Es war schon zu einem Standardwitz geworden, diesen Auftrag als »Kreuzfahrt« zu bezeichnen. Bei seiner Einsatzbesprechung früher am Tag hatte Dickstein erklärt, daß die *Coparelli* bei ihrer Kaperung beinahe verlassen sein würde. »Kurz nachdem sie die Straße von Gibraltar passiert hat, werden ihre Maschinen versagen. Der Schaden wird so groß sein, daß er auf See nicht zu reparieren ist. Der Kapitän schickt den Eignern ein entsprechendes Kabel – und wir sind jetzt die Eigner. Durch einen scheinbar glücklichen Zufall wird ein anderes unserer Schiffe in der Nähe sein. Es ist die *Gil Hamilton*, die jetzt hier auf der anderen Seite der Bucht ankert. Sie wird die *Coparelli* anlaufen und die ganze Besatzung, außer dem Ingenieur, an Bord nehmen. Dann verschwindet sie von der Bildfläche: Sie wird den nächsten Hafen anlaufen, wo man die Besatzung der *Coparelli* absetzt und ihr das Fahrgeld für Zugfahrkarten nach Hause gibt.«

Sie hatten den ganzen Tag Zeit gehabt, über die Instruktionen nachzudenken, und Dickstein rechnete mit Fragen. Jetzt meldete sich Levi Abbas, ein kleiner, massiver Mann – »gebaut wie ein Panzer und etwa genauso schön«, hatte Feinberg über ihn gesagt. »Weshalb sind Sie so sicher, daß die *Coparelli* genau dann einen Maschinenschaden haben wird, wenn Sie es für nötig halten?«

»Ah.« Dickstein schlürfte seinen Kaffee. »Kennen Sie Dieter Koch vom Marinegeheimdienst?«

Feinberg kannte ihn.

»Er ist der Ingenieur der *Coparelli*.«

Abbas nickte. »Also deshalb werden wir die *Coparelli* reparieren können. Wir wissen, was mit ihr los sein wird.«

»Richtig.«

Abbas fuhr fort: »Wir übermalen den Namen *Coparelli*, taufen sie in *Stromberg* um, tauschen die Logbücher aus, versenken die alte *Stromberg* und bringen die *Coparelli*, die dann *Stromberg* heißt, mit der Fracht nach Haifa. Aber warum laden wir die Fracht nicht auf See von einem Schiff auf das andere um? Wir haben doch Kräne.«

»Das war meine ursprüngliche Idee«, sagte Dickstein. »Es war zu riskant. Ich konnte niemandem garantieren, daß es möglich sein würde, besonders nicht bei schlechtem Wetter.«

»Wir könnten es immer noch tun, wenn das gute Wetter anhält.«

»Ja, aber da wir nun identische Schwesterschiffe haben, ist es leichter, die Namen und nicht die Fracht auszuwechseln.«

»Außerdem wird das gute Wetter nicht anhalten«, meinte Ish pessimistisch.

Der vierte Mann am Tisch war Porush, ein junger Mann mit Bürstenhaarschnitt und einem Brustkasten wie ein Bierfaß. Zufällig war er mit Abbas' Schwester verheiratet. »Wenn alles so leicht ist, was haben dann harte Burschen wie wir dabei zu suchen?«

»Ich bin in den letzten sechs Monaten durch die ganze Welt gereist, um dieses Projekt vorzubereiten. Ein- oder zweimal bin ich natürlich auf Leute von der anderen Seite gestoßen. Ich *glaube* nicht, daß sie wissen, was wir vorhaben . . . aber wenn sie es wissen, dürften wir herausfinden, wie hart wir wirklich sind.«

Einer der Offiziere kam mit einem Zettel auf Dickstein zu. »Eine Nachricht aus Tel Aviv. Die *Coparelli* hat gerade Gibraltar passiert.«

»Darauf habe ich gewartet.« Dickstein stand auf. »Morgen früh geht's los.«

*

Suza Ashford und Al Cortone stiegen in Rom in eine andere Maschine und trafen früh am Morgen in Sizilien ein. Zwei Cortones Cousins holten sie am Flugplatz ab. Eine lange Debatte folgte – ohne Schärfe, aber trotzdem laut und aufgeregt. Suza konnte nicht allen Einzelheiten des schnellen Dialogs folgen, aber sie begriff, daß die Cousins Cortone begleiten wollten, während er darauf bestand, alles allein zu erledigen, da es sich um eine Ehrenschuld handele. Cortone schien sich durchzusetzen. Sie verließen den Flugplatz –

ohne die Cousins – in einem großen weißen Fiat. Suza saß am Steuer. Cortone dirigierte sie zur Küstenstraße. Zum hundertsten Mal ließ sie sich die Szene des Wiedersehens mit Nathaniel durch den Kopf gehen: Sie entdeckte seinen schmalen, eckigen Körper; er blickte auf, erkannte sie, und sein Gesicht weitete sich zu einem Lächeln der Freude; sie rannte auf ihn zu, und sie umarmten sich; er drückte sie so fest an sich, daß es weh tat; sie sagte: »Oh, ich liebe dich«, und küßte ihn auf die Wangen, die Nase, den Mund . . . aber sie war auch schuldbewußt und ängstlich. Deshalb gab es eine andere, seltener von ihr heraufbeschworene Szene, in der er sie steinernen Gesichtes anstarrte und fragte: »Was hast du hier zu suchen, verdammt noch mal?«

Es war ein bißchen so wie damals, als sie am Heiligabend unartig gewesen war. Ihre Mutter war erzürnt gewesen und hatte ihr gedroht, daß der Weihnachtsmann Steine statt Spielzeug und Süßigkeiten in ihren Strumpf stecken werde. Suza hatte nicht gewußt, ob sie es glauben sollte oder nicht, und hatte wach gelegen, während sie den Morgen halb ersehnte, halb fürchtete.

Sie warf einen Seitenblick auf Cortone, der neben ihr saß. Die Reise über den Atlantik hatte ihn erschöpft. Suza hatte Mühe, ihn für genauso alt wie Nat zu halten. Er war so dick und kahl und . . . er hatte eine abgenützte Lasterhaftigkeit an sich, die vielleicht amüsant gewesen wäre, wenn sie ihn nicht noch älter gemacht hätte.

Die Insel war hübsch. Suza betrachtete die Landschaft, um sich abzulenken und die Zeit schneller vergehen zu lassen. Die Straße schlängelte sich von Stadt zu Stadt an der Küste entlang, und zu ihrer Rechten konnte sie die Aussicht auf felsige Strände und das gleißende Mittelmeer genießen.

Cortone steckte sich eine Zigarre an. »Früher, als ich jung war, habe ich so etwas oft gemacht. Ich bin in ein Flugzeug gestiegen, mit einem hübschen Mädchen irgendwohin geflogen und dann in der Gegend rumgefahren, um mich umzusehen. Jetzt nicht mehr. Ich sitze seit Jahren in Buffalo fest – so scheint's jedenfalls. So ist es eben, wenn man Geschäfte macht: Man wird reich, aber man muß sich dauernd über etwas den Kopf zerbrechen. Deshalb rührt man sich nicht von der Stelle, sondern läßt andere zu sich kommen. Man wird zu träge, um Spaß zu haben.«

»Es war Ihre Wahl«, sagte Suza. Sie verspürte mehr Mitgefühl für

Cortone, als sie zeigen mochte. Er war ein Mann, der schwer gearbeitet hatte, um die falschen Dinge zu erreichen.

»Es war meine Wahl«, gab Cortone zu. »Junge Leute sind gnadenlos.« Er lächelte halb, was nur selten geschah, und paffte seine Zigarre.

Zum drittenmal sah Suza das silberblaue Auto im Rückspiegel. »Wir werden verfolgt.« Sie versuchte, ihre Stimme ruhig und normal klingen zu lassen.

»Der Araber?«

»Er muß es sein.« Sie konnte das Gesicht hinter der Windschutzscheibe nicht erkennen. »Was sollen wir tun? Sie sagten, daß Sie sich darum kümmern würden.«

»Das werde ich.«

Er schwieg. Suza, die eine Erklärung erwartet hatte, blickte zur Seite. Er lud eine Pistole mit häßlichen braunschwarzen Kugeln. Sie schnappte nach Luft, da sie noch nie eine echte Pistole gesehen hatte.

Cortone schaute erst sie an und spähte dann nach vorn. »Jesus, passen Sie auf die gottverdammte Straße auf!«

Sie bremste scharf, um eine enge Kurve nehmen zu können. »Woher haben Sie das Ding?«

»Von meinem Cousin.«

Suzas Gefühl, einen Alptraum durchzumachen, verstärkte sich. Sie hatte seit vier Tagen nicht mehr in einem Bett geschlafen. Von dem Moment an, als ihr Vater so ruhig über den Mord an Nathaniel gesprochen hatte, war sie auf der Flucht gewesen: auf der Flucht vor der schrecklichen Wahrheit über Hassan und ihren Vater, in die Geborgenheit von Dicksteins drahtigen Armen. Und wie in einem Alptraum schien ihr Ziel genauso schnell zurückzuweichen, wie sie sich ihm näherte.

»Warum sagen Sie mir nicht, wohin wir fahren?« fragte sie Cortone.

»Jetzt kann ich es wohl riskieren. Nat bat mich, ihm ein Haus zu leihen, das einen Anlegeplatz hat und Schutz vor Schnüfflern bietet. Dorthin fahren wir.«

Suzas Herz schlug schneller. »Wie weit?«

»Ein paar Meilen.«

Eine Minute später sagte Cortone: »Wir werden es schon schaffen. Vorsichtig, oder wollen Sie unterwegs sterben?«

Suza merkte, daß sie unbewußt Gas gegeben hatte. Sie verminderte das Tempo, aber sie konnte ihre Gedanken nicht im Zaum halten. Jetzt gleich würde sie ihn sehen, sein Gesicht berühren, ihn zur Begrüßung küssen, seine Hände auf den Schultern fühlen –

»Biegen Sie dort rechts ein.«

Sie fuhr durch eine offene Pforte und über einen kurzen Kiesweg, der von Unkraut überwachsen war, zu der Ruine einer großen Villa aus weißem Stein. Als sie vor dem Säulengang anhielt, erwartete Suza, daß Nathaniel herauslaufen würde, um sie zu begrüßen.

Auf dieser Seite des Hauses war kein Lebenszeichen auszumachen.

Sie stiegen aus dem Auto und kletterten über die zerbrochene Steintreppe zum Vordereingang. Die riesige Holztür war nicht verschlossen. Suza öffnete sie, und die beiden traten ein.

Vor ihnen lag eine große Diele mit einem Boden aus zertrümmertem Marmor. Die Decke sackte durch, und die Wände waren von feuchten Flecken übersät. In der Mitte der Diele lag ein gewaltiger Kronleuchter, der sich wie ein toter Adler auf dem Boden ausbreitete.

Cortone rief: »Hallo, ist hier jemand?«

Keine Antwort.

Suza dachte: Es ist ein riesiges Haus, er muß hier sein. Wahrscheinlich hört er uns nicht, weil er im Garten ist.

Sie durchquerten die Diele und umrundeten den Kronleuchter. Dann kamen sie in einen höhlenartigen nackten Salon, in dem ihre Schritte laut widerhallten, und gingen durch die glaslosen Fenstertüren im hinteren Teil des Gebäudes wieder hinaus.

Der schmale Garten reichte bis zum Klippenrand. Sie durchschritten ihn und sahen eine lange Treppe, die in den Felsen gehauen war und zickzackförmig zum Meer hinabführte.

Niemand war in Sicht.

Er ist nicht hier, dachte Suza. Diesmal habe ich zu Weihnachten wirklich Steine bekommen.

»Dort.« Cortone deutete mit seiner dicklichen Hand aufs Meer hinaus. Suza erkannte ein Schiff und ein Motorboot. Das Motorboot näherte sich ihnen rasch, indem es die Wellen übersprang und das Wasser mit seinem scharfen Bug durchpflügte; es hatte nur einen Mann an Bord. Das Schiff glitt aus der Bucht und zog eine breite Kielwasserspur hinter sich her.

»Scheint, daß wir ihn verpaßt haben«, sagte Cortone.

Suza rannte die Stufen hinunter, schrie und winkte mit aller Kraft, um die Menschen auf dem Schiff auf sich aufmerksam zu machen. Doch sie wußte, daß es unmöglich war – das Schiff hatte sich schon zu weit entfernt. Sie rutschte auf den Steinen aus, fiel schwer aufs Gesäß und begann zu weinen.

Cortone lief hinter ihr her, sein schwammiger Körper ruckte über die Stufen. »Es hat keinen Zweck.« Er zog sie auf die Beine.

»Das Motorboot«, sagte sie verzweifelt. »Vielleicht können wir das Motorboot nehmen und das Schiff einholen –«

»Ausgeschlossen. Bis das Boot hier ist, wird das Schiff viel zu weit entfernt sein und auch viel schneller fahren, als das Boot es könnte.«

Er führte sie wieder die Stufen hinauf. Sie waren eine beträchtliche Strecke gelaufen, und der Aufstieg machte ihm sehr zu schaffen. Suza war so elend zumute, daß sie es kaum bemerkte.

Sie konnte keinen Gedanken fassen, während sie über den Hang des Gartens ins Haus zurückkehrten.

»Muß mich hinsetzen«, sagte Cortone in der Mitte des Salons.

Suza betrachtete ihn. Er atmete schwer, und sein Gesicht war grau und schweißbedeckt. Plötzlich wurde ihr klar, daß er seinem überlasteten Körper zuviel abverlangt hatte. Für einen Moment vergaß sie ihre schreckliche Enttäuschung. »Die Treppe«, sagte sie.

Sie betraten die verwüstete Diele. Suza führte Cortone zu der breiten gewundenen Treppe und ließ ihn auf der zweiten Stufe Platz nehmen. Er ließ sich wuchtig zu Boden sinken, schloß die Augen und legte den Kopf an die Wand neben sich.

»Hören Sie«, flüsterte er, »man kann Schiffe anrufen . . . oder ihnen ein Telegramm schicken . . . Wir können ihn immer noch erreichen . . .«

»Sitzen Sie eine Minute lang still. Sprechen Sie nicht.«

»Fragen Sie meine Cousins . . . Wer ist da?«

Suza wirbelte herum. Ein paar Kronleuchterscherben hatten geklirrt, und nun erkannte sie die Ursache.

Yasif Hassan kam durch die Diele auf sie zu.

Plötzlich stand Cortone mit größter Anstrengung auf.

Hassan blieb stehen.

Cortones Atemzüge waren keuchend und abgerissen. Er kramte in seiner Tasche.

»Nein –«, rief Suza.

Cortone zog die Pistole.

Hassan stand wie angewurzelt auf der Stelle.

Suza schrie. Cortone taumelte, und die Pistole in seiner Hand wedelte durch die Luft.

Er drückte den Abzug durch. Zwei Schüsse ertönten mit einem gewaltigen, ohrenbetäubenden Doppelschlag. Sie fuhren ziellos in die Decke. Cortone sank zu Boden, sein Gesicht war dunkel wie der Tod. Die Pistole entfiel seinen Fingern und krachte auf den gespaltenen Marmorboden.

Yasif Hassan übergab sich.

Suza kniete neben Cortone nieder.

Er öffnete die Augen. »Hören Sie mich an«, bat er heiser.

»Lassen Sie ihn, wir müssen gehen«, sagte Hassan.

Suza wandte ihm das Gesicht zu. Sie schrie so laut wie möglich: »Zur Hölle mit Ihnen.« Dann drehte sie sich wieder zu Cortone um.

»Ich habe viele Männer getötet«, sagte Cortone. Suza beugte sich näher zu ihm. »Elf Männer, die ich selbst getötet habe . . . Ich habe mit vielen Frauen geschlafen . . .« Seine Stimme verklang, seine Augen schlossen sich, und dann sprach er nach einer mächtigen Anstrengung weiter. »Mein ganzes verfluchtes Leben hindurch bin ich ein Dieb und ein Tyrann gewesen. Aber ich sterbe für meinen Freund, nicht wahr? Das ist doch etwas wert? Ja?«

»Ja, es ist etwas wert.«

»Okay.«

Er war tot.

Suza hatte nie einen Menschen sterben sehen. Es war fürchterlich. Plötzlich war nichts mehr da, nichts außer einer Leiche – die Person war verschwunden. Kein Wunder, daß der Tod uns weinen läßt, dachte sie. Ihr wurde bewußt, daß ihr selbst Tränen über das Gesicht liefen. Dabei hatte sie ihn nicht einmal gern gehabt – bis eben.

»Sie haben gute Arbeit geleistet. Wir müssen uns davonmachen«, sagte Hassan.

Suza verstand nicht. Gute Arbeit? Plötzlich begriff sie. Hassan wußte nicht, daß sie Cortone von einem Verfolger erzählt hatte. Seiner Ansicht nach hatte sie genau das getan, was er von ihr erwartet hatte, das heißt, sie hatte ihn hierhergeführt.

Nun mußte sie versuchen, die Illusion, daß sie auf seiner Seite war, aufrechtzuerhalten, bis sie einen Weg gefunden hatte, um Verbindung mit Nat aufzunehmen.

Ich kann nicht mehr lügen und betrügen, ich kann es nicht, es ist zuviel, ich bin müde, dachte sie.

Aber Cortone hatte gesagt, daß man ein Schiff anrufen oder ihm zumindest ein Telegramm schicken konnte.

Es war immer noch möglich, Nat zu warnen.

O Gott, wann darf ich schlafen?

Sie stand auf. »Worauf warten wir noch?«

Sie verließen das Haus durch den hohen, baufälligen Eingang. »Wir nehmen meinen Wagen«, befahl Hassan.

Sie erwog, ihm davonzulaufen, aber es war eine närrische Idee. Er würde sie bald gehen lassen. Schließlich hatte sie getan, was er wollte. Nun würde er sie nach Hause schicken.

Suza stieg in den Wagen.

»Warten Sie«, sagte Hassan. Er lief zu Cortones Auto, zog den Zündschlüssel ab und warf ihn in die Büsche. Danach kehrte er zu seinem Wagen zurück. »Damit der Mann im Motorboot uns nicht folgen kann«, erklärte er.

Während das Auto sich in Bewegung setzte, bemerkte er: »Ich bin über Ihre Haltung enttäuscht. Der Mann hat unseren Feinden geholfen. Sie sollten sich freuen, nicht weinen, wenn ein Feind stirbt.«

Sie bedeckte die Augen mit einer Hand. »Er hat seinem Freund geholfen.«

Hassan tätschelte ihr Knie. »Sie haben ausgezeichnet gearbeitet, ich sollte Sie nicht kritisieren. Durch Sie habe ich die Information, die ich brauchte.«

Suza blickte ihn an. »Durch mich?«

»Sicher. Das große Schiff, das die Bucht verließ, war die *Stromberg*. Ich kenne ihre Abfahrtszeit und ihre Höchstgeschwindigkeit. Nun kann ich also ausrechnen, wann sie frühestens mit der *Coparelli* zusammentreffen wird. Und ich kann dafür sorgen, daß meine Leute einen Tag früher dort sind.« Er tätschelte ihr Knie von neuem und ließ diesmal die Hand auf ihrem Schenkel ruhen.

»Rühren Sie mich nicht an«, sagte sie.

Er zog die Hand zurück.

Suza schloß die Augen und versuchte nachzudenken. Ihre Handlung hatte das allerschlimmste Ergebnis gehabt. Sie hatte Hassan nach Sizilien geführt, aber es war ihr nicht gelungen, Nat zu warnen. Auf jeden Fall mußte sie herausfinden, wie man einem Schiff ein Telegramm schickte, und es sofort tun, wenn sie und Hassan sich getrennt hatten. Es gab jetzt nur noch eine einzige Chance: den Steward, der versprochen hatte, das israelische Konsulat in Rom anzurufen.

»Mein Gott, werde ich froh sein, wenn ich wieder in Oxford bin«, sagte Suza.

»Oxford?« Hassan lachte. »Noch nicht. Sie müssen bei mir bleiben, bis die Operation beendet ist.«

Sie dachte: Himmel, ich halte es nicht aus. »Aber ich bin so müde.«

»Wir werden uns bald ausruhen. Ich darf Sie noch nicht gehen lassen. Aus Gründen der Sicherheit, wissen Sie. Außerdem wollen Sie bestimmt nicht versäumen, die Leiche Nat Dicksteins zu sehen.«

*

Am Alitalia-Schalter des Flughafens kamen drei Männer auf Yasif Hassan zu. Zwei von ihnen waren jung und wirkten wie Schläger, der dritte war ein hochgewachsener Mann in den Fünfzigern mit scharfgeschnittenen Zügen.

Der ältere Mann zischte Hassan zu: »Verdammter Narr, Sie hätten es verdient, *erschossen* zu werden.«

Hassan blickte zu ihm auf, und Suza entdeckte nackte Furcht in seinen Augen, als er ausrief: »Rostow!«

Suza fragte sich: O Gott, was nun?

Rostow packte Hassans Arm. Einen Moment lang schien es, daß der Araber Widerstand leisten und sich losreißen wollte. Die beiden jungen Schläger schoben sich näher heran. Suza und Hassan waren eingeschlossen. Rostow führte Hassan vom Flugschalter fort. Einer der Schläger nahm Suzas Arm, und sie gingen hinterher.

Sie suchten sich eine ruhige Ecke. Rostow war offensichtlich immer noch von heller Wut erfüllt, aber er beherrschte seine Stimme. »Sie hätten die ganze Sache verderben können, wenn Sie nicht ein paar Minuten zu spät gekommen wären.«

»Ich weiß nicht, was Sie meinen«, entgegnete Hassan verzweifelt.

»Meinen Sie, ich wüßte nicht, daß Sie sich überall in der Welt herumgetrieben haben, um nach Dickstein zu suchen? Meinen Sie, man könnte Sie nicht wie jeden anderen Trottel beschatten? Ich habe seit Ihrer Abreise aus Kairo stündliche Berichte über jede Ihrer Bewegungen erhalten. Und wieso glauben Sie, ihr trauen zu können?« Er deutete ruckartig mit dem Daumen auf Suza.

»Sie hat mich hierhergeführt.«

»Ja, aber daß sie es tun würde, haben Sie nicht von allem Anfang gewußt.«

Suza stand stumm und eingeschüchtert da. Sie war hoffnungslos verwirrt. Die vielen Schocks des Morgens – Nats Verschwinden, Cortones Tod und nun diese Szene – hatten ihr Hirn gelähmt. Nun war dieser Rostow hinzugekommen, den Hassan belog, und sie hatte nicht die geringste Vorstellung, ob Rostow von ihr die Wahrheit oder eine neue Lüge erfahren sollte.

»Wie sind Sie hierhergekommen?« fragte Hassan.

»Mit der *Karla* natürlich. Wir waren nur vierzig oder fünfzig Meilen von Sizilien entfernt, als mir berichtet wurde, daß Sie hier gelandet waren. Außerdem habe ich die Erlaubnis aus Kairo, Sie sofort und auf direktem Wege dorthin zurückzuschicken.«

»Ich glaube trotzdem, daß ich das Richtige getan habe.«

»Gehen Sie mir aus den Augen.«

Hassan zog sich zurück. Suza wollte ihm folgen, aber Rostow befahl: »Nicht Sie.« Er nahm ihren Arm und setzte sich in Bewegung.

Suza leistete keinen Widerstand. Was sollte sie nur tun?

»Ich weiß, daß Sie uns Ihre Loyalität bewiesen haben, Miß Ashford, aber wir können neuangeworbenen Leuten mitten in einer Aktion nicht einfach erlauben, nach Hause zurückzukehren. Andererseits habe ich hier in Sizilien nur die Männer, die ich auf dem Schiff benötige, deshalb kann niemand Sie begleiten. Ich fürchte, Sie müssen mit mir an Bord der *Karla* kommen, bis diese Sache vorbei ist. Ich hoffe, es macht Ihnen nichts aus. Wissen Sie, daß Sie genauso aussehen wie Ihre Mutter?«

Sie hatten das Flughafengebäude verlassen und standen vor einem wartenden Auto. Rostow öffnete ihr die Tür. Dies war vielleicht ihre letzte Fluchtmöglichkeit. Sie zögerte. Einer der Schläger hatte sich neben ihr aufgebaut. Sein Jackett öffnete sich etwas, und sie sah den Knauf einer Pistole. Suza erinnerte sich an den schrecklichen Knall von Cortones Pistole in der verfallenen Villa und an ihren Schrei. Plötzlich hatte sie Angst zu sterben, wie der arme, dicke Cortone zu einem leblosen Klumpen zu werden. Entsetzen packte sie beim Gedanken an die Pistole, den Knall und die in ihren Körper eindringende Kugel, und sie fing an zu zittern.

»Was ist los?« erkundigte Rostow sich.

»Al Cortone ist tot.«

»Das wissen wir. Steigen Sie ein.«

Suza stieg in den Wagen.

*

Pierre Borg ließ Athen hinter sich und parkte sein Auto am Ende eines Küstenstreifens, an dem gelegentlich Liebespaare spazierengingen. Er stieg aus und wanderte am Strand entlang, bis er Kawash traf, der aus der entgegengesetzten Richtung kam. Sie standen Seite an Seite und blickten auf das Meer hinaus, während kleine Wellen schläfrig gegen ihre Schuhe plätscherten. Borg konnte das gutgeschnittene Gesicht des hochgewachsenen arabischen Doppelagenten im Sternenlicht erkennen. Kawash wirkte nicht so selbstbewußt wie gewöhnlich.

»Vielen Dank, daß Sie gekommen sind«, sagte Kawash.

Borg wußte nicht, was er davon halten sollte. Wenn sich jemand zu bedanken hatte, dann er selbst. Plötzlich wurde ihm klar, daß Kawash genau darauf angespielt hatte. Der Mann ging stets subtil vor, sogar bei Beleidigungen.

»Die Russen haben den Verdacht, daß es in Kairo eine undichte Stelle gibt«, begann Kawash. »Sie lassen sich nicht mehr in ihre kollektiven kommunistischen Karten schauen, sozusagen.« Er lächelte dünn.

Borg fand die Bemerkung nicht witzig. »Sogar als Yasif Hassan in Kairo war, um Bericht zu erstatten, erfuhren wir nicht viel – und nicht alle von Hassans Informationen sind an *mich* weitergeleitet worden.«

Borg rülpste laut; er hatte eine üppige griechische Mahlzeit gegessen. »Verschwenden Sie bitte keine Zeit mit Entschuldigungen. Sagen Sie mir einfach, was Sie wissen.«

»In Ordnung.« Kawash lächelte milde. »Die Russen wissen, daß Dickstein Uran stehlen soll.«

»Das haben Sie mir schon beim letztenmal mitgeteilt.«

»Ich glaube nicht, daß sie irgendwelche Einzelheiten kennen. Sie haben die Absicht, alles geschehen zu lassen und es dann später an den Pranger zu stellen. Zwei ihrer Schiffe sind im Mittelmeer, aber sie wissen nicht, wohin sie sie schicken sollen.«

Eine Plastiktasche trieb mit der Flut heran und landete zu Borgs Füßen. Er beförderte sie mit einem Tritt ins Wasser zurück. »Was ist mit Suza Ashford?«

»Sie arbeitet mit Sicherheit für die arabische Seite. Zwischen Rostow und Hassan hat es eine Meinungsverschiedenheit gegeben. Hassan wollte herausfinden, wo genau Dickstein war, und Rostow hielt es für unnötig.«

»Schlechte Nachrichten. Weiter.«

»Danach machte Hassan sich auf eigene Faust an die Arbeit. Er veranlaßte Suza Ashford, ihm bei der Suche nach Dickstein zu helfen. Sie flogen nach Buffalo in den USA und trafen einen Gangster namens Cortone, der sie nach Sizilien brachte. Sie verpaßten Dickstein, wenn auch nur ganz knapp; jedenfalls sahen sie noch, wie die *Stromberg* auslief. Hassan steckt wegen dieser Sache in großen Schwierigkeiten. Er hat den Befehl, nach Kairo zurückzukehren, ist aber noch nicht aufgetaucht.«

»Das Mädchen führte ihn zu Dicksteins Versteck?«

»Richtig.«

»Jesus Christus, das ist schlimm.« Borg dachte an die Nachricht, die im römischen Konsulat für Nat Dickstein von seiner »Freundin« eingetroffen war. Er zitierte Kawash den Inhalt: »Hassan hat mir alles gesagt. Er und ich werden dich besuchen.« Was, zum Teufel, konnte das bedeuten? Sollte es Dickstein warnen, ihn zurückhalten oder verwirren? Oder war es ein doppelter Bluff – ein Versuch, ihn glauben zu lassen, daß sie gezwungen wurde, Hassan zu ihm zu führen?

»Ein doppelter Bluff, nehme ich an«, sagte Kawash. »Sie wußte, daß ihre Rolle früher oder später bekanntwerden würde, deshalb bemüht sie sich, Dicksteins Vertrauen zu ihr noch länger aufrechtzuerhalten. Sie werden die Nachricht nicht weiterleiten . . .«

»Natürlich nicht.« Borg wandte sich einem anderen Gedanken zu. »Wenn sie in Sizilien waren, wissen sie von der *Stromberg*. Welche Schlüsse können sie daraus ziehen?«

»Daß die *Stromberg* bei dem Urandiebstahl eingesetzt wird.«

»Genau. Wenn ich Rostow wäre, würde ich der *Stromberg* folgen, die Kaperung abwarten und dann angreifen. Verflucht, verflucht, verflucht. Es scheint, daß wir unseren Plan aufgeben müssen.« Er bohrte die Schuhspitze in den weichen Sand. »Wie ist die Lage in Kattara?«

»Ich habe die schlechteste Nachricht bis zuletzt aufgehoben. Alle Tests sind zufriedenstellend verlaufen. Die Russen liefern Uran, und der Reaktor nimmt heute in drei Wochen seine Arbeit auf.«

Borg starrte auf das Meer hinaus. Er fühlte sich elender, pessimistischer und deprimierter als je während seines ganzen unglücklichen Lebens. »Scheiße. Sie wissen doch wohl, was das bedeutet? Wir können nicht aufgeben, ich kann Dickstein nicht zurückhalten. Es bedeutet, daß Dickstein Israels letzte Chance ist.«

Kawash schwieg. Borg sah ihn genauer an. Die Augen des Arabers waren geschlossen. »Was tun Sie?«

Nach ein paar Sekunden öffnete Kawash endlich die Augen, blickte Borg an und lächelte höflich, wie es seine Art war. »Ich bete«, sagte er.

*

Tel Aviv an MS Stromberg
Persönlich Borg nur für Dickstein
Muß von Adressaten entschlüsselt werden

SUZA ASHFORD ALS ARABISCHE AGENTIN ENTLARVT STOP SIE ÜBERREDETE CORTONE, SIE UND HASSAN NACH SIZILIEN ZU BRINGEN STOP TRAFEN NACH DEINER ABREISE EIN STOP CORTONE JETZT TOT STOP DIES UND ANDERE HINWEISE DEUTEN HOHE WAHRSCHEINLICHKEIT AN, DASS IHR AUF SEE ANGEGRIFFEN WERDET STOP WIR KÖNNEN VON HIER AUS NICHTS MEHR UNTERNEHMEN STOP DU HAST ALLES VERSAUT STOP DU BIST AUF DICH ALLEIN GESTELLT UND MUSST ALLEIN EINEN AUSWEG FINDEN ENDE

*

Die Wolken, die sich in den letzten Tagen über dem westlichen Mittelmeer zusammengeballt hatten, barsten in jener Nacht endlich und überschütteten die *Stromberg* mit Regen. Ein heftiger Wind kam auf, und die Mängel des Schiffes wurden deutlich, als es in den immer stärker werdenden Wellen zu schlingern und zu gieren begann.

Nat Dickstein nahm keine Notiz von dem Wetter.

Er saß allein in seiner kleinen Kabine, an dem Tisch, der ans Schott geschraubt war, mit einem Bleistift in der Hand, einem Notizblock, einem Codebuch und einer Nachricht vor sich. Quälend langsam entschlüsselte er Wort für Wort von Borgs Botschaft.

Immer wieder las er sie durch und starrte endlich an die leere Stahlwand.

Es war sinnlos, darüber zu spekulieren, weshalb sie es getan haben könnte, weithergeholte Hypothesen zu erfinden, daß Hassan sie dazu gezwungen oder erpreßt habe, sich einzubilden, sie wäre das Opfer falscher Überzeugungen und verwirrter Motive. Borg hatte gesagt, sie sei eine Spionin, und er hatte recht gehabt. Sie war von Anfang an eine Spionin gewesen. Deshalb hatte sie mit ihm geschlafen.

Das Mädchen hatte eine große Zukunft im Geheimdienstgeschäft.

Dickstein barg das Gesicht in den Händen und preßte die Fingerspitzen gegen die Augen, aber er sah sie immer noch vor sich: Sie war, von ihren hochhackigen Schuhen abgesehen, nackt, hatte sich in der Küche der kleinen Wohnung gegen den Schrank gelehnt und las die Morgenzeitung, während sie darauf wartete, daß das Wasser im Kessel kochte.

Am schlimmsten war, daß er sie immer noch liebte. Bevor er sie getroffen hatte, war er ein Invalide gewesen, ein Gefühlskrüppel, der dort, wo die Liebe hätte sein müssen, nur Leere kannte. Sie hatte ein Wunder vollbracht und ihn geheilt. Nun hatte sie ihn verraten und ihr Geschenk wieder an sich genommen, und er würde noch stärker als je verkrüppelt sein. Er hatte ihr einen Liebesbrief geschrieben. Mein Gott, was war geschehen, als sie den Brief gelesen hatte? Hatte sie gelacht? Hatte sie ihn Yasif Hassan gezeigt und gesagt: »Siehst du, wie er mir aus der Hand frißt?«

Wenn man einem Blinden das Augenlicht zurückgab und ihn dann nach einem Tag nachts im Schlaf wieder blendete, er würde sich nach dem Aufwachen so gefühlt haben wie Dickstein.

Er hatte Borg versprochen, Suza zu töten, wenn sich herausstellen sollte, daß sie eine Agentin war, aber jetzt wußte er, daß das eine Lüge gewesen war. Was sie auch verbrochen haben mochte, er würde ihr nie weh tun können.

Es war spät. Die meisten Besatzungsmitglieder, außer den Wachen, schliefen. Er verließ die Kabine und ging zum Deck hinauf, ohne jemanden zu sehen. Auf dem Weg von der Luke bis zum Schandeckel wurde er bis auf die Haut durchnäßt, doch er merkte es nicht. Er stand an der Reling, blickte in die Dunkelheit hinaus und konnte nicht erkennen, wo das schwarze Meer endete und der schwarze Himmel begann. Regentropfen strömten wie Tränen über sein Gesicht.

Er würde Suza nie töten können, aber bei Yasif Hassan war es etwas anderes.

Wenn ein Mann je einen Feind gehabt hatte, dann war nun Hassan Dicksteins Feind. Er hatte Eila geliebt, und ausgerechnet er mußte sie dann bei einer sinnlichen Umarmung mit Hassan überraschen. Nun hatte er sich in Suza verliebt, um hernach zu entdecken, daß auch sie von demselben alten Rivalen verführt worden war. Hassan hatte Suza für seinen Plan ausgenutzt, Dickstein dessen Heimat zu nehmen.

O ja, er würde Yasif Hassan töten, wenn möglich, mit bloßen Händen. Und die anderen auch. Der Gedanke verwandelte tiefste Verzweiflung in Wut: Er wollte Knochen knacken hören, er wollte sehen, wie Körper zusammenbrachen, er wünschte sich den Geruch von Furcht und Pistolenfeuer, er wollte nichts als Tod um sich herum.

Borg glaubte, daß sie auf See angegriffen werden würden. Dickstein packte die Reling, während das Schiff durch die unruhige See pflügte. Der Wind verstärkte sich für einen Moment und peitschte sein Gesicht mit kaltem, hartem Regen. Er würde auf den Angriff warten. Dann öffnete er den Mund und brüllte in den Wind hinaus: »Sie sollen nur kommen – die Hunde sollen nur kommen!«

15

Hassan kehrte nie mehr nach Kairo zurück.

Jubel erfüllte ihn, als sein Flugzeug in Palermo startete. Es war knapp gewesen, aber er hatte Rostow wieder überlistet! Er hatte seinen Ohren kaum trauen mögen, als Rostow sagte: »Gehen Sie mir aus den Augen.« Hassan war sicher gewesen, daß man ihn mit an Bord der *Karla* nehmen und er folglich die Kaperung durch die Feddajin verpassen würde. Aber Rostow war der festen Ansicht, daß Hassan nur übereifrig, impulsiv und unerfahren sei. Ihm war nie eingefallen, der Araber könnte ein Verräter sein. Wie hätte es ihm auch einfallen können? Hassan war der Vertreter des ägyptischen Geheimdienstes in der Gruppe. Wenn Rostow Zweifel an seiner Loyalität gehabt hätte, hätte er erwogen, ob Hassan für die Israelis arbeitete, denn diese waren der Gegner. Von den Palästinensern, wenn sie überhaupt eine Rolle spielten, konnte man annehmen, daß sie auf arabischer Seite stehen würden.

Es war wunderbar. Der gerissene, arrogante, herablassende Oberst Rostow und die Macht des ganzen berüchtigten KGB waren einem lächerlichen palästinensischen Flüchtling nicht gewachsen gewesen, einem Mann, den sie für ein Nichts hielten!

Aber noch war es nicht geschafft. Er mußte erst noch zu den Feddajin stoßen.

Der Flug von Palermo brachte ihn nach Rom, wo er versuchte, eine Maschine nach Annaba oder Constantine, beide in der Nähe der algerischen Küste, zu bekommen. Das Beste, was die Fluggesellschaften anbieten konnten, war Algier oder Tunis. Er entschied sich für Tunis.

Dort fand er einen jungen Taxifahrer mit einem fast neuen Renault und hielt dem Mann mehr Geld in amerikanischen Dollars vors Gesicht, als er normalerweise in einem ganzen Jahr verdiente. Das Taxi beförderte ihn über die ganze Breite Tunesiens – hundert Meilen – und über die Grenze nach Algerien und setzte ihn in einem Fischerdorf mit einem kleinen natürlichen Hafen ab.

Einer der Feddajin erwartete ihn. Hassan entdeckte ihn am Strand, wo er unter einem aufgestützten Dinghi saß, sich vor dem Regen schützte und mit einem Fischer Backgammon spielte. Die drei Männer stiegen in das Boot des Fischers und legten ab.

Das Meer war rauh, als sie am späten Nachmittag hinausfuhren. Hassan, der von seemännischen Dingen nichts verstand, machte sich Sorgen, daß das kleine Motorboot kentern könnte, aber der Fischer grinste die ganze Zeit fröhlich.

Die Fahrt dauerte weniger als eine halbe Stunde. Während sie sich dem hochaufragenden Rumpf des Schiffes näherten, verspürte Hassan wieder ein Gefühl des Triumphes. Ein Schiff . . . sie hatten ein *Schiff*.

Er kletterte auf Deck, während der Mann, der ihn abgeholt hatte, den Fischer bezahlte. Mahmud wartete schon auf ihn. Sie umarmten sich, und Hassan sagte: »Wir sollten sofort den Anker lichten – wir haben keine Zeit zu verlieren.«

»Komm mit mir auf die Brücke.«

Hassan folgte Mahmud nach vorn. Das Schiff war ein kleines Küstenfahrzeug von rund tausend Bruttoregistertonnen, recht neu, elegant und in gutem Zustand. Der größte Teil der Quartiere befand sich unter Deck; eine Luke deutete auf einen einzigen Laderaum hin. Das Schiff war so konstruiert worden, daß es rasch kleine Frachten befördern und in den kleinen nordafrikanischen Häfen manövrieren konnte.

Sie blieben einen Moment lang auf dem Vorderdeck stehen und schauten sich um.

»Genau das, was wir brauchen«, kommentierte Hassan freudig.

»Ich habe sie in *Nablus* umgetauft«, erklärte Mahmud. »Sie ist das erste Schiff der palästinensischen Flotte.«

Hassan merkte, wie ihm Tränen in die Augen stiegen. Sie kletterten die Leiter hinauf. »Ich habe sie von einem libyschen Geschäftsmann, der seine Seele retten wollte«, sagte Mahmud.

Die Brücke war kompakt und sauber. Es gab nur einen ernsten Mangel: Radar. Viele dieser kleinen Küstenfahrzeuge kamen immer noch ohne Radar aus, und man hatte nicht genug Zeit gehabt, die Geräte zu kaufen und einzubauen.

Mahmud stellte den Kapitän, ebenfalls ein Libyer, vor – der Geschäftsmann hatte nicht nur das Schiff, sondern auch die Besatzung gestellt, da keiner der Feddajin Seemann war. Der Kapitän gab Befehl, die Anker zu lichten und die Maschinen anzuwerfen.

Die drei Männer beugten sich über eine Karte, während Hassan berichtete, was er in Sizilien erfahren hatte. »Die *Stromberg* hat heute mittag von der Südküste Siziliens abgelegt. Die *Coparelli* sollte die Straße von Gibraltar gestern am späten Abend passieren und auf Genua zuhalten. Es sind Schwesterschiffe mit der gleichen Höchstgeschwindigkeit. Sie können sich also nicht eher treffen als zwölf Stunden östlich des Mittelpunktes zwischen Sizilien und Gibraltar.«

Der Kapitän stellte einige Berechnungen an und musterte eine andere Karte. »Sie werden sich südöstlich der Insel Menorca treffen.«

»Wir müßten die *Coparelli* mindestens acht Stunden vorher abfangen.«

Der Kapitän fuhr mit dem Finger an der Handelsroute entlang. »Sie müßte morgen in der Dämmerung gerade südlich von Ibiza sein.«

»Können wir es schaffen?«

»Ja, bequem, wenn es keinen Sturm gibt.«

»Ist mit einem Sturm zu rechnen?«

»Irgendwann in den nächsten Tagen, ja. Aber noch nicht morgen.«

»Gut. Wo ist der Funker?«

»Hier. Sein Name ist Yaacov.«

Hassan drehte sich um und sah einen kleinen lächelnden Mann mit vom Tabak gebräunten Zähnen vor sich. »An Bord der *Coparelli* ist ein Russe, ein Mann namens Tyrin, der dem polnischen Schiff *Karla* Signale schicken wird. Sie müssen auf dieser Wellenlänge lauschen.«

Er schrieb es auf. »An Bord der *Stromberg* ist außerdem ein Leitstrahlsender, der jede halbe Stunde für dreißig Sekunden einen einfachen Ton von sich gibt. Wenn wir diesen Ton jedesmal abhören, können wir sicher sein, daß die *Stromberg* uns nicht entwischt.«

Der Kapitän legte den Kurs an. Unten auf Deck machte der Erste Offizier die Mannschaft einsatzbereit. Mahmud sprach mit einem der Feddajin über seine Waffeninspektion. Der Funker stellte Hassan Fragen nach dem Leitstrahlsender der *Stromberg*. Hassan hörte kaum hin. Er dachte: Was auch geschieht, es wird herrlich sein.

Die Maschinen brüllten auf, und die Fahrt begann.

Dieter Koch, der neue Schiffsingenieur der *Coparelli*, lag in seiner Koje. Es war nach Mitternacht. Er überlegte: Was sage ich, wenn mich jemand sieht?

Was er tun mußte, war einfach genug. Er mußte aufstehen, zum hinteren Maschinenspeicher gehen, die zusätzliche Ölpumpe hervorholen und beiseite schaffen. Es war fast sicher, daß man ihn nicht beobachten würde, denn seine Kabine lag in der Nähe des Speichers, die meisten Besatzungsmitglieder schliefen, und wer wach war, hielt sich auf der Brücke oder im Maschinenraum auf und würde wahrscheinlich dort bleiben. Aber »fast sicher« genügte bei einer Operation von dieser Bedeutung nicht. Wenn jemand, jetzt oder später, ahnte, was er wirklich beabsichtigte . . .

Er zog sich einen Pullover, eine Hose, Seestiefel und eine Ölhaut an. Die Sache mußte erledigt werden, und zwar jetzt gleich. Er steckte den Speicherschlüssel ein, öffnete seine Kabinentür und trat hinaus. Während er sich am Gang entlangschob, nahm er sich vor: Ich werde sagen, ich könne nicht schlafen und würde deshalb die Speicher überprüfen.

Koch schloß die Speichertür auf, knipste das Licht an, ging hinein und zog die Tür hinter sich zu. Überall lagen Ersatzteile auf Regalen und Gestellen – Dichtungsringe, Ventile, Stecker, Kabel, Schrauben, Filter . . . Wenn man einen Zylinderblock hatte, konnte man aus diesen Teilen eine ganze Maschine zusammenbauen.

Er fand die Ersatzölpumpe in einer Kiste auf einem hohen Regal. Nachdem er sie heruntergehoben hatte – sie war nicht umfangreich, aber schwer –, verwendete er fünf Minuten darauf, sich zu überzeugen, daß keine zweite Ersatzpumpe existierte.

Nun kam der schwierigste Teil.

. . . Ich konnte nicht schlafen, Herr Kapitän, deshalb habe ich die Ersatzteile kontrolliert. – Sehr gut. Alles in Ordnung? – Ja. – Und was haben Sie da unter dem Arm? – Eine Flasche Whisky, Herr Kapitän . . . Einen Kuchen, den mir meine Mutter geschickt hat . . . Die Ersatzölpumpe. Ich werde sie über Bord werfen . . .

Er öffnete die Speichertür und spähte hinaus.

Niemand.

Koch schaltete das Licht aus, trat hinaus, zog die Tür hinter sich zu und schloß sie ab. Er ging an der Passage entlang und erreichte das Deck.

Niemand.

Es regnete immer noch. Er konnte nur ein paar Meter weit sehen, was ihn freute, weil auch jeder andere eine so schlechte Sicht haben würde.

Er überquerte das Deck zum Schandeckel, beugte sich über die Reling, ließ die Ölpumpe ins Meer fallen, drehte sich um und stieß jemanden an.

Ein Kuchen, den mir meine Mutter geschickt hat. Er war so trokken . . .

»Wer ist da?« fragte eine Stimme in fremdländischem Englisch.

»Der Ingenieur. Und Sie?« Während Koch sprach, wurde das Profil des anderen Mannes in der Decksbeleuchtung sichtbar, und er erkannte die rundliche Gestalt und das großnasige Gesicht des Funkers.

»Ich konnte nicht schlafen«, sagte der Funker. »Ich . . . ich wollte etwas frische Luft schnappen.«

Er ist genauso schuldbewußt wie ich, dachte Koch. Warum wohl?

»Eine lausige Nacht. Ich lege mich hin.«

»Gute Nacht.«

Koch machte sich zu seiner Kabine auf. Merkwürdiger Bursche, dieser Funker. Er gehörte nicht zur Stammbesatzung, sondern war in Cardiff angeheuert worden, nachdem der erste Funker sich das Bein gebrochen hatte. Wie Koch war er so etwas wie ein Außenseiter. Gut, daß er auf ihn und nicht auf einen der anderen gestoßen war.

In seiner Kabine zog er seine nasse Oberbekleidung aus und legte sich auf seine Koje. Er wußte, daß er nicht schlafen würde. Sein Plan für morgen stand fest, es hatte wenig Sinn, ihn noch einmal durchzugehen. Also versuchte er, an andere Dinge zu denken: an seine Mutter, die den besten Reibekuchen der Welt machte; an seine Verlobte, deren Lippen Unglaubliches anstellen konnten; an seinen geistesgestörten Vater, der nun in einer Anstalt in Tel Aviv lebte; an das prächtige Tonbandgerät, das er sich nach diesem Auftrag von seinem ausstehenden Gehalt kaufen würde; an seine schöne Wohnung in Haifa; an die Kinder, die er haben würde, und daran, daß sie in einem Israel aufwachsen sollten, das vom Krieg verschont bleiben würde.

Zwei Stunden später stand er auf. Er ging nach achtern in die Kombüse, um sich etwas Kaffee zu holen. Der Gehilfe des Schiffskochs stand in mehrere Zentimeter hohem Wasser und briet Schinken für die Mannschaft.

»Schweißwetter«, sagte Koch.

»Es wird noch schlimmer werden.«

Koch trank seinen Kaffee, füllte seinen Becher und einen zweiten von neuem und nahm sie mit zur Brücke hinauf. Dort traf er den Ersten Offizier an. »Guten Morgen.«

»Kann man nicht sagen«, antwortete der Erste Offizier, der den strömenden Regen musterte.

»Kaffee?«

»Sehr freundlich von Ihnen. Vielen Dank.«

Koch reichte ihm den Becher. »Wo sind wir?«

»Hier.« Der Offizier zeigte ihm ihre Position auf einer Karte. »Genau nach Fahrplan, trotz des Wetters.«

Koch nickte. Es bedeutete, daß er das Schiff in fünfzehn Minuten zum Stehen bringen mußte. »Bis später.« Er verließ die Brücke und ging nach unten in den Maschinenraum.

Der Zweite Ingenieur wartete schon. Er wirkte recht frisch, als wenn er während des Nachtdienstes ein ausgiebiges Schläfchen gemacht hätte. »Wie ist der Öldruck?« fragte Koch.

»Konstant.«

»Gestern schwankte er ein bißchen.«

»Nun, heute nacht gab es jedenfalls keine Probleme«, sagte der Zweite Ingenieur. Er sprach etwas zu lebhaft, als fürchte er, man könnte ihm vorwerfen, er habe geschlafen, während der Anzeiger schwankte.

»Gut. Vielleicht repariert es sich von selbst.« Koch stellte seinen Becher auf eine gerade Motorhaube und nahm ihn schnell wieder hoch, als das Schiff schlingerte. »Wecken Sie Larsen auf dem Weg in Ihre Kabine.«

»In Ordnung.«

»Schlafen Sie gut.«

Der Zweite Ingenieur ging hinaus. Koch trank seinen Kaffee und machte sich an die Arbeit.

Die Öldruckanzeige lag in einer Reihe von Skalen hinter der Maschine. Die Skalen waren von einer dünnen Metallhülle eingefaßt, die mattschwarz angemalt und von vier Schrauben gesichert war. Koch entfernte sie mit einem großen Schraubenzieher und zog die Hülle ab. Dahinter lag ein Gewirr vielfarbiger Drähte, die zu verschiedenen Anzeigen führten. Koch tauschte seinen großen Schraubenzieher gegen einen kleinen elektrischen mit isoliertem Griff aus. Mit ein paar Drehungen löste er einen der Drähte zur Öldruckanzeige. Er wickelte ein paar Zentimeter Isolierband um das bloße Ende des Drahtes und klebte es an die Rückseite des Skalenblattes. Nur eine sehr genaue Prüfung würde verraten, daß der Draht nicht mit dem Endstecker verbunden war. Darauf brachte er die Hülle wieder an und sicherte sie mit den vier Schrauben.

Als Larsen hereinkam, goß er Transmissionsflüssigkeit nach.

»Kann ich das machen?« fragte Larsen. Er war der Bedienungsmann, und Schmieren gehörte zu seinen Aufgaben.

»Ich bin schon fertig.« Koch brachte den Schraubverschluß wieder an und verstaute die Büchse in einem Schrank.

Larsen rieb sich die Augen und steckte sich eine Zigarette an. Er warf einen Blick auf die Skalen, sah genauer hin und sagte: »Öldruck ist Null!«

»Null?«

»Ja!«

»Maschinen stoppen!«

»Aye, aye.«

Ohne Öl würde die Reibung zwischen den Metallteilen der Maschine sehr schnell eine solche Überhitzung verursachen, daß die Teile zusammenschmolzen, die Maschine anhielt und nie wieder zu reparieren war. Das plötzliche Fehlen des Öldrucks war so gefährlich, daß Larsen die Maschinen sogar aus eigener Initiative – ohne Kochs Genehmigung – hätte stoppen können.

Alle an Bord hörten, wie die Maschine stehenblieb und die *Coparelli* an Geschwindigkeit verlor; sogar jene Tagesarbeiter, die noch in ihren Kojen schliefen, hörten es durch ihre Träume hindurch und wachten auf. Bevor die Maschine ganz verstummt war, war die Stimme des Ersten Ingenieurs durch das Sprachrohr zu hören.

»Brücke! Was ist da unten los?«

Koch antwortete: »Plötzlicher Verlust des Öldrucks.«

»Haben Sie eine Ahnung, weshalb?«

»Noch nicht.«

»Halten Sie mich auf dem laufenden.«

»Aye, aye.«

Koch wandte sich an Larsen. »Wir müssen die Ölwanne abnehmen.«

Larsen holte einen Gerätekasten und folgte Koch ein halbes Deck hinunter, wo sie die Maschine von unten erreichen konnten. »Wenn die Hauptlager oder die großen Endlager abgenutzt wären«, fuhr Koch fort, »hätte der Öldruck nur allmählich fallen dürfen. Ein plötzliches Sinken bedeutet, daß es an der Ölzufuhr liegt. Das System enthält genug Öl – ich hab schon nachgesehen –, und es gibt kein Anzeichen für ein Leck. Wahrscheinlich ist etwas blockiert.«

Koch machte die Ölwanne mit einem Elektroschlüssel los, und die beiden ließen sie auf das Deck nieder. Sie kontrollierten das Ölsieb, den Durchlauffilter, den Überdruckventilfilter und den Hauptüberdruckventilfilter, ohne ein Hemmnis zu finden.

»Wenn nichts blockiert ist, muß es an der Pumpe liegen«, sagte Koch. »Holen Sie die Reservepumpe.«

»Sie muß in dem Speicher auf dem Hauptdeck sein«, sagte Larsen.

Koch reichte ihm den Schlüssel, und Larsen ging nach oben.

Nun mußte Koch sich beeilen. Er nahm die Verschalung der Ölpumpe ab, so daß zwei Zahnräder mit breiten Zacken freilagen. Dann zog er den Schraubenschlüssel von der elektrischen Bohrmaschine, setzte einen Bohrer auf und rückte den Zahnrädern zu Leibe. Er brach so viele Zacken ab, daß die Räder fast unbrauchbar waren. Darauf legte er den Bohrer nieder, griff zu einer Brechstange und einem Hammer, zwängte das Metall zwischen die beiden Räder und hebelte so lange, bis etwas mit einem lauten, dumpfen Krachen nachgab. Schließlich holte er eine Schraube aus gehärtetem Stahl, zerbeult und zerkratzt, aus der Tasche. Er hatte sie in Antwerpen mit an Bord des Schiffes gebracht. Diese Schraube ließ er in die Ölwanne fallen.

Fertig.

Larsen kam zurück.

Koch merkte, daß der Bohrer immer noch auf der Maschine steckte. Als Larsen fortgegangen war, hatte das Gerät den Schraubenschlüsselaufsatz getragen. Er betete, daß es Larsen nicht auffallen würde.

»Die Pumpe ist nicht da«, meldete Larsen.

Der Ingenieur fischte die Schraube aus der Ölwanne. »Sehen Sie sich das an«, sagte er, um Larsen von dem verdächtigen Bohrer abzulenken. Er zeigte Larsen die zerstörten Zahnräder der Ölpumpe. »Die Schraube muß hineingefallen sein, als die Filter zum letztenmal ausgetauscht wurden. Sie rutschte in die Pumpe und ist seitdem immer wieder zwischen diesen Zahnrädern herumgewirbelt worden. Mich überrascht, daß wir das Geräusch trotz des Maschinenlärms nicht gehört haben. Egal, die Ölpumpe ist nicht mehr zu reparieren. Also müssen Sie die Ersatzpumpe unbedingt finden. Ein paar Leute sollen Ihnen beim Suchen helfen.«

Larsen verschwand. Koch entfernte den Bohrer und setzte den Schraubenschlüssel wieder auf das Gerät. Er rannte die Stufen zum Hauptmaschinenraum empor, um das andere Indiz zu beseitigen. Er arbeitete so schnell, wie er konnte, falls jemand hereinkommen sollte, löste die Hülle von den Skalen und schloß den Draht wieder an die Öldruckanzeige an. Nun würde sie auch so auf Null stehen. Darauf brachte er die Hülle wieder an und warf das Isolierband fort.

Das war alles. Nun mußte er noch den Kapitän hinters Licht führen.

Sobald die Suchmannschaft ihre Bemühungen aufgegeben hatte, stieg Koch zur Brücke empor. Er meldete dem Kapitän: »Ein Mechaniker hat eine Schraube in die Ölwanne fallen lassen, als die Maschine zum letztenmal überholt wurde.« Er zeigte dem Kapitän die Schraube. »Irgendwann – vielleicht als das Schiff so stark stampfte –, muß sie in die Ölpumpe geraten sein. Danach war es nur noch eine Frage der Zeit. Die Schraube kreiste in den Zahnrädern, bis sie völlig ruiniert waren. Leider können wir solche Zahnräder nicht an Bord herstellen. Das Schiff sollte eine Ersatzpumpe an Bord haben, aber sie ist nicht aufzutreiben.«

Der Kapitän war außer sich vor Wut. »Wer dafür verantwortlich ist, kann sich auf etwas gefaßt machen.«

»Der Ingenieur wäre dazu da, die Ersatzteile zu überprüfen, aber wie Sie wissen, bin ich erst in letzter Minute an Bord gekommen.«

»Das bedeutet, daß Sarne daran schuld ist.«

»Es könnte eine Erklärung geben . . .«

»Richtig. Zum Beispiel die, daß er dauernd hinter belgischen Huren herlief und sich deshalb nicht um seine Maschine kümmern konnte. Können wir uns wenigstens weiterschleppen?«

»Auf keinen Fall. Die Maschine würde sich schon nach einer halben Kabellänge festfressen.«

»Verdammt. Wo ist der Funker?«

Der Erste Offizier sagte: »Ich hole ihn«, und ging hinaus.

»Sind Sie sicher, daß Sie nicht improvisieren können?« fragte der Kapitän.

»Eine Ölpumpe läßt sich nicht aus Ersatzteilen zusammenzaubern. Deshalb hat man immer eine zweite Pumpe an Bord.«

Der Erste Offizier kam mit dem Funker zurück. Der Kapitän knurrte: »Wo, zum Teufel, sind Sie gewesen?«

Der Funker war der rundliche Mann mit der großen Nase, mit dem Koch in der letzten Nacht auf Deck zusammengeprallt war. Er schien beleidigt. »Ich habe dabei geholfen, im vorderen Speicher nach der Ölpumpe zu suchen, Herr Kapitän. Dann habe ich mir die Hände gewaschen.« Er warf Koch einen Blick zu, doch seine Augen verrieten nicht den geringsten Argwohn. Koch war nicht sicher, wieviel er bei dem kleinen Zusammenstoß auf Deck beobachtet hatte, aber falls er eine Verbindung zwischen dem fehlenden Ersatzteil und dem Päckchen sah, das der Ingenieur über Bord geworfen hatte, dann ließ er sich nichts anmerken.

»Also gut«, sagte der Kapitän. »Schicken Sie einen Funkspruch an die Eigner: Melde Maschinenschaden bei . . . Wie ist unsere genaue Position, Nummer eins?«

Der Erste Offizier gab dem Funker die Position an. Der Kapitän fuhr fort: »Benötigen neue Ölpumpe oder Schlepper zum Hafen. Bitte um Anweisung.«

Kochs Schultern entspannten sich ein wenig. Er hatte es geschafft. Nach einiger Zeit schickten die Eigner ihre Antwort:

COPARELLI AN SAVILE SHIPPING ZÜRICH VERKAUFT. IHRE
BOTSCHAFT AN NEUE EIGNER WEITERGEGEBEN. WARTEN SIE
AUF INSTRUKTIONEN.

Fast sofort danach kam eine Nachricht von Savile Shipping:

UNSER SCHIFF GIL HAMILTON IN IHREN GEWÄSSERN. WIRD
GEGEN MITTAG LÄNGSSEITS BEIDREHEN. SCHIFFEN SIE GANZE
BESATZUNG AUSSER INGENIEUR AUS. GIL HAMILTON WIRD
BESATZUNG NACH MARSEILLE BRINGEN. INGENIEUR WIRD AUF
NEUE ÖLPUMPE WARTEN. PAPAGOPULOS.

*

Der Nachrichtenaustausch wurde sechzig Meilen entfernt von Solly Weinberg, dem Kapitän der *Gil Hamilton* und einem Fregattenkapitän der israelischen Flotte, gehört. Er murmelte: »Genau nach Plan. Gut gemacht, Koch.« Dann legte er Kurs auf die *Coparelli* an und befahl volle Geschwindigkeit voraus.

*

Der Nachrichtenaustausch wurde *nicht* von Yasif Hassan und Mahmud an Bord der *Nablus*, 150 Meilen entfernt, gehört. Sie waren in der Kapitänskabine über eine Skizze gebeugt, die Hassan von der *Coparelli* angefertigt hatte, und überlegten, wie das Schiff zu entern wäre. Hassan hatte den Funker der *Nablus* instruiert, zwei Wellenlängen zu belauschen: die eine, die der Leitstrahlsender der *Stromberg* benutzte, und die andere, auf der Tyrin seine heimlichen Botschaften von der *Coparelli* an Rostow auf der *Karla* schickte. Da die Nachrichten nicht auf der normalen Wellenlänge der *Coparelli* gesendet wurden, fing die *Nablus* sie nicht auf. Es würde einige Zeit dauern, bis die Feddajin merkten, daß sie ein fast verlassenes Schiff zu kapern beabsichtigten.

*

Der Nachrichtenaustausch war zweihundert Meilen entfernt, auf der Brücke der *Stromberg*, gehört worden. Als die *Coparelli* die Nachricht von Papagopulos bestätigte, jubelten und klatschten die Offiziere auf der Brücke. Nat Dickstein, der sich mit einem Becher schwarzen Kaffees in der Hand an ein Schott gelehnt hatte und auf den Regen und die Wogen der See hinausstarrte, jubelte nicht. Sein Körper war gebeugt und gespannt, sein Gesicht unbewegt, und seine braunen Augen bildeten schmale Schlitze hinter der Plastikbrille. Einer der Offiziere bemerkte sein Schweigen und wandte sich mit den Worten an ihn, daß die erste große Hürde genommen sei. Dicksteins halblaute Antwort war – ganz untypisch für ihn – mit den stärksten Flüchen gepfeffert. Der vergnügte Offizier ließ ihn in Ruhe und meinte später in der Messe, daß Dickstein wie ein Mann aussehe, der einem ein Messer in den Bauch jagen würde, wenn man ihm auf die Zehen träte.

*

Und der Nachrichtenaustausch wurde schließlich auch dreihundert Meilen entfernt, an Bord der *Karla*, von David Rostow und Suza Ashford gehört.

Suza war wie benommen, als sie von dem sizilianischen Kai über die Laufplanke an Bord des polnischen Schiffes ging. Sie nahm kaum zur Kenntnis, was geschah, während Rostow sie in ihre Kabine führte – eine Offizierskabine mit eigener Toilette – und ihr wünschte, sie möge sich wohl fühlen. Suza hatte sich auf das Bett gesetzt und ihre Haltung nicht verändert, als ihr ein Seemann eine Stunde später auf einem Tablett eine kalte Mahlzeit brachte und sie ohne ein Wort auf den Tisch stellte. Sie aß nichts. Es wurde dunkel, und sie begann zu zittern. Deshalb glitt sie ins Bett, lag mit weit geöffneten Augen da, starrte ins Nichts und zitterte immer noch.

Endlich war sie eingeschlafen – unruhig zuerst, mit seltsamen, bedeutungslosen Alpträumen, dann aber hatte tiefer Schlaf sie übermannt. Die Morgendämmerung weckte sie.

Sie lag still, spürte die Bewegung des Schiffes und sah sich verständnislos in der Kabine des Schiffes um, bevor ihr einfiel, wohin man sie gebracht hatte. Es war, als wache sie auf und erinnere sich an das blinde Entsetzen eines Alptraums. Aber statt zu denken: Gott sei Dank, es war nur ein Traum, merkte sie, daß der Schrecken Wahrheit war und immer noch weiterging.

Suza hatte ein unsagbar schlechtes Gewissen. Nun wurde ihr klar, daß sie sich selbst zum Narren gehalten hatte. Sie hatte sich eingeredet, sie müsse Nat ohne Rücksicht auf das damit verbundene Risiko finden und warnen. In Wahrheit wäre ihr jeder Vorwand recht gewesen, um nach ihm zu suchen. Die katastrophalen Folgen dessen, was sie getan hatte, ergaben sich ganz selbstverständlich aus der Verwirrung ihrer Motive. Zwar war Nat in Gefahr gewesen, aber die Gefahr hatte sich jetzt noch verstärkt, und das war allein ihre Schuld.

Dann fiel ihr ein, daß sie, umgeben von russischen Schlägern, an Bord eines polnischen Schiffes war, das von Nats Feinden kommandiert wurde. Sie drückte den Kopf in ihr Kissen und kämpfte gegen die Hysterie an, die würgend in ihrer Kehle hochstieg. Und plötzlich wurde sie wütend, und das half ihr, bei Verstand zu bleiben.

Suza dachte an ihren Vater, der sie für seine politischen Ideen ausnutzen wollte, und war zornig auf ihn. Sie dachte an Hassan, der ihren Vater manipuliert und ihr die Hand aufs Knie gelegt hatte, und sie wünschte, sie hätte ihm einen Schlag ins Gesicht versetzt, als es noch möglich gewesen war. Schließlich dachte sie an Rostow, den Mann mit dem harten, intelligenten Gesicht und dem kalten Lächeln, der Nats Schiff rammen und ihn umbringen wollte. Ihre Wut kannte keine Grenzen mehr.

Dickstein war der Mann ihrer Wahl. Er war humorvoll, stark, seltsam verletzlich, er schrieb Liebesbriefe und er kaperte Schiffe. Und er war der erste Mann, den sie wirklich liebte. Ihn durfte sie nicht verlieren.

Zwar war sie eine Gefangene im feindlichen Lager, aber nur von ihrem eigenen Standpunkt aus. Die Feinde glaubten sie auf ihrer Seite und vertrauten ihr. Vielleicht würde sie eine Chance haben, ihnen das Spiel zu verderben. Danach mußte sie Ausschau halten. Sie würde sich frei auf dem Schiff bewegen, ihre Furcht verbergen, mit ihren Feinden sprechen, deren Vertrauen zu ihr stärken, indem sie vorgab, ihre Ziele und Interessen zu teilen, bis sie eine Gelegenheit sah.

Ihr Vorhaben ließ sie erzittern. Dann sagte sie sich: Wenn ich es nicht tue, werde ich ihn verlieren, und wenn ich ihn verliere, will ich nicht mehr weiterleben.

Sie stand auf, legte die Kleidung ab, in der sie geschlafen hatte, wusch sich und zog einen sauberen Pullover und eine Hose aus ihrem Koffer an. Sie setzte sich an den kleinen angeschraubten Tisch und aß etwas von der Wurst und dem Käse, die am Tag vorher gebracht worden waren. Dann bürstete sie sich das Haar und legte eine Spur von Make-up auf, um ihre Moral ein wenig zu heben.

Suza ging an die Kabinentür und merkte, daß diese nicht abgeschlossen war.

Sie trat hinaus.

Der Duft von Essen lockte sie den Gang entlang zur Kombüse. Sie ging hinein und blickte sich rasch um.

Rostow saß allein da und aß mit einer Gabel langsam Rührei. Er hob den Kopf und entdeckte sie. Plötzlich schien sein Gesicht eisig und böse, sein schmaler Mund wurde hart, seine Augen blickten gefühllos. Suza zögerte, zwang sich dann aber, auf seinen Tisch zuzusteuern. Dort angekommen, stützte sie sich kurz auf einen Stuhl, denn ihre Knie waren weich geworden.

»Setzen Sie sich«, sagte Rostow.

Sie ließ sich auf den Stuhl fallen.

»Wie haben Sie geschlafen?«

Suza atmete zu hastig, als wäre sie sehr schnell gegangen. »Gut.« Ihre Stimme bebte.

Seine scharfen, skeptischen Augen schienen sich in ihr Hirn zu bohren. »Sie scheinen durcheinander zu sein.« Er sprach mit monotoner Stimme, ohne Sympathie oder Feindseligkeit.

»Ich . . .« Die Worte blieben ihr in der Kehle stecken und ließen sie nach Luft schnappen. »Es – es war gestern sehr verwirrend für mich.« Das stimmte zumindest. »Ich habe noch nie jemanden sterben sehen.«

»Ah.« Endlich zeigte sich eine Spur menschlichen Gefühls in Rostows Miene. Vielleicht erinnerte er sich daran, wie er zum erstenmal einen Menschen hatte sterben sehen. Er streckte die Hand nach einer Kaffeekanne aus und füllte eine Tasse für sie. »Sie sind sehr jung – nicht viel älter als der ältere meiner beiden Söhne.«

Suza nippte dankbar an dem heißen Kaffee und hoffte, daß er auf diese Art weitersprechen würde – es würde ihr helfen, sich zu beruhigen.

»Ihr Sohn?«

»Jurij Davidowitsch. Er ist zwanzig.«

»Was macht er?«

Rostows Lächeln war nicht mehr so frostig wie vorher. »Unglücklicherweise hört er meistens dekadente Musik. Er studiert nicht so eifrig, wie er sollte – nicht wie sein Bruder.«

Suza begann allmählich wieder normal zu atmen, ihre Hand zitterte nicht mehr, wenn sie die Tasse anhob. Sie wußte, daß dieser Mann nicht weniger gefährlich war, nur weil er eine Familie hatte. Aber er *schien* weniger erschreckend, wenn er so wie jetzt redete.

»Und Ihr anderer Sohn?

Rostow nickte. »Wladimir.« Nun war er überhaupt nicht mehr erschreckend. Er starrte mit liebevollem, nachsichtigem Gesichtsausdruck über Suzas Schulter hinweg. »Er ist sehr begabt. Wenn er die richtige Ausbildung erhält, wird er ein großer Mathematiker werden.«

»Das dürfte kein Problem sein. Die sowjetische Erziehung ist die beste der Welt.«

Die Bemerkung war unverfänglich genug gewesen, doch sie mußte für ihn eine besondere Bedeutung haben, denn der verträumte Ausdruck verschwand, und sein Gesicht wurde wieder hart und kalt. »Nein, es dürfte kein Problem sein.« Er begann wieder, seine Eier zu essen.

Ich darf ihn jetzt nicht verstimmen, dachte Suza. Sie suchte verzweifelt nach Worten. Was hatte sie mit ihm gemeinsam, worüber konnten sie sprechen? Dann fiel es ihr ein. »Ich wünschte, daß ich mich noch aus Oxford an Sie erinnern könnte.«

»Sie waren noch sehr klein.« Er füllte seine Kaffeetasse auf. »Niemand hat Ihre Mutter vergessen. Sie war mit Abstand die schönste Frau der Umgebung. Und Sie sind genauso.«

Schon besser. Suza fragte: »Was haben Sie studiert?«

»Volkswirtschaft.«

»Das war damals wohl keine präzise Wissenschaft.«

»Heute ist sie nicht viel besser geworden.«

Suza setzte eine fast feierliche Miene auf. »Wir sprechen natürlich von der bourgeoisen Volkswirtschaft.«

»Natürlich.« Rostow blickte sie an, als wisse er nicht, ob sie es ernst meinte oder nicht. Er entschied offenbar, daß sie es ernst gemeint hatte.

Ein Offizier kam in die Kombüse und sprach ihn auf russisch an. Rostow warf Suza einen bedauernden Blick zu. »Ich muß auf die Brücke.«

Suza wollte ihn begleiten. Sie zwang sich zur Ruhe. »Darf ich mitkommen?«

Er zögerte. Suza dachte: Er sollte es eigentlich gestatten. Schließlich hat er sich gern mit mir unterhalten, er glaubt, daß ich auf seiner Seite bin, und da ich auf diesem KGB-Schiff festsitze, kann ich sowieso keine Geheimnisse verraten.

»Warum nicht?« erwiderte Rostow.

Er ging hinaus, und Suza folgte ihm.

Oben im Funkraum lächelte Rostow, während er die Nachrichten las und sie für Suza übersetzte. Er schien sich über Dicksteins Einfallsreichtum zu freuen. »Der Mann ist höllisch ausgekocht.«

»Was ist Savile Shipping?«

»Eine Fassade für den israelischen Geheimdienst. Dickstein schaltet alle Leute aus, die Grund hätten, an dem Uran interessiert zu sein. Die Reederei hat kein Interesse, weil ihr das Schiff nicht mehr gehört. Jetzt zieht er den Kapitän und die Besatzung ab. Zweifellos hat er die Leute, denen das Uran tatsächlich gehört, irgendwie unter Kontrolle. Es ist ein wunderbarer Plan.«

Das war es, was Suza wollte. Rostow sprach mit ihr wie mit einer Kollegin. Sie befand sich im Mittelpunkt der Ereignisse und müßte einen Weg finden können, um seine Absichten zu durchkreuzen. »Ich nehme an, der Maschinenschaden war ein Trick?«

»Ja. Nun kann Dickstein das Schiff übernehmen, ohne einen einzigen Schuß abzugeben.«

Suza stellte rasch einige Überlegungen an. Als sie Dickstein »verriet«, hatte sie der arabischen Seite ihre Loyalität bewiesen. Nun hatte sich die arabische Seite in zwei Lager gespalten: Rostow mit dem KGB und dem ägyptischen Geheimdienst, und Hassan und die Feddajin. Jetzt konnte Suza ihre Loyalität gegenüber Rostows Seite beweisen, indem sie Hassan verriet.

Sie sagte so beiläufig wie möglich: »Und Yasif Hassan natürlich auch.«

»Wie?«

»Hassan kann die *Coparelli* auch übernehmen, ohne einen einzigen Schuß abzugeben.«

Rostow starrte sie an. Alles Blut schien aus seinem schmalen Gesicht zu weichen. Suza war überrascht darüber, daß er plötzlich Ausgeglichenheit und Selbstbewußtsein verlor. Er fragte: »Hassan hat vor, die *Coparelli* zu kapern?«

Nun gab Suza vor, überrascht zu sein. »Wollen Sie behaupten, daß Sie das nicht wußten?«

»Aber wer steckt dahinter? Doch bestimmt nicht die Ägypter!«

»Die Feddajin. Hassan meinte, es sei *Ihr* Plan.«

Rostow hämmerte mit der Faust gegen das Schott, seine Wut schien sich aber nur noch zu steigern.

Suza wußte, daß dies ihre Chance war. Hoffentlich würde ihre Kraft ausreichen. »Vielleicht können wir ihn aufhalten . . .«

Rostow schaute sie an. »Was ist sein Plan?«

»Er will die *Coparelli* kapern, bevor Dickstein sie erreicht, dann die israelische Besatzung überfallen und Kurs auf . . . er hat mir nicht gesagt, welcher Kurs genau eingeschlagen werden soll, aber das Ziel liegt irgendwo in Nordafrika. Was war Ihr Plan?«

»Das Schiff zu rammen, nachdem Dickstein das Uran gestohlen hatte . . .«

»Können wir das nicht trotzdem tun?«

»Nein. Wir sind noch zu weit entfernt.«

Suza wußte, daß sie und Dickstein sterben würden, wenn ihr nächster

Vorschlag nicht erfolgreich war. Sie verschränkte die Arme, um ihr Zittern zu verbergen. »Dann gibt es nur eins, was wir tun können.«
Rostow hob den Kopf. »Und zwar?«
»Wir müssen Dickstein vor dem Hinterhalt der Feddajin warnen, damit er die *Coparelli* wieder an sich bringen kann.«
Es war heraus. Sie beobachtete Rostows Gesicht. Er mußte zustimmen, es war logisch, es war die einzige Möglichkeit für ihn!
Rostow dachte angestrengt nach. »Dickstein warnen, damit er den Feddajin die *Coparelli* wieder abjagt. Dann kann er sich an seinen Plan halten, und wir können unserem eigenen folgen.«
»Ja! Das ist doch die einzige Möglichkeit! Habe ich nicht recht?«

*

VON: SAVILE SHIPPING, ZÜRICH
AN: ANGELUZZI E BIANCO, GENUA
IHRE YELLOW-CAKE-LIEFERUNG VON F.A. PEDLER WEGEN
MASCHINENSCHADENS AUF SEE AUF UNBESTIMMTE ZEIT
VERZÖGERT. WERDE NEUEN LIEFERTERMIN SO SCHNELL WIE
MÖGLICH MITTEILEN. PAPAGOPULOS.

*

Als die *Gil Hamilton* ins Blickfeld kam, stellte Pjotr Tyrin den Rauschgiftsüchtigen Ravlo auf dem Zwischendeck der *Coparelli*. Er packte den schmächtigen Burschen am Pulloverärmel und zog ihn mit einem Ruck zu sich heran. »Hör zu, du wirst etwas für mich tun.«
»Sicher, was du willst.«
Tyrin zögerte. Es war riskant, aber es gab keine Alternative. »Ich bleibe an Bord, wenn ihr von der *Gil Hamilton* übernommen werdet. Wenn man mich vermißt, mußt du sagen, daß du gesehen hast, wie ich über Bord kletterte.«
»Klar, in Ordnung.«
»Wenn ich entdeckt werde und an Bord der *Gil Hamilton* muß, mußt du damit rechnen, daß ich dein Geheimnis verrate.«
»Ich werde tun, was ich kann.«
»Das würde ich dir auch raten.«
Tyrin ließ ihn los. Er hatte immer noch Zweifel: Ein solcher Mann würde alles mögliche versprechen, doch wenn es darauf ankam, könnte er versagen.

Alle Matrosen wurden für den Schiffswechsel auf Deck beordert. Das Meer war zu unruhig, als daß die *Gil Hamilton* längsseits hätte beidrehen können; deshalb schickte sie eine Barkasse. Alle mußten für die Überfahrt Rettungsgürtel tragen. Die Offiziere und Matrosen der *Coparelli* standen ruhig im strömenden Regen, während sie gezählt wurden. Dann kletterte der erste Matrose die Leiter hinunter und sprang in die Vertiefung der Barkasse.

Das Boot war zu klein, um die ganze Mannschaft tragen zu können – sie würde in zwei oder drei Schichten überwechseln müssen. Während sich die ganze Aufmerksamkeit auf die ersten Männer, die über die Reling kletterten, konzentrierte, flüsterte Tyrin Ravlo zu: »Versuch, ganz am Ende dranzukommen.«

»In Ordnung.«

Die beiden schoben sich bis zum Rand der an Deck wartenden Menge zurück. Die Offiziere spähten nach unten auf die Barkasse. Die einfachen Besatzungsmitglieder warteten stehend, mit dem Gesicht zur *Gil Hamilton*.

Tyrin schlüpfte hinter ein Schott.

Er war zwei Schritte von einem Rettungsboot entfernt, dessen Verdeck er vorher gelockert hatte. Der Bug des Bootes konnte von mitschiffs, wo die Matrosen standen, gesehen werden, das Heck dagegen nicht. Tyrin schob sich zum Heck vor, hob das Verdeck an, kletterte hinein und schob die Hülle von innen her wieder zurück.

Wenn ich jetzt entdeckt werde, ist es vorbei, dachte er.

Tyrin war ein untersetzter Mann, und der Rettungsgürtel vergrößerte seinen Umfang noch. Mit einiger Mühe kroch er durch das ganze Boot zu einer Stelle, von der aus er das Deck durch eine Öse in der Persenning beobachten konnte. Nun hing alles von Ravlo ab.

Er sah zu, wie die zweite Abteilung der Männer über die Leiter in die Barkasse hinabstieg. Dann hörte er den Ersten Offizier fragen: »Wo ist der Funker?«

Tyrin hielt nach Ravlo Ausschau und entdeckte ihn. Sprich, verdammt noch mal!

Ravlo zögerte: »Er war bei der ersten Gruppe.«

Na also!

»Sind Sie sicher?«

»Ja, ich habe ihn gesehen.«

Der Offizier nickte und machte eine Bemerkung darüber, daß man in diesem Mistregen keinen Mann vom anderen unterscheiden könne.

Der Kapitän rief Koch zu sich, und die beiden Männer unterhielten sich auf der Leeseite eines Schotts, nicht weit von Tyrins Versteck entfernt.

Der Kapitän sagte: »Ich habe noch nie von Savile Shipping gehört. Sie etwa?«

»Nein.«

»Es gehört sich nicht, ein Schiff zu verkaufen, während es noch auf See ist, und dann den Ingenieur an Bord zu lassen, während der Kapitän abberufen wird.«

»Ja, Kapitän. Ich nehme an, daß diese neuen Eigner nichts von der Seefahrt verstehen.«

»Bestimmt nicht, sonst würden sie sich anders verhalten. Wahrscheinlich Krämerseelen.« Eine Pause. »Sie könnten sich natürlich weigern, allein zu bleiben, dann müßte ich Ihnen Gesellschaft leisten. Ich würde mich später für Sie einsetzen.«

»Ich hätte Angst, meine Lizenz zu verlieren.«

»In Ordnung. Ich hätte es nicht vorschlagen sollen. Also viel Glück.«

»Vielen Dank, Kapitän.«

Die dritte Gruppe der Seeleute war eben in die Barkasse geklettert. Der Erste Offizier wartete an der Spitze der Leiter auf den Kapitän, der immer noch etwas über Krämerseelen murmelte, sich dann aber umwandte, das Deck überquerte und dem Ersten Offizier über Bord folgte.

Tyrin konzentrierte sich auf Koch, der nun glaubte, der einzige Mann an Bord der *Coparelli* zu sein. Der Ingenieur sah zu, wie die Barkasse auf die *Gil Hamilton* zuhielt, und stieg danach die Leiter zur Brücke empor.

Der Russe fluchte laut. Ihm lag daran, daß Koch nach unten ginge, damit er vom vorderen Speicher aus mit der *Karla* Funkkontakt aufnehmen könnte. Er beobachtete die Brücke und sah Kochs Gesicht von Zeit zu Zeit hinter dem Glas auftauchen. Wenn Koch dort blieb, müßte Tyrin bis zur Dunkelheit warten, aber es sah aus, als plante Koch, den ganzen Tag auf der Brücke zu bleiben.

Tyrin stellte sich auf eine lange Wartezeit ein.

*

Als die *Nablus* den Punkt südlich von Ibiza erreichte, wo sie nach Hassans Berechnung auf die *Coparelli* treffen mußte, war kein einziges Schiff in Sicht.

Sie umkreisten den Punkt in einer immer größer werdenden Spirale, während Hassan den trüben, verregneten Horizont durch ein Fernglas musterte.

»Du hast einen Fehler gemacht«, sagte Mahmud.

»Nicht unbedingt.« Hassan war entschlossen, keine Panik zu zeigen. »Dies war nur der früheste Zeitpunkt, zu dem wir sie treffen konnten. Sie braucht aber nicht mit Höchstgeschwindigkeit zu fahren.«

»Wieso sollte sie sich verspätet haben?«

Hassan zuckte mit gespielter Gleichgültigkeit die Achseln. »Vielleicht funktionieren ihre Maschinen nicht so gut. Vielleicht war das Wetter schlechter als bei uns. Es gibt eine Menge Gründe.«

»Was schlägst du also vor?«

Hassan merkte, daß auch Mahmud sich unbehaglich fühlte. Auf diesem Schiff hatte er nicht wie sonst alles unter Kontrolle; nur Hassan konnte Entscheidungen treffen. »Wir schlagen südwestlichen Kurs ein und fahren auf der Route der *Coparelli* zurück. Früher oder später müssen wir ihr begegnen.«

»Gib dem Kapitän den Befehl«, knurrte Mahmud, ließ Hassan mit dem Kapitän auf der Brücke zurück und ging nach unten zu seinen Männern. In ihm brannte das Feuer ungelöschten Rachedurstes. Diese Spannung zehrte auch am Wohlverhalten seiner Leute. Sie hatten um Mittag einen Kampf erwartet, und nun mußten sie warten, im Mannschaftsquartier und in der Kombüse die Zeit totschlagen, Waffen reinigen, Karten spielen und von vergangenen Schlachten prahlen. Sie waren psychisch auf die Schlacht eingestellt und neigten dazu, sich selbst und den anderen durch gefährliche Messerspiele ihren Mut zu beweisen. Einer von ihnen hatte sich mit zwei Matrosen wegen einer angeblichen Beleidigung gestritten und beiden mit einem zerbrochenen Glas das Gesicht verletzt, bevor der Kampf unterbunden wurde. Jetzt ging die Besatzung den Feddajin so gut wie möglich aus dem Weg.

Hassan fragte sich, wie er an Mahmuds Stelle Leute behandeln würde. In letzter Zeit hatte er oft ähnliche Gedanken gehegt. Mahmud war immer noch der Kommandeur, aber Hassan hatte die ganze wichtige Arbeit geleistet: er hatte Dickstein entdeckt, die Nachricht von dessen Plan überbracht, sich die Kaperung durch die Feddajin einfallen lassen und den Standort der *Stromberg* festgestellt. Er begann darüber nachzudenken, welche Position er in der Bewegung einnehmen würde, wenn alles vorbei war.

Offenbar dachte Mahmud über das gleiche nach.

Nun, wenn es zu einem Machtkampf zwischen ihnen beiden käme, würde er abwarten müssen. Zuerst hatten sie die *Coparelli* zu kapern und Dickstein zu überfallen. Hassan wurde ein wenig übel beim Gedanken daran. Es mochte den schlachterprobten Männern unter Deck leichtfallen, dem Kampf entgegenzufiebern. Aber Hassan war nie im Krieg gewesen, hatte nie eine Waffe auf sich gerichtet gesehen – außer der Cortones in der verwüsteten Villa. Er hatte Angst und hatte sogar noch mehr Angst, sich dadurch mit Schande zu bedecken, daß er seine Furcht zeigte, daß er sich umdrehte und davonlief, daß er sich übergeben mußte wie in der Villa. Doch er war auch erregt, denn wenn sie siegten – wenn sie siegten!

Um 16.30 Uhr wurde falscher Alarm gegeben, als sie ein anderes Schiff sichteten, das auf sie zukam, aber nachdem Hassan es durch sein Fernglas betrachtet hatte, verkündete er, daß es nicht die *Coparelli* sei. Als sie einander passierten, war der Name am Bug klar auszumachen: *Gil Hamilton*.

Das Tageslicht verblich, und Hassan wurde immer unruhiger. Bei diesem Wetter konnten zwei Schiffe nachts, sogar mit Positionslichtern, innerhalb einer halben Meile ahnungslos aneinander vorbeifahren.

Und der geheime Sender der *Coparelli* hatte sich den ganzen Nachmittag hindurch nicht vernehmen lassen, obwohl Yaacov berichtet hatte, daß Rostow versuchte, mit Tyrin Kontakt aufzunehmen. Um sicherzugehen, daß die *Coparelli* nicht nachts an der *Nablus* vorbeifuhr, wollten sie über Stag gehen, mit der Geschwindigkeit der *Coparelli* auf Genua zuhalten und die Suche erst am Morgen wiederaufnehmen. Aber bis dahin würde die *Stromberg* in der Nähe sein und die Feddajin die Chance verlieren, Dickstein in die Falle zu locken.

Hassan wollte Mahmud, der gerade auf die Brücke zurückgekehrt war, den Sachverhalt erklären, als ein einzelnes weißes Licht in der Ferne blinkte.

»Sie liegt vor Anker«, sagte der Kapitän.

»Woher wissen Sie das?« fragte Mahmud.

»Es ist an dem weißen Licht zu erkennen.«

»Deshalb war sie also nicht vor Ibiza, als wir sie erwarteten«, meinte Hassan. »Wenn das die *Coparelli* ist, solltet ihr euch zum Entern bereitmachen.«

»Du hast recht«, stimmte Mahmud zu und verschwand, um seine Männer zu alarmieren.

»Löschen Sie unsere Positionslichter«, befahl Hassan dem Kapitän.

Während sich die *Nablus* dem anderen Schiff näherte, senkte sich die Nacht herab.

»Ich bin fast sicher, daß es die *Coparelli* ist«, sagte Hassan.

Der Kapitän ließ sein Fernglas sinken. »Sie hat drei Kräne an Deck, und alle ihre Aufbauten sind achtern.«

»Ihre Augen sind besser als meine. Es ist die *Coparelli*.«

Er ging nach unten in die Kombüse, wo Mahmud seine Truppen instruierte. Mahmud blickte auf, als er eintrat. Hassan nickte. »Sie ist es.«

Mahmud wandte sich wieder an seine Männer. »Wir erwarten keinen starken Widerstand. Die Besatzung des Schiffes besteht aus gewöhnlichen Seeleuten, und es gibt für sie keinen Grund, bewaffnet zu sein. Wir greifen die Backbordseite mit einem und die Steuerbordseite mit einem anderen Boot an. Wenn wir an Bord sind, müssen wir zuerst die Brücke erobern und die Besatzung daran hindern, das Funkgerät zu benutzen. Danach treiben wir die Mannschaft auf Deck zusammen.« Er machte eine Pause, um sich an Hassan zu wenden. »Sag dem Kapitän, daß er so dicht wie möglich an die *Coparelli* heranfahren und dann die Maschinen stoppen soll.«

Hassan drehte sich um. Plötzlich war er wieder der Laufbursche: Mahmud demonstrierte, daß er immer noch das Kommando hatte. Hassan merkte, wie die Erniedrigung ihm das Blut in die Wangen strömen ließ.

»Yasif.«

Er wandte den Kopf.

»Deine Waffe.« Mahmud warf ihm eine Pistole zu, und Hassan fing sie auf. Es war eine kleine Pistole, fast ein Spielzeug, eine Waffe, wie eine Frau sie in der Handtasche tragen mochte. Die Feddajin brüllten vor Lachen.

Solche Spielchen beherrsche ich auch, dachte Hassan. Er fand das, was wie die Sicherung aussah, und legte sie um. Dann richtete er die

Waffe auf den Boden und drückte ab. Ein lauter Knall ertönte. Er jagte alle Kugeln ins Deck.

Stille.

»Mir war, als liefe da eine Maus«, sagte Hassan und warf Mahmud die Pistole wieder zu.

Die Feddajin lachten noch lauter.

Hassan ging hinaus. Er kehrte zur Brücke zurück, übergab dem Kapitän die Botschaft und stieg auf das Deck hinab. Es war sehr dunkel geworden. Eine Zeitlang war von der *Coparelli* nichts anderes als das Licht zu sehen. Aber als er seine Augen anstrengte, ließ sich eine pechschwarze Silhouette vor dem Dunkelgrau der Wellen ausmachen.

Die Feddajin, die jetzt schwiegen, waren aus der Kombüse aufgetaucht und standen mit der Besatzung an Deck. Die Maschinen der *Nablus* verstummten. Die Besatzung ließ die Boote hinab.

Hassan und seine Feddajin stiegen über Bord.

Er war im selben Boot wie Mahmud. Die kleine Barkasse hüpfte auf den Wellen, die nun ungeheuer schienen. Sie näherten sich der senkrecht aufragenden Seite der *Coparelli*. An Bord regte sich nichts. Wieso hörte der wachhabende Offizier das Geräusch der beiden Motoren nicht? Keine Alarmsirene ertönte, keine Lichter überfluteten das Deck, niemand brüllte Befehle oder trat an die Reling.

Mahmud kletterte als erster die Leiter hinauf.

Als Hassan das Deck der *Coparelli* erreichte, schwärmte die andere Gruppe schon über das Steuerbordschandeck.

Männer drängten sich durch die Niedergänge und über die Leitern. Immer noch gab es kein Zeichen von der Besatzung der *Coparelli*. Hassan hatte die fürchterliche Vorahnung, daß irgend etwas schiefgegangen war.

Er folgte Mahmud zur Brücke hinauf. Zwei der Männer waren schon dort. Hassan fragte: »Hatten sie Zeit, Notsignale auszusenden?«

»Wer?« entgegnete Mahmud.

Sie stiegen wieder zum Deck hinab. Langsam tauchten die Männer aus dem Inneren des Schiffes auf. In ihren Mienen spiegelte sich Erstaunen, und die Waffen in ihren Händen waren kalt.

»Das Wrack der *Marie Celeste*«, sagte Mahmud.

Zwei Männer hatten einen erschrocken wirkenden Matrosen zwischen sich und kamen über das Deck.

Hassan sprach den Matrosen auf englisch an. »Was ist hier passiert?«

Der Seemann antwortete in irgendeiner anderen Sprache.

Plötzlich überkam Hassan ein entsetzlicher Gedanke. »Laß uns den Laderaum überprüfen«, sagte er zu Mahmud.

Sie fanden einen Niedergang und kletterten in den Laderaum hinunter. Hassan entdeckte einen Lichtschalter und knipste ihn an.

Der Laderaum war mit großen Ölfässern, versiegelt und durch Holzkeile abgesichert, gefüllt. Auf die Seiten der Fässer war das Wort PLUMBAT gemalt.

»Das ist es«, rief Hassan. »Das ist das Uran.«

Sie betrachteten die Fässer und blickten sich danach an. Für einen Moment war alle Rivalität vergessen.

»Wir haben es geschafft«, sagte Hassan. »Bei Gott, wir haben es geschafft.«

*

Bei Einbruch der Dunkelheit hatte Tyrin beobachtet, wie der Ingenieur nach vorn ging, um das weiße Licht anzuschalten. Danach war er nicht auf die Brücke zurückgekehrt, sondern hatte sich nach achtern in die Kombüse begeben. Er würde sich etwas zu essen holen.

Auch Tyrin hatte Hunger. Er hätte seinen Arm für einen Teller Salzheringe und einen Laib Schwarzbrot gegeben. Während er den ganzen Nachmittag hindurch verkrampft in seinem Rettungsboot gehockt und auf Kochs nächste Aktion gewartet hatte, war ihm nichts anderes als sein Hunger eingefallen, und er hatte sich selbst mit Gedanken an Kaviar, geräucherten Lachs, eingelegte Pilze und vor allem an Schwarzbrot gemartert.

Noch nicht, Pjotr, mahnte er sich.

Sobald Koch außer Sicht war, stieg Tyrin aus dem Rettungsboot – seine Muskeln protestierten, während er sich streckte – und eilte über das Deck zum vorderen Speicher.

Er hatte die Kisten und das Gerümpel im Hauptspeicher so verlagert, daß sie den Eingang zu seinem kleinen Funkraum verbargen. Nun mußte er sich auf Hände und Knie niederlassen, eine Kiste zur Seite ziehen und durch einen schmalen Tunnel kriechen, um hineinzukommen.

Das Gerät wiederholte eine kurze Mitteilung von zwei Buchstaben.

Tyrin schlug im Codebuch nach und fand heraus, daß er vor der Bestätigung auf eine andere Wellenlänge umschalten sollte. Er stellte das Gerät auf Sendung und folgte seinen Anweisungen.

Rostow antwortete sofort.PLANÄNDERUNG. HASSAN WIRD COPARELLI ANGREIFEN.

Tyrin runzelte verwirrt die Stirn und gab zurück:
WIEDERHOLEN BITTE.

HASSAN IST EIN VERRÄTER. FEDDAJIN WERDEN COPARELLI ANGREIFEN.

»Himmel, was ist los?« sagte Tyrin laut vor sich hin. Die *Coparelli* war *hier*, er war an Bord . . . Weshalb würde Hassan . . .? Wegen des Urans natürlich.

Rostow fuhr fort:HASSAN WILL DICKSTEIN ÜBERFALLEN. DAMIT WIR UNSEREN PLAN DURCHFÜHREN KÖNNEN MÜSSEN WIR DICKSTEIN VOR DEM ÜBERFALL WARNEN.

Tyrin zog die Brauen zusammen, während er die Mitteilung entschlüsselte. Dann hellte sich seine Miene auf. »Damit geht alles von vorn los«, murmelte er. »Das ist geschickt. Aber was soll ich tun?«

Er sendete: WIE?

DU RUFST STROMBERG AUF GEWÖHNLICHER WELLENLÄNGE DER COPARELLI UND SENDEST GANZ GENAU WIEDERHOLE GANZ GENAU FOLGENDE BOTSCHAFT. BEGINN COPARELLI AN STROMBERG WERDE GEENTERT ARABER WAHRSCHEINLICH. VORSICHT ENDE.

Tyrin nickte. Dickstein würde annehmen, daß Koch Zeit gehabt hatte, ein paar Worte zu senden, bevor die Araber ihn töteten. Wenn er gewarnt war, sollte Dickstein die *Coparelli* übernehmen können. Dann konnte Rostows *Karla* wie geplant Dicksteins Schiff rammen.

Tyrin dachte: Aber was wird aus mir?

Er antwortete: VERSTANDEN. Plötzlich hörte er ein fernes Poltern, als wenn etwas den Rumpf des Schiffes getroffen hatte. Zuerst achtete er nicht darauf, dann fiel ihm ein, daß außer ihm und Koch niemand an Bord war. Er ging zur Tür des vorderen Speichers und blickte hinaus.

Die Feddajin waren angekommen.

Er schloß die Tür und eilte zu seinem Sender zurück. HASSAN IST HIER.

Rostow entgegnete: WARNE DICKSTEIN JETZT.

Tyrin: UND WAS DANN?
Rostow: VERSTECK DICH.
Vielen Dank, dachte Tyrin. Er meldete sich ab und stellte die normale Wellenlänge ein, um die Nachricht an die *Stromberg* zu senden.
Ihm kam der schauerliche Gedanke, daß er vielleicht nie wieder Salzhering essen würde.

*

»Bis an die Zähne bewaffnet seid ihr? – Gut, aber ihr übertreibt wohl etwas«, sagte Nat Dickstein, und alle lachten.
Die Warnung von der *Coparelli* hatte seine Stimmung geändert. Zuerst war er schockiert gewesen. Wie hatte der Gegner es geschafft, so viel von seinem Plan zu erfahren, daß er die *Coparelli* hatte vor ihm kapern können? Irgendwo mußte er schrecklichen Fehleinschätzungen zum Opfer gefallen sein. Suza . . .? Aber es hatte keinen Zweck, sich noch weiter Vorwürfe zu machen. Ein Kampf stand bevor. Seine tiefe Depression löste sich auf. Die Spannung war immer noch da, fest in seinem Inneren zusammengerollt wie eine Stahlfeder, aber nun konnte er ihr nachgeben und sie ausnutzen. Nun war etwas mit ihr anzufangen.
Die zwölf Männer in der Messe der *Stromberg* spürten Dicksteins Veränderung und wurden von seiner Kampflust angesteckt, obwohl sie wußten, daß einige von ihnen bald sterben würden.
Sie waren tatsächlich bis an die Zähne bewaffnet. Jeder hatte eine Uzi-9mm-Maschinenpistole, eine zuverlässige, kompakte Feuerwaffe, die neun Pfund wog, wenn sie mit dem 25-Salven-Magazin geladen war, und mit ausgeklapptem Metallschaft eine Länge von kaum mehr als sechzig Zentimetern hatte. Jeder trug drei Reservemagazine bei sich, dazu eine 9-mm-Luger in einem Gürtelhalfter – die Pistole ließ sich mit denselben Patronen laden wie die Maschinenpistole – und eine Klammer mit vier Granaten an der anderen Seite seines Gürtels. Mit Sicherheit besaßen sie alle zusätzliche Waffen ihrer eigenen Wahl: Messer, Totschläger, Bajonette, Schlagringe und andere, exotischere Geräte, die sie aus Aberglauben, eher als Glücksbringer denn als Kampfinstrumente, bei sich hatten.
Dickstein kannte ihre psychische Verfassung. Er hatte so etwas schon früher vor einem Kampf erlebt. Die Männer hatten Angst, und paradoxerweise veranlaßte die Furcht sie, den Beginn herbeizusehnen,

denn das Warten war am schlimmsten. Die Schlacht selbst wirkte wie ein Betäubungsmittel; danach hatte man entweder überlebt oder war tot, und es kam nicht mehr darauf an.

Dickstein hatte seinen Schlachtplan in allen Einzelheiten ausgearbeitet und sie instruiert. Die *Coparelli* war wie ein kleiner Tanker gebaut, mit Laderäumen vorn und mitschiffs, mit dem Hauptaufbau auf dem Achterdeck und einem kleineren Aufbau am Heck. Der Hauptaufbau enthielt die Brücke, das Offiziersquartier und die Messe; darunter lag das Mannschaftsquartier. Im Heckaufbau war die Kombüse untergebracht; darunter lagen Speicher, und unter ihnen der Maschinenraum. Die beiden Aufbauten waren über Deck voneinander getrennt, aber unter Deck durch zwei Passagen verbunden.

Sie würden in drei Gruppen angreifen. Die von Abbas würde sich den Bug vornehmen, die beiden anderen, geführt von Bader und Gibli, würden die Backbord- und Steuerbordleitern am Heck hinaufklettern.

Die beiden Gruppen am Heck hatten den Auftrag, nach unten zu gehen, sich vorzuarbeiten und den Feind vor sich herzutreiben, so daß Abbas und seine Leute ihn vom Bug her niedermähen konnten. Diese Strategie würde wahrscheinlich dazu führen, daß sich bei der Brücke ein Widerstandsnest bildete. Deshalb plante Dickstein, die Brücke selbst zu erobern.

Der Angriff würde bei Nacht stattfinden. Sonst würden sie nie an Bord kommen, sondern abgeschossen werden, während sie über die Reling stiegen. Damit stellte sich das Problem, daß man neben den Feinden auch die eigenen Leute beschoß. Aus diesem Grund nannte Dickstein ihnen ein Erkennungssignal, das Wort *Aliyah*, und deshalb sah der Angriffsplan vor, daß sie sich erst ganz am Ende gegenüberstehen konnten.

Jetzt warteten sie.

Sie saßen im lockeren Kreis in der Kombüse der *Stromberg*, die genau jener der *Coparelli* glich, wo sie bald kämpfen und sterben würden. Dickstein sagte zu Abbas: »Vom Bug aus werden sie das Vorderdeck, ein freies Schußfeld, kontrollieren. Lassen Sie Ihre Leute Deckung nehmen und bleiben Sie dort. Wenn die Feinde auf Deck ihre Positionen preisgeben, nehmen Sie sie aufs Korn. Ihr Hauptproblem wird das Sperrfeuer von der Brücke sein.«

Lässig auf seinem Stuhl hockend, erinnerte Abbas noch mehr als sonst an einen Panzer. Dickstein war froh, ihn auf seiner Seite zu haben. »Und wir halten uns zuerst zurück.«

Dickstein nickte. »Ja. Sie haben eine gute Chance, ungesehen an Bord zu kommen. Es hat keinen Zweck zu schießen, bevor Sie wissen, daß der Rest von uns eingetroffen ist.«

»Wie ich sehe, ist Porush in meiner Gruppe. Sie wissen, daß er mein Schwager ist.«

»Ja. Ich weiß auch, daß er als einziger verheiratet ist. Ich dachte, daß Sie sich vielleicht um ihn kümmern wollen.«

»Danke.«

Feinberg blickte von dem Messer auf, das er säuberte. Der schlaksige New Yorker grinste diesmal nicht. »Wie schätzen Sie diese Araber ein?«

Dickstein schüttelte den Kopf. »Sie könnten zur regulären Armee oder zu den Feddajin gehören.« Feinberg grinste. »Wir wollen hoffen, daß es die reguläre Armee ist – wir schneiden Grimassen, und sie ergeben sich.«

Es war ein lausiger Witz, aber trotzdem lachten alle.

Ish, der ewige Pessimist, hatte die Füße auf einen Tisch gelegt und die Augen geschlossen. »Am schlimmsten wird es, wenn wir über die Reling steigen. Wir werden so hilflos sein wie Säuglinge.«

Dickstein sagte: »Vergeßt nicht, daß sie glauben, wir hielten das Schiff für verlassen. Ihr Hinterhalt soll für uns eine große Überraschung sein. Sie erwarten einen leichten Sieg – aber wir sind vorbereitet. Und es wird dunkel sein –«

Die Tür öffnete sich, und der Kapitän trat ein. »Wir haben die *Coparelli* gesichtet.«

Dickstein stand auf. »Los. Viel Glück, und macht keine Gefangenen.«

16

Die drei Boote lösten sich in den letzten Minuten vor dem Morgengrauen von der *Stromberg*.

Innerhalb von Sekunden war das Schiff hinter ihnen unsichtbar. Sie hatten keine Positionslichter; die Decksbeleuchtung und die Kabinenlampen waren gelöscht worden, sogar unterhalb der Wasserlinie, um die *Coparelli* auf keinen Fall zu warnen.

Das Wetter hatte sich während der Nacht verschlechtert. Der Kapitän der *Stromberg* wollte noch nicht von einem Sturm sprechen, aber der Regen war wie ein Wolkenbruch, der Wind stark genug, um einen Stahleimer polternd über das Deck zu blasen, und die Wellen waren so hoch, daß Dickstein sich jetzt mit aller Kraft an seiner Bank im Motorboot festhalten mußte.

Für eine Weile schwebten sie im Nichts, ohne daß vor oder hinter ihnen etwas sichtbar gewesen wäre. Dickstein konnte nicht einmal die Gesichter der vier Männer erkennen, die das Boot mit ihm teilten. Feinberg brach das Schweigen: »Ich finde immer noch, daß wir mit dieser Angeltour bis morgen warten sollten.«

Es war wie ein Flöten am Friedhof.

Dickstein war so abergläubisch wie die anderen: Unter seiner Ölhaut und seinem Rettungsgürtel trug er die alte gestreifte Weste seines Vaters, mit einer zerbrochenen Taschenuhr über dem Herzen. Die Uhr hatte einst eine deutsche Kugel aufgehalten.

Obwohl Dickstein logisch dachte, wußte er, daß er ein wenig verrückt geworden war. Sein Verhältnis zu Suza und ihr Verrat hatten die Welt für ihn auf den Kopf gestellt. Seine alten Werte und Motive waren in Zweifel gezogen worden, und die neuen, die er durch sie erworben hatte, hatten sich in seinen Händen zu Staub verwandelt. Einige Dinge waren ihm immer noch wichtig: Er wollte diese Schlacht gewinnen, er wollte, daß Israel das Uran bekäme, und er wollte Yasif

Hassan töten. Aber sein eigenes Leben war ihm nicht mehr wichtig. Plötzlich hatte er keine Angst mehr vor Kugeln, Schmerz und Tod. Suza hatte ihn verraten, und danach war seine Sehnsucht nach einem langen Leben geschwunden. Wenn nur Israel seine Bombe erhielt, würde Esther in Frieden sterben, Mottie *Die Schatzinsel* beenden und Yigael sich um die Trauben kümmern.

Er umklammerte den Lauf seiner Maschinenpistole unter seiner Ölhaut.

Sie überwanden den Kamm einer Welle, und plötzlich – im nächsten Wellental – lag die *Coparelli* vor ihnen.

*

Levi Abbas schaltete mehrere Male in rascher Folge vom Vorwärts-in den Rückwärtsgang und ließ sein Boot dichter an den Bug der *Coparelli* herangleiten. Das weiße Licht über ihnen bot ihnen recht gute Sicht, während der nach außen gewölbte Rumpf sein Boot vor den Augen derjenigen schützte, die auf Deck oder auf der Brücke waren. Als das Boot ganz in der Nähe der Leiter war, nahm Abbas ein Tau und band es sich unter dem Ölzeug um die Hüfte. Er zögerte einen Moment, schüttelte dann die Ölhaut ab, wickelte seine Maschinenpistole aus und schlang sie sich über den Nacken. Er stand mit einem Fuß im Boot und mit dem anderen auf dem Schandeckel, wartete einen Moment und sprang.

Abbas traf mit beiden Füßen und beiden Händen auf die Leiter. Er löste das Seil an seiner Hüfte und machte es an einer Leitersprosse fest. Dann kletterte er fast bis nach oben und wartete. Sie wollten so dicht hintereinander wie möglich über die Reling steigen.

Er blickte nach unten. Sharrett und Sapier waren schon auf der Leiter. Porush sprang, landete unglücklich und griff daneben. Für ein paar Sekunden stockte Abbas der Atem, aber Porush rutschte nur eine Sprosse hinunter, bevor es ihm gelang, einen Arm um die Seite der Leiter zu haken und sich festzuhalten.

Abbas wartete, bis Porush dicht hinter Sapier war, dann kletterte er über die Reling. Er landete weich auf allen vieren und kauerte sich neben dem Schandeckel zusammen. Die anderen folgten ihm rasch: eins, zwei, drei. Das weiße Licht war über ihnen und beschien sie.

Abbas blickte sich um. Sharrett war der kleinste und konnte sich winden wie eine Schlange. Abbas berührte seine Schulter und deutete

über das Deck hinweg. »Nimm auf der Backbordseite Deckung.«
Sharrett robbte über zwei Meter offenen Decks, dann wurde er zum
Teil von der bevorstehenden Kante der vorderen Luke verborgen. Er
schob sich nach vorn.

Abbas spähte das Deck hinauf und hinunter. Sie konnten jeden Moment entdeckt werden, doch sie würden es erst erfahren, wenn ein
Kugelhagel auf sie einprasselte. Schnell, schnell! Im Steven war die
Ankerwinde mit einer hohen Kettenrolle. »Sapier.« Abbas zeigte auf
die Stelle, und Sapier kroch über das Deck auf sie zu.

»Mir gefällt der Kran«, sagte Porush.

Der Derrickkran ragte über ihnen empor und beherrschte das ganze
Vorderdeck. Die Steuerkabine befand sich drei Meter über dem Deck.
Es würde eine gefährliche Position sein, aber sie bot große taktische
Vorteile. »Los«, sagte Abbas.

Porush kroch voran und folgte Sharretts Route. Abbas dachte: Er hat
einen dicken Hintern – meine Schwester füttert ihn zu gut. Porush
erreichte den Fuß des Krans und begann, die Leiter hinaufzuklettern.
Abbas hielt den Atem an – wenn einer der Feinde jetzt zufällig auf-
blickte, während er auf der Leiter war –. Dann erreichte Porush die
Kabine.

Hinter Abbas, am Bug, führte ein Niedergang über ein paar Stufen
zu einer Tür. Die Fläche war nicht groß genug, um als Vorderdeck
bezeichnet werden zu können, und sie bot sicher kaum eine Lademöglichkeit – es war einfach ein vorderer Speicher. Er kroch dort hin,
kauerte sich am Fuß der Treppe in der kleinen Vertiefung zusammen
und stieß die Tür sanft auf. Im Inneren war es dunkel. Er schloß die
Tür, drehte sich um und legte seine Maschinenpistole – in der Überzeugung, allein zu sein – auf den Treppenkopf.

*

Das Heck war nur sehr schwach beleuchtet, und Dicksteins Boot
mußte sehr dicht an die Steuerbordleiter der *Coparelli* heranfahren.
Gibli, der Anführer der Gruppe, hatte Schwierigkeiten, das Boot zu
manövrieren. Dickstein fand einen Bootshaken in der Barkasse und
benutzte ihn, um das Boot in Position zu halten. Er zog sie der *Coparelli* entgegen, wenn das Meer sie zu trennen drohte, und stieß sich
ab, wenn die Gefahr bestand, daß das Boot und das Schiff breitseitig
zusammenstießen.

Gibli, der früher zur Armee gehört hatte, bestand auf der israelischen Tradition, daß die Offiziere ihre Männer von vorn, nicht von hinten führten: Er wollte der erste sein. Gewöhnlich trug er einen Hut, um seinen dünner werdenden Haaransatz zu verbergen; nun aber trug er ein Barett. Er kauerte sich am Bootsrand zusammen, während es über einen Wellenkamm glitt; dann, als sich das Boot und das Schiff im Wellental einander annäherten, sprang er, fand Halt und kletterte hinauf.

Auch Feinberg wartete am Rand auf den günstigsten Moment. »Also, ich zähle bis drei und öffne meinen Fallschirm. Stimmt's?« Danach sprang er.

Katzen und Raoul Dovrat waren die nächsten. Dickstein ließ den Bootshaken fallen und folgte ihnen. Auf der Leiter lehnte er sich zurück, blickte durch den strömenden Regen nach oben und sah, wie Gibli den Schandeckel erreichte und ein Bein über die Reling schwang.

Dickstein schaute über die Schulter zurück und bemerkte ein schwaches Band von hellerem Grau am fernen Himmel, das erste Zeichen der Morgendämmerung.

Dann überraschten ihn eine Maschinengewehrsalve und ein Schrei.

Er blickte wieder nach oben, wo Gibli langsam rückwärts von der Leiter fiel. Sein Barett löste sich, wurde vom Wind fortgepeitscht und verschwand in der Dunkelheit. Gibli stürzte an Dickstein vorbei ins Meer.

»Los, los, los!« rief Dickstein.

Feinberg hechtete über die Reling. Er würde auf das Deck rollen und dann – ja, seine Maschinenpistole ertönte, während er den anderen Feuerschutz gab.

Katzen war an Bord; vier, fünf, viele Maschinenpistolen ratterten, Dickstein huschte die Leiter hinauf, zog den Bolzen einer Granate mit den Zähnen heraus und schleuderte sie über die Reling, etwa dreißig Meter nach vorn, wo sie für Ablenkung sorgen würde, ohne einen seiner eigenen Männer zu verletzen. Dann überwand Dovrat die Reling, prallte auf das Deck, überschlug sich, rappelte sich auf und warf sich hinter den Heckaufbau. Dickstein schrie: »Jetzt komme ich, ihr Arschlöcher«, setzte wie ein Hochspringer über die Reling, landete auf Händen und Knien, bückte sich unter dem massiven Feuerschutz und raste zum Heck.

»Wo sind sie?« brüllte er.

Feinberg hörte auf zu schießen, um ihm zu antworten. »In der Kombüse«, sagte er und deutete ruckartig mit dem Daumen auf das Schott neben ihnen. »In den Rettungsbooten und in den Eingängen mitschiffs.«

»In Ordnung.« Dickstein rappelte sich auf. »Wir halten diese Position, bis Baders Gruppe auf Deck ist. Wenn sie das Feuer eröffnet, geht's weiter. Dovrat und Katzen, ihr nehmt euch die Kombüsentür vor und geht nach unten. Feinberg, Sie geben ihnen Feuerschutz und schieben sich dann an diesem Decksrand nach vorn. Ich kümmere mich um das erste Rettungsboot. Bis dahin müssen wir sie von der Backbordheckleiter und Baders Gruppe ablenken. Feuert nach eigenem Ermessen.«

*

Hassan und Mahmud verhörten den Seemann, als die Schießerei begann. Sie waren im Kartenraum hinter der Brücke. Der Seemann weigerte sich, etwas anderes als deutsch zu sprechen, doch Hassan beherrschte die Sprache. Der Gefangene erzählte, daß die *Coparelli* einen Maschinenschaden gehabt habe und die Besatzung abgezogen worden sei; nur er selbst habe an Bord auf das Eintreffen eines Ersatzteils warten sollen. Er wisse nichts von Uran, Kaperungen oder Dickstein. Hassan glaubte ihm nicht, denn – wie er Mahmud erklärte – wenn Dickstein dafür sorgen könne, daß die Maschinen versagten, könne er mit Sicherheit auch arrangieren, daß einer seiner eigenen Männer an Bord zurückgelassen werde.

Der Seemann war an einen Stuhl gebunden, und nun schnitt Mahmud ihm einen Finger nach dem anderen ab, um eine überzeugendere Geschichte von ihm zu hören.

Sie hörten einen schnellen Feuerstoß, dann Stille, dann eine zweite Salve, gefolgt von Sperrfeuer. Mahmud steckte sein Messer in die Scheide und ging die Stufen hinab, die vom Kartenraum zum Offiziersquartier führten.

Hassan versuchte, die Lage einzuschätzen. Die Feddajin waren an drei Stellen gruppiert – in den Rettungsbooten, der Kombüse und dem Hauptaufbau mitschiffs. Hassan konnte die Backbord- und die Steuerbordseite des Decks erkennen, und wenn er sich vom Kartenraum zur Brücke vorschob, konnte er das Vorderdeck sehen. Die meisten

Israelis schienen am Heck an Bord gekommen zu sein. Die Feddajin – sowohl jene direkt unterhalb Hassans wie jene in den Rettungsbooten zu beiden Seiten – feuerten auf das Heck. Aus der Kombüse erklangen keine Schüsse, was bedeutete, daß die Israelis sie erobert hatten. Sie waren unten, aber sie hatten auch zwei Männer an Deck, einen an jeder Seite, gelassen, um sich nach hinten abzusichern.

Mahmuds Hinterhalt war also fehlgeschlagen. Die Israelis hätten niedergemäht werden sollen, während sie über die Reling kamen. Nun aber hatten sie sich in Deckung gebracht, und die Chancen waren ausgeglichen.

Der Kampf an Deck war an einem toten Punkt angelangt; beide Seiten beschossen einander aus guter Deckung heraus. Hassan nahm an, daß die Israelis die Absicht hatten, den Gegner auf Deck zu beschäftigen, während sie unter Deck vordrangen. Sie würden das Bollwerk der Feddajin, den Aufbau mitschiffs, von unten her angreifen, nachdem sie sich zwischendecks über die Passage vorgearbeitet hatten.

Was war die beste Position? Hassan entschied sich für seinen jetzigen Standort. Um ihn zu erreichen, mußten die Israelis sich durch das Zwischendeck, dann nach oben durch das Offiziersquartier und weiter durch die Brücke und den Kartenraum kämpfen. Es war eine Position, die nur schwer eingenommen werden konnte.

Von der Brücke her erdröhnte eine gewaltige Explosion. Die schwere Tür zwischen Brücke und Kartenraum ratterte, drückte die Angeln durch und fiel langsam nach innen. Hassan schaute hinein.

Eine Granate war auf der Brücke gelandet. Die Leichen von drei Feddajin lagen über die Schotten verstreut. Alles Glas der Brücke war zersplittert. Die Granate mußte vom Vorderdeck gekommen sein, was bedeutete, daß sich eine weitere Gruppe von Israelis am Bug aufhielt. Wie um seine Vermutung zu bestätigen, ertönte eine Salve vom vorderen Kran her.

Hassan hob eine Maschinenpistole vom Boden auf, stützte sie auf den Fensterrahmen und begann zurückzuschießen.

*

Levi Abbas beobachtete, wie Porushs Granate durch die Luft auf die Brücke segelte, und er sah, wie die Explosion die Glasreste zerschmetterte. Die Waffen aus jener Richtung schwiegen kurz, dann ließ sich eine neue vernehmen. Zuerst begriff Abbas nicht, worauf die neue Maschinenpistole feuerte, denn keine der Kugeln landete in seiner Nähe. Er blickte zu beiden Seiten. Sapir und Sharrett zielten beide auf die Brücke, und keiner von ihnen schien beschossen zu werden. Abbas warf einen Blick nach oben auf den Kran. Porush – Porush stand unter Feuer. Er antwortete mit einer krachenden Salve aus der Krankabine.

Die Schüsse von der Brücke her waren amateurhaft, wild und ungenau – der Mann versprühte seine Kugeln einfach. Aber er hatte eine gute Position: er war hoch oben und durch die Wände der Brücke gut geschützt. Früher oder später würde er jemanden treffen. Abbas zog eine Granate hervor und schleuderte sie in hohem Bogen, doch nicht weit genug. Nur Porush war nahe genug, um eine Granate auf die Brücke zu werfen, aber er hatte alle verbraucht – erst die vierte war im Ziel gelandet.

Abbas feuerte wieder und schaute zur Steuerkabine des Krans empor. Porush stürzte rückwärts heraus, wirbelte in der Luft herum und fiel wie ein Stein aufs Deck.

Was soll ich nur meiner Schwester sagen? dachte Abbas.

Der Schütze auf der Brücke stellte das Feuer ein und gab dann eine Salve auf Sharrett ab. Im Gegensatz zu Abbas und Sapir hatte Sharrett nur wenig Deckung; er war zwischen einer Ankerwinde und dem Schandeck eingeklemmt. Abbas und Sapir schossen beide auf die Brücke. Der unsichtbare Schütze wurde besser: Kugeln furchten eine Naht ins Deck und näherten sich Sharretts Ankerwinde. Dann schrie Sharrett auf, sprang zur Seite und zuckte zusammen wie unter einem Stromstoß, während weitere Kugeln dumpf in seinen Körper schlugen, bis er endlich still lag und die Schreie aufhörten.

Es war eine schlimme Lage. Abbas' Gruppe sollte das Vorderdeck beherrschen, aber im Moment tat dies der Mann auf der Brücke. Abbas mußte ihn ausschalten.

Er warf noch eine Granate. Sie landete vor der Brücke und explodierte; der Blitz könnte den Schützen für ein oder zwei Minuten benommen gemacht haben, dachte er. Abbas war aufgesprungen und rannte auf den Kran zu. Sapirs schützendes Feuer dröhnte in seinen Ohren. Er erreichte den Fuß der Leiter und begann zu schießen, bevor der Mann auf der Brücke ihn sah. Dann klirrten überall Kugeln gegen die Träger. Jeder Schritt schien eine Ewigkeit zu dauern. Irgendein verrückter Teil seines Hirns ließ ihn die Stufen zählen: sieben-acht-neun-zehn – Er wurde von einem Querschläger getroffen. Die

Kugel drang knapp unter dem Hüftknochen in seinen Schenkel ein. Sie tötete ihn nicht, aber der Schock schien die Muskeln in der unteren Hälfte seines Körpers zu lähmen. Seine Füße rutschten von den Sprossen der Leiter. Einen Moment lang wurde er von Panik überwältigt, als er merkte, daß seine Beine nicht funktionierten. Instinktiv streckte er die Hände nach der Leiter aus, doch er griff daneben und stürzte. Er drehte sich teilweise, landete unglücklich, brach sich den Hals und starb.

Die Tür zum vorderen Speicher öffnete sich ein wenig, und ein erschrockenes rundliches Gesicht mit weit geöffneten Augen spähte heraus. Aber niemand sah es; es zog sich zurück, und die Tür schloß sich wieder.

*

Während Katzen und Dovrat die Kombüse stürmten, nutzte Dickstein Feinbergs Feuerschutz, um nach vorn zu kommen. Er rannte gebückt vorwärts, vorbei an dem Punkt, an dem sie das Schiff geentert hatten, vorbei an der Kombüsentür und warf sich hinter das erste Rettungsboot, das schon von einer Granate ausgeschaltet worden war. Von dort konnte er in dem schwachen, aber immer heller werdenden Licht die Linien des mittleren Aufbaus erkennen, der drei nach vorn ansteigenden Stufen glich. Auf dem Hauptdeck waren die Offiziersmesse, der Offiziersaufenthaltsraum, das Krankenrevier und eine Passagierkabine, die als Trockenspeicher benutzt wurde. Auf der nächsten Ebene befanden sich Offizierskabinen, Niedergänge und das Kapitänsquartier. Auf dem Oberdeck war die Brücke mit dem daran angrenzenden Kartenraum und der Funkstelle.

Die meisten Feinde würden jetzt auf Deckshöhe in der Messe und im Aufenthaltsraum sein. Er konnte ihnen ausweichen, indem er über eine Leiter am Schornstein zu dem Gang um das zweite Deck kletterte, aber danach war die Brücke nur durch das zweite Deck hindurch zu erreichen. Er würde mit allen Soldaten in den Kabinen allein fertig werden müssen.

Dickstein blickte zurück. Feinberg hatte sich hinter die Kombüse zurückgezogen, vielleicht um neu aufzuladen. Er wartete, bis Feinberg wieder zu schießen begann, und sprang auf. Wild aus der Hüfte feuernd, raste er hinter dem Rettungsboot hervor und rannte über das Achterdeck zur Leiter. Ohne seine Bewegung zu unterbrechen, sprang er auf die vierte Sprosse und hastete hinauf. Ihm war bewußt, daß er ein paar Sekunden lang eine leichte Zielscheibe bot. Kugeln dröhnten gegen den Schornstein neben ihm, bis er das Oberdeck erreichte und sich auf den Gang warf, um, vor Anstrengung zitternd, nach Luft zu schnappen. Er drängte sich an die Tür des Offiziersquartiers. »Ich werd' verrückt«, murmelte er.

Er lud seine Maschinenpistole auf, lehnte sich mit dem Rücken gegen die Tür und schob sich langsam bis zu einem Bullauge in Kopfhöhe. Dickstein riskierte einen Blick. Er sah eine Passage mit drei Türen auf jeder Seite und, am entfernten Ende, Leitern, die zur Messe hinab- und zum Kartenraum hinaufführten. Zwar wußte er, daß die Brücke über zwei Außenleitern vom Hauptdeck ebenso wie durch den Kartenraum erreicht werden konnte, aber die Araber kontrollierten jenen Teil des Schiffes immer noch und konnten die Außenleitern unter Feuer nehmen. Deshalb war dies der einzige Weg zur Brücke.

Dickstein öffnete die Tür und trat ein. Er schlich durch die Passage zur ersten Kabinentür, machte sie auf und warf eine Granate hinein. Als sich einer der Gegner umwandte, schloß er die Tür. Er hörte, wie die Granate in dem kleinen Raum explodierte. Dann rannte er zu der nächsten Tür auf der selben Seite, öffnete sie und warf eine zweite Granate. Sie explodierte in einer leeren Kabine.

Es gab noch eine Tür auf dieser Seite, aber er besaß keine Granaten mehr.

Er rannte zu der Tür, stieß sie auf und stürzte schießend hinein. Im Inneren war ein Mann. Er hatte durch das Bullauge gefeuert, aber nun zog er seine Waffe aus dem Loch zurück und drehte sich um. Dicksteins Salve schnitt ihn in zwei Teile.

Dickstein wandte sich zur offenen Tür um und wartete. Die Tür der gegenüberliegenden Kabine flog auf, und Dickstein erschoß den Mann dahinter.

Blindlings um sich schießend betrat er den Gang. Nur zwei Kabinen waren übrig. Die Tür der ersten öffnete sich, als Dickstein sie mit einem Kugelhagel eindeckte, und eine Leiche fiel heraus.

Noch eine. Dickstein lauerte. Die Tür öffnete sich einen Spaltbreit, dann schloß sie sich wieder. Er lief den Gang hinunter, trat die Tür auf und überschüttete die Kabine mit Kugeln. Sein Feuer wurde nicht erwidert. Er trat ein: Der Mann war von einem Querschläger getroffen worden und lag blutend auf der Koje.

Rasender Triumph überkam Dickstein: Er hatte das ganze Deck allein erobert.

Nun war die Brücke an der Reihe. Er rannte über den Gang nach vorn. Am entfernten Ende führten die Stufen hinauf zum Kartenraum und hinunter zur Offiziersmesse. Er trat auf die Leiter, blickte hoch und warf sich seitwärts zu Boden, als die Mündung einer Maschinenpistole auf ihn zeigte und zu feuern begann.

Seine Granaten waren verbraucht. Der Mann im Kartenraum war gegen Kugeln gefeit. Er konnte hinter dem Niedergang bleiben und blind die Leiter hinunterfeuern. Für Dickstein gab es keinen anderen Weg nach oben.

Er ging in eine der vorderen Kabinen, um das Deck zu betrachten und die Situation einzuschätzen. Entsetzt sah er, was auf dem Vorderdeck geschehen war: Nur einer der vier Männer aus Abbas' Gruppe feuerte noch, und Dickstein konnte mit Mühe drei Leichen erkennen. Zwei oder drei Maschinenpistolen schienen den letzten Israeli von der Brücke her aufs Korn zu nehmen und ihn hinter einer Ankerrolle festzunageln.

Dickstein spähte zur Seite. Feinberg war immer noch weit achtern – es war ihm nicht gelungen, sich vorwärts zu schieben. Und noch immer gab es kein Zeichen von den Männern, die nach unten gegangen waren.

Die Feddajin hatten sich in der Messe unter ihm gut verschanzt. Von ihrer überlegenen Position aus konnten sie die Männer an Deck und auf dem Zwischendeck unter sich in Schach halten. Um die Messe zu erobern, mußte man sie von allen Seiten gleichzeitig – auch von oben – angreifen. Aber das bedeutete, daß die Brücke, die unangreifbar war, zuerst fallen mußte.

Dickstein lief zurück durch die Passage und trat achtern hinaus. Es regnete immer noch in Strömen, aber der Himmel war von einem trüben, kalten Licht erhellt. Er konnte Feinberg auf einer und Dovrat auf der anderen Seite erkennen, rief ihre Namen, bis sie auf ihn aufmerksam wurden, und deutete auf die Kombüse. Er sprang vom Gang auf das Achterdeck, preschte hinüber und tauchte in die Kombüse ein.

Sie hatten ihn verstanden. Einen Moment später folgten sie ihm.

Dickstein sagte: »Wir müssen die Messe einnehmen.«

»Und wie?« wollte Feinberg wissen.

»Halten Sie den Mund, und Sie werden es hören. Wir stürmen sie von allen Seiten gleichzeitig: backbord, steuerbord, unten und oben. Zuerst müssen wir die Brücke haben. Dafür werde ich sorgen. Wenn ich dort bin, schalte ich das Nebelhorn an. Das wird das Signal sein. Ihr beide geht nach unten und gebt den Männern Bescheid.«
»Wie werden Sie auf die Brücke kommen?« fragte Feinberg.
»Über das Dach.«

*

Auf der Brücke waren nun neben Yasif Hassan auch Mahmud und zwei seiner Feddajin, die Feuerstellung einnahmen, während ihre Führer sich auf den Boden setzten und sich berieten.
»Sie können es nicht schaffen«, sagte Mahmud. »Von hier aus kontrollieren wir einen zu großen Teil des Decks. Sie können die Messe nicht von unten angreifen, da der Niedergang zu leicht von oben zu beherrschen ist. Von den Seiten oder von vorn können sie nicht angreifen, weil wir dann von hier oben auf sie feuern würden. Und sie können nicht von oben kommen, da wir den Niedergang kontrollieren. Wir brauchen nur so lange zu schießen, bis sie sich ergeben.«
»Einer von ihnen versuchte vor ein paar Minuten, den Niedergang zu erobern«, berichtete Hassan. »Ich habe ihn aufgehalten.«
»Du warst allein hier oben?«
»Ja.«
Er legte Hassan die Hände auf die Schultern. »Jetzt bist du einer der Feddajin.«
Hassan gab dem Gedanken Ausdruck, der sie beide beschäftigte. »Und später?«
Mahmud nickte. »Gleichberechtigte Partner.«
Sie verschränkten die Hände.
Hassan wiederholte: »Gleichberechtigte Partner.«
»Ich glaube, daß sie sich noch einmal auf den Niedergang konzentrieren werden – es ist ihre einzige Hoffnung.«
»Ich schirme ihn vom Kartenraum aus ab«, sagte Hassan.
Beide erhoben sich. Dann prallte eine verirrte Kugel vom Vorderdeck her durch die glaslosen Fenster und drang in Mahmuds Hirn ein. Er war sofort tot.
Und Hassan war der Führer der Feddajin geworden.

*

Auf dem Bauch liegend, Arme und Beine ausgebreitet, um Halt zu gewinnen, schob sich Dickstein langsam über das Dach. Es war gewölbt, völlig ohne Ansatzpunkte und vom Regen schlüpfrig. Während die *Coparelli* in den Wellen rollte und schlingerte, neigte sich das Dach nach vorn, nach hinten und zur Seite. Dickstein konnte sich nur an das Metall pressen und versuchen, sein Rutschen zu verlangsamen.

Am Vorderende des Daches war ein Positionslicht angebracht. Wenn er es erreichte, würde er sicher sein, denn er konnte sich daran festhalten. Sein Fortschritt war schmerzlich langsam. Er kam dem Licht bis auf dreißig Zentimeter nahe, dann rollte das Schiff nach Backbord, und er rutschte bis zum Dachrand. Einen Moment lang hing er mit einem Bein und einem Arm zehn Meter über dem Deck. Das Schiff schlingerte noch ein wenig stärker, sein Bein rutschte ganz hinüber, und er versuchte, die Fingernägel seiner rechten Hand in das bemalte Dachmetall zu bohren. Eine qualvolle Pause.

Dann rollte die *Coparelli* zurück.

Dickstein gab der Bewegung nach und glitt immer schneller auf das Positionslicht zu.

Aber das Schiff bäumte sich auf, das Dach neigte sich zurück, und er rutschte in einem langen Bogen dahin, so daß er das Licht um einen Meter verfehlte. Wieder preßte er Hände und Füße ins Metall, um langsamer zu werden; wieder wurde er bis zum Rand getrieben; wieder hing er über dem Deck. Aber diesmal baumelte sein rechter Arm über den Rand hinaus, seine Maschinenpistole löste sich von seiner rechten Schulter und fiel in ein Rettungsboot.

Das Schiff rollte zurück und stampfte nach vorn, so daß Dickstein mit immer größerer Geschwindigkeit auf das Positionslicht zuschlitterte. Diesmal erreichte er es. Er packte es mit beiden Händen. Das Licht war etwa dreißig Zentimeter vom vorderen Dachrand entfernt. Direkt darunter lagen die Vorderfenster der Brücke, deren Glas schon lange zerschmettert war. Die Läufe von zwei Maschinenpistolen ragten hervor.

Dickstein hielt sich an dem Licht fest, aber er rutschte immer noch weiter. Sein Körper beschrieb einen weiten Bogen auf den Rand zu. Er sah, daß das Dach vorn – im Gegensatz zu den Seiten – eine schmale Stahlrinne hatte, die den Regen von dem Glas darunter abhalten sollte. Während sein Körper über den Rand glitt, löste er die

Hände von dem Positionslicht, ließ sich mit dem Stampfen des Schiffes nach vorn treiben, packte die Stahlrinne mit den Fingerspitzen und schwenkte die Beine nach unten. Er flog mit den Füßen zuerst durch die zerbrochenen Fenster und landete in der Mitte der Brücke. Er beugte die Knie, um dem Aufprall zu begegnen, und richtete sich dann auf. Seine Maschinenpistole war verloren, und er hatte keine Zeit, seine Pistole oder sein Messer zu ziehen. Auf der Brücke waren zwei Araber, an jeder Seite einer, die Maschinenpistolen hielten und hinunter auf das Deck feuerten. Während Dickstein sich aufrichtete, wandten sie sich zu ihm um. Ihre Gesichter drückten grenzenloses Erstaunen aus.

Dickstein war dem Mann auf der Backbordseite um ein paar Zentimeter näher. Er holte zu einem Tritt aus, der, eher durch Glück als durch Berechnung, den Ellbogen des Arabers traf und seinen Waffenarm für einen Moment lähmte. Dann sprang er auf den anderen Mann zu. Dessen Maschinenpistole schwenkte den Bruchteil einer Sekunde zu spät auf Dickstein zu, der sich schon an der Mündung vorbeigeschoben hatte. Dickstein riß die rechte Hand zu dem gefährlichsten Doppelschlag hoch, den er kannte: Sein Handballen traf die Kinnspitze des Arabers, warf dessen Kopf zurück, und Dicksteins Hand, die Finger zu einem Karatehieb versteift, bohrte sich in das freiliegende weiche Fleisch der Kehle.

Bevor der Mann zu Boden stürzen konnte, packte Dickstein sein Jakkett und schob ihn zwischen sich selbst und den anderen Araber. Der andere riß die Waffe hoch. Dickstein hob den Toten über den Kopf und schleuderte ihn quer durch die Brücke, während die Maschinenpistole zu feuern begann. Die Leiche fing die Kugeln auf und krachte gegen den anderen Araber, der das Gleichgewicht verlor, rückwärts durch die offene Tür taumelte und auf das Deck hinabstürzte.

Im Kartenraum war ein dritter Mann, der den Niedergang bewachte. In den drei Sekunden, die Dickstein auf der Brücke gewesen war, hatte der Mann sich erhoben und sich umgedreht. Nun sah Dickstein, daß es Yasif Hassan war.

Er kauerte sich zusammen, stieß einen Fuß vor und trat gegen die zerbrochene Tür, die zwischen ihm und Hassan auf dem Boden lag. Die Tür glitt über das Deck und prallte gegen Hassans Füße. Dadurch wurde er zwar nur aus dem Gleichgewicht gebracht, doch während er die Arme ausbreitete, um sich zu fangen, griff Dickstein an.

Bis zu diesem Moment war Dickstein wie eine Maschine gewesen. Er hatte reflexhaft auf alle Geschehnisse reagiert, sein Nervensystem jeden Schritt ohne einen bewußten Gedanken planen und sich von Training und Instinkt leiten lassen. Aber nun war es mehr geworden. Nun stand er dem Feind all dessen, was er je geliebt hatte, gegenüber. Blinder Haß und wahnsinnige Wut überkamen ihn.

Sie verstärkten sein Tempo und seine Kraft noch.

Er packte Hassans Waffenarm an Handgelenk und Schulter und brach ihn, indem er ihn nach unten gegen sein Knie schmetterte. Hassan schrie auf, und die Maschinenpistole entfiel seiner unbrauchbaren Hand. Dickstein drehte sich ein wenig und holte mit dem Ellbogen zu einem Schlag aus, der Hassan knapp unter dem Ohr traf. Hassan wirbelte herum und fiel. Dickstein ergriff sein Haar von hinten und zerrte seinen Kopf zurück; während Hassan in die andere Richtung sackte, hob er den Fuß hoch und trat zu. Sein Absatz traf Hassans Nacken in dem Moment, als er den Kopf plötzlich zurückzog. Ein Krachen, als alle Spannung die Muskeln des Mannes verließ und sein Kopf lose auf den Schultern wackelte.

Dickstein ließ los, und die Leiche fiel zu Boden.

Er starrte den harmlos gewordenen Körper an, und der Triumph ließ ihm die Ohren klingen.

Dann sah er Koch.

Der Ingenieur war an einen Stuhl gebunden, nach vorn gebeugt, bleich wie der Tod, aber bei Bewußtsein. Seine Kleidung war blutbefleckt. Dickstein zog sein Messer und durchschnitt die Seile. Plötzlich sah er die Hände des Mannes.

»Himmel.«

»Ich werd's überleben«, flüsterte Koch. Er stand nicht auf.

Dickstein hob Hassans Maschinenpistole auf und überprüfte das Magazin. Es war fast voll. Er ging hinaus auf die Brücke und machte das Nebelhorn ausfindig.

»Koch, können Sie aufstehen?«

Der Ingenieur stand auf und schwankte unsicher, bis Dickstein auf ihn zukam, ihn stützte und zur Brücke führte. »Sehen Sie diesen Knopf? Ich möchte, daß Sie langsam bis zehn zählen und dann darauf drücken.«

Koch schüttelte den Kopf, um seine Benommenheit zu verscheuchen. »Ich glaube, daß ich es schaffen kann.«

»Also los.«

»Eins«, sagte Koch. »Zwei.«

Dickstein stieg den Niedergang hinab und erreichte das zweite Deck, das er selbst gesäubert hatte. Es war immer noch leer. Er stieg weiter hinunter und verhielt kurz vor der Leiter, die in die Messe führte. Er nahm an, daß alle übrigen Feddajin hier waren – sie standen wahrscheinlich gegen die Wände gepreßt und schossen durch Bullaugen und Türen hinaus; einer oder zwei beobachteten vielleicht den Niedergang. Es gab keinen sicheren Weg, um eine so starke Verteidigungsstellung zu nehmen.

Mach schon, Koch!

Dickstein hatte beabsichtigt, sich ein oder zwei Sekunden lang auf dem Niedergang zu verstecken. Jeden Moment konnte einer der Araber zu ihm hochblicken. Wenn Koch zusammengebrochen war, würde er zurückkehren müssen und –

Das Nebelhorn ertönte.

Dickstein sprang und feuerte schon, bevor er landete. Zwei Männer standen dicht am Fuß der Leiter. Er erschoß sie als erste. Das Feuer von außen steigerte sich zu einem Crescendo. Dickstein wirbelte in einem Halbkreis herum, ließ sich auf ein Knie fallen, um eine kleinere Zielscheibe zu bieten, und deckte die Feddajin an den Wänden mit einem Kugelhagel ein. Plötzlich ratterte noch eine Maschinenpistole, als Ish von unten auftauchte. Dann war Feinberg an einer Tür und feuerte. Dovrat, der verwundet war, kam durch eine andere Tür herein. Dann – wie auf ein Signal hin – hörten alle auf zu schießen, und die Stille war wie ein Donnerschlag.

Alle Feddajin waren tot.

Dickstein, der immer noch kniete, senkte erschöpft den Kopf. Nach einem Moment stand er auf und betrachtete seine Männer. »Wo sind die anderen?« fragte er.

Feinberg sah ihn seltsam an. »Es ist noch jemand auf dem Vorderdeck. Sapir, glaube ich.«

»Und die anderen?«

»Damit hat's sich«, sagte Feinberg. »Alle anderen sind tot.«

Dickstein ließ sich gegen ein Schott sacken. »Welch ein Preis«, murmelte er.

Er schaute durch das zerschmetterte Bullauge und sah, daß der Tag angebrochen war.

17

Ein Jahr zuvor hatte der BOAC-Jet, in dem Suza Ashford das Dinner serviert hatte, ganz plötzlich ohne jede Erklärung über dem Atlantik an Höhe verloren. Der Pilot hatte die Sicherheitsgurtlämpchen angeknipst. Suza war von einem zum anderen gegangen, hatte erklärt: »Nur eine kleine Bö«, und Passagieren geholfen, ihre Sicherheitsgurte festzuschnallen. Und dabei hatte sie ständig gedacht: Wir werden sterben, wir alle werden sterben.

Genauso fühlte sie sich auch jetzt. Tyrin hatte eine kurze Botschaft geschickt: *Die Israelis greifen an, die Israelis greifen an* – dann war er verstummt.

In diesem Moment wurde Nathaniel beschossen. Er konnte verwundet, in Gefangenschaft oder sogar bereits tot sein. Aber während Suza vor Angst und nervöser Schwäche laut hätte schreien mögen, mußte sie dem Funker gegenüber das BOAC-Lächeln aufsetzen und sagen: »Das ist eine prächtige Ausrüstung, die Sie hier haben.«

Der Funker der *Karla* war ein hochgewachsener grauhaariger Mann aus Odessa. Er hieß Alexander und sprach annehmbar englisch. »Hat 100 000 Dollar gekostet«, antwortete er stolz. »Sie verstehen etwas vom Funken?«

»Ein bißchen . . . Ich war früher Stewardeß.« Das »früher« war ihr unbewußt entschlüpft, und nun fragte sie sich, ob ihr altes Leben wirklich vorbei sei. »Ich habe gesehen, wie die Piloten ihre Funkgeräte benutzten. Deshalb habe ich Grundkenntnisse.«

»Eigentlich habe ich vier Geräte«, erklärte Alexander. »Eins reagiert auf den Leitstrahlensender der *Stromberg*, das zweite empfängt Tyrins Funksprüche von der *Coparelli*, das dritte belauscht die normale Wellenlänge der *Coparelli*, und dieses ist flexibel. Sehen Sie.«

Er zeigte ihr eine Skala, deren Nadel sich langsam bewegte. »Es sucht einen Sender und bleibt stehen, wenn es einen gefunden hat«, sagte Alexander.

»Das ist unglaublich. Haben Sie es erfunden?«

»Ich bin leider kein Erfinder, sondern nur Funker.«

»Und Sie können mit jedem dieser Geräte Botschaften ausschicken, indem sie einfach auf SENDEN schalten?«

»Ja, im Morsecode oder Sprechfunk. Aber bei dieser Operation wird der Sprechfunk natürlich von niemandem benutzt.«

»Dauerte Ihre Ausbildung zum Funker lange?«

»Nicht lange. Es ist leicht, das Morsealphabet zu lernen. Aber als Schiffsfunker muß man wissen, wie das Gerät repariert wird.« Er senkte die Stimme. »Und als KGB-Funker muß man die Spionageschule besuchen.« Er lachte, und Suza lachte mit ihm. Doch insgeheim betete sie: Melde dich, Tyrin. Dann erfüllte sich ihr Wunsch.

Die Mitteilung begann, Alexander schrieb sie nieder und sagte gleichzeitig zu Suza: »Tyrin. Holen Sie Rostow, bitte.«

Suza verließ die Brücke nur widerwillig; sie wollte den Inhalt der Botschaft erfahren. Sie eilte zur Messe, weil sie erwartete, Rostow dort vor einem starken schwarzen Kaffee zu finden, aber der Raum war leer. Nun stieg sie zum nächsten Deck hinunter und näherte sich seiner Kabine. Sie klopfte an die Tür.

Seine Stimme sagte etwas auf russisch, was eine Aufforderung zum Eintreten sein konnte.

Sie öffnete die Tür. Rostow stand nur mit einer Unterhose bekleidet da und wusch sich in einer Schüssel.

»Tyrin meldet sich«, sagte Suza. Sie wandte sich ab.

»Suza.«

Sie drehte sich wieder um.

»Was würden Sie sagen, wenn ich Sie in Ihrer Unterwäsche überraschte?«

»Ich würde sagen: Verziehen Sie sich.«

»Warten Sie draußen auf mich.«

Sie schloß die Tür und dachte: Das hat mir noch gefehlt.

Als er herauskam, erklärte sie: »Es tut mir leid.«

Er lächelte etwas gekünstelt. »Ich hätte nicht so unprofessionell sein sollen. Gehen wir.«

Sie folgte ihm hinauf zum Funkraum, der genau unterhalb der Brücke lag – dort, wo eigentlich die Kapitänskabine hätte sein sollen. Wegen der vielen zusätzlichen Ausrüstung, hatte Alexander erläutert, sei es nicht möglich gewesen, den Funk er wie üblich neben der Brücke unterzubringen. Suza selbst hatte sich überlegt, daß dieses Arrangement auch den Vorteil hatte, die Besatzung vom Funkraum fernzuhalten.

Alexander hatte Tyrins Mitteilung entschlüsselt. Er reichte sie Rostow, der sie auf englisch vorlas. »Israelis haben *Coparelli* erobert. *Stromberg* längsseits. Dickstein am Leben.«

Suza fühlte sich ganz schlaff vor Erleichterung. Sie ließ sich auf einen Stuhl sinken.

Es fiel niemandem auf. Rostow entwarf schon seine Entgegnung an Tyrin: »Wir schlagen morgen früh um 6 Uhr zu.«

Mit Suzas Erleichterung war es vorbei. Sie dachte: O Gott, was soll ich jetzt tun?

*

Nat Dickstein, der sich eine Matrosenmütze geborgt hatte, stand stumm da, während der Kapitän der *Stromberg* den Gottesdienst für die Toten abhielt und mit seiner Stimme Wind, Regen und Meer übertönte. Einer nach dem anderen wurden die in Segeltuch eingewickelten Körper über die Reling in das schwarze Wasser gekippt: Abbas, Sharrett, Porush, Gibli, Bader, Remez und Jabotinsky. Sieben der zwölf waren gestorben. Uran war das teuerste Metall der Welt.

Vorher hatte es schon eine Beisetzung gegeben. Vier Feddajin waren am Leben geblieben – drei Verwundete und einer, der die Nerven verloren und sich versteckt hatte –, und nach ihrer Entwaffnung hatte Dickstein ihnen erlaubt, ihre Toten zu bestatten. Ihre Beisetzung war größer gewesen – sie hatten 25 Leichen ins Meer fallen lassen. Ihre Zeremonie war hastig unter den aufmerksamen Augen – und Waffen – von drei überlebenden Israelis abgelaufen, die begriffen, daß man auch einem Feind dieses Entgegenkommen schuldig war, aber trotzdem keinen Gefallen daran fanden.

Inzwischen hatte der Kapitän der *Stromberg* all seine Schiffspapiere an Bord gebracht. Die Monteure und Zimmerleute, die mitgekommen waren für den Fall, daß es nötig sein sollte, die *Coparelli* an die *Stromberg* anzupassen, machten sich daran, die Schäden der Schlacht zu beheben. Dickstein befahl ihnen, sich auf das zu konzentrieren, was vom Deck aus zu sehen war; das übrige würde warten können, bis man im Hafen einlief. Sie füllten Löcher aus, reparierten Möbel und ersetzten Glasscheiben und Metallrahmen mit Ersatzteilen aus der zum Untergang verurteilten *Stromberg*. Ein Maler ließ sich an einer Leiter hinab, um den Namen *Coparelli* vom Rumpf zu entfernen und statt dessen mit einer Schablone die Buchstaben S-T-R-O-M-B-E-R-G anzubringen. Danach bestrich er die reparierten Schotten und das Holzwerk auf Deck mit Farbe. Alle Rettungsboote der *Coparelli* waren so stark beschädigt, daß sie nicht mehr repariert werden konnten; man hackte sie in Stücke, warf sie über Bord und brachte die Boote der *Stromberg* an ihre Stelle. Die neue Ölpumpe, welche die *Stromberg* auf Kochs Anweisung hin mitgebracht hatte, wurde in die Maschine der *Coparelli* eingebaut.

Die Arbeit war für die Beisetzung unterbrochen worden. Nun wurde sie fortgesetzt, sobald der Kapitän die letzten Worte gesprochen hatte. Gegen Ende des Nachmittags erwachte die Maschine dröhnend zum Leben. Dickstein stand mit dem Kapitän auf der Brücke, während der Anker gelichtet wurde. Die Besatzung der *Stromberg* fand sich rasch auf dem neuen Schiff zurecht, das mit ihrem alten identisch war. Der Kapitän legte einen Kurs an und befahl volle Geschwindigkeit voraus.

Es ist fast vorbei, dachte Dickstein. Die *Coparelli* war verschwunden: Praktisch war das Schiff, mit dem er jetzt fuhr, die *Stromberg*, und sie gehörte zum legalen Besitz von Savile Shipping. Israel hatte sein Uran, und niemand wußte, woher. Jeder in der Operationskette war jetzt ausgeschaltet – außer Pedler, der immer noch gesetzlicher Eigentümer des Yellow Cake war. Er war der einzige, der den ganzen Plan scheitern lassen konnte, wenn er entweder neugierig oder feindselig wurde. Papagopulos würde sich jetzt um ihn kümmern; Dickstein wünschte ihm Glück.

»Wir sind weit genug entfernt«, sagte der Kapitän.

Der Sprengstoffexperte im Kartenraum legte einen Hebel an seinem Funkzünder um. Dann beobachteten alle die leere *Stromberg*, die jetzt mehr als eine Meile hinter ihnen lag.

Ein lautes, dumpfes Dröhnen erklang wie ein Donnerschlag, und die *Stromberg* schien in der Mitte durchzusacken. Ihre Treibstofftanks fingen Feuer, und der stürmische Abend wurde von einem Flammenstrahl erhellt, der zum Himmel emporzüngelte. Dickstein verspürte Triumph und schwache Besorgnis beim Anblick einer so großen Zerstörung. Die *Stromberg* begann zu sinken, zuerst langsam und dann schneller. Ihr Heck ging unter, Sekunden später folgte der Bug; einen

Moment lang ragte ihr Schornstein aus dem Wasser wie der Arm eines ertrinkenden Mannes, dann war sie verschwunden.

Dickstein lächelte schwach und wandte sich ab.

Er hörte ein Geräusch. Auch der Kapitän hörte es. Sie traten an den Rand der Brücke, sahen hinaus und begriffen, was vorging.

Unten auf dem Deck jubelten die Männer.

*

Franz Albrecht Pedler saß in seinem Büro am Rande von Wiesbaden und kratzte sich den schneeweißen Kopf. Das Telegramm von Angeluzzi e Bianco aus Genua, das Pedlers vielsprachige Sekretärin aus dem Italienischen übersetzt hatte, war ganz eindeutig und gleichzeitig ganz und gar unverständlich. Es lautete: BITTE BALDMÖGLICHST NEUEN LIEFERTERMIN YELLOW CAKE MITTEILEN.

Soviel Pedler wußte, stand dem alten Liefertermin, in zwei Tagen, nichts im Wege. Er hatte bereits an die Reeder telegrafiert: HAT SICH YELLOW CAKE VERZÖGERT? Pedler war ein wenig verärgert über sie. Sie hätten nicht nur den Kunden, sondern auch ihn informieren müssen, wenn es einen Aufschub gegeben hatte. Aber vielleicht waren die Italiener einem Mißverständnis zum Opfer gefallen. Pedler war während des Krieges zu der Ansicht gelangt, daß Italiener nie das taten, was man mit ihnen ausmachte. Und sie hatten sich offenbar nicht geändert.

Er stand am Fenster und sah zu, wie der Abend sich über seine Fabrikgebäude senkte. Fast wünschte er sich, das Uran nicht gekauft zu haben. Der Vertrag mit der israelischen Armee, auf den er Brief und Siegel hatte, würde seiner Firma für den Rest seines Lebens Profite einbringen. Er brauchte nicht mehr zu spekulieren.

Seine Sekretärin kam mit der schon übersetzten Antwort der Reeder herein:

COPARELLI AN SAVILE SHIPPING ZÜRICH VERKAUFT DIE NUN FÜR IHRE FRACHT VERANTWORTLICH SIND. DIE KÄUFER SIND VOLLKOMMEN ZUVERLÄSSIG. Danach folgten die Telefonnummer von Savile Shipping und die Worte SPRECHEN SIE MIT PAPAGOPULOS.

Pedler gab seiner Sekretärin das Telegramm zurück. »Würden Sie bitte die Nummer in Zürich anrufen und mich mit diesem Papagopulos verbinden?«

Sie kehrte ein paar Minuten später zurück. »Papagopulos wird sich bei Ihnen melden.«

Pedler warf einen Blick auf die Uhr. »Am besten warte ich hier auf seinen Anruf. Da ich einmal angefangen habe, will ich den Dingen auf den Grund gehen.«

Papagopulos rief zehn Minuten später an. Pedler sagte: »Wie ich höre, sind Sie jetzt für meine Fracht an Bord der *Coparelli* verantwortlich. Ich habe ein Telegramm von den Italienern erhalten, die sich nach einem neuen Liefertermin erkundigen – gibt es irgendeine Verzögerung?«

»Ja. Sie hätten informiert werden sollen – es tut mir schrecklich leid.« Der Mann sprach ausgezeichnet deutsch, aber man merkte deutlich, daß er kein Deutscher war. Außerdem merkte man, daß es ihm keineswegs schrecklich leid tat. »Die Ölpumpe der *Coparelli* hat auf See versagt, und sie liegt blind. Wir treffen Maßnahmen, damit Ihre Fracht so früh wie möglich geliefert wird.«

»Und was soll ich Angeluzzi e Bianco antworten?«

»Ich habe ihnen mitgeteilt, daß sie das neue Datum erfahren werden, sobald ich es selbst erfahre«, gab Papagopulos zurück. »Bitte, überlassen Sie alles mir. Ich werde Sie beide unterrichten.«

»Also gut. Auf Wiederhören.«

Seltsam, dachte Pedler, während er den Hörer auflegte. Er schaute aus dem Fenster und sah, daß all seine Arbeiter gegangen waren. Der Personalparkplatz war leer, von seinem Mercedes und dem Volkswagen seiner Sekretärin abgesehen. Ach, zum Teufel, es war Zeit, nach Hause zu fahren. Er zog seinen Mantel an. Das Uran war versichert. Wenn es verlorenging, würde er sein Geld zurückerhalten. Er schaltete die Bürolichter aus, half seiner Sekretärin in den Mantel, stieg in seinen Wagen und fuhr nach Hause zu seiner Frau.

*

Suza Ashford tat die ganze Nacht kein Auge zu.

Wieder war Nat Dicksteins Leben in Gefahr. Wieder war sie die einzige, die ihn warnen konnte. Aber diesmal konnte sie keinen anderen dazu verleiten, ihr zu helfen.

Sie mußte es allein schaffen.

Es war einfach. Sie mußte in den Funkraum der *Karla* gehen, Alexander loswerden und die *Coparelli* rufen.

Daraus wird bestimmt nichts, dachte sie. Das Schiff ist voll von KGB-Leuten. Alexander ist ein riesiger Kerl. Ich möchte schlafen. Für immer. Es ist unmöglich. Ich kann es nicht.

Oh, Nathaniel.

Um 4 Uhr zog sie Jeans, einen Pullover, Stiefel und Ölzeug an. Die volle Wodkaflasche, die sie aus der Messe mitgebracht hatte – »um einschlafen zu können« –, glitt in die Innentasche ihrer Ölhaut.

Sie mußte die Position der *Karla* erfahren.

Suza stieg zur Brücke hinauf. Der Erste Offizier lächelte sie an.

»Können Sie nicht schlafen?« fragte er auf englisch.

»Die Spannung ist zu groß.« Das große BOAC-Lächeln. Haben Sie Ihren Sicherheitsgurt festgeschnallt, Sir? Nur eine kleine Bö, kein Grund zur Sorge. »Wo sind wir?«

Er zeigte ihr die Position der *Karla* und die geschätzte Position der *Coparelli* auf der Karte.

»Und in Ziffern?«

Er nannte ihr die Koordinaten, den Kurs und die Geschwindigkeit der *Karla*. Sie wiederholte die Ziffern einmal laut und zweimal im Kopf, um sie sich unfehlbar einzuprägen. »Es ist faszinierend«, sagte sie munter. »Jeder an Bord eines Schiffes hat eine besondere Fertigkeit . . . Meinen Sie, daß wir die *Coparelli* rechtzeitig erreichen?«

»O ja, und dann – bums.«

Sie blickte hinaus. Es war völlig schwarz – keine Sterne und keine Schiffslichter waren zu sehen. Das Wetter verschlechterte sich.

»Sie zittern«, sagte der Erste Offizier. »Frieren Sie?«

»Ja«, antwortete sie, obwohl nicht das Wetter sie zittern ließ. »Wann steht Oberst Rostow auf?«

»Er will um fünf Uhr geweckt werden.«

»Ich werde versuchen, noch eine Stunde zu schlafen.«

Sie ging hinunter in den Funkraum. Alexander war da. »Konnten Sie auch nicht schlafen?« fragte sie ihn.

»Nein. Ich habe meinen zweiten Mann ins Bett geschickt.«

Suza betrachtete die Funkausrüstung. »Hören Sie die *Stromberg* nicht mehr ab?«

»Das Signal ist verstummt. Entweder haben sie den Leitstrahlsender gefunden oder das Schiff versenkt. Wir glauben, daß sie das Schiff versenkt haben.«

Suza setzte sich und zog die Wodkaflasche hervor. Sie öffnete den Schraubverschluß. »Trinken Sie etwas.« Sie reichte ihm die Flasche.

»Frieren Sie?«

»Ein bißchen.«

»Ihre Hand zittert.« Er packte die Flasche, setzte sie an die Lippen und nahm einen langen Schluck. »Ah, vielen Dank.« Dann gab er ihr die Flasche zurück.

Suza trank einen Schluck, um sich Mut zu machen. Es war starker russischer Wodka, der ihre Kehle verbrannte, aber er hatte die gewünschte Wirkung. Sie schraubte den Verschluß wieder auf und hoffte, daß Alexander ihr den Rücken zudrehen würde.

»Erzählen Sie mir vom Leben in England«, bat er im Konversationston. »Stimmt es wirklich, daß die Armen verhungern, während die Reichen fett werden?«

»Nicht viele Menschen hungern«, entgegnete sie. Dreh dich um, verdammt, dreh dich um. Ich kann es nicht, wenn ich dich dabei ansehen muß. »Aber es gibt große Ungleichheit.«

»Hat man verschiedene Gesetze für Reiche und Arme?«

»Wir haben ein Sprichwort: ›Das Gesetz verbietet Reichen und Armen gleichermaßen, Brot zu stehlen und unter Brücken zu schlafen.‹«

Alexander lachte. »In der Sowjetunion sind die Menschen gleich, aber manche haben Privilegien. Werden Sie jetzt in Rußland leben?«

»Ich weiß nicht.« Suza öffnete die Flasche und reichte sie ihm wieder.

Er machte einen langen Zug und hielt sie ihr hin. »In Rußland werden Sie nicht solche Kleider haben.«

Die Zeit verging zu schnell, sie konnte nicht länger warten. Suza stand auf, um die Flasche zu nehmen. Ihr Ölzeug war vorn offen. Sie stand vor ihm, neigte den Kopf zurück, um aus der Flasche zu trinken, und wußte, daß er ihre hervorspringenden Brüste anstarren würde. Sie gestattete ihm einen ausgiebigen Blick, dann packte sie die Flasche fester und schlug sie ihm mit voller Kraft von oben auf den Kopf.

Ein Übelkeit erregender dumpfer Laut, als er getroffen wurde. Er starrte sie benommen an. Sie dachte: Du müßtest ohnmächtig sein! Seine Augen schlossen sich nicht. Was soll ich tun? Sie zögerte, dann biß sie die Zähne zusammen und schlug noch einmal zu.

Seine Augen schlossen sich, und er sackte auf dem Stuhl zusammen. Suza ergriff seine Füße und zog. Er rutschte nach vorn, und sein Kopf prallte auf den Boden, so daß Suza zusammenzuckte, aber dann sagte sie sich: Um so besser, er wird länger bewußtlos sein.

Suza zerrte ihn zu einem Schrank. Ihr Atem ging in Stößen – aus Furcht wie aus Erschöpfung. Aus ihrer Jeanstasche zog sie ein langes Stück Packseil, das sie im Heck aufgelesen hatte. Sie band Alexanders Füße, drehte ihn um und knüpfte ihm die Hände auf dem Rücken zusammen.

Sie mußte ihn irgendwie im Schrank unterbringen. Ein Blick auf die Tür: O Gott, laß niemanden reinkommen! Sie legte seine Füße hinein, beugte sich über seinen bewußtlosen Körper und versuchte, ihn anzuheben. Er war ein schwerer Mann. Suza richtete ihn halb auf, aber als sie sich bemühte, ihn in den Schrank zu schieben, entglitt er ihrem Griff. Sie trat hinter ihn, legte ihm die Hände unter die Achseln und zog. So war es besser. Sie konnte sein Gewicht gegen ihre Brust lehnen, während sie den Griff wechselte. Wieder richtete sie ihn halb auf, dann verschränkte sie die Arme um seine Brust und schob sich langsam zur Seite. Sie mußte sich ebenfalls in den Schrank zwängen, ihn loslassen und sich dann unter ihm hinauswinden.

Er saß jetzt im Schrank; seine Füße drückten gegen eine Seite, seine Knie waren gebeugt, sein Rücken war gegen die andere Seite gelehnt. Sie überprüfte seine Fesseln: immer noch fest. Aber er könnte um Hilfe rufen! Suza blickte sich um, um einen Knebel zu finden. Sie konnte nichts entdecken. Für den Fall, daß er inzwischen zu sich kam, durfte sie den Raum nicht verlassen, um nach einem Knebel zu suchen. Ihr fiel nichts anderes ein als ihre Strumpfhose.

Es schien ewig zu dauern. Sie mußte ihre geborgten Seestiefel, ihre Jeans und ihre Strumpfhose ausziehen, die Jeans und die Stiefel wieder überziehen, den Nylonstoff zusammenknüllen und ihn zwischen seine schlaffen Kiefer stopfen.

Sie konnte die Schranktür nicht schließen. »O Gott!« stöhnte sie. Alexanders Ellbogen war im Weg. Seine gefesselten Hände ruhten auf dem Schrankboden, und da sein Körper zusammengesunken war, wurden seine Arme nach außen gedrängt. Wie sehr sie die Tür auch stoßen und schieben mochte, der Ellbogen blieb ein Hindernis. Schließlich mußte sie wieder zu ihm in den Schrank steigen und ihn etwas auf die Seite drehen, so daß er sich in die Ecke lehnte. Nun war der Ellbogen nicht mehr im Weg.

Suza betrachtete ihn noch einen Moment. Wie lange blieb ein Mensch gewöhnlich bewußtlos? Sie hatte keine Ahnung. Es war am besten, noch einmal zuzuschlagen, aber sie hatte Angst, ihn zu töten. Sie holte die Flasche und hob sie sogar über den Kopf, aber im letzten Augenblick verlor sie die Nerven, stellte die Flasche ab und schleuderte die Schranktür zu.

Suza warf einen Blick auf ihre Armbanduhr und stöhnte vor Entsetzen auf: Es war zehn Minuten vor fünf. Die *Coparelli* würde bald auf dem Radarschirm der *Karla* erscheinen, Rostow würde hier sein, und sie hätte keine Chance mehr.

Sie setzte sich an den Funktisch, legte den Schalter auf SENDEN um, wählte das Gerät, das schon auf die Wellenlänge der *Coparelli* eingestellt war, und beugte sich über das Mikrofon.

»*Coparelli*, bitte kommen.«

Sie wartete.

Nichts.

»*Coparelli*, bitte kommen.«

Nichts.

»Zur Hölle mit dir, Nat Dickstein, *sprich*. Nathaniel!«

*

Nat Dickstein stand im mittleren Laderaum der *Coparelli* und musterte die Fässer mit dem sandfarbenen metallischen Erz, das so viel gekostet hatte. Sie sahen nicht nach etwas Besonderem aus – es waren einfach große schwarze Ölfässer, auf deren Seiten das Wort PLUMBAT gemalt war. Er hätte gern eines geöffnet und das Zeug nur so zum Spaß befühlt, aber die Deckel waren fest versiegelt.

Er war in selbstmörderischer Stimmung. Statt des Siegestaumels spürte er nur schmerzlichen Verlust. Er konnte sich nicht über die Terroristen freuen, die er getötet hatte, er konnte nur seine eigenen Toten betrauern.

Dickstein durchlebte die Schlacht noch einmal, wie er es während der ganzen schlaflosen Nacht getan hatte. Wenn er Abbas befohlen hätte, das Feuer zu eröffnen, sobald er an Bord war, wären die Feddajin vielleicht so lange abgelenkt worden, daß Gibli unbemerkt über die Reling hätte klettern können. Wenn er mit drei Männern schon zu Beginn des Kampfes Granaten auf die Brücke geworfen hätte, wäre die Messe vielleicht früher erobert worden, und man hätte Leben geschont. Wenn . . . Aber es gab hundert Dinge, die er anders gemacht hätte, wenn er die Zukunft hätte vorhersehen können oder wenn er einfach ein weiserer Mann wäre.

Immerhin würde Israel jetzt Atombomben haben, um auf ewig geschützt zu sein.

Sogar dieser Gedanke ließ ihn keine Freude empfinden. Ein Jahr vorher wäre er begeistert gewesen. Aber ein Jahr vorher war er Suza Ashford noch nicht begegnet.

Er hörte ein Geräusch und blickte nach oben. Es klang, als wenn Menschen an Deck umherliefen. Zweifellos irgendeine nautische Krise.

Suza hatte ihn verändert. Sie hatte ihn gelehrt, mehr vom Leben zu erwarten als einen Sieg im Kampf. Wenn er sich auf diesen Tag vorbereitet hatte, wenn er daran gedacht hatte, wie es sein würde, diese großartige Leistung vollbracht zu haben, war sie immer in seinen Tagträumen gewesen, hatte irgendwo auf ihn gewartet, bereit, seinen Triumph mit ihm zu teilen. Aber sie würde nicht da sein. Niemand anders konnte sie ersetzen. Und eine einsame Feier konnte keine Freude bereiten.

Dickstein hatte lange genug vor sich hin gestarrt. Er stieg die Leiter aus dem Laderaum hinauf und überlegte, was er mit dem Rest seines Lebens anfangen sollte. Auf Deck sah ein Matrose ihn. »Mr. Dickstein?«

»Ja, was ist?«

»Wir haben auf dem ganzen Schiff nach Ihnen gesucht . . . Das Funkgerät, jemand ruft die *Coparelli*. Wir haben nicht geantwortet, weil wir schließlich nicht mehr die *Coparelli* sind. Aber sie sagt . . .«

»Sie?«

»Ja. Sie ist sehr deutlich zu hören – Sprechfunk, nicht Morse. Scheint in der Nähe zu sein, und sie ist sehr aufgeregt. ›Sprich, Nathaniel!‹ sagt sie dauernd. Oder so ähnlich.«

Dickstein packte die Bord-Pijacke des Matrosen. »Nathaniel?« brüllte er. »Hat sie Nathaniel gesagt?«

»Ja. Es tut mir leid, wenn . . .«

Aber Dickstein rannte schon auf die Brücke zu.

*

Nat Dicksteins Stimme war über Funk zu hören. »Wer ruft die *Coparelli?*«

Plötzlich war Suza stumm. Nach allem, was sie durchgemacht hatte, seine Stimme zu hören, ließ sie schwach und hilflos werden.

»Wer ruft die *Coparelli*?«

Sie fand ihre Stimme wieder. »Oh, Nat, endlich.«

»Suza? Ist da Suza?«

»Ja, ja.«

»Wo bist du?«

Sie sammelte sich. »Ich bin mit David Rostow auf einem russischen Schiff namens *Karla*. Schreib dir dies auf.« Sie gab ihm die Position, den Kurs und die Geschwindigkeit, die ihr der erste Offizier genannt hatte. »Das war heute morgen um 4.10 Uhr. Nat, das Schiff wird euch um 6 Uhr rammen.«

»Rammen? Wieso? Oh, ich verstehe . . .«

»Nat, sie können mich jeden Moment am Funkgerät erwischen. Was können wir tun? Schnell . . .«

»Kannst du genau um 5.35 Uhr für irgendeine Ablenkung sorgen?«

»Eine Ablenkung?«

»Leg ein Feuer, ruf ›Mann über Bord‹ – tu irgend etwas, um alle für ein paar Minuten zu beschäftigen!«

»Hm – ich werde es versuchen –«

»Gib dir Mühe. Ich möchte, daß alle herumlaufen und keiner genau weiß, was los ist. Gehören alle zum KGB?«

»Ja.«

»Okay. Also . . .«

Die Tür des Funkraums öffnete sich – Suza schaltete auf SENDEN, Dickstein verstummte, und David Rostow trat ein. »Wo ist Alexander?« fragte er.

Suza versuchte zu lächeln. »Er hat sich Kaffee geholt. Ich vertrete ihn.«

»Der verdammte Dummkopf . . .« er fluchte auf russisch weiter, während er hinausstürmte.

Suza stellte den Schalter wieder auf EMPFANG.

»Ich habe zugehört«, sagte Nat. »Du solltest dich bis 5.30 Uhr rar machen –«

»Warte«, rief sie. »Was hast du vor?«

»Was ich vorhabe? Ich hole dich ab.«

»Oh. Oh, danke.«

»Ich liebe dich.«

Als sie abschaltete, war auf einem anderen Gerät eine Mitteilung in Morsecode zu vernehmen. Tyrin mußte jedes Wort ihrer Unterhaltung gehört haben, und nun würde er versuchen, Rostow zu warnen. Sie hatte vergessen, Nat von Tyrin zu berichten.

Sie konnte versuchen, wieder mit Nat Kontakt aufzunehmen, aber das wäre sehr riskant. Außerdem würde Tyrin in der Zeit, die Nats Männer benötigen würden, um die *Coparelli* zu durchsuchen, Tyrin zu finden und seine Ausrüstung zu zerstören, mit seiner Botschaft zu Rostow durchgedrungen sein. Dann würde Rostow wissen, daß Nat kam, und sich vorbereiten.

Suza mußte verhindern, daß ihn die Botschaft erreichte.

Und sie mußte verschwinden.

Sie beschloß, das Funkgerät zu zerstören.

Aber wie? Alle Drähte mußten hinter der Schalttafel sein. Sie benötigte einen Schraubenzieher. Schnell, schnell, bevor Rostow die Suche nach Alexander aufgibt! Sie fand Alexanders Geräte in einem Winkel und wählte einen kleinen Schraubenzieher. Dann löste sie die Schrauben an zwei Ecken der Schalttafel. Ungeduldig steckte sie den Schraubenzieher ein und riß die Tafel mit den Händen ab. Dahinter drängten sich zahlreiche Drähte wie psychedelische Spaghetti. Sie packte eine Handvoll und zog. Nichts geschah: Sie hatte an zu vielen gleichzeitig gezogen. Suza zerrte an einem; es gab nach. Hastig zog sie an den Drähten, bis fünfzehn oder zwanzig lose hinunterhingen. Der Morsecode klapperte immer noch weiter. Sie goß den Rest des Wodkas ins Innere des Gerätes. Die Geräusche verstummten, und alle Lichter an der Schalttafel gingen aus.

Etwas polterte im Schrank. Alexander erwachte aus seiner Ohnmacht. Nun, sie würden ohnehin Bescheid wissen, wenn sie das Funkgerät sahen.

Suza ging hinaus und schloß die Tür hinter sich.

Sie stieg die Leiter hinunter aufs Deck und überlegte, wo sie sich verstecken und welches Ablenkungsmanöver sie durchführen könnte. Es hatte keinen Zweck, »Mann über Bord« zu rufen – nach dem, was sie mit ihrem Funkgerät und ihrem Funker angestellt hatte, würde ihr niemand glauben. Den Anker hinunterlassen? Sie würde nicht wissen, wie sie es anfangen sollte.

Wie mochte Rostow jetzt vorgehen? Er würde Alexander in der Kombüse, der Messe und in dessen Kabine suchen. Da er ihn nicht finden konnte, würde er in den Funkraum zurückkehren und dann das ganze Schiff nach ihr durchkämmen lassen.

Rostow war ein methodischer Mann. Er würde am Bug beginnen und sich über das Hauptdeck nach hinten vorarbeiten. Dann würde er eine Gruppe ausschicken, um das Oberwerk zu durchsuchen, und eine andere, die sich Deck um Deck, von oben nach unten, vornahm.

Was war der niedrigste Schiffsteil? Der Maschinenraum. Dort würde sie sich verstecken müssen. Suza betrat das Schiffsinnere und schlich zu einem Niedergang. Sie hatte den Fuß auf die oberste Sprosse einer Leiter gestellt, als sie Rostow sah.

Und er sah sie.

Sie wußte nicht, wie sie zu den nächsten Worten fähig war. »Alexander ist wieder im Funkraum. Ich komme in einem Moment zurück.«

Rostow nickte grimmig und verschwand in Richtung des Funkraums.

Suza kletterte zwei Decks hinab und tauchte im Maschinenraum auf. Der zweite Ingenieur hatte nachts Dienst. Er starrte sie an, während sie näher kam.

»Dies ist die einzige warme Stelle des Schiffes«, sagte sie freundlich. »Macht es Ihnen etwas aus, wenn ich Ihnen Gesellschaft leiste?«

Er wirkte verblüfft und antwortete langsam: »Ich . . . kann nicht . . . sprechen . . . englisch . . . bitte.«

»Sie sprechen nicht englisch?«

Er schüttelte den Kopf.

»Ich friere.« Sie mimte ein Zittern und streckte die Hände nach der hämmernden Maschine aus. »Okay?«

Der Zweite Ingenieur war mehr als glücklich darüber, daß ihm dieses schöne Mädchen Gesellschaft leisten wollte. »Okay«, erwiderte er und nickte heftig.

Er betrachtete sie weiterhin mit erfreuter Miene, bis ihm plötzlich einfiel, daß er vielleicht seine Gastfreundschaft unter Beweis stellen sollte. Er schaute um sich, zog dann ein Päckchen Zigaretten aus der Tasche und bot ihr eine an.

»Ich rauche sonst nicht, aber ich werde eine Ausnahme machen«, sagte Suza und nahm eine Zigarette. Ein kleines Pappröhrchen diente als Filter. Der Ingenieur gab ihr Feuer. Suza erwartete beinahe, Rostow im nächsten Moment an der Luke zu sehen. Sie blickte auf ihre Uhr. Es konnte noch nicht 5.25 Uhr sein! Sie hatte keine Zeit nachzudenken. Lenke sie ab, lenke sie irgendwie ab. Rufe »Mann über Bord«, laß den Anker fallen, mach ein Feuer –

Mach ein Feuer.

Womit?

Benzin, es mußte Benzin geben oder Dieseltreibstoff oder sonst etwas – hier im Maschinenraum.

Sie musterte die Maschine. Wo wurde das Benzin eingeführt? Das Ding schien nur aus Rohren und Schläuchen zu bestehen. Konzentriere dich! Sie wünschte sich, daß sie den Motor ihres Wagens genauer studiert hätte. Waren Schiffsmaschinen genauso? Nein, manchmal benutzten sie Dieselöl. Und dieses Schiff? Es sollte schnell sein, deshalb würde es vielleicht mit Benzin betrieben. Sie erinnerte sich vage, daß Benzinmotoren in der Unterhaltung teurer, dafür aber schneller waren. Wenn es ein Benzinmotor war, würde er dem ihres Autos gleichen. Gab es Kabel, die zu den Zündkerzen führten? Sie hatte einmal eine Zündkerze ausgewechselt.

Ja, es war wie bei ihrem Auto. Sie erkannte sechs Zündkerzen, die mit einer runden Kappe wie mit einem Zündverteiler verbunden waren. Irgendwo mußte ein Vergaser sein. Das Benzin lief durch den Vergaser. Es war ein kleines Ding, das sich manchmal verstopfte –

Das Sprachrohr bellte etwas auf russisch, und der Ingenieur ging darauf zu, um zu antworten. Er wandte Suza den Rücken zu.

Jetzt mußte sie es tun.

Sie entdeckte ein Maschinenteil von der Größe einer Kaffeedose mit einem Deckel, der in der Mitte von einer Mutter gehalten wurde. Es könnte der Vergaser sein. Suza streckte sich über die Maschine hinweg und versuchte, die Mutter mit den Fingern zu lösen, doch sie rührte sich nicht von der Stelle. Ein schwerer Kunststoffschlauch führte hinein. Sie packte es, zerrte mit aller Kraft daran, konnte es aber nicht herausziehen. Da fiel ihr ein, daß sie Alexanders Schraubenzieher in die Tasche ihrer Ölhaut gesteckt hatte. Sie holte ihn hervor und stach auf den Schlauch ein. Der Kunststoff war dick und zäh. Doch sie jagte die Spitze des Schraubenziehers so heftig hinein, daß ein kleiner Schnitt auf der Oberfläche des Schlauches entstand. Dort setzte sie den Schraubenzieher an und hebelte ihn hin und her.

Der Ingenieur erreichte das Sprachrohr und sagte etwas auf russisch.

Suza merkte, wie der Schraubenzieher den Kunststoff durchbohrte. Sie zog ihn heraus. Klare Flüssigkeit sprühte aus einem kleinen Loch, und die Luft füllte sich mit dem Geruch von Benzin. Sie ließ den Schraubenzieher fallen und rannte auf die Leiter zu.

Suza hörte, wie der Ingenieur eine Frage aus dem Sprachrohr mit »Da« beantwortete. Ein mit zorniger Stimme gegebener Befehl folgte. Als sie den Fuß der Leiter erreichte, blickte sie sich um. Das lächelnde Gesicht des Ingenieurs hatte sich in eine Maske der Bosheit verwandelt. Sie kletterte die Leiter hinauf, während er durch den Maschinenraum auf sie zulief.

Am Kopf der Leiter wandte sie sich um. Sie sah, wie sich ein Benzintümpel auf dem Deck ausbreitete und wie der Ingenieur den Fuß auf die unterste Sprosse der Leiter setzte. Suza hielt immer noch die Zigarette in der Hand, die er ihr gegeben hatte. Sie zielte auf die Stelle, an der das Benzin aus dem Schlauch sprudelte, und warf die Zigarette der Maschine entgegen.

Suza wartete nicht, um zu sehen, wo sie gelandet war. Sie stieg weiter nach oben. Ihr Kopf und ihre Schultern tauchten auf dem nächsten Deck auf, als von unten ein lautes Zischen ertönte, ein helles rotes Licht aufflammte und eine Welle sengender Hitze um sich griff. Suza schrie, da ihre Hose Feuer fing und die Haut ihrer Beine brannte. Sie sprang die letzten Zentimeter der Leiter hinauf und rollte sich über den Boden. Dabei schlug sie auf ihre Hose ein, mühte sich aus der Ölhaut und schaffte es, sie um ihre Beine zu wickeln. Das Feuer war gelöscht, aber der Schmerz wurde schlimmer.

Am liebsten wäre sie liegengeblieben. Sie wußte, daß sie ohnmächtig werden und der Schmerz verschwinden würde, wenn sie sich hinlegte, aber sie mußte vor dem Feuer fliehen, und sie mußte an eine Stelle, an der Nat sie finden konnte. Suza zwang sich aufzustehen. Ihre Beine fühlten sich an, als stünden sie immer noch in Brand. Sie schaute hinab, sah, daß sich kleine Stücke wie verbranntes Papier lösten, und fragte sich, ob sie von ihrer Hose oder ihren Beinen stammten.

Suza machte einen Schritt. Sie konnte immer noch gehen.

Langsam taumelte sie durch den Gang. Überall an Bord des Schiffes begann der Feueralarm zu ertönen. Sie kam am Ende des Ganges an und stürzte sich auf die Leiter. Nach oben, sie mußte nach oben.

Suza hob einen Fuß, stellte ihn auf die niedrigste Sprosse und begann die längste Kletterpartie ihres Lebens.

18

Zum zweitenmal in 24 Stunden überquerte Nat Dickstein gewaltige Wellenberge in einem kleinen Boot, um ein Schiff zu entern, das in der Hand des Feindes war. Er war so wie vorher mit Schwimmweste, Ölzeug und Seestiefeln bekleidet; wieder war er mit einer Maschinenpistole, einer Pistole und Granaten bewaffnet, doch diesmal war er allein und hatte Angst.

Nach Suzas Funkmitteilung hatte es an Bord der *Coparelli* eine Diskussion über die nächsten Maßnahmen gegeben. Der Kapitän, Feinberg und Ish hatten ihren Dialog mit Dickstein gehört. Sie hatten das Frohlocken in Nats Miene gesehen und sich zu dem Argument berechtigt gefühlt, daß sein Urteilsvermögen nun von persönlichen Erwägungen beeinträchtigt werde.

»Es ist eine Falle«, meinte Feinberg. »Sie können uns nicht einholen, deshalb wollen sie, daß wir zurückkommen und kämpfen.«

»Ich kenne Rostow«, erwiderte Dickstein heftig. »Genauso arbeitet sein Geist: Er wartet, bis man zu fliehen versucht, dann schlägt er zu. Die Idee, uns zu rammen, ist typisch für ihn.«

Feinberg wurde wütend. »Dies ist kein Spiel, Dickstein.«

»Hören Sie zu, Nat«, sagte Ish besonnener, »lassen Sie uns weiterfahren und uns für den Fall, daß sie uns einholen, auf einen Kampf vorbereiten. Was haben wir zu gewinnen, wenn wir eine Gruppe zum Entern ausschicken?«

»Davon ist nicht die Rede. Ich gehe allein.«

»Seien Sie kein verdammter Narr«, erwiderte Ish. »Wenn Sie gehen, kommen wir mit. Sie können ein Schiff nicht allein erobern.«

Dickstein versuchte, sie zu beruhigen. »Wenn ich es schaffe, wird *Karla* dieses Schiff nie einholen. Wenn nicht, könnt ihr immer noch kämpfen, wenn die *Karla* zu euch aufschließt. Und wenn sie euch wirklich nicht einholen kann und es eine Falle ist, bin ich der einzige, der hineinfällt. Das ist der beste Weg.«

»Das glaube ich nicht«, sagte Feinberg.

»Ich auch nicht«, stimmte Ish zu.

Dickstein lächelte. »Aber ich, und es geht um mein Leben. Außerdem bin ich hier der ranghöchste Offizier; es ist meine Entscheidung, und zum Teufel mit euch.«

Er hatte sich also umgezogen und bewaffnet, und der Kapitän hatte ihm gezeigt, wie das Funkgerät der Barkasse zu bedienen war und wie er den Abfangkurs auf die *Karla* beibehalten konnte. Sie hatten die Barkasse hinuntergelassen, er war hineingeklettert und davongefahren.

Dickstein hatte schreckliche Angst.

Es war unmöglich, eine ganze Besatzung von KGB-Leuten allein zu überwältigen. Doch das beabsichtigte er auch gar nicht. Er würde mit keinem von ihnen kämpfen, wenn er es vermeiden konnte. Dickstein wollte sich an Bord stehlen, sich verstecken, bis Suzas Ablenkungsmanöver begann, und dann nach ihr Ausschau halten; wenn er sie gefunden hatte, würde er die *Karla* mit ihr verlassen und fliehen. Er hatte eine kleine Magnetmine bei sich, die er am Rumpf der *Karla* anbringen würde, bevor er sich an Bord schlich. Ob es ihm gelang zu entkommen oder nicht, ob die ganze Sache eine Falle oder die Wahrheit war, die *Karla* würde ein so großes Loch im Rumpf haben, daß sie die *Coparelli* niemals einholen könnte.

Dickstein war sicher, daß es keine Falle war. Er wußte, daß sie an Bord des Schiffes war, daß man irgendeine Macht über sie gehabt und sie gezwungen hatte, ihnen zu helfen. Ihm war klar, daß sie ihr Leben riskierte, um seines zu retten. Er wußte, daß sie ihn liebte.

Und *deshalb* hatte er solche Angst.

Plötzlich wollte er leben. Die Blutgier war verschwunden. Er war nicht mehr daran interessiert, seine Feinde zu töten, Rostow zu besiegen, die Pläne der Feddajin zu vereiteln oder den ägyptischen Geheimdienst zu überlisten. Er wollte Suza finden, sie mit sich nach Hause nehmen und den Rest seines Lebens mit ihr verbringen. Nun fürchtete er sich vor dem Tod.

Er konzentrierte sich darauf, sein Boot zu lenken. Es war nicht leicht, die *Karla* bei Nacht zu finden. Er konnte einen stetigen Kurs einhalten, aber mußte in Betracht ziehen, wie weit der Wind und die Wellen ihn seitlich abtrieben. Nach einer Viertelstunde wußte er, daß er sie längst hätte erreicht haben müssen, doch die *Karla* war nirgends zu sehen. Er begann, ein zickzackförmiges Suchmuster zu beschreiben, und fragte sich verzweifelt, wie weit er vom Kurs abgekommen war.

Dickstein erwog, die *Coparelli* über Funk um eine neue Positionsangabe zu bitten, als die *Karla* plötzlich neben ihm aus der Nacht auftauchte. Sie war schneller als seine Barkasse; er mußte die Leiter an ihrem Bug erreichen, bevor sie vorbei war, und gleichzeitig eine Kollision vermeiden. Dickstein jagte die Barkasse vorwärts, wich aus, als die *Karla* auf ihn zurollte, dann drehte er bei, während sie in die andere Richtung schlingerte.

Dickstein hatte sich schon ein Seil um die Hüfte gebunden. Die Leiter war in Reichweite; er legte den Leerlauf ein, trat auf den Schandeckel und sprang. Die *Karla* stampfte nach vorn, als er auf der Leiter landete. Er klammerte sich fest, während ihr Bug sich in die Wellen bohrte. Das Meer erreichte seine Hüfte, seine Schultern. Er atmete tief ein, bevor sein Kopf unterging. Ihm schien, daß er überhaupt nicht mehr auftauchen würde. Die *Karla* neigte sich immer weiter nach vorn. Seine Lungen drohten zu platzen, da zögerte sie und begann sich aufzurichten. Das schien sogar noch länger zu dauern. Endlich tauchte er auf und schnappte gierig nach Luft. Er kletterte ein paar Sprossen hinauf, löste das Seil an seiner Hüfte, befestigte es an der Leiter und sicherte so das Boot bis zu seiner Flucht. Die Magnetmine hing an einem Tau, das er sich über die Schultern gelegt hatte. Er machte sie los und brachte sie am Rumpf der *Karla* an.

Das Uran war sicher.

Er warf seine Ölhaut ab und kletterte die Leiter empor.

Das Geräusch des Barkassenmotors war im Lärm des Windes, des Meeres und der Schiffsmaschinen unhörbar, aber irgend etwas mußte die Aufmerksamkeit des Mannes erregt haben, der über die Reling blickte, als Dickstein gerade auf Deckshöhe ankam. Der Mann starrte ihn einen Moment lang verblüfft an. Dickstein streckte die Hand aus, während er über die Reling kletterte. Der andere gehorchte automatisch dem natürlichen Instinkt, jemandem aus dem tobenden Meer an Bord zu helfen, und packte seinen Arm. Dickstein verhakte sich mit einem Bein an der Reling, ergriff den Arm des Matrosen mit beiden Händen und warf den anderen über Bord ins Meer. Sein Schrei verlor sich im Wind. Dickstein zog das andere Bein über die Reling und kauerte sich auf dem Deck zusammen.

Niemand schien den Vorfall bemerkt zu haben.

Die *Karla* war ein kleines Schiff, viel kleiner als die *Coparelli*. Sie hatte nur einen Aufbau, der mitschiffs lag und zwei Decks hoch war. Kräne besaß sie nicht. Am Vorderdeck führte eine große Luke zu einem Laderaum, doch achtern hatte sie keine Lademöglichkeit. Dickstein schloß, daß die Besatzungsquartiere und der Maschinenraum den Platz unter dem Achterdeck ganz ausfüllten.

Er schaute auf seine Uhr. Es war 5.25 Uhr. Suzas Ablenkungsmanöver mußte in jeder Sekunde beginnen, wenn sie überhaupt eine Chance hatte.

Dickstein schritt am Deck entlang. Die Schiffsbeleuchtung war eingeschaltet, doch ein Besatzungsmitglied mußte schon sehr genau hinsehen, um sicher zu sein, daß er nicht zur Mannschaft gehörte. Er zog sein Messer aus der Scheide an seinem Gürtel; wenn es sich vermeiden ließ, wollte er seine Pistole nicht benutzen, denn der Lärm würde die Jagd auf ihn auslösen.

Als er an dem Aufbau angelangt war, öffnete sich eine Tür, so daß ein Keil gelben Lichtes auf das von prasselndem Regen überschwemmte Deck fiel. Dickstein huschte um die Ecke und preßte sich gegen das vordere Schott. Er hörte zwei Stimmen, die russisch sprachen. Die Tür wurde zugeschlagen, und die Stimmen wurden leiser, während die Männer im Regen nach achtern gingen.

Dickstein überquerte das Schiff auf der Leeseite des Aufbaus nach Backbord und schlich weiter auf das Heck zu. Er blieb an der Ecke stehen, blickte sich vorsichtig um und sah, wie die beiden Männer über das Achterdeck gingen und mit einem dritten am Heck sprachen. Er war in Versuchung, alle drei mit einer Salve seiner Maschinenpistole auszulöschen – drei Männer machten wahrscheinlich ein Fünftel seiner Feinde aus –, entschied sich aber dagegen. Es war zu früh, Suzas Ablenkungsmanöver hatte noch nicht begonnen, und er hatte keine Ahnung, wo sie war.

Die beiden Männer kehrten über das Steuerborddeck zurück und traten wieder durch die Tür. Dickstein näherte sich dem anderen am Heck, der Wache zu halten schien. Der Mann sagte etwas auf russisch. Dickstein grunzte unverständlich, der Russe antwortete mit einer Frage, dann war Dickstein nahe genug, schnellte sich vor und schnitt dem Mann die Kehle durch.

Er warf die Leiche über Bord und legte wieder den gleichen Weg zurück. Zwei Tote, und sie wußten immer noch nicht, daß er an Bord war. Ein Blick auf die Uhr. Die Leuchtzeiger standen auf 5.30 Uhr. Es war Zeit hineinzugehen.

Dickstein öffnete eine Tür und sah eine leere Passage und einen Niedergang, der wahrscheinlich zur Brücke führte. Er kletterte die Leiter hinauf.

Laute Stimmen ertönten von der Brücke. Als er am Kopf der Leiter auftauchte, entdeckte er drei Männer – den Kapitän, den Ersten Offizier und vermutlich den Zweiten Offizier. Der Erste Offizier brüllte etwas ins Sprachrohr. Ein seltsames Geräusch kam zurück. Während Dickstein seine Maschinenpistole hob, legte der Kapitän einen Hebel um, und überall an Bord heulte ein Alarmsignal auf. Dickstein drückte ab. Das laute Rattern der Maschinenpistole wurde zum Teil von der wimmernden Sirene des Feueralarms verdeckt. Die drei Männer waren auf der Stelle tot.

Dickstein eilte die Leiter hinunter. Suzas Ablenkungsmanöver mußte mit dem Alarm begonnen haben. Nun brauchte er nur noch am Leben zu bleiben, bis er sie fand.

Der Niedergang von der Brücke erreichte das Deck am Kreuzungspunkt zweier Passagen – einer seitlichen, die Dickstein benutzt hatte, und einer anderen, die den Aufbau der Länge nach durchquerte. Der Alarm sorgte dafür, daß sich Türen öffneten und Männer beide Passagen füllten. Keiner von ihnen schien bewaffnet zu sein; es war ein Feueralarm, kein Aufruf, Kampfstellung zu beziehen. Dickstein entschloß sich zu einem Bluff; nur wenn der Trick versagte, wollte er schießen. Er schritt rasch durch die mittlere Passage, schob sich durch das Menschengewühl und rief auf deutsch: »Aus dem Weg!« Sie starrten ihn an, ohne zu wissen, wer er war oder was er tat – doch er schien eine Autoritätsperson zu sein, und schließlich brannte es irgendwo. Ein oder zwei Männer sprachen ihn an; er beachtete sie nicht.

Von irgendwoher wurde ein Befehl geschnarrt, und die Männer begannen, sich zielgerichtet zu bewegen. Dickstein kam am Ende der Passage an und wollte gerade die Leiter hinuntersteigen, als der Offizier, der den Befehl erteilt hatte, sichtbar wurde, auf ihn deutete und mit lauter Stimme eine Frage stellte.

Dickstein kletterte nach unten.

Auf den unteren Decks war man besser organisiert. Die Männer liefen in eine Richtung, auf das Heck zu, und eine Gruppe von drei Matrosen schaffte unter Aufsicht eines Offiziers Feuerlöschgeräte heran.

Dort, wo der Gang sich weitete, damit man Schläuche anschließen konnte, sah Dickstein etwas, was ihn für einen Moment aus der Fassung brachte und einen roten Schleier des Hasses vor seinen Augen erscheinen ließ.

Suza saß auf dem Boden, den Rücken an ein Schott gelehnt. Ihre Beine waren ausgestreckt, ihre Hose zerrissen. Er konnte ihre verbrannte und geschwärzte Haut durch die Fetzen erkennen. Rostows Stimme brüllte sie über den Lärm der Sirene hinweg an: »Was hast du Dickstein gesagt?«

Dickstein sprang von der Leiter hinunter auf das Deck. Einer der Matrosen stellte sich ihm in den Weg. Dickstein rammte ihm einen Ellbogen ins Gesicht, so daß er zusammenbrach, und stürzte sich auf Rostow.

Sogar in seiner maßlosen Wut war ihm bewußt, daß er in dieser Enge, während Rostow so nahe bei Suza war, seine Maschinenpistole nicht benutzen konnte. Außerdem wollte er den Mann mit eigenen Händen töten.

Er packte Rostows Schulter und wirbelte ihn herum. Rostow erkannte sein Gesicht: »Du!« Dickstein trieb ihm zuerst eine Faust in den Magen, so daß er in der Taille zusammenknickte und nach Luft schnappte. Während sich sein Kopf senkte, riß Dickstein schnell und kraftvoll ein Knie hoch, so daß er Rostows Kinn zurückschnellen ließ und ihm den Kiefer zertrümmerte. Ohne die Bewegung zu unterbrechen, legte er all seine Kraft in einen Tritt gegen die Kehle, der Rostow den Hals brach und ihn gegen das Schott prallen ließ.

Bevor Rostow zu Boden gegangen war, federte Dickstein herum, ließ sich auf ein Knie fallen, um sich die Maschinenpistole von der Schulter zu reißen, und eröffnete, mit Suza hinter sich, das Feuer auf drei Matrosen, die im Gang erschienen.

Er drehte sich wieder um, legte sich Suza über die Schulter und versuchte, ihr verkohltes Fleisch nicht zu berühren. Nun mußte er einen Moment lang nachdenken. Offensichtlich war das Feuer am Heck, da alle Männer dorthin gelaufen waren. Wenn er jetzt nach vorn ging, hatte er bessere Aussichten, nicht entdeckt zu werden.

Dickstein lief durch die Passage und trug sie die Leiter hinauf. Das Gefühl ihres Körpers auf seiner Schulter verriet ihm, daß sie immer

371

noch bei Bewußtsein war. Er erreichte das Hauptdeck, fand eine Tür und trat hinaus.

Auf Deck herrschte einige Verwirrung. Ein Mann rannte an ihm vorbei auf das Heck zu, ein anderer lief in die entgegengesetzte Richtung. Irgend jemand war am Bug. In der Heckvertiefung lag ein Mann, über den sich zwei andere beugten. Vermutlich war er durch das Feuer verletzt worden.

Dickstein spurtete auf die Leiter zu, über die er an Bord gekommen war. Er schlang sich die Maschinenpistole über die eine Schulter, verlagerte Suza ein wenig auf der anderen und setzte den Fuß über die Reling. Beim Abstieg warf er einen Blick über das Deck und wußte, daß sie ihn gesehen hatten.

Es war eine Sache, einen Unbekannten an Bord zu treffen und zunächst keine Fragen zu stellen, weil Feueralarm gegeben worden war, aber es war etwas ganz anderes, wenn jemand das Schiff mit einem Körper über der Schulter verließ.

Er hatte nicht ganz die Hälfte der Leiter zurückgelegt, als sie das Feuer auf ihn eröffneten.

Eine Kugel prallte pfeifend neben seinem Kopf vom Schiffsrumpf ab. Er schaute nach oben und sah drei Männer – zwei mit Pistolen –, die sich über die Reling lehnten. Dickstein hielt sich mit der linken Hand an der Leiter fest, packte seine Waffe mit der rechten, richtete sie nach oben und feuerte. Natürlich konnte er nicht zielen, aber die Männer wichen zurück.

Doch er verlor das Gleichgewicht.

Während sich der Bug des Schiffes aufbäumte, schwankte er nach links, ließ seine Maschinenpistole ins Meer fallen und faßte mit der rechten Hand nach der Leiter. Sein rechter Fuß rutschte von der Sprosse ab – und dann begann Suza zu seinem Entsetzen von seiner linken Schulter zu gleiten.

»Halt dich an mir fest«, schrie er, obwohl er nicht sicher sein konnte, ob sie nicht schon ohnmächtig war. Er spürte, wie ihre Hände sich an seinen Pullover klammerten, aber sie rutschte weiter ab, und nun zog ihr nicht mehr ausbalanciertes Gewicht ihn noch weiter nach links.

»Nein!« brüllte er.

Sie glitt von seiner Schulter und tauchte ins Meer.

Dickstein drehte sich um, sah die Barkasse, sprang hinunter und landete mit einem Aufprall, der ihm durch alle Knochen fuhr, in dem Boot.

Er rief ihren Namen in das schwarze Meer hinaus, stürzte sich von einer Seite des Bootes zur anderen, und seine Verzweiflung verstärkte sich mit jeder Sekunde, die sie unter Wasser blieb. Dann hörte er einen Schrei, der das Geräusch des Windes durchdrang. Er wandte sich dem Laut zu und sah ihr Gesicht knapp über der Oberfläche, zwischen dem Boot und dem Rumpf der *Karla*.

Sie war außer Reichweite.

Wieder schrie sie auf.

Die Barkasse war mit einem Tau, dessen größter Teil in dem Boot zusammengerollt war, mit der *Karla* verbunden. Dickstein durchschnitt das Tau mit seinem Messer und warf Suza das freie Ende zu.

Während sie die Hand nach dem Tau ausstreckte, schlug wieder eine Welle über ihr zusammen.

Vom Deck der *Karla* aus begann man wieder, über die Reling zu schießen.

Er achtete nicht darauf.

Dicksteins Augen kämmten das Meer ab. Da das Schiff und das Boot in verschiedene Richtungen schlingerten, war die Chance, getroffen zu werden, relativ gering.

Nach ein paar Sekunden, die wie Stunden schienen, tauchte Suza wieder auf. Dickstein schleuderte ihr das Tau zu. Diesmal konnte sie es packen. Rasch zog er sie immer dichter heran, bis er sich gefahrvoll über den Schandeckel der Barkasse beugen und ihre Handgelenke ergreifen konnte.

Nun war sie bei ihm, und er würde sie nie wieder loslassen.

Er zog sie in die Vertiefung der Barkasse. Von oben eröffnete eine Maschinenpistole das Feuer. Dickstein legte einen Gang ein, warf sich über Suza und bedeckte ihren Körper mit dem seinen. Die Barkasse entfernte sich führerlos von der *Karla*; sie trieb über die Wellen wie ein verlorenes Surfboard.

Die Schüsse verstummten. Dickstein blickte zurück. Die *Karla* war außer Sicht.

Sanft drehte er Suza um; ihre Augen waren geschlossen. Dickstein fürchtete um ihr Leben. Er nahm das Ruder der Barkasse, musterte den Kompaß und legte einen ungefähren Kurs an. Dann setzte er das Funkgerät des Bootes in Betrieb und rief die *Coparelli*. Während er auf eine Antwort wartete, hob er Suza zu sich und wiegte sie in den Armen.

Ein dumpfes Donnern rollte wie der Lärm einer fernen Explosion über das Wasser. Die Magnetmine.

Die *Coparelli* meldete sich. Dickstein sagte: »Die *Karla* steht in Brand. Kommt zurück und holt mich an Bord. Bereitet das Lazarett für das Mädchen vor – es hat schwere Verbrennungen.« Er wartete auf die Bestätigung, schaltete danach ab und starrte Suzas ausdrucksloses Gesicht an. »Stirb nicht. Bitte, stirb nicht.«

Suza schlug die Augen auf und sah ihn an. Sie öffnete den Mund und bemühte sich zu sprechen. Er neigte den Kopf zu ihr. »Bist du es wirklich?« flüsterte sie.

»Ich bin es.«

Ihre Mundwinkel verzogen sich zu einem schwachen Lächeln. »Ich werd's schaffen.«

Das Dröhnen einer mächtigen Explosion war zu hören. Das Feuer mußte die Treibstofftanks der *Karla* erreicht haben. Mehrere Sekunden war der Himmel von einer Flammenwand erleuchtet, die Luft füllte sich mit einem brüllenden Geräusch, und der Regen hörte auf. Dann erstarben das Geräusch und das Licht; die *Karla* war gesunken.

»Sie ist untergegangen«, sagte Dickstein. Er betrachtete Suza. Ihre Augen waren geschlossen, sie hatte das Bewußtsein verloren, doch sie lächelte immer noch.

Epilog

Nathaniel Dickstein gab seine Arbeit im Mossad auf, und sein Name wurde zur Legende. Er heiratete Suza und nahm sie mit in seinen Kibbuz, wo sie tagsüber Trauben anbauten und sich die halbe Nacht hindurch liebten. In seiner Freizeit organisierte er einen politischen Feldzug, um die Gesetze ändern zu lassen, so daß seine Kinder als Juden eingestuft werden konnten. Das Fernziel war, überhaupt alle Klassifikationen abzuschaffen.

Es dauerte noch eine Weile, bevor sie Kinder hatten. Beide waren bereit zu warten: Suza war jung, und er hatte es nicht eilig. Ihre Verbrennungen heilten nie völlig aus. Im Bett sagte sie manchmal: »Meine Beine sind schrecklich«, und er küßte ihre Knie und entgegnete: »Sie sind wunderschön, sie haben mir das Leben gerettet.«

Als der Jom-Kippur-Krieg die israelischen Streitkräfte überraschte, wurde Pierre Borg für den Mangel an Geheimdienstinformationen verantwortlich gemacht, und er trat zurück. Die Wahrheit war komplizierter. In Wirklichkeit war ein russischer Geheimdienstoffizier namens David Rostow dafür verantwortlich – ein alt wirkender Mann, der in jeder Sekunde seines Lebens eine Halsstütze tragen mußte. Er war nach Kairo gereist, hatte alle Ereignisse des Jahres 1968, beginnend mit dem Verhör und dem Tod eines israelischen Agenten namens Tofik, erforscht und war zu dem Schluß gekommen, daß Kawash ein Doppelagent sein mußte. Statt Kawash verurteilen und wegen Spionage hängen zu lassen, hatte Rostow den Ägyptern geraten, ihn mit falschen Informationen zu füttern, die Kawash in aller Unschuld an Pierre Borg weitergab.

Das Ergebnis war, daß Nat Dickstein seinen Dienst wieder antrat und Pierre Borgs Posten für die Dauer des Krieges übernahm. Am Montag, dem 8. Oktober 1973, nahm er an einer Krisensitzung des Kabinetts teil. Nach drei Kriegstagen war die Lage der Israelis ernst. Die

Ägypter hatten den Suezkanal überschritten und die Israelis unter schweren Verlusten auf die Sinai-Halbinsel zurückgetrieben. An der anderen Front, den Golan-Höhen, drängten die Syrer vor, wobei die Israelis ebenfalls schwere Verluste erlitten. Dem Kabinett war vorgeschlagen worden, Atombomben auf Kairo und Damaskus abzuwerfen. Nicht einmal den militantesten Ministern gefiel diese Idee, aber die Lage war verzweifelt, und die Amerikaner ließen sich Zeit mit dem Abflug ihrer Waffentransporte, durch die das Blatt noch gewendet werden konnte.

Die Sitzungsteilnehmer hatten sich beinahe darauf geeinigt, Atomwaffen zu verwenden, als Nat Dickstein seinen einzigen Diskussionsbeitrag lieferte: »Natürlich könnten wir den Amerikanern *sagen*, daß wir vorhaben, diese Bomben – zum Beispiel am Mittwoch – abzuwerfen, wenn sie nicht sofort ihre Transportflugzeuge in Bewegung setzen.«

Und genau das tat man auch.

*

Die Waffentransporte wendeten das Blatt tatsächlich, und später fand eine ähnliche Krisensitzung in Kairo statt. Wieder war niemand für einen Atomkrieg im Nahen Osten, wieder begannen die am Tisch versammelten Politiker einander zu überzeugen, daß es keine Alternative gab, und wieder wurde der Plan von einem unerwarteten Beitrag zunichte gemacht.

Diesmal war es das Militär, das einschritt. Da es den Vorschlag kannte, der dem Präsidenten vorliegen würde, hatte es seine nukleare Streitmacht für den Fall einer positiven Entscheidung überprüfen lassen. Man hatte entdeckt, daß alles Plutonium in den Bomben entfernt und durch Eisenspäne ersetzt worden war. Es wurde vermutet, daß die Russen dafür verantwortlich waren, genauso wie sie den Atomreaktor in Kattara auf rätselhafte Weise funktionsunfähig gemacht hatten, bevor sie im Jahre 1972 aus Ägypten ausgewiesen wurden.

In jener Nacht unterhielt sich ein Präsident fünf Minuten lang mit seiner Frau, bevor er in seinem Sessel einschlief. »Es ist alles vorbei«, sagte er. »Israel hat gewonnen – für immer. Es hat die Bombe, und wir nicht. Diese Tatsache wird den Lauf der Geschichte in unserem Gebiet für den Rest des Jahrhunderts bestimmen.«

»Was ist mit den palästinensischen Flüchtlingen?« fragte seine Frau.

Der Präsident zuckte die Achseln und begann, sich seine letzte Pfeife des Tages anzustecken. »Ich erinnere mich an einen Artikel in der Londoner *Times* . . . vor vielleicht fünf Jahren. Darin stand, daß die Free Wales Army in einer Polizeiwache von Cardiff eine Bombe versteckt hatte. Hast du eine Ahnung, vor wie langer Zeit die Waliser von den Angelsachsen unterworfen wurden?«

»Nicht die geringste.«

»Ich auch nicht, aber es muß mehr als tausend Jahre her sein, da die Normannen die Angelsachsen vor neunhundert Jahren besiegten. Verstehst du? Tausend Jahre, und sie legen immer noch Bomben in Polizeiwachen! Die Palästinenser werden wie die Waliser sein . . . Sie können tausend Jahre lang in Israel Bomben legen, aber sie werden nie gewinnen.«

*

Franz Albrecht Pedler starb im Jahre 1974. Es war ein friedlicher Tod. Sein Leben hatte Höhen und Tiefen gesehen – schließlich hatte er die schändlichste Epoche in der Geschichte seiner Nation erlebt –, aber er war unversehrt geblieben und hatte seine Tage glücklich beschlossen.

Er hatte erraten, was mit dem Uran geschehen war. Eines Tages zu Beginn des Jahres 1969 hatte seine Firma einen Scheck über zwei Millionen Dollar, unterzeichnet von A. Papagopulos, und einer Erklärung (»Für verlorene Fracht«) von Savile Shipping erhalten. Am nächsten Tag war ein Vertreter der israelischen Armee eingetroffen und hatte die Bezahlung für die erste Lieferung von Reinigungsmaterialien überbracht. Beim Hinausgehen hatte der Mann gesagt: »Was Ihre verlorene Fracht betrifft, würden wir uns freuen, wenn Sie keine weiteren Nachforschungen anstellten.«

Pedler war ein Licht aufgegangen. »Und wenn Euratom mir Fragen stellt?«

»Sagen Sie die Wahrheit«, erwiderte der Mann. »Ihre Fracht ging verloren, und als Sie versuchten, Erkundigungen einzuziehen, merkten Sie, daß Savile Shipping sein Geschäft aufgegeben hatte.«

»Stimmt das?«

»Es stimmt.«

Und genau das hatte Pedler gegenüber der Euratom erklärt. Man schickte ihm einen Ermittler, und er wiederholte seine Geschichte, die völlig zutreffend, wenn auch nicht ganz vollständig war. Am Ende fragte Pedler: »Ich nehme an, daß die Sache bald viel Staub aufwirbeln wird?«

»Das bezweifle ich«, meinte der Ermittler. »Das würde ein schlechtes Licht auf uns werfen. Ich glaube nicht, daß wir die Geschichte bekanntmachen werden, wenn wir nicht noch mehr Informationen auftreiben.«

Natürlich erhielten sie nicht mehr Informationen – wenigstens nicht zu Pedlers Lebzeiten.

*

Am Jom Kippur des Jahres 1974 setzten bei Suza Dickstein die Wehen ein.

Wie es der Sitte dieses Kibbuz entsprach, wurde das Baby von seinem Vater zur Welt gebracht, während eine Hebamme dabeistand, um Rat und Ermutigung zu spenden. Sobald der Kopf des Kindes auftauchte, öffnete es den Mund und schrie. Dicksteins Sicht wurde verschwommen. Er hielt den Kopf, vergewisserte sich, daß die Nabelschnur nicht um den Hals gewickelt war, und sagte: »Gleich ist es geschafft, Suza.«

Suza preßte noch einmal, die Schultern des Babys erschienen, und danach war alles eine Kleinigkeit. Dickstein band die Nabelschnur an zwei Stellen ab, durchschnitt sie und legte das Baby dann – wieder den örtlichen Bräuchen gemäß – in die Arme der Mutter.

»Ist alles in Ordnung?« fragte sie.

»Vollkommen«, sagte die Hebamme.

»Was ist es?«

»O Gott«, stöhnte Dickstein, »ich habe gar nicht hingesehen . . . Es ist ein Junge.«

Ein wenig später fragte Suza: »Wie wollen wir ihn nennen? Nathaniel?«

»Ich möchte ihn Tofik nennen.«

»Tofik? Ist das nicht ein arabischer Name?«

»Ja.«

»Warum? Warum Tofik?«

»Tja, das ist eine lange Geschichte.«